팬데믹 이후 한

KB170281

ㅏ 모색

New Challenges and Perspecti

r the Pandemic

팬데믹 이후 한국어 교육의 새로운 도전과 모색

New Challenges and Perspectives in Korean Language Education After the Pandemic

블랑카 페르클로바, 정연우, 이페트라, 이일성 엮음

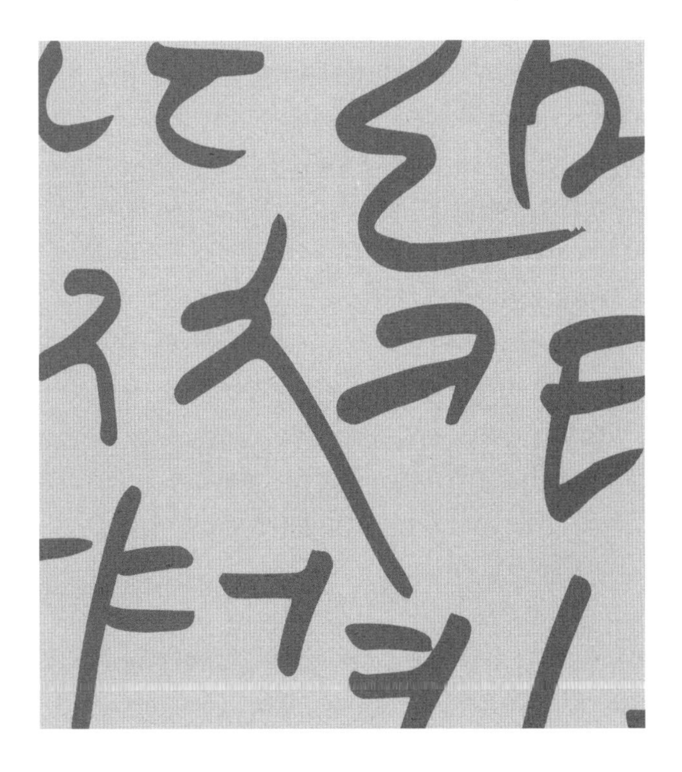

제 9 회 유럽한국어교육자협회 워크숍 논문집

머리말

최근 세계 곳곳에서 한국어와 한국 문화에 대한 관심이 꾸준히 증가하면서 전통적으로 한국학의 중심지 역할을 담당해 왔던 대학들도 학생과 지원자들의 전례 없는 수적 증가를 경험하고 있으며 그들의 관심을 기반으로 새로운 학습 프로그램과 일자리도 창출되고 있는 실정이다. 이러한 변화는 전통적인 수업 방식과 교육 기술 연구를 위한 공간, 학습 도구 및 교육 자료 개발과 실제 적용에 혁신을 불러일으켰다.

유럽뿐만 아니라, 전 세계 여러 나라에서 한국어를 가르치는 일은 도전의 연속일 것이다. 신중한 비교언어 연구 결과를 토대로 주어진 수업 자료와 교수법을 특정 국가의 언어와 문화에 맞춰 적절히 리모델링하는 일은 무엇보다도 중요하다고 할 수 있다. 그러나 다른 한편으로는 보편적으로 사용할 수 있는 교육 자료와 과정을 개발하고 이를 동료 교육자들과 공유하는 일도 중요하다.

지난 팬데믹 기간 동안 평범했던 일상이 마비되면서 외국어로서의 한국어 수업에도 큰 변화가 찾아왔다. 시간이 갈수록 현장에서 학생들을 가르치는 일이 불가능해지면서 한국어 교육자들은 새로운 교수법을 모색해야 했고, 그전까지는 보충 역할로만 사용했던 도구의 사용법을 익혀 주된 교수 수단으로 삼아야 했다. 1년 이상 지속된 팬데믹 기간 동안 많은 교육자들이 학생과 동료를 전자 장치의 화면을 통해 만나게 되면서 기술적인 환경과 품질이 수업에 상당한 영향을 미쳤다. 그러나 해결해야 할 근본적인 문제는 외국어 교육과 같이 교사와 학생, 학생 간의 직접 접촉과 상호 작용이 매우 민감한 과목에서 수업을 원격 형태로 전환해야 한다는 것이었다. 본 논문집에서는 이와 관련하여 모범이 될 만한 해결책과 과정을 제시하고 있다. 팬데믹 기간 동안 이루어진 한국어 수업은 디지털화의 경계를 뛰어넘어 새로운 해결책뿐만 아니라, 기존 도구의 더 나은 사용법과 결합을 모색하기 위한 공간을 창출했다.

팬데믹이 한국어 교육에 미친 영향을 단순히 부정적으로만 평가할 수는 없을 것이다. 많은 교육자들은 팬데믹을 통해 원격 교육의 필요성을 실감하고 이를 구현하고자 큰 노력을 기울이며 전례 없는 창의성을 발휘하였다. 그러는 동안 다양한 프로그램과 애플

리케이션의 기능을 실험하고 자료를 디지털화하였으며 동영상 등의 도구들을 사용하고 관련 정보를 공유하며 한국어 교육의 한계를 넘어서고자 노력하였다. 그리고 중요한 것은 팬데믹 기간이 끝나면서 현장 교수의 가능성이 재개되었음에도 이러한 학습 절차와 도구는 잊혀지지 않았다는 것이다. 많은 교육자들이 이를 보조 학습 도구로 적극적으로 사용하면서 효과적인 한국어 교육 및 한국 문화 교육을 위한 자산으로 남았다.

본 논문집에는 팬데믹 기간의 한국어 교육을 주요 주제로 하는 기고문뿐만 아니라 한국어 교육의 다양한 측면을 다룬 고전 음성학, 문법, 의미론, 번역, 문화, 역사 및 기타 연구도 포함되어 있다.

본 논문집의 저자들은 유럽한국어교육자협회(EAKLE)의 소속이나 유럽 국가에만 국한되어 활동하지 않으며 내용상으로도 한국어 교육에만 국한되지 않는다. EAKLE 소속 회원들은 여러 관련 분야에서 광범위하게 활동하며 동료 교육자들을 만나 그들의 경험과 전문 지식을 공유하고 수업과 교수법을 향상시키는 것을 주요 목표로 삼고 있다. 최근에는 2022년 9월 29일부터 10월 2일에 걸쳐 체코 올로모우츠 소재 팔라츠키대학교 아시아학과에서 하이브리드 형식으로 워크숍이 개최되었으며 이때 발표된 기고문들을 정리하여 본 논문집에 실었다.

끝으로 본 논문집을 준비한 편집팀의 일원으로 올로모우츠 소재 팔라츠키대학교 아시아학과의 Andreas Schirmer 교수님과 EAKLE 워크숍 주최자분들, 그리고 이번 워크숍을 준비하고 문제없이 진행할 수 있도록 동참해 준 동료들과 학생들에게 감사의 인사를 전한다.

2023년 6월

체코 올로모우츠·프라하에서

블랑카 페르클로바, 정연우, 이페트라, 이일성

차례

III. 어휘 및 문법과 한국어 교육

IV. 학습자 및 교육 자료와 한국어 교육

V. 한자와 한국어 교육

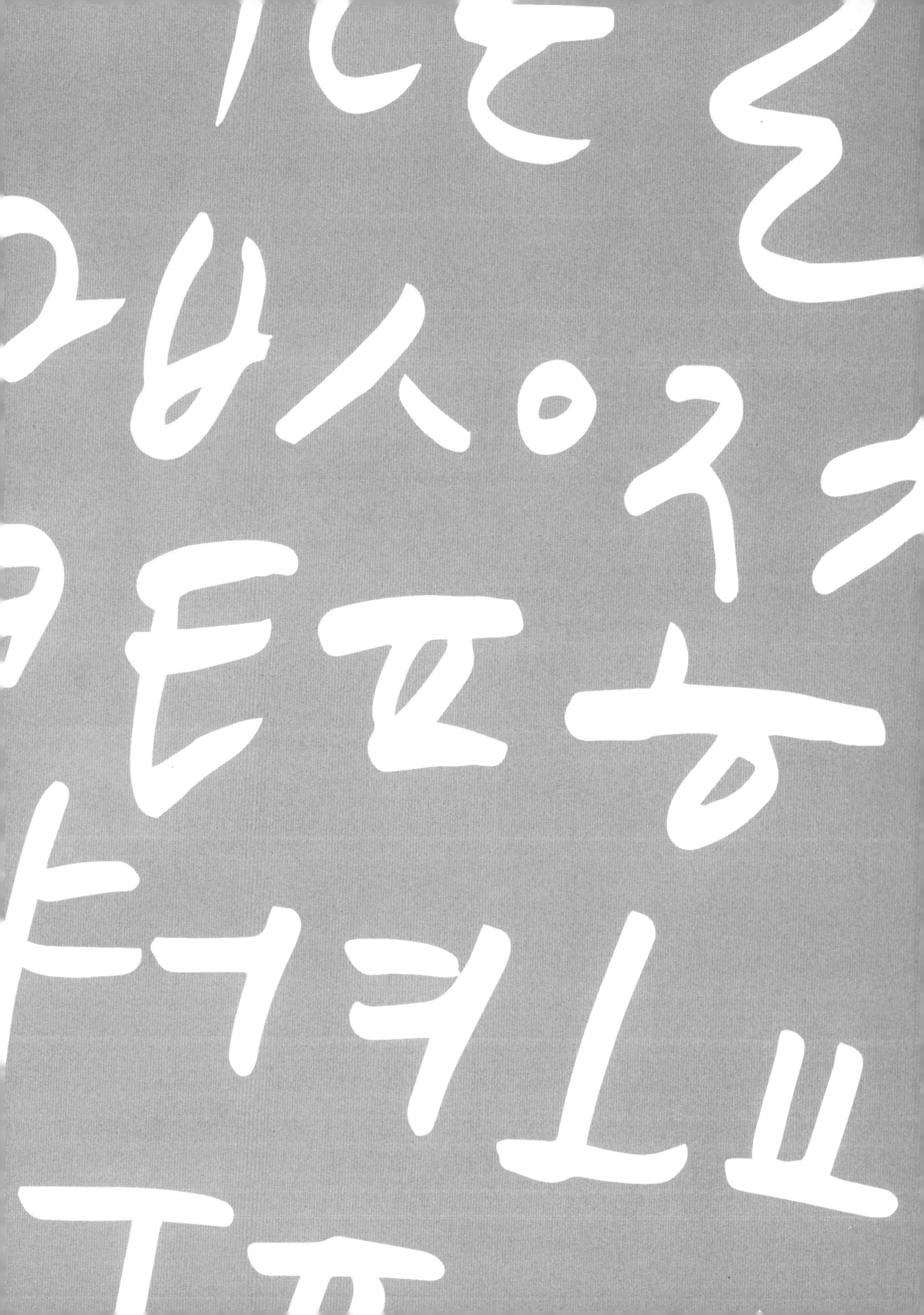

교수법 및 비대면 수업과 한국어 교육

제1장

Designing Project Modules for Language Teaching and Learning

안젤라 리-스미스
Angela Lee-Smith
미국 예일대학교
Yale University

1. Introduction

How do people use language in the 21st century, and why? How do they communicate in the real world? Moreover, what do language learners do in the classroom and how do language teachers utilize textbooks for their students?

Students who fully participate in the 21st century's global community need the appropriate learning skills—communication, collaboration, critical thinking, and creativity (The Partnership for 21st Century Learning (P21)). One of avenues to acquiring these skills is through project-based learning (PBL), which provides a means for students to experience transformative learning. They use their target language to engage in meaningful, critical, and creative applications in real-world contexts. Additionally, they construct products that have an authentic purpose and are shared with a community beyond the classroom.

This article aims to demonstrate ways of connecting language learning to real-world contexts by designing PBL modules that cultivate 21st-century learning skills. The article will share three sample project modules (ProM) that use various themes suitable for elementary, intermediate, and advanced learners by interweaving the multiliteracies- (Cope and Kalantzis, 2015) and standards-based frameworks (The National Standards Collaborative Board, 2015). Each ProM illustrates how students can use these 21st-century skills to learn language and culture through multiple modes of meaning-making in authentic, purposeful, and contextualized tasks.

Students' learning outcomes and reflections have highlighted PBL's effects on multiple levels: (a) inclusivity and accessibility, (b) real-life approximations, (c) authentic communication, (d) relevance to students' interests, and (e) greater motivation. Furthermore, PBL's pedagogical implications support the notion that the *process of doing projects* serves as an engaging tool for students and increases an essential aspect of lifelong learning—enjoyment and advancement.

The presented pedagogical suggestions will benefit language practitioners, as they will (a) gain insight into feasible ways of designing projects that can be embedded into their existing curriculum and daily teaching practices, and (b) take away a more practical step-by-step process of project module designs, including assessment, scaffolding, and reflection.

2. Rationales

2.1. Project-based Learning

Project-Based Learning (PBL) is a student-centered, dynamic, active and authentic learning approach in which students gain a deeper understanding and greater range of language skills by exploring and completing authentic, engaging and complex tasks in an interconnected way over an extended period of time (Stoller, 2006; Thomas, 2000; Mikulec, E. & Miller, P. 2011).

PBL provides learners with a number of pedagogical benefits and involves a variety of approaches and methods, including Task-based, Communicative, Multiliteracies-based, Multimodal, Technology-based, Content-based, Standards-based, Geography/Place-based, Arts-based, and Community-based. Therefore, PBL has become a prominent language teaching approach at many levels and in various contexts (Beckett & Miller, 2006).

Overall, many studies reveal the benefits and efficacy of PBL. Positive outcomes include increases in levels of student engagement and motivation (Thomas, 2000; Walker & Leary, 2009), heightened interest in content, more robust development of problem-solving strategies and critical thinking (Beckett & Miller, 2006; Mergendoller, Maxwell, & Bellisimo, 2006), a more in-depth understanding of content, and the ability to transfer skills to new situations (Hmelo-Silver, 2004).

Through PBL experiences, students can become independent and apply their skills to real-world tasks. In addition, students also improve their ability to work collaboratively and resolve conflicts (Beckett & Miller, 2006; ChanLin, 2008). Integrating authentic projects into language classrooms may yield practical challenges for teachers, such as the challenges of incorporating the World-readiness Standards Goals for Learning Language (5Cs) and working around the limitations of language textbooks. However, projects can lead language programs and courses in a way that reduces such challenges and limitations in several respects.

2.2. 21st Century Learning Skills

According to the Partnership for 21st Century Learning (P21), the 21st century skills needed to prepare Generation Z learners are the 4 C's— Communication, Critical thinking, Creativity, and Collaboration. Students need these specific skills to fully participate in today's global community.

The *Communication* skill requires students to be able to share their thoughts, questions, ideas and solutions. The *Critical Thinking* skill requires students to be able to look at problems in new ways and bridge their learning across various subject areas. The *Creativity* skill requires students to be willing to try new approaches towards getting things done, leading to innovation and invention. Finally, the *Collaboration* skill requires students to be able to work together to reach a goal while putting their talent, expertise, and knowledge into action.

Many language textbooks prioritize communication skills with a particular emphasis on oral communication skills. This communicative approach is still pretty much grammar-led and textbook-driven. In many cases, textbook chapters introduce grammar in linear order, and sample dialogues are artificially altered and catered to our learners. Reading and writing are treated as secondary activities or given as homework at the end of the textbook unit. However, such functional communication skills alone cannot fully encourage critical and creative applications.

Therefore, in order to encourage language learners to develop such skills, language curricula should intentionally focus on designing learning activities and content accordingly. Language teachers need to adapt and modify textbooks, use authentic materials, and create their own teaching materials and authentic learning tasks or projects.

2.3. The Project Modules (ProM)

The purpose of the project modules (ProM) is to expand and refine existing project-based learning (PBL) modules, to provide detailed instructions for instructors and students, and to create a PBL learning repository site that can be shared with language faculty and colleagues across institutions. With accommodations, the global nature of the content of these modules and the range of pedagogical approaches (i.e., place-based, community-based, multiliteracies-based, genre-based, critical inquiry-based, telecommunication-based, and standards-based) will make them suitable for use in language courses within the field of foreign/heritage language education, as a PBL repository platform, as in 〈Figure 1〉. This will provide clear goals and detailed activities to guide both teachers and students through each project.

〈Figure 1〉 Project Modules (ProM) repository site

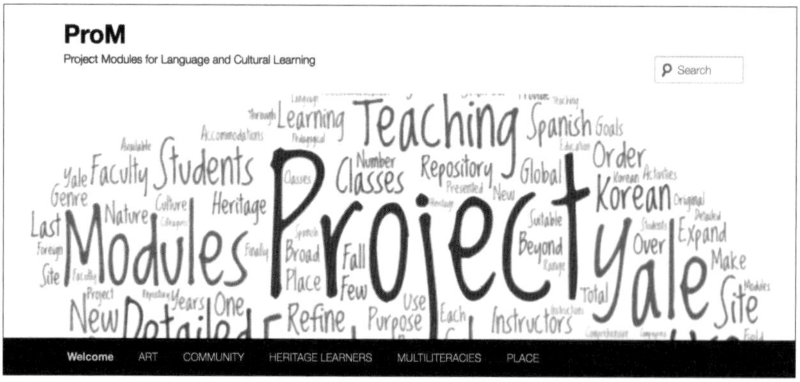

https://campuspress.yale.edu/projectmodules/

Through ProM, for authentic language and cultural learning projects that can be widely implemented in language curricula, language practitioners will be able to (a) learn how to adapt, modify, and create their own authentic learning tasks or projects, (b) obtain sufficient opportunities to experience language learning through project activities that can aid students in attaining well-balanced 5C goals and multiliteracies for the 21st century, and (c) collaborate and contribute to the project-based teaching repository that will be available to colleagues in the field of foreign language education. Afterall, developing and sharing commonly agreed teaching ideas and pedagogical modules will enhance the impact of collaboration among language teaching practitioners.

3. Designing Project Modules

3.1. Design Considerations

When designing projects for students, it is critical to consider the following aspects:

The Backward Design (goal-oriented) principle was considered to ensure that learners' activities and work meet identified outcomes, since learning activities should be designed to prepare our students for real-world language use.

Learning activities for students were designed to be flexible and resilient, regardless of learning mode. Students perform activities independently or in small groups in asynchronous mode and/or in face-to-face/synchronous mode to use both in-class and out-of-class time effectively and efficiently. By doing so, class time can be maximized for interaction and language use.

Project tasks focus on contextualized and functional language use. Our students should have a variety of opportunities to communicate in different modes (interpretive, interpersonal, and presentational) during every class meeting. Hence, all language learning activities—practicing and developing grammar and vocabulary, reading, listening, or writing—should lead toward meaningful language use and application. It is important to keep in mind that materials and activities should be relevant to students' needs, learning purposes, and interests.

The use of authentic materials serves to foster rich, real-world contexts in language learning. Authentic materials help to achieve instructional and learning goals. Students do not need to and are not expected to understand every single language input, and authentic materials in the real world are not simplified for our language learners. Therefore, materials should not be excessively simplified. Although they can be adapted (enhanced or trimmed) to only a small degree, modifying vocabulary and sentence structure will make it inauthentic.

Technologies and a diverse range of communication tools are inevitable components in 21st-century education. They facilitate students' creativity, critical thinking, communication, collaboration, and community engagement. Given this context, incorporating technology and multiple media is necessary. However, technologies should not drive the purpose of learning nor overwhelm learners and instructors. Technologies may be used to help students make meaning effectively and creatively. Most of all, educational technology should be affordable and accessible. Technology should help students develop and share target functions and help instructors design and manage projects, activities, and assessments.

Assessments cannot be neglected, especially in a formal educational setting. For project-based learning, formative and performance assessments tend to be more appropriate and suitable, as assessing and monitoring what learners can do with the language in real-world contexts are core aspects of teaching. However, whether formal or informal, in-class or out-of-class, students' performances represent their learning progress. Through performances, instructors can monitor what students can do (strengths) and what they need to work on (weaknesses). This kind of assessment may take place while students are still in the process of learning, and it allows instructors to check for functional use of the language. It also allows instructors to provide learners with descriptions of their functional abilities aligning to the learning goals (e.g., Can-Dos, feedback, and correction when appropriate and necessary).

3.2. Pedagogical Framework

It has been more than a decade since the Modern Language Association (MLA) Ad Hoc Committee (2007) recommended that translingual and transcultural competence become the primary goal of foreign language academic programs in higher education. Therefore, today's language education needs to move beyond the focus of the communicative approach (CA), and linguistic competence should move forward to prepare language learners to be more effective producers of communication. According to language educators and researchers, one way to reach that goal is to develop language learning projects that are "multiliteracies-based" (Cope & Kalantzis, 2009; Kern, 2000; Byrnes & Maxim, 2004; Byrnes, Maxim, & Norris, 2010; Kumagai et al, 2016; Trude, 2017), "place-based" (Umphrey, 2007), and/or "project-based" (BIE, 2016).

The project tasks and activities are designed by interweaving the Multiliteracies Model (NLG 1996; Cope and Kalantzis, 2000), and the Standards (National Standards Collaborative Board, 2015). The Multiliteracies Model consists of four learning phases: Situated Practice (experiencing), Overt Instruction (conceptualizing), Critical Framing (analyzing), and Transformed Practice (applying). The Standards comprises five learning goal areas— Communication, Comparisons, Cultures, Connections, and Communities— that create the roadmap for World-Readiness Standards for learning languages.

The *Situated Practice* phase allows for experiencing. Students learn through experiencing immersion in texts, tasks, and social situations— expressing thoughts, reactions, opinions, and feelings about cultural products, practices, and perspectives.

The *Overt Instruction* phase basically consists of conceptualizing and understanding, as well as vocabulary and grammar learning. Students learn through conceptualizing how language forms, conventions, organization, and other features of texts work to convey meaning (e.g., interpreting texts, practicing linguistic skills, and understanding knowledge, textual features such as vocabulary, grammar, expressions, and genres which help learners participate more fully in the communication).

The *Critical Thinking* phase allows students to learn through analyzing with critical thinking by connecting the content of various modes of content texts to social, cultural, and historical contexts. Students also learn through questioning the meaning, importance, and consequences of textual content (e.g., critically reflecting on textual content and its relationship to student's own culture, perspectives, and learning).

The *Transformed Application* phase calls for creative application for meaningful and relevant purposes. Students learn through applying what they have learned to meaningful real-world contexts (e.g., using new knowledge, skills, and understandings to produce various meaning-making in creative ways).

These four learning elements are not in a fixed sequential order, so language teachers can design tasks and activities incorporating any element in a flexible order.

3.3. The Standards

The World-Readiness Standards for Learning Languages defines the essential goals of world language learning for students at all levels. The five goal areas of the standards ('5Cs') construct an inseparable link between Communication and Culture, which is applied in making Connections and Comparisons and in using this competence to be part of local and global Communities (ACTFL, 2015, 4th ed.). However, according to the findings of the ACTFL (2011) survey, Communication receives the most attention in terms of teaching emphasis and professional development. Consequently, language programs/courses should provide students with sufficient opportunities to experience language learning through project activities that can aid them in attaining well-balanced goals for the 21st century: Communication, Culture, Connections, Comparisons and Communities (Cutshall, 2012; Bettencourt, 2015; Lee-Smith, 2016a).

The Standards 5C's goal areas for foreign language learning are as follows:

For the *Communication* goal, students communicate in interpersonal, interpretive, and presentational modes using both written and verbal language. Students effectively communicate in the target language to function in various situations and for multiple purposes. For the *Cultures* goal, students interact with cultural competence and understanding. For the *Connections* goal, students connect with other disciplines and acquire information and diverse perspectives in order to use the language to function in academic and career-related situations. For the *Comparisons* goal, students develop insight into the nature of language and culture in order to interact with cultural competence. Finally, for the *Communities* goal, students use the language with cultural competence both within and beyond the classroom to interact and collaborate in their community and the globalized real-world.

4. Sample Project Modules

Language is a complex multifunctional phenomenon that links an individual to other individuals, to communities, and to national cultures (MLA, 2007). Thus, by linking the classroom to the community, language programs/courses can provide the opportunity for students to engage in practical applications of what they have learned in the classroom and to enhance their transferable skills by performing real-world tasks in the community (Lombardi, 2007; Kuh, O'Donnell & Reed, 2013; Lenton et al., 2014).

Here are some sample project modules and their descriptions for language learners at different levels, as presented in 〈Table 1〉. Among these samples, this article will present one project module as a project module design template so that language colleagues may apply and implement project modules for their students.

〈Table 1〉 Sample Project Modules and Descriptions

Proficiency Level	Content, Genre, Theme	Project Title	Description
Elementary-Intermediate	Community- and Service learning, Exposition	Campus Tour Guide (Lee-Smith, 2017)	This project is a group effort to create a written brochure for a college campus tour. Each student in the course chooses one of the most important or unique features

			of the campus and writes a guide/informative text. As a group, the students 1) produce and publish a comprehensive campus tour guide brochure and 2) lead campus visitors by performing an oral campus tour guide in Korean, as outcomes of this community service project.
Intermediate	Critical Inquiry, Social Justice, Persuasion, Argumentation	PSA (Lee-Smith, 2016)	Through PSAs, learners practice their critical thinking skills by identifying significant public issues and advocating for social justice. Students explore, identify, and analyze, while cultivating critical thinking on current sociocultural problems in the target language country and their own culture/country. Then, they practice multiliteracy and deliver critical messages to society by creating their PSA using multimodal modes of meaning-making.
Intermediate-Advanced	Narrative Music, Spoken word, Music production, Poetry, Narrative	Sing My Story	This project consists of creating lyrics and music to tell stories. Students collaboratively produce an album by remaking existing songs with their own lyrics or creating lyrics and music from scratch. The project highlights music and song lyrics as modes of storytelling. Students create lyrics for their favorite pop songs (e.g., K-pop, English pop, Chinese pop). Then, they collaborate with singers who are members of acapella groups at the same institution, composers studying for a music major,

			or School of Music graduate students. Then, the music students sing the language students' songs as a form of collaboration. Instructors connect the language students and the singers for an initial meeting. Then, the two groups discuss (in the target language) how to match songs and singers and how to produce the album. Finally, the singers and lyricists produce a digital album and a concert in the form of a podcast.
Intermediate-Advanced	Education (Primary and secondary school), Literature, Interculturality, Critical evaluation	Summer Reading Committee	In this project, students, as members of the summer reading committee in public school settings, collaboratively review children's literature from their critical perspectives in the 21st century and alternate the endings or part of the original stories to teach appropriate moral lessons or ethics to children. For the project outcome, students produce audiovisual folktale storybooks and distribute them to children in English-Korean dual-track elementary schools and local community-based heritage schools.

5. Conclusion

Students' reflections show that these activities not only keep learners engaged and motivated but that they also allow them to apply what they learn in class in creative and natural ways. Learning a new language and culture is life-long progress. Students set their learning goals and reflect on their progress in using the language for enjoyment, enrichment, and advancement. They can experience and work on the Standards' 5Cs and multiliteracies through project-based learning. At the same time, they can work on project tasks that are highly motivating and relevant to their interests.

It is always a meaningful process for language teachers to reflect on our teaching. By incorporating project-based learning, language instructors may overcome the limitations of grammar-based, textbook-driven, and contextless communication activities. Through working on projects, our students can express and share their feelings, emotions, stories, and messages. This brings the learning community together. Furthermore, students can explore multiple modes of meaning-making in real-world contexts—learning by doing. Therefore, in conclusion, in the 21st century, language teachers strive to provide students with meaningful, creative, authentic, and contextualized language learning environments. Incorporating project-based learning can be an appropriate way to create such environments for our students in higher education.

Bibliography

The National Standards Collaborative Board. 2015. *World-Readiness Standards for Learning Languages*. 4th ed. Alexandria. VA: Author.

American Council on the Teachers of Foreign Languages. 2011. A decade of standards: Influence, impact, and future directions. Survey results retrieved from https://www.actfl.org/sites/default/files/publications/standards/StandardsImpactSurvey.pdf

Beckett, G., Miller, P. (Eds.). 2006. *Project-based Second and Foreign Language Education: Past, Present, and Future*. Information Age Publishing Inc.

Bettencourt, M. 2015. Supporting Student Learning Outcomes Through Service Learning. *Foreign Language Annals*. 48 (3). pp. 473–490.

Buck Institute for Education (BIE). 2016. What is Project Based Learning (PBL)? (Buck Institute for Education). Retrieved from http://www.bie.org/about/what_pbl.

Byrnes, H., Maxim, H.H. (Eds.). 2004. *Advanced foreign language learning: A challenge to college programs*. Boston. MA: Thomson Heinle.

Byrnes, H., Maxim, H.H., Norris, J. (Eds.). 2010. Realizing advanced foreign language writing development in collegiate education: Curricular design, pedagogy, assessment. *Modern Language Journal*. 94 (Monograph Series, Issue Supplement s1). pp. 1–235.

Cope, B., Kalantzis, M. 2009. "Multiliteracies": New literacies, new learning. Pedagogies: *An International Journal*. 4(3). pp. 164–195.

Cutshall, S. 2012. More than a decade of standard: Integrating "Communities" in your language instruction. *The Language Educator*. 7. pp. 34–39.

Chanlin, Lih-Juan. 2008. Technology integration applied to project-based learning in science. *Innovations in Education and Teaching International*. 45. pp. 55–65.

Hmelo-Silver, C. E. 2004. Problem-based learning: What and how do students learn?. *Educational Psychology Review*. 16. pp. 235–266.

Kern, R. 2000. *Literacy and Language Teaching*. Oxford University Press.

Kuh, G. D., O'Donnell, K., Reed, S. 2013. *Ensuring quality and taking high-impact practices to scale*. Washington, D.C.: Association of American Colleges and Universities.

Kumagai, Y., Lopez-Sanchez, A., Wu, S. (Eds.). 2016. *Multiliteracies in World Language Education*. New York, NY: Routledge.

Lee-Smith, A. 2016. A pedagogy of multiliteracies for Korean language learners: Developing Standards-based (the 5Cs) teaching-learning materials using TV public service announcements, *Journal of Korean Language Education*. 27-2. The International Association for Korean Language Education. pp. 143-192.

Lee-Smith, A. 2017. Community-based language teaching and learning: A course project model for linking learning with community. *International Journal of Korean Language Education* 3(2). pp. 233-252.

Lenton, R., Sidhu, R., Kaur S., Connard, M., Kennedy, B., Munro, Y., Smith, R. 2014. *Community-service learning and Community-based learning as approaches to enhancing university service learning*. Toronto, Canada: Higher Education Quality Council of Ontario.

Lombardi, M.M. 2007. Authentic Learning for the 21st Century: An Overview (Boulder, CO: EDUCAUSE Learning Initiative), Retrieved from http://www.educause.edu/ir/library/pdf/ELI3009.pdf.

Mergendoller, J.R., Maxwell, N.l., & Bellisimo, Y. 2006. The effectiveness of problem-based instruction: A comparative study of instructional methods and student characteristics. *Interdisciplinary Journal of Problem-based Learning*. 1(2): 49-69.

Modern Language Association (MLA) Ad Hoc Committee on Foreign Languages. 2007. Foreign language and higher education: New structures for a changed world. *Profession*. 2007. pp. 234-245.

Mikulec, E., Miller, P. 2011. Using Project-Based Instruction to Meet Foreign Language Standards. *The Clearing House*. 84. Routledge. pp. 81-86.

Miller, P. 2006 Integrating second language into project-based instruction. In *Project-based Learning in Second and Foreign Language Education: Past, present, and future*. ed. G.H. Beckett and P.C. Miller, Greenwich, CT: Information Age. pp. 225-240.

New London Group. 1996. A Pedagogy of Multiliteracies: Designing Social Futures. *Harvard Educational Review*. 66-1. Retrieved from https://www.sfu.ca/~decaste/newlondon.htm

Stoller, F. 2006. Establishing a theoretical foundation for project-based learning in second and foreign language contexts. In *Project-based second and foreign language education: Past, present, and future*. ed. G.H. Beckett and P.C. Miller, 19-40. Greenwich, CT: Information Age.

Thomas, J. W. 2000. *A review of research on project-based learning*. San Rafael, CA: Autodesk Foundation.

Trude, H. M. 2017. Tell me a story: Digital Storytelling in the World Language Classroom. Webinar. Certificate of Language Teaching with Technology Division of Continuing Education. University of Colorado, Boulder. Retrieved from: https://goo.gl/hc1VyK June 2017.

Umphrey, M. L. 2007. *The Power of Community-Centered Education: Teaching as a Craft of Place*. Lanham. Md. : Rowman & Littlefield Education.

Walker, A., Leary, H. 2009. A Problem Based Learning Meta Analysis: Differences Across Problem Types, Implementation Types, Disciplines, and Assessment Levels. *Interdisciplinary Journal of Problem-Based Learning*. 3(1). pp. 6-28.

제2장

Moodle을 사용한
한국어 연습 문제 만들기 프로젝트

류현숙
슬로베니아 류블랴나대학교
University of Ljubljana, Slovenia

1. 들어가며

본 논문에서는 2021년 10월부터 류블랴나대학교 한국어 3의 e 학습터에 공개한 한국어 학습자를 위한 문제 은행 개발 과정을 소개하고, 이 과정에서 나타난 문제점과 지속적이고 효율적인 운영을 위해 개선해야 할 점이 무엇인지를 알아보려 한다.

류블랴나대학교는 슬로베니아 최대의 국립 대학이다. 한국어 1은 2003년 아시아학과의 선택 과목으로 개설되었으며 일주일에 한 번 90분짜리 수업으로 시작되었다. 그 후 점차 90분 수업을 일주일에 두 번, 세 번으로 늘리게 되었고, 한국어 2와 한국어 3도 개설하게 되었다. 그때는 한국어 과목이 아시아학과의 선택 과목이었으며 대부분의 수강자는 일본학을 전공하는 학생들이었다. 문법 체계와 한자에서 온 말들이 많아 중국어 학습자보다는 일본어 학습자들이 더 쉽게 접근할 수 있었던 것으로 보인다(류현숙, 2016: 67-68).

2015/16학년도에는 류블랴나대학교 인문대학에 한국학 전공이 개설되었다. 한국어가 한국학 전공 학생들의 필수 과목이 되어, 한자와 한자어를 전혀 모르는 수강생과 한국어나 일본어와 같은 교착어를 처음 접하는 수강생이 증가하였다. 앞서 설명했던 것처럼 이전의 수강생 대부분이 일본학 전공이었고, 일본학 1학년 과정의 경우 어학 관련 수업이 주당 10시간이어서 한국어 1 수업을 듣는 대부분의 학생들이 한국어 문법에 대해

비교적 쉽게 이해를 하였으나 일본학 전공이 아닌 소수 학생들은 친구들의 도움을 받거나 스스로 학습하는 시간을 늘려야 했다. 즉, 본 연구자는 한국어 1을 담당하는 교사로서 더 많은 자습과 연습을 필요로 하는 수강생이 증가하고 있음을 실감하게 되어 부교재인 workbook(익힘책)을 정기적으로 보고 피드백하였고, 수업에서 사용한 어휘나 예문으로 연습 문제를 만들어 이를 학습한 학습자에게 성실하게 피드백을 해 주었다.

현재 류블랴나대학교 인문대학 한국학 강좌에는 1학년과 2학년 수업 중 어학 관련 과목이 주당 평균 6시간, 3학년 수업에는 주당 4시간의 어학 수업이 있다. 한국학을 전공하는 학생들에게 주당 4~6시간의 어학 수업은 충분하지 않다. ICT(Information and Communication Technology)의 발달로 원하는 시간과 장소에서 즐겁게 다양한 한국어를 듣고 학습할 수 있는 여건은 좋아졌지만, 대학교에 재학하고 있는 학생이란 신분 때문에 성적에서 자유로울 수는 없다. 그때그때 배운 문법을 제대로 이해했는지 확인하고, 최대한 그 문법을 활용하여 글을 쓰고 말하는 연습을 해야 한다. 스스로 자신에게 맞는 학습 내용을 찾아서 자율적으로 공부하는 학습자들도 있지만 대부분은 교재와 부교재, 교사가 배포한 자료들에 의존해서 학습하고 그 피드백을 받아 오류를 수정한다.

그러나 2019년에 발생한 COVID-19가 2020년 초에 유럽 전역으로 퍼지면서 갑작스럽게 학교 폐쇄 조치가 내려지고 바로 온라인 수업으로 전환을 하게 되어 학습자들과의 소통이 원활하게 이루어지지 않았고, 특히 쌍방향 커뮤니케이션이 필요한 어학 수업은 매우 힘든 시간을 감내해야 했다. 그러던 중 류블랴나대학교 Center for the use of ICT in pedagogical process(이하 디지털 센터)에서 ICT의 교육적 활용을 돕는 소규모 프로젝트를 공모하였고, 한국어 3을 마친 학생 3명과 함께 이 프로젝트에 지원하여 한국어 3 학습자를 위한 한국어 연습 문제 은행을 구축, 2021년 10월부터 공개하였다.

2. 문제 은행 구축 과정

2.1. 프로젝트 응모 배경

앞에서도 간략하게 언급한 것처럼 한국어 3 수업은 주 2회, 90분 수업에 지나지 않아 교실에서 학습자들에게 충분한 연습 시간을 제공할 수 없어, 학습자들이 스스로 학습할 수 있는 환경의 필요성을 간절히 느끼고 있었다. 기존의 익힘책은 지면 제약이 있어 문자 위주의 문제가 많고 문제 유형도 패턴화되어 있으며, 주교재의 어휘와 배경 상황에서 크게 벗어나지 않아서 기계적으로 답을 하는 학습자들이 많아 다양한 형식의 문제를 제공할 필요성도 느껴 왔다. 즉, 익힘책은 학습자들에게 어휘와 문법 패턴을 익히게 하는 데 최적화되어 있는 좋은 자료이나 교재에 출현하지 않은 관련 어휘나 새로운 대화의 배경이 제시되지 않아 확장성이 부족하다는 생각을 오래전부터 하고 있었다. 또한 교사가 제작하여 배포하는 자료도 좀 더 다양한 어휘와 문맥을 제공하였지만 익힘책과 크게 다르지 않았다.

2020년 1월부터 COVID-19로 인해 온라인 수업을 실시하게 되었는데 과제물을 제출하고 체크해서 돌려주는 피드백 과정이 아날로그 방식보다 더 복잡했다. 초기에는 개별 학생들이 이메일로 첨부 파일을 보내면 하나씩 다운로드 받아 단원별로 폴더를 만들어 저장한 후 체크하고 돌려주었다. 과제물은 pdf, doc, jpg, gif 등 다양한 형식이었는데 일부 학습자들은 한글 자판을 이용해서 과제를 하는 것이 시간이 많이 걸려 피하고, 또 일부는 거의 하루 종일 컴퓨터 앞에 앉아 있다 보니 과제만큼은 컴퓨터를 피하려 하고, 또 더러는 프린터나 스캐너가 없어 손 글씨로 과제를 하고 휴대전화로 사진을 찍어 보냈다. 이러한 다양한 형식의 파일을 체크하기 위해서는 당연히 여러 프로그램과 소프트웨어를 사용하여 마킹을 하고 메모를 넣어 돌려주어야 하는데, 그 비효율성은 이루 말할 수가 없었다.

그 후 제출 형식을 pdf로 한정하고 제출 기한을 세팅하여 e 학습터에 있는 과제물 제출 기능을 활용하였는데, 체크를 하는 중간에 임시 저장을 할 수 있는 기능이나 과제물 제출자에게 보이지 않게 임시 저장하는 기능이 없어서 결국 일괄 다운로드 받아 저장하고 체크한 후 다시 하나씩 업로드할 수밖에 없었다. 용량이 큰 파일이나 인터넷이 원활하지 않은 상황, e 학습터 접속자가 많은 경우 등에는 업로드하는 데 많은 시간이 소요되었다. 메일로 받아 되돌려 주는 방법보다는 나아졌지만 이 또한 그리 효율적인 방법은 아니었다. 또한 요즘 대학생들은 디지털 네이티브(digital native) 세대로 디지털 기기를 사용하여 활동을 하고 과제를 제출하는 데 아무런 위화감이 없으며, 오히려 이러한 방식을 더 선호하는 것을 알게 되었다.

이 프로젝트를 신청하게 된 가장 중요한 배경은 슬로베니아어를 모국어로 하는 학습자들이 연습 문제를 출제하게 되면 자신들이 한국어를 학습하면서 어려움을 느꼈던 문제나 연습이 더 필요하다고 생각한 문제들을 출제할 것이고, 그리하면 학습자들에게 더 많은 도움이 될 것이라는 생각에서였다.

마지막으로 단원별로 문제 은행을 구축해 두면 쪽지 시험, 중간고사, 기말고사에서 활용할 수 있고, 문제 은행에서 시험 문제가 출제되면 학생들의 자발적인 학습을 유도할 수 있기 때문이다.

2.2. Moodle 선택 이유

2.1.에서 언급했던 것처럼 팬데믹 기간 동안 전통적인 과제 제출 방식이 디지털 방식으로 이행하는 과정에서 여러 가지 방법을 사용해 보았다. 더불어 게임처럼 재미있

게 연습할 수 있는 Qu○○, Ka○○ 등을 시도해 보려고 하였으나 인터넷 속도나 용량이 따라가지 못하는 학습자에게는 문제가 발생한다는 것을 알게 되었다. 그리하여 Moodle(무들)을 플랫폼으로 하여 만들어진 류블랴나대학교의 e 학습터를 사용하게 되었다. e 학습터는 대학교에서 관리 운영하기 때문에 시스템이 매우 안정적이고 인터넷 속도나 용량에 대한 부담이 적어 대부분의 학습자가 쉽게 이용할 수 있다는 것도 좋은 이유가 되었다.

또한 e 학습터는 해당 과목에 등록한 학생이 로그인하면 교사가 해당 수업에서 사용한 자료나 업로드해 놓은 도움되는 사이트, 기타 과제물들까지 한꺼번에 볼 수 있어 매우 편리하다. 이 연습 문제는 자습을 돕기 위한 목적으로 만든 것이기 때문에 연습 문제를 푸는 동안 학습자들은 원하는 자료를 마음껏 활용할 수 있다. 또한 자료를 업로드한 후 공지 사항에 올리게 되면 그 과목에 등록된 학생들에게 자동으로 알림이 전송된다.

마지막으로 본 연구자가 수년 전에 Moodle을 사용하여 여러 형태의 연습 문제를 만들어 본 경험이 있어 새로운 플랫폼이나 앱을 학습하는 시간을 줄일 수 있다는 것도 큰 요인으로 작용하였다.

2.3. 류블랴나대학교 인문대학 e 학습터

〈그림 1〉은 류블랴나대학교 인문대학 e 학습터의 메인 화면이다. 로그인을 하고 들어가면 본인이 등록한 과목 목록이 보이고, 그 목록에서 보고자 하는 과목을 클릭하여 들어가면 된다. 〈그림 2〉는 2021/22년도의 한국어 3 메인 화면이다.

〈그림 1〉 류블랴나대학교 인문대학 e 학습터의 메인 화면

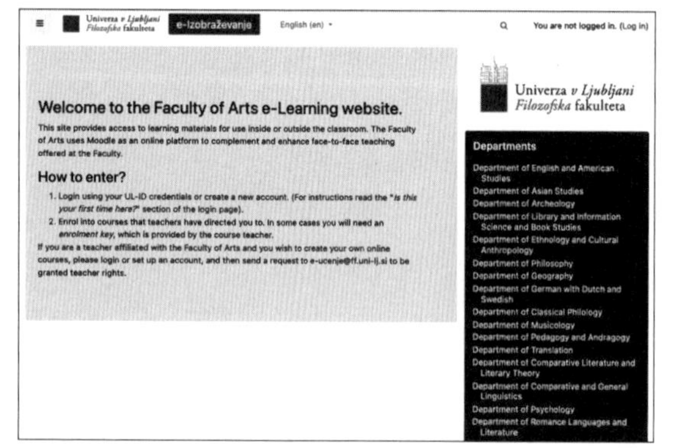

〈그림 2〉 한국어 3 2021/22년도 메인 화면

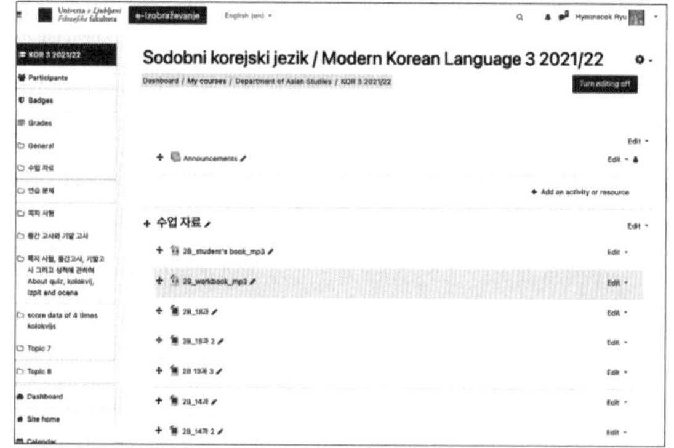

류블랴나대학교의 e 학습터에서 할 수 있는 작업에는 여러 가지가 있다. 참고 자료나 관련 사이트, 줌(ZOOM) 링크 등을 등록하여 직접 연결할 수 있는 기능, 다른 하나는

출석 체크, 과제, 퀴즈 등 해당 수업과 학습에 직접적으로 관련 있는 활동을 할 수 있는 기능이다. 그렇지만 e 학습터는 학사 관리 시스템과는 연동되어 있지 않으며 시험 등록, 성적 등의 입력은 별도로 운영되는 학사 관리 시스템을 이용한다.

2.4. 프로젝트 진행 과정

진행 과정은 다음과 같다.

1. e 학습터 내에 '한국어 연습_프로젝트' 개설
2. 프로젝트 참가 학생들이 문제 출제
3. 출제자들끼리 의견 교환과 조언
4. 위 3번의 의견과 조언에 따라 출제자가 문제 수정
5. 위 4번의 수정된 문제에 대한 교사의 의견과 조언
6. 출제자 재수정
7. e 학습터 '한국어 3'으로 복사하여 업로드
8. 단원별로 체크한 후에 문제 난이도별·유형별 재분류 후 공개
9. 학습자들의 자율 참여로 문제 풀이 후 제출
10. 학습자들이 제출한 연습 문제를 체크 후 개별 학습자에게 피드백

1, 5, 7, 8, 10은 프로젝트 매니저 즉 교사의 역할이었고, 2, 3, 4, 6은 프로젝트 참가자의 역할이었다. 또한 7까지는 7월부터 9월 말까지 방학 동안 진행되었고, 8부터는 학기가 시작된 이후 진행되었다.

한국어 수업에서 사용하는 교재는 《서울대 한국어》인데, 지난해의 경우 한국어 3은 2B 14과부터 시작하였다. 먼저 '한국어 연습_프로젝트' 문제 은행에 2B 14과부터 단원별로 프로젝트 참가 학생들의 이니셜로 폴더를 만들고, 단원마다 출제자별로 5가지 대문항을 설정, 개별 대문항마다 최소 5개의 문제를 출제하도록 하였다. 이렇게 해서 단원마다 최소 75개의 문제를 만들었다. 개별 대문항의 내용은 출제자들마다 단원마다 다르게 나타난다. 조사, 어휘, 용언 활용, 알맞은 표현 찾기, 대화 완성, 물음에 대답하기, 주어진 글제에 대해 자기 의견 쓰기 등 출제자가 단원에 맞게 자의적으로 선택하고 결정하였다.

문제 유형에는 객관식과 주관식이 있는데, 객관식에는 맞다고 생각하는 답을 마우스로 끌어와서 해답 상자 안에 넣는 드래그 앤 드롭(drag & drop) 방식, 답 상자를 클릭하여 선택지에서 올바른 답을 클릭하는 드롭다운(dropdown) 방식, 주어진 예시에서 맞는 번호를 클릭하는 방식, 또는 그 번호를 답 상자 안에 쓰는 방식, 참·거짓을 선택하

는 유형 등이 있다. 주관식에는 알맞은 단어 넣기, 주어진 단어 활용하여 문장 완성하기, 문장 또는 대화 완성하기, 주어진 문법을 활용하여 문장 또는 대화 완성하기, 대화 순서 정렬하기 그리고 마지막으로 주어진 질문에 문장으로 대답하기 등의 유형이 있다.

문제 출제는 매주 금요일까지 업로드하고 주말 동안 다른 출제자들의 문제를 살폈다. 월요일에 게시판에서 다른 출제자들의 문제를 보고 서로 의견 교환을 한 후, 출제자는 그 의견을 듣고 수정을 하였다. 그 후 교사가 1차 수정이 이루어진 문제를 가지고 의견을 제시하고, 출제자가 재수정을 하는 과정을 거쳤다. 의견을 교환하는 과정은 이 프로젝트를 위해 만든 e 학습터의 '한국어 연습_프로젝트' 게시판을 통해 이루어졌는데, 이 게시판에 글을 올리면 30분 후에 해당 코스(과목)에 등록된 모든 사람에게 그들이 등록한 이메일 주소로 자동 전송된다.

이렇게 두 차례 수정을 거친 후, '한국어 연습_프로젝트' 문제 은행을 내보내기(export)하여 컴퓨터에 저장한 후, 2021/22년도 한국어 3의 문제 은행으로 가져오기(import) 하였다. 그 후 학습자들이 부담 없이 문제를 풀어 볼 수 있게 프로젝트 참가자들이 출제한 문제를 섞어서 난이도별·문제 형태별로 다시 배열한 후 각 소문항에 대한 배점을 하고(〈그림 3〉), '한국어 3' 메인 화면에 각 단원이 끝날 때쯤 단원별 연습 문제를 가져와 공개하였다.

〈그림 4〉 e 학습터 한국어 3의 연습 문제에서 pdf 파일로 업로드된 자료는 수업에서 사용한 연습 문제를 정리하여 pdf로 만든 것으로, 수업 중에 풀었던 내용이라도 혼자 복습해 보면 좋은 연습이 되고, 또 수업 중에 다 풀지 못하는 경우도 많아 학습자가 스스로 해 볼 수 있도록 수업이 끝난 후 업로드한다. 하얀 종이 위에 V 표시된 것들이 이 프로젝트에서 만든 연습 문제이다.

〈그림 3〉 문제 은행에서 난이도별·문제 형태별로 재배열된 연습 문제

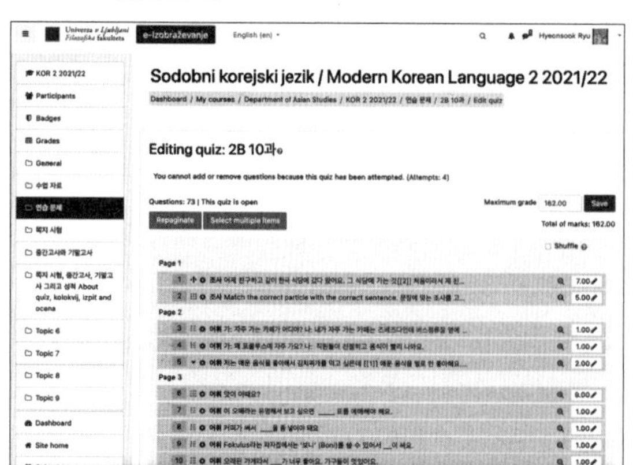

〈그림 4〉 한국어 3의 메인 화면 속 연습 문제

해당 단원을 클릭하고 들어가면 〈그림 5〉와 같은 화면이 나타난다. 학습자들은 연습 문제를 횟수에 제한 없이 여러 번 풀어 볼 수 있다. 1번 문제부터 풀어 나가면서 〈그림 6〉 다음 페이지로 옮겨도 되고, 오른쪽에 보이는 문제 번호를 클릭하여 원하는 번호 또는 페이지로 건너뛰어도 된다. 학습자들은 연습 문제를 다 푼 후 혹은 중간에라도 제출할 수 있다. 또한 제출한 후에도 다시 연습 문제를 풀어 볼 수 있도록 시도하는 횟수는 제한하지 않았다.

〈그림 5〉 해당 단원 연습 문제 들어가기 화면

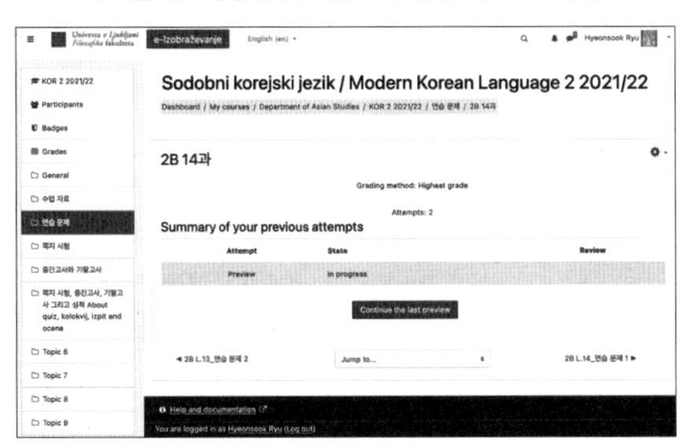

〈그림 6〉 연습 문제 14과 문제 예시

〈그림 7〉은 관리자 화면인데 이 기본 화면에서는 몇 명이 접속을 시도했는지 볼 수 있고 학습자들의 기본 로그 기록도 볼 수 있다(상세한 로그 기록을 볼 수 있는 메뉴는 따로 있다). 이 기본 로그 기록에서는 학습자들의 대답과 점수 그리고 문항별 평균 점수를 볼 수 있고 총 머문 시간도 표시된다. 〈그림 8〉은 연습 문제를 풀고 제출한 학생들의 점수 분포도이다.

〈그림 7〉 2B 14과의 연습 문제 관리자 모드

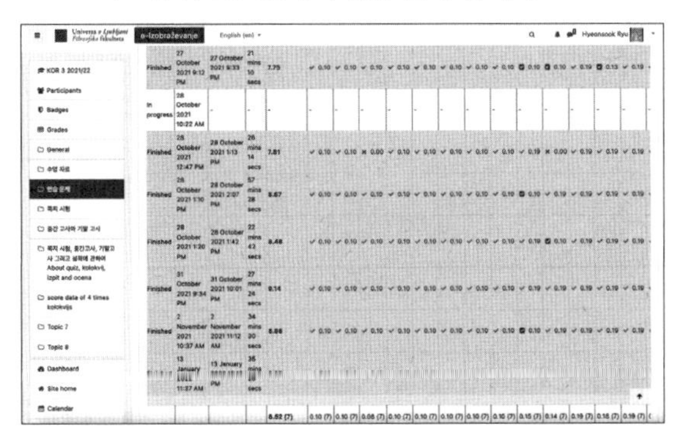

〈그림 8〉 응답자의 점수 분포도

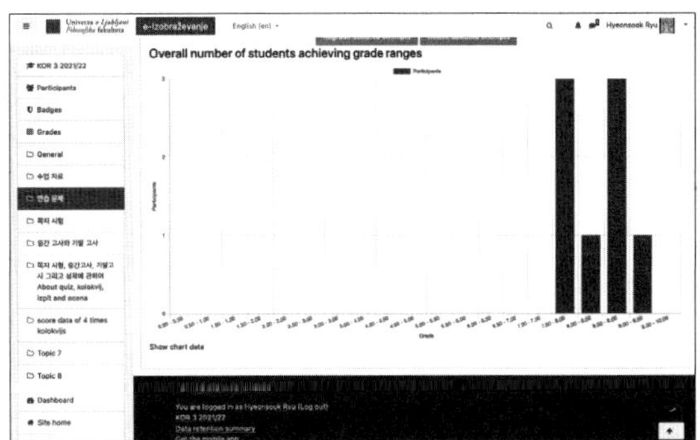

〈그림 9〉는 학습자가 연습 문제를 제출한 후 학습자에게 보여지는 한 예이다. 그림 오른쪽에 보이는 조그만 정사각형 상자는 연습 문제의 번호인데, 정답을 맞힌 경우는

정사각형이 초록색으로 변하고 상자 안에 V가 표시된다. 오답은 빨간색으로 변하고 아무런 표시가 없다(<그림 9>에서 진한 검은색으로 보인다). 문항 21, 23, 26 등이 그 예이다. 일부만 정답인 경우는 주황색으로 표시되고 상자 안에 하얀 동그라미가 보인다. 이는 9번 문항으로 확인할 수 있다. 9번 문항에는 두 개의 문제가 있는데 하나는 정답, 하나는 오답이어서 주황색으로 표시되었다. 또 문제 바로 아래 상자에 정답이 표시되어 있다. 교사는 이 정답 상자 아래에 있는 또 하나의 상자에 코멘트를 넣을 수 있다. 이 문항은 선택 문제이기 때문에 따로 코멘트를 넣지 않았다.

보통 연습 문제 맨 마지막 2~3개 문항은 주관식으로 하였는데, 주관식은 자동 채점이 되지 않아 수작업으로 채점하고 잘못된 곳은 고쳐 준다. <그림 10>이 그 예이다

<그림 9> 학습자가 제출한 답과 자동 설정 정답

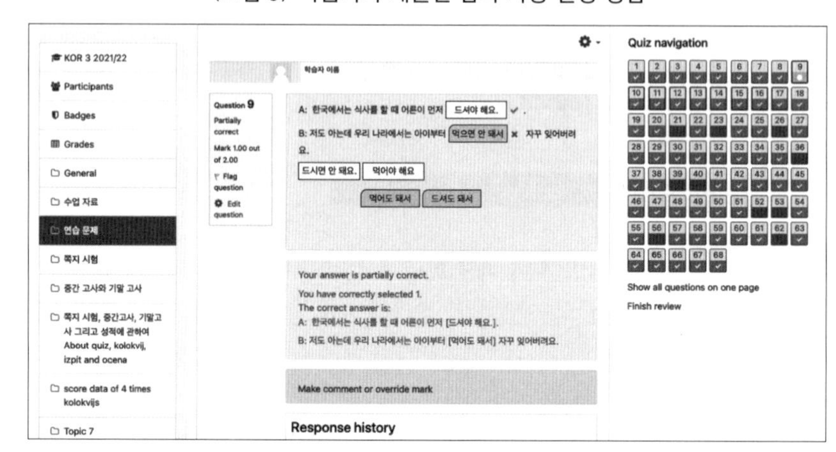

<그림 10> 학습자의 답에 코멘트를 넣은 예

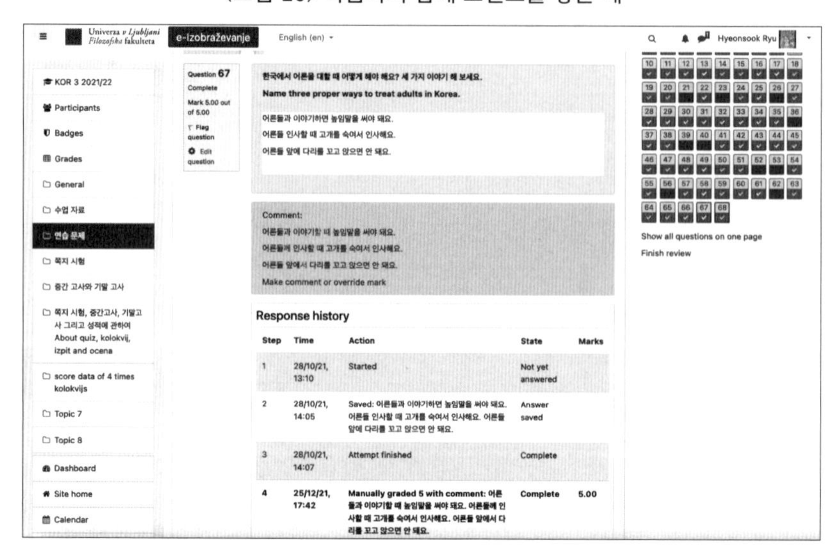

3. 설문 결과

10월부터 1월까지 한 학기 동안 이 연습 문제를 제공하고 학습자를 대상으로 2월에 간단한 설문조사를 실시하였다. 설문조사는 이 프로젝트에 참가한 학생들이 자율적으로 문항을 만들어 조사하였고 학생들의 동의를 얻어 결과를 게재한다.

〈그림 11〉 연습 문제에 관한 설문조사 결과

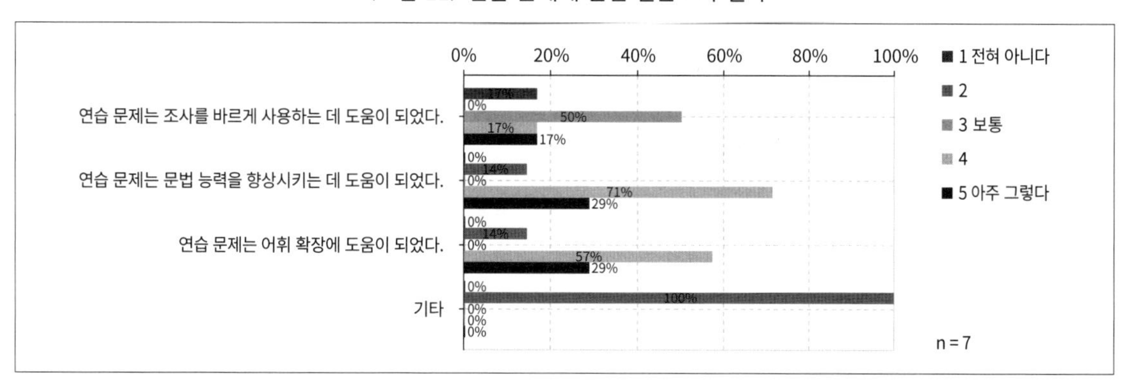

1번 문항은 이 연습 문제를 풀어 보았는가 하는 질문이었고, 총 19명의 응답자 중 12명이 풀어 보았다고 대답하였다. 그러나 2번 문항부터 응답자가 6~7명으로 나타나 이 설문조사가 객관적인 결과를 도출했다고 할 수 없으나, 과반수 이상의 학습자가 마지막 문항까지 대답을 하였으므로 유의미한 결과라고 생각된다.

2번 문항에서는 조사·어휘·문법, 기타 항목을 만들어 어떤 항목에 도움이 되었는지에 대해 항목별로 5점까지 매길 수 있게 하였는데, 조사·어휘·문법 항목에서는 3점 이상이 90%였으므로 대체적으로 도움이 된 것으로 나타났다. 그러나 기타 항목에서는 2점(조금 아니다)이 100%로 나타났는데 이에 대한 추적 조사를 하지 못한 상황이어서 이 기타 항목에 학습자들이 무엇을 포함하였는지는 파악할 수 없었다. 다만 설문조사 설계 단계에 포함되어 있지 않았던 문장 구성, 작문, 독해 능력에 도움이 되었는지를 묻는 항목이 없어 이러한 항목에는 도움이 되지 않았다는 것을 유추해 볼 수 있다. 이후 추적 조사 또는 재조사 시에는 설문 항목을 더 세심하게 설계해야 할 것으로 보인다.

문제 유형 선호도를 묻는 질문에는 선택 문제의 경우 '좋다'와 '아주 좋다'가 84%, '보통'이 17%, 참·거짓을 묻는 문제와 단어나 구를 선택하여 문장을 완성하는 문제는 '좋다'와 '아주 좋다'가 67%, '보통'이 33%로 나타났고, 문장의 내용에 알맞은 단어 찾기는 '좋다'와 '아주 좋다'가 100%였으나, 그림을 보고 단어를 선택하는 문제에서는 '좋다'와 '아주 좋다'가 50%, '그저 그렇다'가 50%로 나타났다. 또한 질문에 문장으로 대답하기는 '조금 아니다'가 33%, '보통'이 50%, '좋다'가 17%로 나타나 쓰기 문제 유형은 선호하지 않는 것으로 나타났다.

〈그림 12〉 문제 유형 선호도

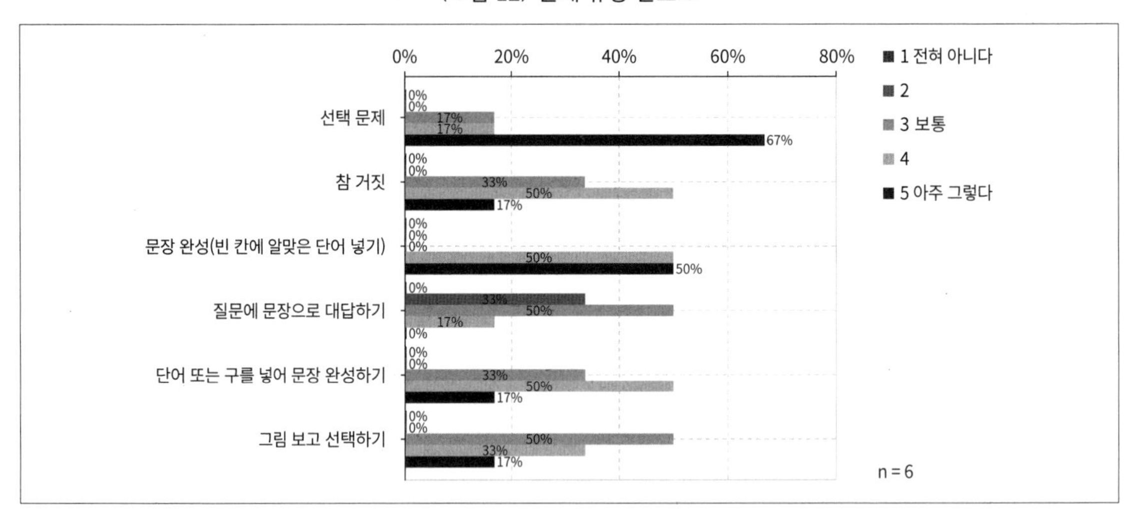

더 다양한 연습 문제가 필요한지를 묻는 문항에서는 7명 중 6명이 '예'라고 대답해 앞으로 더 다양한 연습 문제를 구축할 필요성이 있음을 알게 되었다. 연습 문제의 만족도를 묻는 질문에는 6명 모두 만족스러웠다고 대답하였다.

마지막으로 연습 문제를 풀어 본 적이 없다고 대답한 학습자에게 추가적으로 연습 문제를 풀지 않은 이유를 물었는데, '시간이 없었다'와 '다른 연습 자료가 있었다'고 대답한 학생이 각각 2명이었다.

설문조사 결과를 종합해 보면, 이 장의 서두에서 언급했던 것처럼 설문조사에 응한 학습자 19명 중 67%인 12명이 이 연습 문제를 풀어 본 적이 있고 33%인 7명은 풀어 본 적이 없는 것으로 나타나, 자발적인 학습을 원하는 학습자들에게 이 연습 문제가 좋은 기회를 제공했으며 설문의 결과 대부분 긍정적인 반응을 보여 학습자들에게 도움이 된 것으로 보인다.

4. e 학습터 연습 문제 학습 결과

2021/22학년도 한국어 3을 이수한 학생은 총 24명인데, 이 중 4명은 한국에서 유학을 하고 있어 이 연습에 참가하지 않았으므로 2021/22년도 실제 한국어 3 수강생은 20명이다. 2021/22학년도 e 학습터에서 한국어 3 연습 문제에 액세스한 학습자는 2B 14과 9명, 15과 17명, 16과 12명, 17과 10명, 18과 8명, 3A 1과 8명, 2과 9명, 3과 8명, 4과 9명, 5과 9명, 6과 7명, 7과 4명이었다. 2B 18과가 끝난 뒤 1학기 기말고사를 치렀고, 3A 7과가 끝난 뒤 2학기 기말고사를 치렀는데, 보통 연습 문제는 각 단원이 끝날 때쯤

업로드하게 되므로 마지막 단원의 연습 문제는 중간고사와 기말고사 하루 이틀 전이 된다. 그즈음에 학습자들은 한 학기 또는 1년 동안 배운 전체적인 내용을 공부하게 되므로 시험 직전의 마지막 단원 연습 문제를 풀고 제출한 학습자의 수는 적게 나타난다.

당연한 결과겠지만, 마지막 3A 7과를 제출한 학습자 4명은 학기말 시험에서 10점 만점 중 9점을 받았다. 류블랴나대학에서는 10점 만점에 6점 이상은 합격, 5점 이하는 낙제 처리한다. 전체 학습자의 평균이 7.8점인 것과 10점 만점을 받은 4명의 학생 중 3명이 한국 유학을 다녀온 학생이고, 나머지 한 명에게는 아주 친한 한국인 친구가 있다는 점을 감안하더라도 성실하게 학습하는 태도가 좋은 점수를 얻는 데 중요한 요인으로 보이고, 그에 부응할 수 있는 연습 문제를 제공하는 것 또한 매우 효과적이었다고 유추할 수 있다. 참고로 e 학습터에 올린 연습 문제는 프로젝트에 참가한 학생들이 독자적으로 만든 것이다.

류블랴나대학교 한국학 전공 한국어 수업에서는 각 단원이 끝나면 쪽지 시험을 보고, 중간고사와 기말고사 그리고 학년말에 최종 시험(학년말 고사)을 치르는데 이 최종 시험은 쓰기와 말하기로 구성된다. 쪽지 시험, 중간고사, 기말고사 그리고 최종 시험에서는 주교재와 부교재에서 사용된 문장과 수업 시간에 사용한 예시문을 이용하여 문제를 출제하는데, 지난해에는 e 학습터의 연습 문제에서 몇 개를 뽑아서 넣었다. 단, 최종 시험, 중간고사, 기말고사에서 이미 쪽지 시험 등 다른 시험에서 출제되었던 문제나 e 학습터의 연습 문제에서 뽑은 문제를 출제하는 경우 문제의 형식을 바꾸었다. 즉, e 학습터 연습 문제와 쪽지 시험, 중간고사, 기말고사, 최종 시험에는 이전에 출제된 문제를 똑같이 복사해서 사용하지 않았다. 그럼에도 불구하고 꾸준하게 e 학습터 연습 문제를 푼 학생들의 성적이 좋은 이유는 다양한 문제 유형에 익숙해지고, 여러 어휘가 다른 형태의 문항 속에서 반복되면서 더 다양한 표현 방법을 익히게 된 데에 있다.

5. 나가며: 문제점과 개선점

이 프로젝트를 진행하면서 느꼈던 가장 큰 문제점은 기술적인 것이었다.

먼저 문제 형식을 바꾸지 못한다. Moodle을 사용해서 만들 수 있는 문제의 유형은 아주 많다. 그러나 문제의 순서나 선택지의 순서를 섞는 설정은 가능한데, 문제를 출제할 때 정한 형식은 나중에 바꿀 수 없다. 예를 들어 드롭다운 방식에서 클릭하여 선택하는 방식으로, 혹은 선택형 문제에서 직접 입력하여 빈칸을 채우는 형식으로 바꿀 수 없다. 문제 형식 변경이 필요한 이유는 학습자들이 반복해서 연습 문제를 풀 경우, 같은 문제라고 하더라도 문제 형태가 달라지면 반사적으로 대답을 하지 않고 주의 깊게 한 번 더 문장을 읽게 되므로 학습에 더욱 도움이 될 것이기 때문이다.

다음으로 문제 은행에 있는 문항의 정렬 순서를 바꾸거나 재분류를 할 수 없다. 문제 은행의 기본 설정은 문제 유형별 제목을 가나다순으로 자동 정렬하나, 키워드나 제목으로 배열할 수 있는 기능이 있다면 학습자에게 제공할 연습 문제 편집이 훨씬 수월해질 것이고, 학습자는 본인이 원하는 부분(어휘, 조사, 문법 등)을 선택하여 집중적으로 학습할 수 있어서 효과는 더 클 것이다.

또 하나의 기술적인 문제는 알림 기능이 없는 것이다. 학습자가 연습을 마치고 제출했을 때 그 과목의 관리자에게 알림 기능과 함께 링크가 뜨면 바로 들어가 확인할 수 있고, 바로 확인을 하지 못한다고 하더라도 표시를 해 두었다가 늦지 않게 체크해서 피드백을 해 줄 수 있다. 적시에 피드백을 주지 않으면 학습의 효과가 떨어질 수 있다는 것은 주지의 사실이다.

이러한 기술적인 문제에 대해서는 유사한 프로젝트를 수행한 참여자들을 통해 정보를 수집하고 하나씩 해결책을 찾아 나가려 한다.

그리고 또 하나의 가장 큰 문제점은 시간이었다. 문제를 출제하고 출제된 문제에 대해 피드백을 하는 시기는 방학이어서 성실하게 수행할 수 있었으나, 학습자들이 e 학습터에서 문제를 풀고 제출한 연습 문제에 대해서는 제대로 피드백을 해 주지 못하였다. 위에서 언급했던 것처럼 알림 기능이 없어 수시로 들어가서 확인을 해야 하는데, 연습 문제를 업로드한 후 쪽지 시험이 있기 전까지 그 며칠 동안은 해당 단원의 연습 문제를 제출한 학습자가 있는지 수시로 확인하고 피드백을 해 주었으나, 학습자에 따라서는 복습을 겸해 이전의 연습 문제를 푸는 경우도 있어 피드백이 제대로 이루어지지 않은 경우가 확인되었다.

이러한 문제점들을 개선하기 위해 먼저 각 단원의 연습 문제를 객관식과 주관식 연습 문제 그리고 쓰기 문제로 분리하여, 객관식 연습 문제를 풀고 제출을 누르면 총점과 정답 그리고 해설이 보이도록 설정하고, 주관식 연습 문제에는 답 또는 답의 예시와 해설을 넣어 학습자가 문제를 풀고 제출하면 정답과 해설이 보이도록 설정, 학습자에게 스스로 고칠 수 있는 기회를 제공하려 한다.

쓰기 문제는 이 연습 문제에서 따로 분리하여 워드나 pdf로 만든 후 업로드해 학습자가 그 과제를 수행한 후 e 학습터에 파일로 업로드하거나 실물로 제출할 수 있도록 방법을 수정하려 한다. 또한 학기별로 설문조사를 실시하고 학습자들의 의견을 물어 개선해 나갈 것이다.

참고문헌 및 참고 사이트

류현숙. 2016. **류블랴나대학교 한국어 1 수강자 특성.** 제6차 유럽 한국어 교육자 협회 워크숍. University of Copenhagen, Denmark. pp. 66-75

Faculty of Arts, University of Ljubljana. e 학습터 https://e-ucenje.ff.uni-lj.si/. 접속일자 2022년 9월 30일.

Moodle. https://moodle.org/. 접속일자 2022년 9월 30일.

제3장

Online Teaching and Learning of Korean in India
(인도에서 한국어 온라인 교육 및 학습)

라제쉬 쿠마르
Rajesh Kumar

한국 서울대학교
Seoul National University

1. Introduction

The COVID pandemic that affected the education systems all around the world was not only a thing of despair and hopelessness, but it also had some bright sides. Especially in the Indian academic world, the COVID pandemic opened the door to a whole new world of online learning since schools and colleges were shut down, and e-learning took a major stake in the academic world of India. The initial period of shifting from classroom-based education to an online-based e-learning system was a difficult task altogether, given that India lacks a state-of-art internet infrastructure. However, the pandemic prolonged, and educational institutions started to focus on online learning.

The education of foreign languages also saw the same trends. However, offering online courses for a foreign language was not an easy task. The lack of infrastructure as well as the lack of trainers who can teach through the online medium, was the biggest hurdle. Korean language education also faced similar limitations. However, gradually educators, as well as learners adapted to the online medium of education, and through the passing of time, online education became an essential part of learning. Online education of the Korean language also became common, with many universities and individuals offering Korean classes through different means such as YouTube, Instagram etc.

Before diving deep into the online education of the Korean language and its problems in India, let us have a look at the history of the Korean Language Education in India.

2. History and Current Status of Korean Language Education in India

2.1. Current Status of Korean Language in India

The Korean Language was first introduced in the Jawaharlal Nehru University in 1976 as a Pre-Degree Diploma course in the School of Languages and Literature. It was further promoted to a full-time undergraduate program in 1995 and a post-graduate Masters' program in 1998. After looking at its popularity and the enthusiasm of researchers, a full-time M.Phil. & Ph.D. program was introduced in 2013. During these years, Korean was also started to be offered as a certificate and a degree program in other parts of India. Currently, Korean language program is offered in more than five Indian universities, which include the University of Delhi, Jamia Millia Islamia, English and Foreign Languages University, Jharkhand Central University, Manipur University. Thanks to the popularity of the Korean language in India, A.N. College, Patna and Magadh University in Bodhgaya also offer the Korean language as a part-time course. Jadavpur University, Kolkata, has been running Korean language courses off and on. Besides all these universities, Nalanda University, Banaras Hindu University offer their Korean language diploma and advanced diploma programs on and off. Kalinga Institute of Industrial Technology, Bhubaneshwar also started an online certificate program in the Korean language in January 2022.

2.2. Current Status of Korean Language in India

'Hallyu' has become a household name in urban India. Young Indians have been fascinated by K-pop, especially BTS. It is fascinating to know that in urban areas, every second or third young child is not only aware of K-Pop but also ardent fan of various Korean music bands and groups such as BTS or Black Pink. Apart from K-Music, K-Drama, OTT programs also have played a very big role in promoting Korean culture and the Korean language in India. One of the most recent examples is the global success of the Netflix thriller, Squid Game. According to a survey conducted by Duolingo, Korean has become India's fastest-growing foreign language.[1] Indian government has responded positively to the implementation of education in the Korean Language.[2] They have introduced the Korean language as a foreign language at India's schools and have adopted the Korean Language in the NEP 2020. The role of the Korean culture centre that also supervises King Sejong Institute in India should not be overlooked. The Korean Cultural Centre India has established sisterhood ties with 106 schools and has been making efforts to spread the Korean language to Indian schools, starting with Korean language classes. Korean language classes were offered at two schools in 2015. In 2019 classes were offered at 14 schools and reached 493 students.

[1] A total of 1013 Indians aged between 18 and 50 years from Mumbai, Delhi, Bangalore, Chennai, Kolkata, Hyderabad, Jaipur, Pune, Ahmedabad and Lucknow have participated in this survey. In a company press note, Duolingo added that Korean is now the fifth most popular language accessed on the app in India. Duolingo attributes this to "Indian millennials" and "Gen Z", aged between 17 and 25 years. This rise can be attributed in-part to the release of popular TV series *Squid Game* this year, and the Indian love for Korean pop music (K-pop).

[2] Song, Seung-hyun. 19 Aug. 2020. Korean to Be Taught as Foreign Language at India's Schools. *The Korea Herald*.

2.3. Online Education of Korean Language in India

From the above discussions, it could be established that the offline or classroom education of Korean language was quite a dominant language in India's foreign language education. However, the online education system was a new phenomenon that people witnessed during the pandemic. The rapid transition from offline to online mode brought a lot of problems that need to be addressed. The most eminent of them are Crawford, Butler-Henderson, Rudolph & Golwatz discussion published in 2020.[3]

The response of Indian universities to the online mode of education has been problematic, taking into account the Internet infrastructure in India. The effectiveness of online education is dependent on the degree of

[3] Crawford, J., Butler-Henderson, K., Rudolph, J., Malkawi, B., Glowatz, M., Burton, R., Magni, P. A., & Lam, S. 2020. COVID-19: 20 Countries' Higher Education Intra- Period Digital Pedagogy Response. *Journal of Applied Learning and Teaching*. 3. pp. 9–28.

digitalization of the country; thus, it is more effective for a digitally advanced country, while it might be ineffective for a less digitally developed country.[4] The other hurdle faced by online education was the lack of learning materials and proper communication among the students and teachers. However, during the pandemic, thanks to online learning applications and platforms, learning from home was made possible in the safest possible manner. However, it was very difficult for educational institutes to transfer all teaching methodologies, content data, and other learning activities like assessment and observation online. It was also necessary to continue moving forward with students' education.[5] Online education does not require a fixed place to study, but they do require a suitable and peaceful place for learning without any distractions[6] which might represent a problem in the Indian context given the fact that India still cherishes an extended family system and living spaces in the metropolitan area have been shrinking over past few decades after migration of Indian families to big cities in search of jobs and livelihood. The houses have become small, and the number of family members living in one house is still large. This also creates a problem of a decent place to attend classes through online modules.

The ongoing online classes are now turned out towards the question of learning quality.[7] India has faced a lack of competent teachers to teach in offline classes[8], but online classes are extremely difficult for teachers to cope up with. The teachers lack knowledge as well as training for conducting classes online.

The same could be said for tutors of the Korean language. The overburdened teachers had to go the extra mile to prepare lessons for online classes and this affected the quality of teaching. Online teaching methodology poses many challenges due to inexperience in conducting or attending online classes by faculty members and students and insufficient preparation or support from the educational technological team.[9]

The lack of Internet infrastructure has become a big factor in online learning. Those students who have good quality internet may easily study. For others it was a difficult task.[10] The availability of the internet in India is

[4] Anand, Anwar 2020. Online learning amid the COVID-19 pandemic: students; perspective. *Journal of Pedagogical sociology and psychology*. p. 47.

[5] Isbell, D. R. 2018. Online informal language learning: Insights from a Korean learning community. *Language Learning & Technology*. 22(3). pp. 82–102. https://doi.org/10125/44658

[6] Dhawan, S. 2020. Online Learning: A Panacea in the Time of COVID-19 Crisis. *Journal of Educational Technology Systems*. *49*. pp. 5–22.

[7] Crawford, J., Butler-Henderson, K., Rudolph, J., Malkawi, B.H., Glowatz, M., Burton, R., Magni, P., & Lam, S.M. 2020. COVID-19: 20 countries' higher education intra-period digital pedagogy responses. 1.

[8] https://www.thehansindia.com/hans/opinion/news-analysis/death-of-real-teaching-700034

[9] Wang, C., & Zhao, H. 2020. The Impact of COVID-19 on Anxiety in Chinese University Students. Frontiers in psychology. 11, 1168. https://doi.org/10.3389/fpsyg.2020.01168

also a big factor in online learning. Even if the number of internet users has been growing rapidly, there is still a large population with no access to the internet – particularly in rural areas, poorer states, and poorer households.[11] The economic gap between rich and poor that is easily visible in society is quite evident in the internet penetration rate in India. However, in online classes, the lectures could be recorded for students to listen to the previous class for future reference.[12] But recording of classes also heavily depends on the factors of hardware and internet usage.

3. Aim of the Study

After discussing the hurdles that are being faced by the online education system of Korean, my study will try to suggest measures that should be considered while conducting online Korean language classes. In this study, students who completed a semester of an online Korean language course were surveyed, and their opinion was examined to find the facts about online Korean language education in India. However, the sample size of the survey was statistically significant; it comprised 21 students of KIIT-School of Language, Bhubaneshwar. An online Korean Language certificate was offered by KIIT for the first time in January 2022. The first batch has an enrolment of 25 students, and the second batch has an enrolment of 5 students. All the students took a 30-hour class of Korean Beginner 1 through an online medium. The main aim of this study is to find a way to re-design and re-structure online Korean language classes for a better result. Moreover, I will try to discuss the advantages and disadvantages of online language education which were examined through learners enrolled in Korean classes.

[10] Ary, E.J., Hickingbotham, F.D., & Brune, C.W. 2011. A Comparison of Student Learning Outcomes in Traditional and Online Personal Finance Courses.

[11] https://www.hindustantimes.com/india-news/connectivity-gets-better-but-parts-of-india-still-logged-out/story-VSqXriMdGUudWb7eBcWzjN.html

[12] Brecht, H.D. 2012. Learning from Online Video Lectures. J. Inf. Technol. Educ. Innov. Pract. 11. pp. 227–250.

4. Methodology

The questionnaire aims to identify the effectiveness of online platform education and technological challenges as well as the preferred learning methods of Korean language students. Our intention is also to identify other factors that might influence the online teaching-learning process. The survey questions used in this research are presented below. These questions were from previous research[13] and were modified to achieve the result of this research. The survey was conducted between 11 July 2022 to 19 July 2022 through google Forms, and students' responses were anonymous. Through this survey, we tried to understand the online learning environment of the Korean language and also wanted to know the thoughts and problems faced by students during online classes. The survey questionnaire was presented as a multiple-choice questionnaire, and Korean language learners were allowed to select the most suitable answer according to their opinion. The questions that were asked of the students are given in the table below.

[13] The questions are based on research conducted by Jawaharlal Nehru University after the pandemic to find a method of conducting online classes after the college was closed due to Covid-19 pandemic.

1. How do you rate the ease of access for yourself to online education platforms such as ZOOM, GOOGLE-MEET, and GOOGLE CLASSROOM for online learning?
2. How do you rate your convenience in interaction with a teacher?
3. How do you rate the understanding of class content in comparison with the offline class?
4. How do you rate the level of concentration of class in comparison with the offline class?
5. How do you rate your preference for online classes over offline classes?
6. How was your overall satisfaction level with online Korean language classes?
7. Would you enroll in online classes in the future for online Korean language learning?
8. Are you satisfied with your level of participation in the class?
9. Are you satisfied with your level of motivation in the class?
10. Are you satisfied with your level of confidence in the class?
11. Are you satisfied with your level of excitement in the class?
12. In your opinion, which part of of Korean language learning online classes is very efficient?
13. How did you access your online classes?
14. Where did you attend your online classes?

15. How do you rate internet quality as one of the factors in online learning of the Korean language?
16. How did you access the internet to learn the Korean language?
17. Did you buy an internet plan for learning the Korean language?
18. Did you feel that spending on the internet was a burden for you?
19. Would you spend to buy the internet if it was only for learning the Korean language?
20. What problems did you face while attending online classes?
21. Is online tools or software easy to use?
22. Do knowledge of computer and IT skills help in learning?
23. How would you rate your knowledge of computer and IT skills?
24. Was keeping the camera on during the class a burden for you?
25. Was speaking during classes a burden for you?
26. Which teaching method did you prefer from your teacher?
27. Was there any problem accessing the study material such as the textbook during class?
28. How do you rate the importance of textbooks in online mode learning?
29. Did you feel that the teacher could not give attention to you during classes?
30. Would you like to share any other problems that you faced during online Korean language learning?

5. Results and discussion

The first part of the survey dealt with a learning environment. The questionnaire was designed to have insight into the satisfaction of learners.

In an online learning environment, the importance of online learning application/programs is very important. The students were asked about ease of access to learning applications such as Zoom Meeting, Google Meet, and Google Classroom. Almost 61 percent of the students said that access to online learning platforms was very easy for them, and it contributed positively to their studies. An important point that needs to be noted here is that among all the 21 students surveyed, none of the respondents found the learning platform to be a hurdle in learning Korean Language. If we ignore the fact that the sample size of the survey was small, we can say that online learning platforms such as ZOOM, Google Meet, and Google Classroom are effective enough for learning.

The students were satisfied with the convenience of interacting with the teacher. This points to the importance of the role of interaction of students in learning the Korean language. The teacher was using SNS such as WhatsApp group chat and E-mail to interact with the students. As Gaytan (2015) has stated regular instructions and feedback from teachers are very important and are a major factor in driving the motivation of students.[14]

The level of understanding of class content received a mixed response. The students were not fully satisfied with the understanding of class content through online mode. 57 percent of the students said that they were somewhat satisfied with the class content. Kauffman, Hone & El said (2004) have pointed out the importance of course content and design characteristics to address an overall perception of quality and have highlighted the factors that need to be addressed while investigating students' satisfaction regarding online classes.[15, 16, 17, 18] The class material should be easier for the students to relate with, and there should be a scope for students to compare their own culture with Korea. Since in online format it is difficult to explain to students the cultural background of vocabulary and phrases in comparison to offline mode, showing a video would be an effective option. It will not only garner their interest in the lesson but also give them a lesson on culture.

The students were not satisfied with the level of concentration in an online class in comparison with an offline class. Almost 50 percent of students were either neutral in their opinion or somewhat dissatisfied with their level of concentration in the class. This phenomenon can be explained by the fact that more than 90 percent of the students attended their classes from their homes. As we have discussed earlier that most Indian families are still joint families, the disturbance in their concentration may find a suitable answer in this fact. However, students still found online classes more convenient than offline classes. They preferred online classes over offline classes. This shows that online classes could be a very effective method of teaching in the near future if the technical hurdles can be overcome. More than 90 percent of the students were affirmative when they were asked if they were willing to enroll in online Korean language classes

[14] Gaytan, J. 2015. Comparing Faculty and Student Perceptions Regarding Factors That Affect Student Retention in Online Education. *American Journal of Distance Education*. 29. pp. 56–66.

[15] Kauffman, H. 2015. A review of predictive factors of student success in and satisfaction with online learning. *Research in Learning Technology*. 23. https://doi.org/10.3402/rlt.v23.26507

[16] Hone, K. S., & El Said, G. R. 2016. Exploring the Factors Affecting MOOC Retention: A Survey Study. *Computers & Education*. 98. 157–168. https://doi.org/10.1016/j.compedu.2016.03.016

[17] Hunter, Jennifer Dr and Ross, Brayden 2019. "Does increased online interaction between instructors and students positively affect a student's perception of quality for an online course?" *Journal on Empowering Teaching Excellence*: Vol. 3: Iss. 2, Article 4. DOI: https://doi.org/10.15142/gwx5-jq07

[18] Bolliger, D.U. 2004. Key Factors for Determining Student Satisfaction in Online Courses. *International journal on e-learning*. 3. pp. 61–67.

in the future.

The online Korean language classes had their advantages as well as disadvantages, but it could be beneficial in teaching certain aspects of language. 81 percent of the students thought that online mode was best suited for learning vocabulary. The use of graphics and pictures was easier for the students to memorize a vocabulary. 81 percent of students thought that the practice of listening through the online method was very effective in learning the Korean language. 76 percent rated online learning of grammar and communicative Korean as a very productive method. However, reading, writing, and speaking were not preferred by the students through online learning.

Most of the students accessed online classes through their laptops along with other devices such as mobile phones and tablets. Thus, it was easy for the tutors to use a PPT as study material. However, while preparing for the classes, it is necessary to consider the devices students use to access the class. But affording even a smartphone for online classes is a matter or great suffering for many Indian students. A survey conducted by NCERT (National Council for Education Research and Training) concluded that at least 27 percent of students do not have access to smartphones or laptops for online classes.[19]

80 percent of the student rated internet quality as one of the most important factors in online learning the Korean language. However, around 9 percent of students didn't consider internet quality as one of the factors in e-learning. 61 percent of the students used a fixed or a broadband internet connection to access the internet to learn the Korean language. And 42 percent of the students used a mobile network to access the internet. Only 14.3 percent of the student were able to access Wi-Fi provided by schools or universities to access internet. This points towards a serious lack of internet infrastructure provided by universities. Thus, it is advisable that while planning to start a language course through an online medium a lack of fast internet should be utmost attention, given the fact that the average speed of internet through mobile is only limited to 20.10 mbps and it is ranked 125th all over the world.[20]

[19] Akhilesh, Nagari. (2020, August 20). At least 27% students do not have access to smartphones, laptops for online classes: NCERT survey *Hindustan Times*. https://www.hindustantimes.com

[20] Shikhar, Mehrotra. (2022 May 19) India Secures 125th Rank in Speedtest Global Index by Ookla For Mean Mobile Internet Speed. Republicworld.com https://www.republicworld.com

When the students were asked if they would be willing to spend on buying the internet to learn the Korean language, 33 percent of the students answered in negative and 14 percent of the students were indecisive about that. It can be interpreted that Indian students were not willing to pay for the internet if it comes only for studying Korean. This also points to the fact that universities and education institutes need to provide the internet to the students for smooth and successful conduct of classes. Otherwise, many of the students who are interested in learning languages would give up on their ambition to learn the Korean language.

If we have a look at the difficulties that students faced while attending online classes, the majority of students faced issues related to internet speed. Around 33 percent of students faced issues related to hardware such as laptops, smartphone tabs and desktops, etc. The noise in the surrounding was also a major issue in online learning. This points to the fact that internet speed is one of the biggest factors in online learning. However, the lack of access to a proper device is also a big factor that needs to be addressed. The lack of an adequate place to study is also a major concern. Online classes give the comfort of learning from remote locations, but it also comes with the disadvantage of noise and disturbances from the surrounding.

After analysing the survey, we can find some solutions that are suitable for online education of the Korean language. A method of teaching that can be suitable for both developing as well as developed nations should be of utmost importance for e-learning. If there is a big difference in the teaching methodology applied in developing as well as developed nations, the students will be at a disadvantage. Especially the technical backwardness and lack of internet infrastructure in developing nations, students from developing nations will face discrimination when it comes to online education of the Korean Language. Considering this fact, the researcher would like to underline some important points for the online education of the Korean language.

5.1. The Role of Teachers

The teachers should be trained properly to tackle online education. A target-based workshops or teacher training should be given to the teachers to help them to get accustomed to online teaching. Also, teachers should be trained to cope with different ways of teaching, such as the internet and online education platforms while preparing for e-education. The training should also be focused on how to make classes more interactive through online mediums. The interaction of teacher and student in online mediums should be as animated as in offline classes.

5.2. The Role of Teaching Material

Online education of the Korean language started after the pandemic, so there is only a few research related to online education and teaching as well as study material. A study material that is appropriate for an online education system should be published and the teachers as well as students need to be encouraged to use that teaching material. A textbook in the form of an e-book could be an alternative to the conventional textbook. Also, while preparing the study material for the class, the teacher should focus on minimizing the use of textbooks in online classes. The use of textbooks in classes has been a distraction for students. Therefore, incorporating scan copies of textbooks in the PPT for the class could be an alternative.

5.3. The Upgrade of Classrooms

It has been observed that the students were having a hard time concentrating during their online classes. One of the reasons for this was the lack of decent space to attend classes. Since the popularity of online classes is increasing due to the ease of access to the class from one's place, students will be highly demotivated to enroll in online classes if this feature is snatched away from the online classes. To tackle this problem, a Video-on-demand based classroom should be made available to the students so that they can revise their lessons even after the conclusion of the class. Using a flipped learning approach could also prove very effective in the online learning of the Korean language. For this, Lee's (2013) suggestion could be fruitful in designing the class.[21]

[21] Lee, Dong Yub. 2013. Research on Developing Instructional Design Models for Flipped Learning. *Journal of Digital Convergence*. 11(12). pp. 83–92. https://doi.org/10.14400/JDPM.2013.11.12.83

5.4. The Role of Students

The researcher would also like to suggest that training or orientation for students should be conducted to impart the know-how of attending classes. Many students face problems while operating applications for online learning. Proper training before the commencement of classes will help students to get accustomed to the user interface of applications. Besides, training about using textbooks and solving online assignments is very necessary.

5.5. The Overcoming Technological Limitations

It has been observed that even if the teacher carries out his role in an ideal way, technical limitations such as a problem with hardware or connecting to the internet can interfere with the smooth conduct of classes. Also, if online education is carried out through applications or programs provided by institutions, and any problem or error occurs in those programs, the student finds it difficult to follow the classes. A real-time technical assistance team would solve this problem.

6. Conclusion

The arrival of covid pandemic has made humanity learn many lessons. The pandemic has also made us learn some hard lessons. The area of education is not untouched by it. The pandemic showed the academic world a new window to online education. The teaching of the Korean language also took this opportunity to impart education through online mode to students who are sitting in different parts of the world. Through e-learning, a student sitting in one corner of the world can follow the classes conducted in Korea. Even though there are limitations and problems with online learning, with proper research and attitude toward online education, online learning can become a convenient and very affordable form of Korean language learning. If we can focus on overcoming the hurdles by determining the roles of teachers, study materials, and students' online education of the Korean language could become a game changer in the future. Especially in a big country like India which is a multicultural, geographically huge subcontinent, students can learn Korean from a remote location. The same methodology could be applied to teaching Korean in Europe.

Bibliography

Anand, Anwar. 2020. Online learning amid the COVID-19 pandemic: students; perspective, Journal of Pedagogical Sociology and Psychology. p. 47.

Ary, E.J., Hickingbotham, F.D., & Brune, C.W. 2011. A Comparison of Student Learning Outcomes in Traditional and Online Personal Finance Courses.

Bolliger, D.U. 2004. Key Factors for Determining Student Satisfaction in Online Courses. *International journal on e-learning*. 3. pp. 61–67.

Crawford, J., Butler-Henderson, K., Rudolph, J., Malkawi, B., Glowatz, M., Burton, R., Magni, P. A., & Lam, S. 2020. COVID-19: 20 Countries' Higher Education Intra-Period Digital Pedagogy Response. *Journal of Applied Learning and Teaching*. 3. pp. 9–28.

Dhawan, S. 2020. Online Learning: A Panacea in the Time of COVID-19 Crisis. *Journal of Educational Technology Systems*. 49. pp. 5–22.

Gaytan, J. 2015. Comparing Faculty and Student Perceptions Regarding Factors That Affect Student Retention in Online Education. *American Journal of Distance Education*. 29. pp. 56–66.

Hone, K. S., & El Said, G. R. 2016. Exploring the Factors Affecting MOOC Retention: A Survey Study. *Computers & Education*. 98. pp. 157–168. https://doi.org/10.1016/j.compedu.2016.03.016

https://www.hindustantimes.com/india-news/connectivity-gets-better-but-parts-of-india-still-logged-out/story-VSqXriMdGUudWb7eBc WzjN.html

https://www.thehansindia.com/hans/opinion/news-analysis/death-of-real-teaching-700034

Hunter, Jennifer Dr and Ross, Brayden. 2019 "Does increased online interaction between instructors and students positively affect a student's perception of quality for an online course?". *Journal on Empowering Teaching Excellence*: Vol. 3: Iss. 2, Article 4. DOI: https://doi.org/10.15142/gwx5-jq07

Isbell, D. R. 2018. Online informal language learning: Insights from a Korean learning community. *Language Learning & Technology*. 22(3). pp. 82–102.

https://doi.org/10125/44658
Kauffman, H. 2015. A review of predictive factors of student success in and satisfaction with online learning. *Research in Learning Technology*. 23. https://doi.org/10.3402/rlt.v23.26507
Mehrotra, Shikhar. 2022 May 19. India Secures 125th Rank In Speedtest Global Index By Ookla For Mean Mobile Internet Speed. Republicworld.com https://www.republicworld.com
Nagari, Akhilesh. 2020, August 20. At least 27% students do not have access to smartphones, laptops for online classes: NCERT survey *Hindustan Times*. https://www.hindustantimes.com
Song, Seung-hyun. Korean to Be Taught as Foreign Language at India's Schools. *The Korea Herald*. 19 Aug. 2020.
Wang, C., & Zhao, H. 2020. The Impact of COVID-19 on Anxiety in Chinese University Students. *Frontiers in psychology*. Vol. 11, No. 1168. https://doi.org/10.3389/fpsyg.2020.01168

제4장

역번역을 활용한 한국어 교육 방안 연구

- 튀르키예 앙카라대학의 사례를 중심으로

임지영
튀르키예 앙카라대학교
University of Ankara

1. 들어가며

본 연구는 해외 대학 한국어 학습자들의 한국어 능력 신장을 위해 역번역을 수업에 활용한 사례 및 그 효과를 소개하는 데 목적이 있다.

한국과 비(非)인접한 해외에 거주하는 한국어 학습자의 경우 한국인과의 접촉이 원활하지 않아 한국어 실력을 향상시키는 데 한계를 느낀다. 특히 학습 기간이 길어짐에도 불구하고 고급 어휘 및 문법, 모어 화자의 자연스럽고 실제적인 표현을 적확하게 사용하는 데 어려움을 겪는다. 필자는 이러한 문제를 해결하기 위하여 역번역을 활용한 수업을 고안하였다. 본래 번역학에서 시작된 역번역(Back-Translation)은 외국어 원문을 모국어로 번역한 뒤 해당 번역의 품질을 판단하기 위해 다른 번역가에게 해당 번역문을 다시 원문으로 번역하게 하는 것을 말한다. 이는 한국어 교육에도 접목되어 한국 내 일부 통번역학과에서 학습자의 한국어 실력 향상을 위해 활용되고 있는데[1], 보통 한국어 원문을 학습자의 모국어로 순번역한 뒤 다시 한국어 원문으로 역번역하여 원문과 역번역문을 비교, 학습하는 방식을 취한다.

이 과정은 학습자의 한국어 텍스트에 대한 정확한 이해가 수반되어야 모국어 텍스트로 1차 번역이 가능하기 때문에 꼼꼼하고 정확하게 읽는 이해 능력을 향상시킬 수 있을 뿐만 아니라 모국어로도 자연스럽게 표현하는 번역을 연습할 수 있다. 또한 모국어

[1] 박은정(2019)은 서울 소재 H대학 대학원 '외국어로서의 한국어 번역 전공' 및 대구 D대학교 통번역 전공 학습자를 대상으로 역번역 수업을 진행한 바 있다.

텍스트를 한국어 텍스트로 번역하는 과정에서는 어떻게든 학습자가 가진 언어 지식 내에서 적절한 어휘와 표현, 문법들로 표현해 내야 하기 때문에 일반적 쓰기와 달리 학습자가 모르는 것들을 회피하는 일이 불가능하다. 이를 통해 자신의 언어 실력을 진단하고 구체적으로 부족한 부분을 인지할 수 있으며, 원문과 자신이 역번역한 텍스트를 비교함으로써 오류를 바로잡고 더 적절하며 한국어 화자다운 자연스러운 표현을 학습할 수 있게 된다.

이에 본고는 해외 대학 한국어 전공 학습자 대상에 맞게 수업 모형을 설계하여, 실제 앙카라대학교 한국어문학과 4학년 학생들을 대상으로 중간고사 이전까지의 '문어 텍스트' 역번역 수업 과정을 분석하였다.[2] 실제 수업 사례를 바탕으로 역번역 수업의 장점과 효과를 분석하는 등 그 활용성을 검증하고 향후 발전 방향을 제시하는 데 본고의 목적이 있다.

[2] 중간고사 이전까지는 문어 텍스트를 중심으로, 중간고사 이후부터는 구어 텍스트를 중심으로 수업을 진행하였는데, 학습자의 역번역에 나타난 문어의 특징과 구어의 특징이 상이해, 본고는 문어 텍스트를 중심으로 한 전반기 수업만을 분석 대상으로 하였다.

이를 위해, 2절에서는 선행 연구 및 역번역의 이론적 배경들을 정리하며 해외 대학 한국어 전공 수업에서의 역번역 활용의 필요성을 밝히고, 3절에서는 튀르키예 앙카라대학 한국어문학과 4학년을 대상으로 한 역번역 수업 모형 설계 및 구체적 수업 모습을 면밀히 기술하고자 한다. 4절에서는 해외 대학에서 역번역을 활용한 수업의 효과들을 밝히고 더 나은 수업을 위해 보완점을 정리할 것이다.

2. 역번역의 개념 및 한국어 교육적 의미

2.1. 역번역의 개념

역번역은 본래 번역학에서 도입된 개념이다. Paegelow(2008: 22)에 의하면 역번역이란 번역의 정확성을 검토하는 수단으로서 사용된다. 번역문은 다른 번역가에 의해 다시 원문으로 역번역되고 독자는 원문과 역번역문을 비교해 원문 번역의 부정확성을 확인하는 것이다.

> As a review, back translation is the practice of taking a translated document and translating it back into the original language as a means of checking the accuracy of the translation. For example, you deliver the translation to the client, who then hands it to another translator for translation back into English. The client then compares the back translation to the original and checks for inaccuracies. (Paegelow, 2008: 22)

Tyupa(2011: 36)는 "순번역(forward traslation) → 역번역(back translation) → 역번역 재검토와 논의(back translation review and discussion) → 확정(finalization)"이라는 단계를 통해 순번역의 품질을 검증하여 번역을 확정하도록 순서화하였다. 이 단계는 한국어 교육 내 역번역을 활용하는 수업 과정 설계에 차용되기도 하였다.

Paegelow(2008)는 원문과 역번역문 간 발생하는 차이를 유형화하였는데, '문제가 되는 차이'와 '문제로 볼 수 없는 차이'로 나누었다. 문제가 되는 차이는 역번역 및 순번역 시의 오류로 반드시 교정이 필요한 것이며, 원문의 의미 해석상 문제가 되는 차이 역시 수정이 필요하다고 보았다. 반면 어휘와 문법, 표현 등이 원문과 역번역문에서 다르게 표현되더라도 의미상 차이가 없다면 문제로 보지 않는다. 한국어 교육 내에서 역번역을 활용할 때에 문제가 되는 차이는 오류이므로 수정이 필요하고, 문제로 볼 수 없는 차이의 경우라도 그 미세한 차이의 수용에 대한 판단이 교수 내용으로서 유의미하다고 볼 수 있다.

2.2. 역번역이 한국어 교육에서 갖는 의미

한국어 교육에서 역번역을 활용한 수업 연구는 허용(2018)을 필두로 본격화되어 최근까지 활발히 진행되고 있다. 지금까지의 연구물들은 크게 한국어 학습자들의 역번역문에 나타난 한국어 문장 특징을 분석한 것과 수업 모형 및 수업 방안을 제시하여 보고한 연구로 나눌 수 있다.

먼저 역번역문에 나타난 한국어 문장의 특징에 관한 연구로, 허용(2018)은 고급 학습자의 역번역문의 특징을 긴 문장에서의 부적절한 호응 관계, 유사한 의미 표현에 있어 초·중급 수준의 어휘 및 문법 사용, 간단한 문장 표현 등으로 정리하였다. 허용·박은정(2019) 역시 고급 한국어 학습자의 역번역문에 나타난 '이/가', '은/는'의 사용 및 인식에 대해 서술하였는데, 대체로 '대조'의 기능은 무조건 '은/는'으로 번역하고, 신정보와 구정보 및 안은문장과 안긴문장에 따른 '이/가', '은/는'에 대한 선택 사용이 원활하지 못하다는 것을 밝혔다. 박은정(2019a)은 역번역문에 나타난 어휘 연구로 '문제가 없는 차이'에 주목하여, 더 적절하고 자연스러운 어휘 사용을 위해 유의어 관계에 있는 한자어/고유어 학습, 한자 유의어 학습, 함께 어울려 쓰는 표현 학습, 어휘 차원을 넘은 다양한 표현 대체 연습 등을 제안하였다. 박은정(2019b)은 역번역문에 나타난 한국어 사동과 피동의 '문제없는 차이'를 살폈는데, 학습자들이 사동과 피동 대신에 능동을 사용하거나, 통사적 사동과 피동보다 어휘적 사동과 피동을 선호한다는 점, 사동과 피동에 관련된 조사 사용에 어려움을 겪는다는 점을 밝혔다. 허용·박은정(2020)은 역번역문에서의 '양태 표현'에 주목하여 '-다고 볼 수 있다', '-(으)로 보이다', '-는 것이다', '-모를 일이다' 등의 명제에 대한 화자의 미세하지만 분명히 존재하는 태도·심리를 나타내는 복합 구성 표현이 누락되거나 정확하게 쓰이지 않는 것을 밝혀냈다. 이러한 연구들은 모두 고급 학습자를 대상으로 보완해야 할 구체적인 교수 항목들을 발굴했다는 데 의의가 있다.

다음으로 역번역을 활용한 학습 모형 및 교수 방안을 제시한 연구를 살피면 다음과 같다. 먼저 심선향(2018)은 5급의 일본인 학습자 1명을 대상으로 노래 가사 '아리랑'과 '뉴스 보도 기사'를 '번역-역번역-비교'의 과정을 거치도록 하였다. 이를 통해 한·일 대조 언어학적 차이를 발견하고, 구어·문어 맥락의 문장 구성력 및 한국 문화 이해 향상에 긍정적 영향을 끼쳤다고 보고하였다. 김민영(2020)은 기존의 '번역-역번역-평가'의 수업 단계 전에 텍스트의 유형과 언어를 이해하고 쓰기를 연습하는 과정을 추가한 수업 모형을 제시하였다. 이후 3차시의 실험을 통해 실험군과 대조군을 비교하여 텍스트 선행 교육이 역번역의 완성도에 긍정적 영향을 끼쳤음을 밝혔다. 박은정(2021)은 교수자가 모국어가 다른 학습자의 모든 역번역문을 확인하고 수정해 줄 수 없는 현실적 문제를 해결하기 위해 '원문 이해-번역-역번역-자가 수정'이라는 수업 과정을 설계하여 학습자 스스로 역번역과 원문의 비교, 자가 오류 수정 및 의미 변화가 없는 차이 등을 분석하도록 하였다. 세 연구물 모두 수업 모형을 설계하고 실제 수업을 진행하여 역번역을 활용한 수업의 효용성을 입증하였다는 점에 의의가 있다.

지금까지의 역번역 수업 관련 연구인, 허용(2018), 심선향(2018), 허용·박은정(2019), 박은정(2019a, b), 김민영(2020), 허용·박은정(2020), 박은정(2021)에서 다룬 한국어 교육에서 역번역 수업의 장점 및 효과를 정리하면 다음과 같다.

첫째, 학습자 스스로 역번역문을 원문과 비교·검토하는 과정에서 자신의 오류를 발견하고 수정할 수 있어 자기 주도적이고 학습자 중심적인 수업을 가능하게 한다. 둘째, 일반적인 자유 작문의 경우 학습자는 구사하기 어려운 표현들을 회피하는 경향이 있는데 역번역 수업은 이런 가능성을 차단하고 어떻게든 목표어로의 변환을 유도할 뿐만 아니라 좀 더 자연스러운 목표어 표현들을 익힐 수 있게 한다. 셋째, 교수자 입장에서 교수자가 학습자의 모국어에 통달하지 않아도 역번역문 지도가 가능하다는 이점이 있다. 넷째, 연구자로서의 장점은 학습자의 '원문(한국어) → 순번역(학습자 모어) → 역번역(한국어)'의 과정을 통해 학습자의 모국어와 목표어에 대한 인지 상태를 입체적으로 파악할 수 있다는 것이다. 다섯째, 한국어 교육 안에서 고급 학습자들을 위한 교수 항목으로서 유용하나, 그동안 중요하게 주목받지 못했던 것들이 역번역 수업을 통해 발견되기도 한다.

3. 해외 대학에서의 역번역 활용 수업 모형 및 실제

3.1. 역번역 활용 수업의 모형

본고는 앞선 연구들의 역번역 수업을 참고하여 아래와 같은 차별점을 두고, 해외 대학 한국어 전공 수업에 활용하기 위한 수업 모형을 설계하였다. 첫째, 본 연구는 튀르키예 내 한국어문학과 전공생들을 대상으로 하여 역번역 문장의 공통적 특징을 파악하고 모국어의 간섭으로 인한 오류를 수정, 문제가 되지 않는 차이를 이해하도록 하였다. 둘째, 학습자들은 한국어 모어 화자가 아니기 때문에 원문과 다른 모든 경우를 자신의 역번역문 오류로 여기기 쉽다. 이는 먼저 조별 토의를 통해, 이후 모어 화자인 교사의 검증을 받는 단계를 포함하였다. 특히 조별로 토의 결과를 발표하고 교사가 검증하는 이 단계에서는, 교실 전체의 공통 오류가 무엇이었는지 공유되고 각 조에서 오류인지 아닌지 판단하지 못한 역번역 문장들에 대해 교사의 의견이 주어지기 때문에 학습자들의 흥미와 집중도가 고조된다. 그 뒤 시간을 더 할애하여 충분한 설명이 필요한 것들은 집중적으로 강의하도록 하였다.

본고가 고안한 해외 대학 한국어 전공 학습자를 위한 역번역 수업 과정은 다음과 같다.

〈그림 1〉 해외 대학 한국어 전공 학습자를 위한 역번역 수업 과정

1단계 원문 이해 → 2단계 순번역 과제(한→튀) → 3단계 역번역 활동(튀→한) → 4단계 원문-역번역문 비교
↓
5단계 조별 토의 및 발표 → 6단계 교사 개입 → 7단계 집중 강의 및 연습

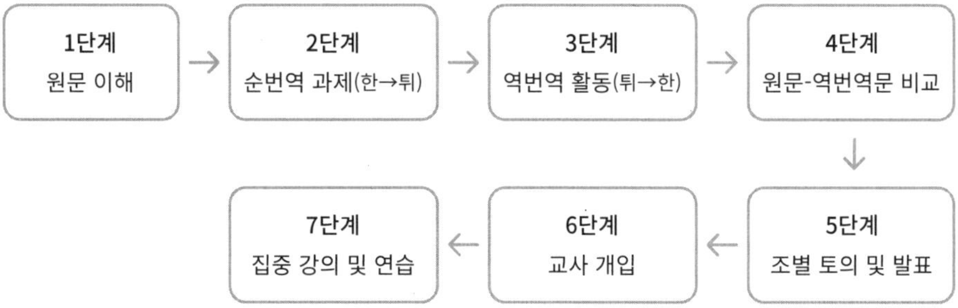

본 수업은 2022년 봄학기, 튀르키예 앙카라대학교 한국어문학과 4학년 학습자 32명을 대상으로 하였으며, 한 주에 4차시(45분×4=180분), 총 15주의 수업을 진행하였다. 전반기에는 문어 텍스트를 번역하였고[3] 후반기에는 웹드라마의 구어 텍스트를 번역하여 진행하였는데, 본고는 문어 텍스트를 중심으로 한 전반기 수업만을 연구 대상으로 하였다. 수업 과정을 상술하면, 1주차 1단계에서 한국어 원문을 개별로 읽고 확인 문제를 통해 학습자들의 이해 여부를 확인하였으며 순번역을 위한 기초 작업으로는 조별로 모국어를 통해 이해 안 되는 부분을 서로 묻거나 교사에게 질문하도록 하였다. 이후 2단계로, 학습자 개별적으로 한국어를 튀르키예어로 순번역하는 과제를 진행하였다. 2주차 3단계에서는 자신이 순번역한 과제를 다시 한국어로 되돌리는 역번역 활동을 진행했

[3] 문어 텍스트는 《문화가 있는 한국어 읽기 4》(조항록 외 2인, 2020)의 지문 중 '한국의 교육열', '성공적인 한국어 공부법 소개', '변화하는 행복관'을 선정하였다.

다. 이처럼 순번역을 과제로 제출하도록 하고 수업 중에는 역번역 활동을 진행하는 것은 이미 선행 연구에서도 주로 진행하는 방식으로, 개인적으로 할 수 있는 것은 과제로 하게 해 수업 시간을 절약하는 동시에 원문을 단순 암기하여 역번역을 하지 않도록 하기 위함이다. 또한 수업 교수자의 감독하에 과제였던 순번역문만을 보고 자신의 힘으로 정직하게 역번역을 하게 하기 위함이다. 각자 역번역이 끝나면 4단계로, 원문과 자신의 역번역문을 색깔 펜을 이용해 비교하도록 한다. 다음 5단계로 4~6명의 조별 구성원들은 자신의 역번역문과 원문 비교한 것을 가지고 토의를 진행한다. 교수자가 제시한 토의 주제는 Paegelow(2008)의 '문제가 되지 않는 차이'와 '문제가 되는 차이'에 관해 논하는 것으로, 구체적으로 다음과 같다.

첫째, 원문과 번역문의 차이 중 조별로 공통된 것은 무엇인가?
둘째, 어휘, 문법, 표현, 어체 등이 다르지만 의미상 큰 차이가 없는, 문제가 되지 않는 차이는 무엇인가?
셋째, 특히 한·튀 언어 간 전이로 인한 차이는 무엇인가?

첫 번째 토의 주제는 번역·역번역에 대해 복기하며 그룹의 구성원들이 각자 자신의 원문과 번역문의 차이를 나누는 시간이다. 두 번째는 역번역이 원문과는 다르지만 의미상 차이가 없는 '문제가 되지 않는 차이'를, 세 번째 주제인 한·튀 언어 간 전이로 인한 차이는 '문제가 되는 차이'와 '문제가 되지 않는 차이' 모두를 나누도록 하였다. 이를 소그룹 안에서 조원들 간의 논의와 협력을 통해 발표하는 5단계 및 교사가 개입되는 6~7단계 과정은 기존 선행 연구와는 달리, 본고의 차별화된 추가 과정이다. 박은정(2021: 27)은 학습자 스스로 문제가 되는 차이와 문제가 되지 않는 차이를 구별하고 분석하는 데 한계가 있음을 인정하고, 교수자가 보완하여 설명하는 것이 필요하다고는 보았으나 실제 수업 단계에는 명시하지 않고 보완점으로만 언급하고 있다. 비고츠키(Vygotsky)는 현재 학습자의 발달 수준에서 교사나 동료 학습자와의 상호작용 및 조력이라는 스캐폴딩(scaffolding)을 통해 근접 발달 영역(Zone of Proximal Development)을 확장시킬 수 있다고 보았다. 본고 역시 학습자의 현재 한국어 실력을 한 단계 향상시키기 위해 동료 학습자와의 논의, 한국어 모국어 화자인 교수자의 도움이 반드시 필요할 것으로 보고 5~6단계를 설정하였다. 마지막 7단계는 다음 주차의 첫 시간에 진행되는 것으로 전 주차에 간단한 교수자의 응답으로 넘어갈 수 없는, 시간을 할애해 학습자들이 구체적으로 학습하고 연습해야 하는 것들을 추가적으로 교육하는 단계이다. 즉 7단계와 1단계가 1주차에 이루어지고, 2단계는 과제로, 3~6단계는 2주차에 이루어지는 구성으로 수업이 진행된다.

3.2. 역번역 활용 수업의 실제

다음은 학습자들의 번역, 역번역, 비교 검토 자료 및 중간고사로 학습자에게 제출하도록 하였던 '문제가 되는 차이/문제가 되지 않는 차이/역번역 수업을 통해 알게 된 자신의 습관이나 실수'에 대한 기술 중 공통된 차이 중심으로 종합·정리한 것이다.[4]

[4] 총 32명의 학습자 자료로서, 역번역문 뒤에 누구의 역번역문인지 넘버링(no.)을 하였다.

3.2.1. 문제가 되지 않는 차이

○ 유사한 어휘 선택

(1) (원문) '소확행'은 반복되는 평범한 하루를 소중하게 생각하는 마음에서부터 비롯된다.
(역번역문 no.13) '소확행'은 반복되는 평범한 하루를 특별하게 보는 눈에서부터 시작한다.

(2) (원문) 넷째, 한국 드라마나 예능 프로그램을 적극적으로 활용해라.
(역번역문 no.13) 넷째, 한국 드라마나 예능 프로그램을 적극적으로 이용해라.

(3) (원문) 젊은 세대가 말하는 대단하고 특별한 일은 아니지만 일상 속에서 누구나 경험할 수 있는 행복감을 '소확행'이라고 하는데 이것은 '소소하지만 확실한 행복'이라는 뜻이다.
(역번역문 no.5) 젊은 세대가 말하는 크고 특별한 일은 아니지만 생활 속에서 누구나 경험할 수 있는 작은 행복을 '소확행'이라고 하는데 이것은 '소소하지만 확실한 행복'이라는 뜻이다.

(1)의 '비롯되다'는 '처음으로 시작되다', (2) '활용하다'는 '충분히 이용하다', (3)의 '일상'은 '날마다 반복되는 생활'이라는 의미이다.[5] 이들에 대한 역번역이 간단히 '시작하다', '이용하다', '생활'로서 원문에 비해 수식언 없이 그 의미가 단출한 것이 그 특징이다. 오류로는 보기 어려운 미세한 차이를 보인다.

[5] 본고의 단어 의미 풀이는 국립국어원 표준국어대사전(https://stdict.korean.go.kr)을 이용하였음을 밝혀 둔다.

(4) (원문) 기성세대와는 달리 요즘 젊은 세대는⋯⋯ 일상적인 작은 것들로부터 행복을 느낀다고 말한다.
(역번역문 no.14) 구세대와 다르게 신세대는⋯⋯ 지금의 삶에서 행복을 찾는다.

(4)의 '기성세대'는 '현재 사회를 이끌어 가는 나이가 든 세대'를 의미하며 '구세대'는 '이전의 세대, 나이 든 낡은 세대'를 의미해, (1)~(3)과 마찬가지로 역번역 오류로 보

기는 어려우나 '현재 사회를 이끌어 간다'는 의미가 누락된 미세한 차이를 보이는 것이 사실이다. '신세대'는 새로운 세대를 의미하며 '젊은 세대'로 대체가 가능하다.

이처럼 역번역 시 원문에 비해 쉽고 평이한 표현을 사용한다는 특징을 보인다. 학습자들이 본 수업을 통해 스스로 깨달은 것들을 기술한 데에서 그 이유를 찾을 수 있는데, 잘 모르는 고급 어휘를 사용하는 모험을 하는 대신 기존에 자신이 알고 있던 어휘를 사용하였다고 한다. 하지만 해당 수업이 동기 부여가 되어 자신의 부족한 어휘력을 향상시켜야 한다고 자각하고 있음을 알 수 있다.

> *"번역할 때는 자신감이 부족해서 고급 단어 말고 쉬운 단어를 쓰는 것을 깨달았다." "짧은 시간에 제일 안전한 걸로 번역을 했다." "고급스러운 단어를 잘 몰라서 어휘 실수를 많이 한다." "번역을 하면 좀 이상할 것 같으면 번역을 안 하거나 그 단어, 표현을 쓰지 않는다." "더 쉽고 기억에 남는 단어들을 선택하는 편이다." "글을 쓰거나 번역할 때 다양한 단어를 사용하고 어휘력을 키우기 위해 연습을 해야겠다는 생각이 들었다."*

○ 유사한 문법 사용

역번역 시 어휘와 마찬가지로 문법 또한 더욱 간결하고 난도가 낮은 초급 문법을 사용하는 것을 볼 수 있었다.

(5-1) (원문) 고생 끝에 낙이 온다고 이런 방법들로 <u>공부를 하다가 보면</u> 여러분의 꿈에 한걸음 다가가게 될 것이다.
(역번역문 no.5) 고생 끝에 낙이 온다고 이런 방법들로 <u>공부를 하면</u> 여러분의 꿈에 한걸음 다가가게 될 것이다.

(5-2) (원문) 한국 사람들과 자주 <u>접하다 보면</u> 책에서 배울 수 없는 다양한 표현들은 물론이고 한국의 문화까지 배울 수 있다.
(역번역문 no.12) 한국 사람들과 자주 <u>접하면</u> 책에서 배울 수 없는 여러 가지 표현들과 한국 문화까지 많은 것을 배울 수 있다.

(5-1), (5-2)는 모두 '-다가 보면'의 문법을 '-면'으로 대체한 것이다. '-다가 보면'은 어떤 행위를 하는 과정에서 새로운 상태로 됨을 나타낸다(국립국어원, 2005: 280). 그러나 이는 부족한 설명으로 이때의 '-다가 보면'은 '행동이 반복되는 과정'이라고 볼 수 있다. 아래 제시한 예문처럼 '공부를 반복적으로 하면', '한국 사람들과 반복적으로 만나면'의 의미를 나타내어 단순한 가정인 '-면'과 미세한 차이가 있음을 알 수 있다.

(6) (원문) 뿐만 아니라 어렸을 때부터 좋은 대학에 들어가는 것을 목표로 공부만 하다 보니 다양한 경험을 쌓을 기회가 없어 자신의 적성을 찾지 못하는 경우가 많다.
(역번역문 no.8) 그뿐만 아니라 어렸을 때부터 좋은 대학교에 들어가는 것을 목표로 설정하고 공부만 하니까 다양한 경험을 쌓을 기회가 없었고 자신의 적성을 찾지 못하는 경우도 많았다.

(6)의 '-하다(가) 보니(까)'의 문법 역시 '-하다가'의 반복적 행동의 의미가 동반되어 단순한 새로운 사실을 깨닫게 되는 의미를 가져(국립국어원, 2005: 280), 이보다 단순한 '발견'의 의미인 '-보니까'와 미세한 의미 차이를 보인다.

(7-1) (원문) 유명한 레스토랑에서 값비싼 음식을 먹지 않더라도 집에서 나를 위한 음식을 정성스럽게 만들어 먹는 것…… 생활 속 여러 장면에서 행복을 찾을 수 있다.
(역번역문 no.9) 유명한 레스토랑에서 값비싼 음식을 먹을 수 없어도 내 집에서 나를 위한 음식을 정성스럽게 만들어 먹는 것…… 이러한 여러 장면에서 행복을 찾을 수 있다.

(7-2) (원문) 조금 부끄럽더라도 배운 문법을 사용해서 반드시 다른 사람과 말하는 연습을 해라.
(역번역 no.19) 조금 부끄러워도 배운 문법을 사용하고 꼭 다른 사람과 말하기 연습해라.

(7-1), (7-2)는 '-더라도' 대신에 '-아도'를 사용한 예문이다. '-더라도'는 부정적이거나 극단적인 상황 혹은 뒤의 내용을 보장하기 어려운 경우를 가정할 때 사용되는데, '-아도'에 비해 그 뜻이 더 강하다(국립국어원 2005: 359-360). 해당 수업 후에 7단계 교사의 보충 교수를 통해, '-더라도', '-아도'와 유사한 문법인 더욱 비현실적이고 극단적 가정을 나타내는 '-을지라도'를 포함시켜 의미 차이를 설명하였다.

학습자들이 기술한 원문, 역번역 비교 활동에 관한 다음 소감문을 보면, 학습자들이 '어휘'와 마찬가지로 더 쉽고 간단한 기초적 문법을 사용하고 있음을 알 수 있다. 또한 이러한 자각이 초급 문법을 벗어나 다양한 고급 문법을 사용하려는 동기 부여가 됐음을 알 수 있다.

"비교 분석을 통해 원문에 비해 문장을 더 간단하고 짧게 썼던 경우가 훨씬 더 많았다는 것을 알 수 있었다." "-다 보면, -더라도 등의 문법을 '-면, -아/어도' 등 더 쉬운 방법으로만 쓴다는 것이 눈에 띄었다." "원문과 역번역을 비교해 보니 문법이 너무 많아도 항상 같은 문법들을 사용하고 기본적인 단어를 선호한다는 것을 알 수 있었다."

○ '자신/자기/본인'의 쓰임 구별

다음은 선행 명사를 도로 나타내는 삼인칭 대명사 즉, 재귀대명사의 쓰임에 대한 것인데, 원문의 '자신' 대신에 '자기'나 '본인'을 사용한 것을 볼 수 있다. 학습자들은 조별 토의 후 이 차이에 대해 교사에게 질문하였는데, 이는 간단한 설명으로 쉽게 넘어가기 어려운 문제로 추후 충분한 시간을 할애해 학습한 문법이기도 하다.

(8) (원문) 더 큰 문제는 학생이었을 때 한 번도 자신의 미래에 대해 스스로 깊이 있게 생각해 본 적이 없기 때문에 대학을 졸업하고도 자신에게 맞는 일을 찾지 못해 방황하는 청년들이 많아지고 있다는 것이다.
(역번역문 no.2) 더 큰 문제는 학생일 때 단 한 번도 자기 미래에 대해 스스로 깊이 생각해 본 적이 없어서 대학교를 졸업한 후에도 본인에 맞는 일을 찾지 못해 방황하는 청소년들이 많아지고 있다는 것이다.
(역번역문 no.3) 더 큰 문제는 학생일 때 한 번도 자기 미래에 대해 스스로 깊이 있게 생각한 적이 없기 때문에 대학교를 졸업했는데도 자기에 맞는 일을 찾지 못해서 방황한 젊은 사람들이 늘어나는 것이다.

한국어의 '자기/자신'의 의미적 특징 및 학습자 오류 분석을 한 안주호(2012: 185-207)의 연구에 따르면, 선행 명사를 다시 받는 재귀적 용법에서 선행 명사가 3인칭일 경우 '자신, 자기' 모두 사용 가능하다. 예를 들어 '김 군은 아직도 (자기/자신)의 잘못이 무엇인지 모르고 있다.'의 경우 선행 명사가 3인칭이므로 두 가지 모두 사용이 가능한 반면, '저는/당신은 지금까지 (자신을/*자기를) 미국 사람이라고 생각해 왔습니다.'와 같이 선행 명사가 1·2인칭일 경우 '자신'만을 사용할 수 있다는 것이다. 이 연구에는 '본인'에 대한 언급은 없었으나, 위의 예문들에 '본인'을 대입해 보면 1·2·3인칭의 모든 재귀적 용법에서 사용이 가능한 것으로 보인다. 본 수업에서는 위의 내용과 같은 재귀적 용법 외에 다음의 범칭적 용법, 강조적 용법, 선행 명사가 높임인 경우에서의 '자기/자신/본인'에 대해 교수하였다.

○ **생략 가능한 '-었-'의 사용**

(9) (원문) 더 큰 문제는 학생이었을 때 한 번도 자신의 미래에 대해 스스로 깊이 있게 생각해 본 적이 없기 때문에 대학을 졸업하고도 자신에게 맞는 일을 찾지 못해 방황하는 청년들이 많아지고 있다는 것이다.
(역번역문 no.2) 더 큰 문제는 학생일 때 단 한 번도 자기 미래에 대해 스스로 깊이 생각해 본 적이 없어서 대학교를 졸업한 후에도 본인에 맞는 일을 찾지 못해 방황하는 청소년들이 많아지고 있다는 것이다.
(역번역문 no.18) 더 큰 문제는 학생 때 한 번도 자신의 미래에 대해서 스스로 깊게 생각하지 않아서 대학을 졸업하고 적성에게 맞는 일을 못 찾아 길을 잃어버린 청년들이 많아지고 있다.

(9)의 원문은 '학생이었을 때'인데, 학습자들이 '학생일 때, 학생 때'와 같이 역번역하였다. 학습자들은 '-었-'을 생략한 것이 오류인지 아닌지 교수자에게 질문하였는데, 임지영(2021)에 따르면 '-었-'과 결합하는 어휘상이 '완결성'을 가지지 않을 때는 시제 중화 현상이 일어나 '-었-'의 결합 및 탈락이 모두 가능한 것으로 본다. '학생이다'의 어휘상 역시 '완결성'의 자질이 없으므로 '-었-'의 유무에 따른 의미상 큰 차이가 없지만, '학생이었을 때'의 '-었-'은 절대시제 과거로서 '학생일 때', '학생 때'는 '학생인 동안' 즉, 상대시제 현재를 의미하는 미세한 차이를 보인다.

○ **'-는/-다는 것이다'의 표현 누락**

(10) (원문) 결과적으로 한국의 뜨거운 교육열은 사회를 발전시키는 큰 힘이 된 것이다.
(역번역문 no.13) 결과적으로 한국의 뜨거운 교육열은 사회를 발전시키는 큰 힘이 되었다.
(역번역문 no.25) 결과적으로 한국의 교육열은 사회를 발전시키는 큰 힘이다.

장미라(2009: 231)는 '-은/는 것이다' 구성이 명제의 사건 내지는 상태를 객관화하여 청자에게 단정적으로 제시할 때 사용된다고 하였다. 역번역 시 학습자들은 '-는 것이다/-다는 것이다'를 문장 끝에 부가적으로 붙이지 않고 명제의 일반적 서술로 종결한 것을 볼 수 있다. '-는 것/-다는 것'은 서술로 끝난 명제를 명사화한 것으로, 장미라(2009)의 주장대로 이러한 명제의 명사화는 명제의 주관성을 떨어뜨려 객관성이 부가되며 단정·강조의 어감을 준다. 허용·박은정(2020: 364)은 '-는 것이다'와 같은 양태 표현에 대한 학습자들의 인식 부족은 모국어의 영향이라기보다 학술적 글쓰기와 같은 고급 글쓰기에서 필요한 표현 항목들의 한국어 학습이 부족한 결과로 판단하고 세밀한 인식이 필요하다고 보았다. 실제 수업에서 이 문법의 중요성을 인지시키기 위해 차주, 첫 차시에 해당 문법에 대해 충분히 교수하였다.

(11) (원문) 더 큰 문제는 학생이었을 때 한 번도 자신의 미래에 대해 스스로 깊이 있게 생각해 본 적이 없기 때문에 대학을 졸업하고도 자신에게 맞는 일을 찾지 못해 방황하는 청년들이 <u>많아지고 있다는 것이다</u>.
(역번역문 no.26) 더 큰 문제는 학생 때 자신의 미래에 대해 스스로 깊이 있게 생각해 본 적이 없어서 대학을 졸업해도 자신에 맞는 일을 못 찾고 방황하는 청년들이 <u>많아지고 있다</u>.
(역번역문 no.4) 더 큰 문제는 학생이었을 때 한 번도 자신의 미래에 대해 스스로 깊이 있는 생각해 본 적이 없기 때문에 대학을 졸업한 후에 자신의 맞는 일을 찾지 못해 방황하는 청년들은 <u>많아지고 있는 것이다</u>.

(11)의 '-는 것이다/-다는 것이다'는 앞선 양태 표현의 (10)과는 그 기능이 다르다. (11)의 주어는 '더 큰 문제는'이므로 서술절에는 '-는 것, -다는 것'이라는 명사절을 사용해 보충적 서술을 해야 한다. 그러나 학습자는 주절과 서술절을 적절히 호응시키지 못하였다.

3.2.2. 언어 간 전이로 인한 차이

○ 튀르키예어에 비해 세분화된 한국어 어휘

(12) (원문) 자신의 <u>적성</u>을 찾지 못하는 경우가 많다.
(역번역문 no.19) 자신의 <u>재능</u>을 구할 수 없는 경우가 많다.
(역번역문 no.25) 자신의 <u>재능</u>을 찾지 못하는 경우가 많다.

한국어로 '적성'은 '어떤 일에 알맞은 성질이나 적응 능력 또는 그와 같은 소질이나 성격'을 말하는 반면, '재능'은 '어떤 일을 하는 데 필요한 재주와 능력'을 의미한다. 즉 어떤 일에 적절한 성질이냐, 능력이냐는 의미 차이를 보인다. 하지만 튀르키예어로 '적성'과 '재능'은 모두 'yetenek'으로 번역이 가능하기 때문에 학습자들은 다음과 같이 '재능'으로 역번역하였다.

(13) (원문) 젊은 세대가 말하는 대단하고 특별한 일은 아니지만 일상 속에서 누구나 경험할 수 있는 작은 행복감을 '소확행'이라고 하는데 이것은 소소하지만 확실한 행복'이라는 뜻이다.
(역번역문 no.17) 젊은 세대가 말하는 크거나 특별하지 않아도 일상생활에서 모든 사람이 경험할 수 있는 작은 행복을 소확행이라고 하는데 소소하지만 확실한 행복이라는 뜻이다.

한국어로 '누구나'는 '어떤 사람이든 빠짐없이'라는 의미를 가지는 반면, '모든 사람'은 단순히 '모두'의 의미를 가져 미세한 의미 차이를 보인다. 하지만 튀르키예어의 경우 '누구나'와 '모든 사람은' 모두 'herkes'로 의미 분화가 되지 않아, 학습자들은 '모든 사람'으로 역번역하였다.

(14) (원문) 날마다 배운 것을 복습해서 내 것으로 만들지 않으면 다음날 수업 내용을 완벽하게 이해할 수 없기 때문에 밑 빠진 독에 물 붓기나 다름없다.
(역번역문 no.7) 날마다 배운 것을 복습해서 내 것으로 만들지 않으면 다음날에 공부 주제를 제대로 이해하지 못해서 (번역 못함) 다름없다.

(14) 역시 튀르키예어에 비해 세분화된 한국어 어휘의 사례이다. '수업'의 사전적 의미는 '교사가 학생에게 지식이나 기능을 가르쳐 줌 또는 그런 일'이고 '공부'는 '학문이나 기술을 배우고 익힌다.'는 의미이나, 튀르키예어로는 모두 'ders'로 번역될 수 있어 학습자는 'ders'를 '공부'로 역번역하였다.

○ '은/는'과 '이/가'의 사용 구분

번역, 역번역 과정에서 깨달은 자신의 습관이나 실수에 대해 가장 많이 기술한 것이 바로 '은/는'과 '이/가'의 적절한 사용에 관한 것이었다. 물론 '은/는', '이/가'의 사용을 언어 내 간섭으로 볼 수도 있지만, 튀르키예어에는 주격 조사가 무표지(Ø)이기 때문에 튀르키예인 학습자들이 한국어 학습에 특히 곤란을 느끼는 것으로 알려져 있다. 이러한 이유로 언어 간 간섭과 관련하여 기술하였다. 아래의 문장들은 오류로 볼 수는 없으나 미세한 차이를 보이는 것들이다.

(15-1) (원문) 부모의 지나친 욕심 때문에 학생들이 심한 학업 스트레스에 시달리고 있는 것이다.
(역번역문 no.4) 부모의 지나친 욕심 때문에 학생들은 심한 학업 스트레스에 시달리고 있다.

먼저 (15-1) 문장의 원문에서 '학생들이'라고 표현함으로써 마치 '누가?'라는 질문에 대한 대답과 같이 선택적 지정을 나타낼 수 있다. 반면 '학생들은'은 부모와 대조되는 의미 혹은 일반적인 주제어의 기능을 한다고 볼 수 있다.

(15-2) (원문) 사람마다 행복하다고 느끼는 조건은 다르다.
(역번역문 no.12/26) 사람마다 행복을 느끼는 조건이 다르다.

위의 문장도 '조건은'의 경우 대조, 강조의 의미 기능을 하고, '조건이'는 '무엇이'라는 질문에 대한 선택적 지정을 나타낸다고 볼 수 있다.

(15-3) (원문) 그날 배운 단어는 무슨 일이 있어도 그날 외워라.
(역번역문 no.6/11/14) 그날 배운 단어를 무슨 일이 있어도 그날 외워라.

(15-3)의 '은/는'은 담화상 주제 및 화제를 나타낸다. 예를 들어 '냉면은 역시 여름이다.'와 같은 문장에서 '냉면'과 '역시 여름이다'라는 명제는 동등화될 수 있는 것이 아니라, 단지 냉면을 주제로 하여 냉면에 대하여 설명하는 것이다(강현화 외 5인, 2017: 91). 즉 영어로 'about'과 같은 기능을 하는 것으로 볼 수 있는데, 학습자들이 원문과 같이 역번역하기 가장 어려웠던 '은/는'의 기능 중 하나였다.

(15-4) (원문) 기성세대는 큰 성공이 행복하게 살기 위한 필수 조건이라고 생각했다.
(역번역문 no.20/23) 기성세대는 큰 성공을 행복하게 살기 위한 필수 조건이라고 생각했다.

(15-4)의 원문은 안은문장과 안긴문장의 구성으로, 한국어에서 안은문장의 주격 조사는 '은/는'이 사용되고 안긴문장 즉, 내포문의 주격 조사는 '이/가'가 사용된다. 튀르키예어에는 주격 조사가 무표지이므로 이러한 문장 구조의 재현이 어려웠던 것으로 보인다. 역번역 시 내포문 구성 대신 'N을 N이라고 생각했다.'로 변환하였는데, 이로 인해 '큰 성공이'라는 선택적 지정으로 인한 강조의 기능이 사라졌다고 볼 수 있다.

튀르키예인 학습자의 경우 '은/는'과 '이/가'의 혼용뿐 아니라 '을/를'과도 헷갈려 사용하는 양상을 보인다. 이로 인해 더 보완해야 할 문법으로 '은/는'과 '이/가'에 대한 여러 기능을 설명하고 연습하는 시간을 가졌음에도 불구하고, 학습자들은 활동 후 소감을 다음과 같이 기술하였다.

"주격과 보격 조사인 '-이/가'와 목적격 조사인 '-을/를'의 구별을 잘 알고 있다고 생각했지만 아직도 어느 경우에 어떤 조사를 써야 할지 헷갈리는 부분들이 있었다는 것을 깨달았다." "'은/는' 그리고 '이/가' 차이를 잘 모른다는 것을 알게 됐는데 차이를 이해하고 나서도 배웠던 부분을 실행하는 것이 어려우니 연습이 필요하다고 생각한다." "아무리 '이/가/은/는/을/를'에 대해 열심히 공부하더라도 아직도 잘 못할 때가 자주 있다."

이처럼 튀르키예인 학습자를 위해서는 '은/는'과 '이/가' 학습이 일회성으로 끝나서는 안 되며, 장기간의 시간을 두고 다양한 텍스트를 읽고 쓰며 그 기능을 이해하고 내재화해야 할 필요가 있다.

○ 복수 접미사 '-들'의 과도한 사용

학습자들은 다음과 같이 원문에 비해 역번역에 복수 접미사 '-들'을 과도하게 사용하였다.

(16-1) (원문) 방송 매체를 통해 한국어를 배우는 것은 <u>한국어 학습 방법</u> 중에서 가장 쉽고 재미있는 방법이다.
(역번역문 no.13) 방송 매체를 통해 한국어를 배우는 것은 한국어 <u>학습 방법들</u> 중에서 가장 쉽고 재미있는 방법이다.

(16-2) (원문) 둘째, 조금 부끄럽더라도 배운 문법을 사용해서 반드시 <u>다른 사람</u>과 말하는 연습을 하라.
(역번역문 no.6) 둘째, 조금 부끄럽더라도 배운 문법들을 사용해서 <u>다른 사람들</u>과 말하기 연습을 하라.

학습자들은 '-들'의 과도한 사용과 관련해 다음과 같이 기술하였다.

"원문의 어떤 부분을 튀르키예어로 번역할 때 '-들'의 튀르키예어 표현을 사용하면 번역하는 것이 더 자연스럽다고 생각해서 그렇게 번역하다 보니 역번역할 때도 원문에 비해 나도 모르게 '-들'을 더 많이 사용하게 되었다." "'-들'을 많이 사용하는데, 언제 사용하면 좋을지 모르겠다." "원문과 비교했을 때 '-들' 접미사가 사용되지 않았다는 것을 보고 매우 놀랐고, 아직도 이것을 이해하기가 어렵다고 생각한다."

학습자들은 역번역 시 '-들'을 추가하는 이유를 튀르키예어와의 차이로 보았으며, 튀르키예어로의 번역 과정에서 복수 접미사(lar/ler)가 자연스럽다고 여겨 이후 순번역을 토대로 그대로 역번역하였다고 밝혔다. 조은숙(2019: 84-85)은 튀르키예어가 실세계의 가산성을 언어에 반영시키는 반영률이 높은 반면, 한국어는 실제로는 복수로 존재하지만 화자가 하나의 단위처럼 인식하는 경우에는 무표형 복수 표현을 사용한다고 말한다. 이러한 언어적 인식의 차이를 좁히기 위해 다양한 상황 맥락 속에서의 한국어 무표형 복수 표지를 접하고 이해하는 것이 필요하다.

○ 수 관형사의 수식언과 피수식언의 어순

다음은 차이가 문제가 되는 오류에 해당된다. 튀르키예어와 한국어에서는 '수 관형사형+단위 명사' 수식언의 위치가 다르다. 한국어는 피수식언이 수식언보다 앞서는 반면, 튀르키예어는 수식언이 피수식언보다 앞선다. 이런 이유로 다음과 같은 오류가 발생하였다.

(17) (원문) 아침에 마시는 <u>커피 한 잔</u>
(역번역문 no.12) 그들은 아침에 마시는 <u>한 잔 커피</u>

4. 역번역 활용 수업의 효용성 및 보완점

이번 절에서는 학습자들이 직접 기술한 본 수업의 효용성과 보완점을 바탕으로 역번역을 활용한 수업의 실제 효과를 분석하고 더 나은 수업을 만들기 위한 지향점을 모색해 보고자 한다.

4.1. 수업의 효용성

첫째, 유사한 어휘와 문법의 의미 구별, 고급스러운 표현 습득에 유용하다.

학습자들이 이 수업의 가장 큰 장점으로 꼽은 것이 단연 한국어 실력 향상이다. 먼저, 학습자들은 유사한 문법과 단어들의 의미 차이를 이해하게 되었으며, 특히 어떤 맥락에서 어떤 것을 선택해야 하는지 이해하게 되었다. 또한 '-는/-다는 것이다'와 같은 양태 표현에 대해 배웠으며 더 고급스러운 표현, 한국인 모어 화자들이 사용하는 자연스러운 표현을 배운 것에 만족하였다. 그리고 학습한 것을 기반으로 다음 역번역을 할 때 사용해 보려는 노력을 하였다.

둘째, 학습자의 자기 주도적인 인지와 수정이 가능하다.

학습자는 '번역-역번역-비교'를 통해 자신의 실수를 스스로 찾아내고 바로잡아야 했다. 이를 통해 자신의 무의식적인 습관, 자주 범하는 오류들, 평소 사용하지 못하는 문법이 무엇인지 인지할 수 있었으며, 앞으로 향상시켜야 할 부분들이 구체적으로 무엇인지 알게 되었다는 의견이 많았다.

셋째, 번역 실력이 향상되었다.

해당 수업은 '튀르키예어로의 순번역, 한국어로의 역번역'이 모두 이루어지는 과정으로서 번역 연습을 충분히 할 수 있었고 실제 번역 실력 향상에도 도움이 되었다는 의견이 많았다. 구체적으로 전에 비해 번역 속도가 빨라졌다는 점, 번역에 재미를 느꼈다는 점, 번역 도구를 사용하지 않는 데 익숙해지고 있다는 점, 튀르키예어로 번역 시 한국어의 구체적 의미를 정확히 이해하게 되었다는 점 등이다.

넷째, 학습자 조별 토의와 교수자 검토가 이루어졌다.

본고가 다른 선행 연구의 수업 모형과 차이를 두고 수업 단계로 설정한 것이 학습자의 조별 토의와 교사 검토 및 추가 교수였다. 학습자들은 동료들과 자신들의 번역물을 비교하고 검토하면서 얻은 유익이 크다고 기술했다. 특히 자신의 번역 외에도 여러 가지 방식으로 번역이 가능하다는 것, 더 나은 번역이 무엇인지 고민하면서 서로 도움을 주고받았다는 것에 매우 만족해했다. 또한 자신들의 조별 토의로도 궁금증이 해소되지 않는 것들은 교수자에게 질문하고 필요하면 추가적인 학습이 이루어졌는데, 궁금했던 것을 원어민 교수자의 상세한 설명을 통해 이해하게 된 것이 큰 장점이었다고 답했다.

다섯째, 다양한 한국 문화 텍스트를 선정했다.

본 수업의 텍스트 선정 기준은 언어적으로 학습자들이 학습할 만한 것이 있는지에 대한 것뿐 아니라 학습자들의 흥미를 끌 만한 것이었다. 선정한 주제는 '소확행, 한국의 교육열, 한국어 학습과 관련한 속담'처럼 실제성 있는 한국 문화 텍스트였는데, 학습자들은 이에 대해 흥미를 느꼈을 뿐 아니라 한국의 실제 사회 문화에 대해 배울 수 있었던 것으로 보인다.

여섯째, 정의적 영역에 긍정적 영향을 끼쳤다.

학습자들은 이 수업을 통해 단어 암기가 쉬워졌다든가 쓰기 실력이 좋아졌다는 등 한국어 실력에 자신감을 보였다. 또한 번역이 생각보다 쉽고 재미있었으며 친구들과의 그룹 수업이 즐거웠다고 하는 등 정의적 영역에도 긍정적인 영향을 받은 것으로 보인다.

마지막으로, 내조인어의직 판점의 교수 항목 및 중·고급 학습자를 위한 교수 항목을 추출하였다.

새로운 교수 항목 추출에 관한 것은 학습자 입장이 아닌 교수자 입장에서의 긍정적 효과이다. 먼저 원문과 역번역의 비교를 통해 드러난 차이점 중 '자기/자신/본인'과 같은 유사 어휘, '-완결성'의 어휘상과 '-었-'의 결합에 있어 '-었-'의 유무가 자유롭다는 점 등, 지금까지는 한국어 교육 내에서 특별히 교수되지 않았던 중·고급 학습자를 위한 항목을 추출할 수 있었다. 다음으로 본고는 튀르키예인 학습자만을 대상으로 했기 때문에 원문과 학습자들의 역번역문의 차이점 중 일부를 한·튀의 대조언어학적 관점에서 찾을 수 있었다. 한국어의 일부 어휘가 튀르키예어에 비해 세분화되었다는 점, 주격조사가 무표지인 튀르키예어로 인해 튀르키예인 학습자가 '은/는/이/가'의 적절한 사용을 어려워한다는 점, 한국어와 달리 튀르키예어는 실제 복수 여부에 따라 복수 접미사 'lar/ler'를 그대로 첨가하기 때문에 역번역 시 '-들'이 빈번히 사용된다는 점, '수 관형사+단위 명사'와 피수식어의 위치 차이 등이 그 예이다. 위에 제시한 것들은 튀르키예인 한국어 학습자를 위한 일반적 교수 항목 및 번역, 역번역 사전 교육을 위한 교수 항목으로서 사용이 가능하다.

4.2. 수업의 보완점

다음으로 학습자들이 기술한 수업의 보완점에 대해 논하고자 한다.

첫째, 역번역 비교뿐 아니라 튀르키예어로 순번역한 것도 교실 내에서 다뤄지길 원하는 학습자들이 있었다. 튀르키예어 실력이 뛰어난 교수자의 경우 수용할 만한 좋은 의견이다.

둘째, 수업 시간에 역번역 및 비교, 토론까지 진행하기에는 시간이 부족하기 때문에 역번역을 과제로 해 오는 것을 제안한 학습자들이 일부 있었다. 그러나 이는 번역, 역번역의 분량을 적절하게 줄여서 수업 시간에는 역번역에 집중할 시간을 넉넉히 주는 편이 낫다고 본다. 번역기를 사용하지 않고, 온전히 학습자들의 번역 실력을 키우기 위해 교사의 감독하에 교실 활동으로 지속하는 편이 더 효과적이라고 보기 때문이다.

셋째, 역번역을 할 때 원문이 기억에 남아 그대로 쓰는 경우가 있다는 학습자가 있었다. 원문을 암기하지 않도록 하기 위해 시간 차를 두어 순번역을 과제로, 역번역을 수업 시간에 진행하도록 수업 과정을 설계했음에도 불구하고 원문을 기억한다는 것은, 바꾸어 말하면 순번역 과정 중 한국어를 습득하였다는 뜻으로 학습 효과 면에서 부정적인 것만은 아니다.

5. 나가며

본 연구는 해외 대학의 한국어 전공 학과에서 역번역(back-translation)을 활용한 수업의 유용성을 알아보기 위해 실제 튀르키예 앙카라대학교 한국어문학과에서 진행한 수업 사례를 제시하고 분석한 것이다.

Tyupa(2011)의 '순번역 → 역번역 → 역번역 재검토와 논의 → 확정'의 번역 품질 검증 과정을 연구자의 수업 과정과 대상에 따라 변형하여 '원문(한) 이해 → 순번역 과제 → 역번역 활동 → 원문과 역번역문 비교 → 조별 토의 발표 → 교사 개입 → 집중 강의 및 연습'이라는 7단계의 수업 모형을 설계하고, 학습자 32명을 대상으로 문어 텍스트 중심의 강의를 반 학기 동안 진행하였다.

실제 학습자의 역번역에 나타난 '문제가 되지 않는 차이'의 문장 특징을 살펴보면, 첫째, 유사한 어휘와 문법을 사용한다는 점, 둘째, '자신/자기/본인'을 혼용한다는 점, 셋째, '-었을 때' 사용 시 '완결성'이 없는 어휘상과 결합할 때 '-었-'을 누락한다는 점, 넷째, '-는/-다는 것이다'의 양태 표현을 누락한다는 점을 알 수 있었다. 본고가 튀르키예인 학습자를 대상으로 하였기 때문에 특히 모국어 전이로 인한 원문과 역번역의 차이를 살펴보는 것은 중요한 의의를 가진다. 그 특징으로 첫째, 튀르키예어에 비해 한국어 어휘가 세분화되었음에도 불구하고 쉽고 단순한 한국어 어휘를 사용한다는 점, 둘째, 튀르키예어의 주격 조사 부재로 인해 '은/는'과 '이/가'의 사용 구분이 특히 어렵다는 점, 셋째, 튀르키예어가 실세계의 가산성을 언어에 반영시키는 비율이 높아 한국어 역번역에서 복수 접미사 '-들'을 과도하게 사용한다는 점, 마지막으로 한국어와 튀르키예어에서 '수 관형사형+단위 명사'와 피수식언의 위치가 다른데 튀르키예어 기준으로 사용한다는 점을 확인할 수 있었다.

학습자가 직접 기술한 역번역 활용 수업의 효용성으로는 첫째, 유사한 어휘와 문법의 의미 구별과 고급스러운 한국어 표현 습득에 유용하다는 점, 둘째, 학습자의 자기 주도적인 인지와 수정이 가능하다는 점, 셋째, 번역 실력이 향상되었다는 점, 넷째, 학습자 조별 토의와 원어민 교수자의 피드백이 유용했다는 점, 다섯째, 텍스트를 통해 다양한 한국 문화를 알게 되었다는 점, 여섯째, 수업과 번역이 즐거웠다는 정의적 영역의 긍정 평가를 들 수 있다. 마지막은 교수자 입장에서의 수업의 효용성으로, 대조언어학적 관점의 교수 항목 및 중·고급 학습자를 위한 교수 항목을 추가로 발굴할 수 있었다는 점이다.

본고는 해외 대학에서의 수업 실정에 맞추어 역번역 수업 모형을 설계하였다는 데 의의가 있다. 특히 외국인 학습자 스스로 원문과 자신의 역번역문의 차이점이 오류인지 아닌지, 또한 오류가 아니라면 어떤 미세한 차이가 있는지 발견하기란 어렵기 때문이다. 이 과정에서 동료 학습자와의 토의 시간을 통해 공통의 차이를 수집하고 교사에게 그룹 내에서 미해결된 문장에 대해 문의하는 단계는 매우 효과적이었다. 또한 튀르키예인이라는 단일 모어 학습자를 대상으로 원문과 역번역의 차이점에서 발견되는 한·튀 언어 간 전이의 구체적인 언어적 요소들을 발견하였다는 것은 추후 교육적 차원에서도 의의가 크다고 볼 수 있다. 한편 학기 후반기에 이루어진 웹드라마의 구어 텍스트 중심의 역번역 활동 보고는 본 연구에서 이루어지지 않았는데, 이는 언어·문화적인 차원으로 접근하는 것이 연구의 의의가 크다고 보는 바, 추후 연구 과제로 남기고자 한다.

참고문헌

강현화, 이현정, 남신혜, 장채린, 홍연정, 김강희. 2017. **한국어 유사 문법 항목 연구**. 한글파크.

국립국어원. 2005. **외국인을 위한 한국어 문법**. 2. 커뮤니케이션북스.

김민영. 2020. 역번역을 활용한 한국어 텍스트 교육—번역 전공 유학생을 대상으로-. **Foreign languages education**. 27. pp. 191-209.

박은정. 2019a. 유학생 역번역문에 나타난 어휘 연구. **한국언어문화학**. 16. pp. 157-186.

박은정. 2019b. 한국어 사동과 피동 표현에 대한 고급학습자 번역 양상과 인식 연구 -한국어 역번역문 자료를 중심으로-. **국제어문**. 82. pp. 479-501.

박은정. 2021. 번역 교육 방법으로서의 역번역과 자가 수정의 유용성 탐구—한국어 번역전공 학습자(유학생) 자료를 중심으로-. **우리말 글**. 89. pp. 1-31.

심선향. 2018. 한국어 교육에서 역번역(Back Translation)의 교육적 활용 연구. **언어와 문화**. 14. pp. 173-196.

안주호. 2012. 한국어 {자기/자신}의 의미적 특징 및 학습자 오류 분석. **언어와 언어학**. 56. pp. 185-207.

임지영. 2021. **한국어 학습자의 과거시제 선어말어미 교육 방안 연구**. 인하대학교 박사학위논문.

장미라. 2009. '-은/는 것이다' 구성의 표현 문형 설정과 교육 방안에 대한 연구. **한국어 교육**. 20(2). pp. 229-253.

조은숙. 2019. 한국어와 터키어의 복수표현을 통한 표현구조 대조 -'들'과 '-lar'을 중심으로-. **語文學**. 145. pp. 61-92.

허용. 2018. 한국어 학습자들의 역번역문에 나타난 문장의 특징 연구: 한국어 교육의 관점에서. **교육문화연구**. 24. pp. 629-649.

허용, 박은정. 2019. 한국어 역번역문에 나타난 '이/가, 은/는'의 번역 양상과 그에 따른 인식 연구. **한국언어문학**. 99. pp. 265-294.

허용, 박은정. 2020. 한국어 고급학습자들의 역번역문에 나타난 복합적 구성의 양태 표현 연구-역번역문과 자가수정 자료를 중심으로-. **국제어문**. 87. pp. 345-369.

국립국어원 표준국어대사전 http://stdict.korean.go.kr

Paegelow, R. S. 2008. Back Translation Revisited: Differences that Matter (and Those that Do Not). *The ATA Chronicle*. 1. pp. 22-25.

Tyupa, S. 2011. A Theoretical Framework for Back-Translation as a Quality Assessment Tool. *New Voices in Translation Studies*. 7. pp. 35-46.

제5장

유럽 대학에서의 한국어 교수법, 절충식 교수법?

권용해
프랑스 라로셸대학교
La Rochelle Université

1. 들어가며

외국어 교수법은 외국어 교육의 목적을 달성하기 위해 사용되는 방법론적인 측면을 다루는 분야이다. 지금까지 문법번역 교수법, 직접 교수법, 청각구두 교수법 등 수많은 교수법들이 시대의 변화에 따라 개발되고 발전되어 왔다. 각 교수법은 당시 사회 분위기와 시대의 요구를 반영하며 유행하였고, 나름대로의 장단점을 보여 주며 특정 교수법을 발전시켰다. 여기에 학습자의 환경과 조건도 교수법을 결정하는 중요한 변인이 되었다. 필자는 다음과 같은 의문을 가져 보았다. 지금까지 외국어 교수법의 흐름을 살펴본다면, 2022년 현재 외국어 교수법의 대세인 의사소통 교수법도 현재 사회 분위기와 시대의 요구를 반영해서 유행하고 있는 것이므로, 향후에는 새로운 외국어 교수법이 의사소통 교수법의 자리를 차지하지 않을까?

필자 입장에서 한국어 교육의 궁극적 목표는 학습자로 하여금 정확하고 유창한 한국어를 구사하는 능력을 갖추게 하는 것이다. 이 목표를 달성하기 위해 가장 중요한 것은 교강사가 학습자에게 어떻게 동기를 부여하고 흥미를 유발시키냐는 것인데, 여기에 절대적인 영향을 끼치는 것이 교강사의 교수법이다. 교강사는 다양한 학습 활동을 통해 지속적으로 학습자에게 동기 부여를 해야 할 뿐 아니라, 수업 진행에 있어서 집단의 특징들을 감안하여 여러 교수법을 혼용하며 융통성 있게 수업을 진행할 줄 알아야 한다.

왜냐하면 동일 교수법이라 할지라도 교육이 행해지는 장소, 상황, 시기, 학습자 구성에 따라 결과는 다르게 나타날 수 있기 때문이다. 권용해(2005)는 최근의 한국어 교수법에 관련된 연구들을 살펴보면 외국어 교육의 대세인 의사소통 교수법을 한국어 교육에 사용하는 것을 당연시하고 있는 추세라고 지적하였다. 그러나 의사소통 교수법도 지금까지 소개되고 발전해 온 하나의 교수법일 뿐이며, 이 교수법이 시기상 현재에 위치하기 때문에 적절한 교수법으로 인정받고 있을 뿐이다. 따라서 한국어 교육에 현재 유행하고 있는 교수법의 흐름을 참조하는 것은 필요하지만 무턱대고 추종하기보다는 한국어 교육이 이루어지는 장소, 학습자의 특성 등 여러 변인에 의거하여 적절한 교수법의 가감과 혼합이 필요할 것이라고 하였다(권용해, 2005: 22-23).

본 연구의 목적은 유럽 대학에 소속되어 있는 각 교강사가 자신의 학습자들을 대상으로 각 교수법의 장점들을 선별·혼합·활용하게 하여, 학습자들에게 정확하고 유창한 한국어를 구사하는 능력을 갖추게 하려는 데 있다. 이를 위해 지금까지 외국어 교육에서 사용된 교수법들 중에서 유럽 대학교 학습자들에게 수업 목표에 따라서 효과적으로 사용할 수 있는 여러 가지 교수법의 특징을 간략히 살펴보고자 한다. 본고에서 대상으로 삼는 학습자는 한국에서 한국어를 배우는 학습자가 아니라, 교실 밖으로 나오면 한국어를 사용할 수 있는 환경이 단절되는 유럽 대학에서 한국어를 배우고 있는 학습자로 제한할 것이다.

2. 본론

2.1. 문법번역 교수법

문법번역 교수법은 전통 교수법이라고도 불리는데 그리스·라틴어와 같은 고전어를 가르치기 위해 사용되었던 방법이며 현재도 많이 사용되고 있는 교수법이다. 권용해(2005: 24)는 조명원·신규수(1992)와 허용 외(2005)가 언급한 문법번역 교수법을 다음과 같이 표로 정리해 주었다.

목적	학생들은 한국어의 문법 규칙들과 어휘에 대한 학습을 통해 한국어로 쓰인 문헌을 읽어 내는 데 목적을 둔다.
방법	1) 학생들은 문법을 연역적으로 공부한다. 학생들에게 문법 규칙들과 예문들이 주어지고, 그것들을 암기시킨 다음 이 규칙들을 다른 예문들에 적용하도록 요구한다. 2) 언어의 어휘와 문법이 강조된다. 읽기와 쓰기가 학생들이 공부하는 주요 기능들이다. 3) 교강사는 교실에서 권위자이다.

	4) 교실에서의 상호 작용 대부분은 교강사로부터 학생들에게 행해진다. 학생이 시작하는 경우는 거의 없고, 학생-학생 사이의 상호 작용도 거의 없다. 5) 학생들은 한국어를 모국어로 번역함으로써 이해가 분명해진다. 수업에서 사용되는 언어는 대부분 학생들의 모국어이다. 6) 학생들의 오류에 있어서 정확한 답을 얻도록 하는 일은 매우 중요한 것으로 여겨진다. 만일 학생들이 오류를 범하거나 답을 알지 못하는 경우 교강사는 그들에게 옳은 답을 제시한다.
장점	1) 학습자의 모국어를 사용함으로써 교강사와 학생의 부담이 없다. 2) 명확한 문법 설명을 통해 학습자의 요구를 만족시킬 수 있다.
단점	1) 한국어의 듣고, 말하기 기능 습득을 기대할 수 없다. 2) 문법 규칙, 단어 암기와 어려운 지문을 해석해야 하므로 학습자에게 지루함을 줄 수 있다. 3) 교강사와 학습자 간 상호 작용이 거의 없다.

▶ 출처: 권용해(2005), '초급 한국어 교수법 모델 및 교재 구성에 대한 연구-프랑스 대학생을 대상으로-', 성균관대학교 박사 학위 논문, p. 24.

2.2. 직접 교수법

직접 교수법은 모국어로 번역을 하지 않고 직접 한국어와 접촉하게 하여 모국어처럼 학습한다. 이 교수법은 교강사-학생 간에 '질문-답' 형식의 문장 중심으로 수업을 하는 특징이 있다. 조명원·신규수(1992), 한재영 외(2005), 허용 외(2005)에서 소개한 직접 교수법의 특징을 권용해(2005: 25)는 다음과 같이 표로 정리하고 있다.

목적	문어보다 구어에 치중하여 한국어로 직접 생각하고 표현하고 이해하는 능력을 기르는 데 목적을 둔다.
방법	1) 모국어를 전혀 사용하지 않고 한국어를 사용하여 가르친다. 2) 듣기, 말하기인 구어에 치중함으로 발음을 중요시한다. 3) 학생들은 새로 나온 단어와 문법 연습을 위해 문답 연습을 한다. 수업 활동에서 교강사의 질문과 학생의 답이 중요한 위치를 차지한다. 4) 교강사와 학생은 학습 과정에서 동반자처럼 행동하며 상호 작용이 이루어진다. 5) 문법 학습은 귀납적으로 이루어진다.
장점	1) 한국어로 말하기, 듣기를 실시함으로 초급부터 구어 능력을 개발시킬 수 있다. 2) 교강사와 학습자 간의 상호 작용이 있다. 3) 한국어를 사용하는 의사소통 상황은 학습자의 흥미를 자극시킨다.
단점	1) 한국어만을 사용함으로 어휘, 문법, 표현을 설명하기 곤란할 때가 많다. 2) 이런 어려움은 학습을 어렵게 만들어 한국어에 대한 흥미를 잃게 할 수 있다. 3) 한국어가 유창한 교강사를 확보하기 어렵다.

▶ 출처: 권용해(2005), '초급 한국어 교수법 모델 및 교재 구성에 대한 연구-프랑스 대학생을 대상으로-', 성균관대학교 박사 학위 논문, p. 25.

2.3. 청각구두 교수법

청각구두 교수법은[1] 군대식 교수법이라고도 불린다. 1990년대 초반까지 한국어 교육의 주류를 이루었다. 허용 외(2005)와 송정희 외(1999)에서 밝힌 청각구두 교수법의 특징을 표로 정리하면 다음과 같다.

목적	학생들은 한국어를 모국어로 사용하는 사람들과 같이 한국어를 자동적으로 사용할 수 있는 능력을 기르는 데 목적을 둔다.
방법	1) 학생들은 주어진 자극에 즉각적으로 반응을 나타내도록 한다. 이를 위해 반복적인 문형 연습을 집중적으로 실시한다. 2) 새 학습 자료를 대화식으로 제시한다. 3) 문법 설명은 귀납적인 방법으로 교수한다. 4) 발음에 많은 중요성을 부여한다. 어학 실습실을 최대한 활용한다. 5) 언어는 곧 습관이라는 가정하에 대화를 암기하고 즉각적이고 정확한 반응을 요하는 문형 연습을 통해 오류를 최소화한다. 6) 언어 기능은 듣기, 말하기, 읽기, 쓰기의 순서로 가르친다.
장점	1) 어려운 문법 설명을 배제하므로 초급 단계의 수업에 적절하다. 2) 제한된 자료를 통해 단시일 내에 회화 기능을 익힌다. 3) 학습할 구문이 체계적으로 도입될 수 있다.
단점	1) 기계적인 반복 훈련이 언어 학습의 흥미를 저하시킨다. 2) 문형 연습 위주 학습은 문장의 의미와 그 문장의 관련성을 생각하지 못하고 무의미한 기계적인 연습에 그칠 수 있다. 3) 학습자의 오류를 인정하지 않으며, 창의적인 자기 표현 능력을 향상시키지 못한다. 특히 상급 수준 학습자에게는 동기 유발을 하기 힘들다.

[1] 청각구두 교수법을 사용한 한국어 수업의 예는 다음과 같다.
수업 예시: '-하고'

[교체 연습]
예) 교실에 민수가 있어요. 교실에 미나가 있어요.
→ 교실에 민수하고 미나가 있어요.

1) 집에 에릭을 초대해요. 집에 엘렌느를 초대해요.
→ ____________.

2) 백화점에서 영호를 만났어요. 백화점에서 피에르를 만났어요.
→ ____________.

[응답 연습]
예) 영호 씨, 미국에 누가 있어요? (남동생, 누나)
→ 남동생하고 누나가 있어요.

1) 빌딩 안에 뭐가 있어요? (식당, 책방)
→ ____________.

2) 홍콩에 누가 계세요? (아버지, 어머니)
→ ____________.

2.4. 시청각 교수법

시청각 교수법은 그림에서 출발하여 동영상을 이용한 시청각까지 발전하였다. 송정희 외(1999), QUIVY M., TARDIEU C.(1997)가 밝힌 시청각 교수법의 특징을 권용해(2005: 25-26)는 다음과 같이 표로 제시해 주었다.

목적	한국어의 의사소통 능력을 기르는 데 목적을 둔다.
방법	1) 모국어를 사용하지 않는다. 2) 언어는 한 구조이므로 어휘보다는 언어 구조 학습을 중요시한다. 3) 구어 학습을 중요시하고 문법을 귀납적 방법으로 습득한다. 4) 의사 소통을 언어뿐만 아니라 비언어적 요소(억양, 리듬, 몸짓, 표정)도 개입되는 것으로 본다. 5) 수업을 소개, 설명, 반복, 활용의 4단계로 진행한다. • 소개: 그날 학습할 내용의 그림을 보여 주고 소리를 들려준다.

	• 설명: 학습할 내용의 의미를 학생들이 알도록 한국어로 설명한다. 교강사는 몸짓, 표정 등 모든 수단을 동원한다. • 반복: 의미를 파악한 학생들은 대화를 반복하여 연습한다. 이때 교강사는 발음 교정도 실시한다. • 활용: 학습한 대화 구조를 바탕으로 교강사-학생 또는 학생-학생 사이에 대화를 실시하며 상호 작용한다.
장점	1) 글로 쓴 문장을 외우지 않고 실생활에 필요한 대화를 습득함으로써 실제 활용할 수 있는 표현을 배운다. 2) 그림, 소리와 함께 이해되는 문장은 학습자가 문법적 분석을 하지 않고 총체적으로 기억하고 외우는 데 도움을 준다. 3) 그림을 통해 대화 상황을 봄으로써 학습자의 동기 유발을 한다. 4) 정확한 발음과 표현을 배울 수 있다.
단점	1) 그림을 이해하는 데 모든 학습자가 동일하게 해석하지 않는다. 2) 모국어로의 번역을 피하고 한국어로 설명하고 활용할 것을 주장하는데, 성인 학습자는 외국어 학습에 있어 반사 작용으로 번역을 하게 되므로, 무조건 번역을 금지하는 것은 무리가 있다. 3) 구어에 비해 문어 학습에 약점을 보인다.

▶ 출처: 권용해(2005), '초급 한국어 교수법 모델 및 교재 구성에 대한 연구-프랑스 대학생을 대상으로-', 성균관대학교 박사 학위 논문, pp. 25-26.

그림에서 출발한 시청각 교수법은[2] 기술 발달과 더불어 비디오 테이프, DVD 등 동영상을 교육 자료로 활용하게 되었는데, KWON Yonghae(2002)는 동영상 시청각 자료의 특징을 다음과 같이 정리해 주었다(권용해, 2005: 26).

1) 시청각 화면은 학생들의 관심을 유발시켜 학습자들의 주의를 집중시킨다.
2) 유발된 관심은 화면 시청 중에 나오는 새로운 단어와 표현에 대한 의구심으로 이어지고, 이런 의구심은 학생들로 하여금 수업에 능동적으로 참여하게 한다.
3) 등장인물들의 성격, 의도 등을 구술뿐만 아니라 제스처, 표정, 감정의 표현과 같은 비구술적인 요소들을 통해 보여 줌으로써 학습자로 하여금 쉽게 상황을 이해할 수 있도록 도와준다.
4) 비구술적인 요소들은 오디오나 텍스트가 설명하기 힘든 단어와 표현을 화면을 통해 전달하기 때문에 효과적으로 학습이 진행되며, 초급 단계로 갈수록 시청각 자료의 효과는 더 크다.
5) 다른 형태의 자료들이 보여 주기 힘든 문화·사회적인 요소들을 화면을 통해 쉽게 전달해 줄 수 있다.

[2] 시청각 교수법은 유고의 자그레브(Zagreb)대학 구베리나(Guberina)와 프랑스 생끌로드(Saint-Cloud) 고등사범학교의 리벵크(Rivenc)가 '구조 총체적 시청각 교수법(Structuro-Globale Audio-Visuelle, SGAV)'의 이론적 기초를 마련하였고, 이후 벨기에 몬스(Mons)대학의 르나르(Renard)가 이끄는 연구원들이 합세하여 구체적인 시청각 교수법으로 개발된 것이다(송정희 외, 1999: 258).

2.5. 의사소통 교수법

의사소통 교수법은 1990년대 중반부터 지금까지 한국어 교육뿐만 아니라 대부분의 외국어 교육의 교수법으로 사용되고 있다. 의사소통 교수법은 현재 세계 외국어 교육에서 주류를 형성하고 있는 교수법이고 한국어 교육도 본 교수법을 기반으로 대부분 연구되고 있다. 남기심 외(1999)와 허용 외(2005)에서 밝히고 있는 의사소통 교수법의 특징을 권용해(2005: 52-53)가 다음과 같이 표로 요약해 주었다.

목적	한국어의 의사소통 능력을 갖추는 데 목적을 둔다.
방법	1) 교강사는 언어 학습 활동에 있어서 관리자, 조언자 내지는 공동 참여자로서 존재한다. 따라서 학습은 학생 중심의 수업으로 이루어져야 하며, 교사는 학습을 촉진시켜 줄 수 있는 상황 설정의 역할을 수행해야 한다. 2) 언어 사용의 정확성보다는 유창성이 중요하며 이 과정에서 나타나는 학습자 오류는 언어 학습 과정에서 나타나는 자연스러운 결과로 보아 의사소통에 심각한 장애가 되지 않으면 그대로 넘어간다. 3) 목적 지향적인 의사소통 의도를 가지고 의도적인 언어 학습 활동을 수행한다. 이러한 언어 학습 활동의 하나로 역할놀이, 문제 해결 과제, 게임 등이 학습에 활용된다. 4) 의사소통 교수법에서는 실재 자료 활용을 중요시한다. 5) 학생들 간의 협동적인 상호 작용을 중시한다. 그 결과 과제 해결이나 언어 학습 활동을 수행함에 있어서 두 명 이상이 공동으로 수행하는 임무가 자주 주어진다. 7) 구조의 복잡성이나 문법의 난이도가 아닌 주제별, 상황별로 단원 학습을 구성한다. 8) 교실에서 학습하는 언어는 실제 생활에서 사용되는 언어를 중심으로 하며 실재적인 실물 자료를 많이 사용한다.
장점	1) 학습자 간의 상호 협력을 중요시한다. 2) 실재 자료를 많이 사용한다. 3) 학습은 학습자 중심으로 이루어진다.
단점	1) 반복 학습이 이루어지지 않고 유창성을 강조함으로 학습자의 부정확성을 방지하기 어렵다. 2) 상황이나 주제를 우선하여 문법과 어휘의 등급별 난이도를 고려하기 어렵다.

▸ 출처: 권용해(2005), '초급 한국어 교수법 모델 및 교재 구성에 대한 연구-프랑스 대학생을 대상으로-', 성균관대학교 박사 학위 논문, pp. 52-53.

위 교수법들 이외에도 침묵식 교수법, 암시 교수법, 전신반응 교수법 등이 있는데, 각 교수법은 나름대로의 장단점을 보여 주었고 각 시대와 사회의 요구에 따라 성행·퇴출되었다.

3. 나가며(결론 및 제언)

현재 의사소통 교수법이 대세라 할지라도 위에서 소개한 교수법들 또한 한국어 교육의 목표를 위해 적용할 수 있는 교수법들이다. 실제 교육 현장에서 교강사가 느끼는 것은 하나의 교수법이 모든 학습자에게 공통적으로 긍정적 교육 효과를 가져다주지는 않는다는 것이다. 이는 외국어(한국어) 교수법은 여러 변인들을 고려해야 하므로 특정 교수법을 다양한 학습자들에게 공통적으로 적용하기 어렵기 때문이다. 당연히 교육 목적, 환경, 지역, 학습자, 교강사에 따라 교육 효과도 다르게 나타날 것이다.

한국어 교실에서 교강사는 특정 교수법의 틀 안에서 자신의 강의를 진행해야 할 필요가 없다. 교수법은 학습자로 하여금 정확하고 유창한 한국어를 구사하게 한다는 한국어 교육의 목표를 달성하기 위한 방법일 뿐이다. 훌륭한 교강사라면 상황에 맞게 적절한 교수법과 교육 자료를 이용하여 학습 효과를 극대화시킬 수 있고, 수업 진행에 있어서 집단의 특징들을 감안하여 여러 교수법을 혼용하며 탄력적으로 수업을 진행할 줄 알아야 할 것이다. 유럽 대학에서 한국어를 배우는 성인 학습자들은 알파벳 문화권에 속해 있고, 이들은 교실 밖으로 나가자마자 한국어를 사용하는 상황과 단절된다. 즉, 이들에게 한국에 있는 대학이나 어학 기관에서 한국어를 배우는 학습자들과 동일한 교수법을 적용하기에는 무리가 따르므로, 교강사는 한국어 교실의 상황에 맞게 각 교수법의 장점을 활용할 줄 알아야 한다. 결국 여러 교수법의 장점들을 혼합한 절충식 교수법을 활용할 필요가 있다.

학습자에게 한국어 문법을 정확히 이해시키기 위해서는 문법번역 교수법만 한 교수법이 없을 것이다. 문법번역 교수법은 학습자의 모국어를 사용하므로 부담감이 없고 정확한 설명이 가능하기 때문이다. 직접 교수법은 한국어로 강의가 진행됨으로 인해 학습자의 구어 능력 향상과 흥미 자극에 상당한 도움이 될 것이며, 학습자가 수업 시간을 지루해 한다고 판단되는 경우 적용할 수 있다. 청각구두 교수법은 학습자가 구문이나 문법, 발음 오류를 자주 범하는 상황에 적용한다면 상당한 학습 효과를 얻을 것이다. 왜냐하면 학습 과정에서 오류를 범하는 것은 자연스러운 현상인데 청각구두 교수법의 반복적인 문형 연습을 통해서 오류를 교정할 수 있기 때문이다. 시청각 교수법은 억양, 리듬, 몸짓, 표정 등 한국어의 비언어적 요소를 학습하는 데 사용하면 학습자의 흥미를 크게 자극할 수 있다. 한국 문화는 유럽 문화와 큰 차이가 있고, 이런 문화 차이가 학습자의 흥미를 끌게 될 것이다. 현세대는 동영상 시청각 자료에 매우 익숙한 세대임도 잊지 말아야 한다. 의사소통 교수법에서 눈여겨보아야 할 것은 실재 자료를 많이 사용하고 학습자 간의 상호 작용을 중시하는 것이다. 의사소통 교수법은 학습자의 흥미 자극을 통해서 학습 동기를 부여하는 데 큰 장점을 가진 교수법이다.

한국어 교육에서 가장 중요한 것은 동기 부여이다. 학습자에게 확실한 동기가 부여되면 교수법이나 교재와 관계없이 교육 효과는 극대화되기 마련이다. 교실에서 흥미를 유발하는 학습 활동을 하는 이유도 결국은 학습자에게 동기를 부여하기 위함이다. 흥미 유발이 용이한 자료는 실재 자료와 동영상 자료인데, 이 두 가지 자료의 특성을 가진 것이 텔레비전 드라마, 영화이다. 따라서 한국 텔레비전 드라마나 영화를 교육 자료로 이용한 연구도 더욱 활발하게 이루어질 필요가 있다. 특히, 동영상 실재 자료들은 한국어 교육에서 문화 교육이 중요시되는 요즘 분위기에 권장할 만한데, 필자가 주장하는 절충식 교수법과 동영상 실재 자료들을 유럽 대학의 한국어 교실에서 적절히 활용한다면 좀 더 효과적인 한국어 학습이 이루어질 것이라 판단된다.

참고문헌

권용해. 2002. Reflets 1 수업을 통해 관찰된 시청각의 역할. **불어불문학연구**. 51. 한국불어불문학회.

권용해. 2005. **초급 한국어 교수법 모델 및 교재 구성에 대한 연구-프랑스 대학생을 대상으로-**. 성균관대학교 박사 학위 논문.

남기심, 이상억, 홍재성 외. 1999. **외국인을 위한 한국어 교육의 방법과 실제**. 한국방송통신대학교출판부.

송정희, 장한업, 한민주, 한상헌. 1999. **불어교육론**. 하우.

조명원, 신규수 공역. 1992. **외국어 교육의 기술과 원리**. 한신문화사.

허용, 강현화, 고명균, 김미옥, 김선정, 김재욱, 박동호. 2005. **외국어로서의 한국어 교육학 개론**. 박이정.

한재영, 박지영, 현윤호, 권순희, 박기영, 이선웅. 2005. **한국어 교수법**. 태학사.

KWON Yonghae. 2002. *Audiovisuel et télévision dans un apprentissage du Français Langue étrangère*. Presses Universitaires du Septentrion.

QUIVY M., TARDIEU C. 1997. *Grossaire de didactique de l'anglais*. Ellipses.

제6장

태블릿을 활용한 한국어 회화 수업의 과업 중심 교수법 분석

주현주
일본 메지로대학교
Mejiro University

1. 들어가며

ICT(Information and Communication Technology) 기기를 교육에 활용한 사례는 코로나바이러스 감염증(COVID-19) 이전부터 멀티미디어 교육을 통하여 선택적으로 실시되고 있었는데, 코로나바이러스 감염증 확산 이후 비대면 교육이 세계적으로 확대되면서 선택이 아닌 필수가 되었다. 현재는 포스트 코로나 시대로 접어들어 다시 대면 교육이 활발하게 진행되고 있지만, 그동안 필요에 의하여 도입한 ICT 기기 활용의 교육적 효과를 살펴볼 필요가 있다. 본 연구에서는 ICT 기기를 활용하여 교실 안팎에서 효율적으로 한국어 학습을 가능케 하는 수업 모델을 제안하고 ICT 기기 활용 가능성과 한계를 조명하고자 한다. 특히 한국어 중급 학습자를 대상으로 회화 수업에 ICT 기기를 활용하여 과업 중심 교수법을 실행한 결과를 분석하고 학습자의 평가를 통하여 활용 가치를 살펴본다.

한국어 회화 교육의 과정은 '말하기'와 '듣기' 능력이 조화를 이룰 수 있도록 학습하는 것이며, 이는 지식의 인지와 산출이 동시에 이루어지는 과정이기에 의사소통 능력을 증진하는 데 중요한 목표라 할 수 있다. 기존의 회화 수업에서는 모델 회화 데이터를 청취 및 시청하기 위하여 멀티미디어를 활용하였고, 학습자 개개인은 사전 앱을 사용하는 정도로 제한된 활동에 국한된 경우가 많았다. 본 연구에서는 본격적으로 ICT 기기를 활용한 한국어 회화 교육의 수업 모델과 그 활용 가능성 및 한계를 살펴보고자 한다.

2. ICT 기반 교육 및 과업 중심 교수법

ICT 기반 교육은 다양한 학습 형태에서 활용이 가능하다. 비대면 또는 대면 수업뿐만이 아니라 블렌디드 러닝(Blended learning), 플립 러닝(Flipped learning) 등 다양한 학습 형태를 통하여 학습 성취도를 증진하는 효과를 도모하고 있다. 언제 어디서나 학습이 가능한 환경이 조성되는데 이러한 학습 환경 속에서, 특히 교실 환경을 중심으로 이루어지는 학습 형태에 주목한다. 교실 내 ICT 기기 활용의 일환으로 중급 한국어 회화 수업 모델의 사례를 제시하고 그 성과와 과제를 고찰한다.

이수경(2020)은 ICT 기기를 활용한 학부 유학생의 한국어 교육에 관하여 다음과 같이 언급하였다. "한국어 교육에서도 구성주의 관점에서 제시된 ICT 활용 교육 모델이 협동 학습(collaborative learning)의 방식으로 점차 부상하고 있다. 사회적 상호 작용에 기반을 둔 협동 학습은 한국어 학습자들이 한국어 능력 향상이란 공동의 목표를 성취하기 위하여 함께 노력하고 돕는 것(ibid.: 493)"이라 평가하였다. 구체적으로 SNS(Social network service) 플랫폼 중 하나인 밴드(BAND)를 활용하여 학습 자료 접근의 용이함과 원활한 의사소통을 꾀하였으나, 교수자와 학습자 간 관계 형성의 측면에서 충분한 교육적 효과를 얻어 내지 못하였다는 과제를 남겼다. 그러나 ICT 기기의 활용이 한국어 학습자가 자기 주도적인 학습을 수행하는 데 효과적이라는 점은 크게 시사하는 바가 있다.

이에 본 연구는 대면 수업에 ICT 기기를 활용한 한국어 교육의 일환으로 대학교 전공과목 중 전문 기초과목으로 개설된 '한국어 응용 회화'[1] 수업을 대상 과목으로 정했다. 본 수업은 과업 중심 교수법(Task-based Language Teaching)을 기본 학습 지도 방안으로 삼았다. 과업 중심 교수법은 학습자의 한국어 학습을 목적으로 하는 것이 아니라 다양한 과제를 달성하기 위한 도구로써 언어를 사용하고 경험하는 과정에서 언어를 학습하도록 하는 교수법이다.

언어 교육 과목 중 대학생들의 영어 과목에 과업 중심 교수법을 활용한 연구로 김창호(2013: 213-214)가 있다. 이 연구에서는 과업 중심 교수법에 대하여 "학습자의 의사소통 능력을 배양시키기 위해 의미를 중심으로 영어를 사용하여 과업을 제시하고, 목표 언어를 사용하여 실제로 실행하며, 상호 작용을 통해 과업을 해결하고 구체적인 결과를 산출함으로써 언어를 습득하는 방법"이라고 설명하였다. 전통적인 방법인 교사 중심으로 학습한 그룹과 비교하여 결과를 도출하였는데, 말하기·듣기·쓰기·읽기의 능력에서 통계학적으로 유의미한 차이가 있었으며 과업 중심 교수법의 효과를 검증하였다. 특히

[1] 한국어 기초(응용) 과목으로 회화, 문법, 청해, 작문 과목이 개설된다. 회화 과목은 1주일에 2교시차(180분)로 진행되며 봄학기에는 '한국어 기초 회화', 가을학기에는 '한국어 응용 회화' 과목으로 통년 과목이다. 본 연구에서는 가을 학기에 개설한 '한국어 응용 회화' 과목을 대상으로 하였다.

학습 언어에 대한 공포증을 없애 자기 주도 학습의 효과를 얻을 수 있다는 성과에 주목하여 본 수업에 도입하게 되었다.

이렇게 ICT 기반 교육과 과업 중심 교수법의 공통분모에는 협동 학습으로 인한 자기 주도 학습의 확립이 있다. 다른 학습자들과 공동의 목표와 과제를 수행하면서 일상생활에서 학습 언어 활용 능력을 높일 수 있게 되는 것이며, 이는 한국어 회화 교육의 최종 목표와 일맥상통한다.

3. 태블릿을 활용한 한국어 회화 수업

본 수업은 2021년도 가을 학기에 개설된 한국어 응용 회화 과목으로 제7주차~제15주차 사이에 블렌디드 수업 형태로 실시하였다. 수업은 기존에 학습한 문법과 어휘를 활용하여 자연스러운 대화를 할 수 있도록 연습하고, 다양한 대화의 전개를 즐기며, 대화의 요점을 파악하고 적극적으로 대화에 참여하는 것을 주된 내용으로 하였다.

수업 설계 과정에서 과업 중심 교수법의 장점을 더 끌어낼 수 있도록 ICT 기기를 활용한 학습 활동을 진행하였다. 학습자 1인당 태블릿 기기(iPad)를 1대씩 대여하여 수업 시간과 예습 및 복습, 과제 활동에 활용하였다.

과업 중심 교수법의 구체적인 과제는 다음 〈표 1〉과 같이 설정하였다. '전문적인 화제에 관한 대화에 참여하여 대화 흐름에 맞는 말하기와 듣기를 할 수 있으며 복잡한 담화 구조를 이해하고 자신의 의견을 적절하게 발화할 수 있다.'는 수업의 학습 목표를 달성하기 위하여 한국어 중급 학습자가[2] 수행 가능한 주제로 선정하였다.

[2] 본 수업의 수강생은 일본어를 모어로 하는 한국어 학습자로, 한국어 학습 기간은 평균 약 8개월이다. 전공과목으로 한국어를 학습하고 있으며 대학교 1학년으로 구성되었다. 학습자 수는 모두 17명이며 남성 2명, 여성 15명이다. 본 조사에 앞서 학습자에게 사전 동의를 얻었다.

〈표 1〉 한국어 회화 수업 시 다룬 과업 주제 및 주된 활동

번호	과업 주제	주된 활동
1	유튜버 되기(한국어 동영상 만들기)	그룹 활동
2	한국에서 가고 싶은 곳, 하고 싶은 일에 관하여 발표하기	개인 활동
3	한국 대학생들과 온라인 교류 학습하기	그룹 활동
4	온라인/대면 수업하기(찬반 토론)	그룹 활동
5	한국인과 일본인의 신체 언어의 특징을 설명하기	그룹 활동

각각의 과제에서 주제에 관한 설명과 관련 영상을 시청한 후에 개인 혹은 그룹으로 과제 수행을 하도록 하였다. 과제를 수행하는 과정을 기록할 수 있도록 학습관리시스템(LMS: Learning Management System)을 활용하였으며 성과물 또한 학습자 간에 공유하고 활발하게 의견 교환을 할 수 있도록 설정하였다. 태블릿의 기본 사용 환경은 iPad 표준 앱과 Google이 무료 제공하는 Google Classroom 등 플랫폼을 활용하였다. 그 밖에도 Google Documents, Google Sheets, Google Slides, Google Forms, Quilzlet 앱 등을 활용하였다. 각 과업을 수행하는 활동 순서와 활동 내용은 〈표 2〉와 같다.

〈표 2〉 과업 중심 교수법의 진행 과정 및 활동 내용

순서	주된 활동	구체적인 활동
1	그룹 활동	그룹 구성, 발표 주제 및 내용 정하기, 역할 분담
2	개별 활동	역할에 맞추어 자료 조사 활동
3	표현 및 제작 활동	발표 내용에 맞추어 조사한 자료를 정리 및 발표 준비
4	발표 활동	그룹 또는 개별로 발표 활동 청자 학습자는 발표 내용을 기록 및 코멘트 시트 작성
5	피드백	다른 학습자의 코멘트 시트 교환 교수자에 의한 피드백

위와 같은 교수법은 학습자 중심으로 수업이 진행되며 교수자는 각 활동이 원활하게 진행되는지 확인하고 진행이 부진한 그룹에는 활동에 힌트가 될 만한 단서를 제공하는 역할을 담당한다. 또한 각 활동에는 시간을 제한하여 정해진 시간 내에 활동이 끝날 수 있도록 하는 등 학습자가 한 단계 더 위로 실력을 향상시킬 수 있는 발판을 마련하는 스캐폴딩(Scaffolding) 전략으로 임하였다. 활동 시간은 수업 시간 이외에 예습과 복습에도 사용하였다.

〈그림 1〉은 학습관리시스템으로 사용된 Google Classroom의 활용 예이다. 수업 중 그룹 활동 시 각자 태블릿에 입력하면 공동 편집이 되는 Google 문서 앱을 활용하여 협동 작업이 가능케 했다. 수업 중 질문에 대한 답변을 다른 학습자들과 공유할 수 있도록 설정하여 다른 학습자들의 생각과 의견을 참고하고 자신의 의견을 말할 수 있도록 발표 활동을 하였다. 〈그림 2〉는 Quizlet에서 각 학습자의 학습 진행 상황을 확인할 수 있는 관리 페이지이다. 학습자가 학습 과정을 알리지 않아도 교수자가 바로 확인할 수 있는 것이 강점이다.

〈그림 1〉 Google Classroom 활용 예

〈그림 2〉 Quizlet 학습 진행 상황 확인 화면

〈그림 3〉과 〈그림 4〉는 수원대학교의 한국인 일본어 학습자 학생들과 온라인 교류 학습을 진행한 사례를 나타내는 자료이다. 한 그룹당 한국인 2명, 일본인 2명, 총 4명으로 구성된 그룹 활동을 통하여 교류를 진행하였다.

〈그림 3〉 온라인 교류 학습 제시 화면

水原大学校X目白大学 수원대학교X메지로대학
オンライン交流学習 온라인 교류 학습
2021年11月30日（火）
• 現在、BGMを再生中です。
BGM 잘 들리시나요?
音声が聞こえない方はチャットにてお知らせください。
소리가 잘 안들리는 분은 채팅으로 알려주세요.
• 参加者→ご自分→名前を以下の通り変更してください。
目白大学学生（例） (메)67朱ヒョンジュ/현주
Zoom이름을 다음과 같이 변경해주세요.
수원대학교학생 (예) (수)주현주/ジュジュ

〈그림 4〉 온라인 교류 학습 진행 화면

〈그림 5〉 '유튜버가 되기' 주제 영상 예

〈그림 5〉는 한국어 동영상 만들기라는 주제로 '유튜버가 되기' 과업 성과물을 시청 후 학습자들에게 질문한 내용이다. 발표 내용을 듣고 정보를 잘 이해하였는지 확인할 수 있는 과정을 추가하여 실시하였다.

그 이외에는 '한국인과 일본인의 신체 언어의 특징을 설명하기' 과업의 도입부를 예로 들어 설명하겠다. 먼저 웹에 공개된 동영상을 활용하여 '약속'을 나타내는 신체 언어의 유의점과 차이점을 설명하고 샘플 영상을 통하여 일본인의 신체 언어의 특징을 떠올려 보게 하였다. 또한 드라마와 영화 등 영상을 보고 느낀 한국인의 신체 언어의 특징을 조사하여 발표를 준비하도록 하였다. 그리고 퀴즈앤(https://quizn.show)을 이용하여 학습한 내용을 잘 이해하였는지 확인하는 퀴즈를 실시하였다.

이렇게 학습 과정을 학습 포트폴리오로 관리할 수 있다는 점이 태블릿을 활용한 수업의 교육적 효과라고 볼 수 있다. 학습관리시스템으로 태블릿을 활용하면서 수기로 필기한 것을 촬영하여 기록하고 태블릿에 직접 필기를 하는 학습자도 많았는데, 태블릿을 사용하면 학습 내용을 모두 한곳에 기록할 수 있는 장점이 있다. 게다가 필기뿐만이 아니라 발음을 연습한 음성 및 발표 동영상 자료까지 저장할 수 있으며, 저장 용량만 확보된다면 시간순으로 관리할 수 있다. 저장한 자료는 교육자도 언제든지 접근 가능하도록 설정해 두면 학습자의 현재 학습 상황과 도달도의 확인이 용이하다.

이러한 교육적 효과의 증대를 위하여 교수자는 학습자가 한 단계 더 위로 실력을 향상시킬 수 있는 발판으로서의 스캐폴딩(Scaffolding) 역할을 해야 한다는 점을 재차 강조한다.

이 외에 강의 종료 후 학습자에게 실시한 설문조사를 통하여 학습자의 ICT 기반 교육에 관한 성과를 확인할 수 있었다. 설문 내용 중 '태블릿 활용이 학습 내용을 이해하는 데 얼마나 도움이 되었는가?'에 관한 조사에서는 〈그림 6〉에서 보는 바와 같이 평균 5.00/5.00점이라는 높은 평가가 나왔다. 구체적으로 '자신의 의견을 적극적으로 전달하는 데 도움이 되었는가?'에 관한 평가는 평균 4.65/5.00점이었으며, '대화 연습, 발표하는 데 도움이 되었는가?'에 관한 평가는 〈그림 7〉에서 보는 바와 같이 평균 4.88/5.00점이었다. 즉 학습자 본인의 생각을 주장하고 발표하는 데 도움이 된다고 판단한다는 사실을 알 수 있다. 또한 태블릿 활용을 통하여 '상대방의 의견을 이해하는 데 도움이 되었는가?'에 관한 평가가 평균 4.76/5.00점인 것은 괄목할 만한 결과라 할 수 있다.

〈그림 6〉 태블릿 활용과 학습 내용의 이해

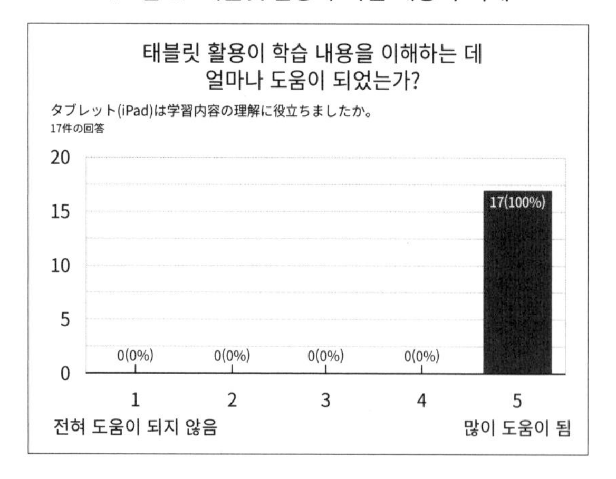

〈그림 7〉 대화 연습 및 발표에 대한 기여

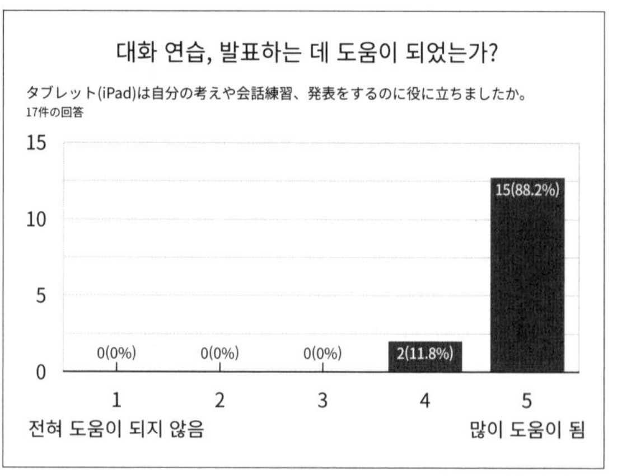

4. 나가며

본 연구에서는 태블릿을 활용한 한국어 회화 수업의 사례를 들어 과업 중심 교수법을 분석하였다. 한국어 회화 수업에서 도입한 과업 중심 교수법을 실행하기 위한 도구로 ICT 기반 교육의 성과인 태블릿 활용이 그 효과를 높이는 데 이바지할 수 있으며 향후 적극적으로 활용이 가능하다고 할 수 있다. 구체적으로는 상대방의 생각을 잘 이해하고 학습자 본인의 생각을 전달할 수 있는 수단으로 유용하며 학습 도구로서의 편의성을 들 수 있다. 또한 학습 이력을 기록할 수 있다는 강점이 있어 학습자의 학습 포트폴리오 등 학습 모형으로 발전시켜야 한다고 생각한다. 남은 과제로는 학습자와 더불어 교수자를 위한 ICT 기반 교육과 정보 활용 능력의 향상을 위한 대책이 필요하다. 또한 본 연구가 언어 학습에 특화된 학습관리시스템 개발을 위한 토대가 될 수 있기를 바란다.

참고문헌 및 참고 사이트

김창호. 2013. 대학생들의 영어 학습에서 과업 중심 교수법의 효율성에 관한 연구. **영어영문학연구**. 39-4. 대한영어영문학회. pp. 199-227.

이보라미, 강미영. 2015. 한국어 교육의 매체 활용 유형에 관한 고찰. **반교어문연구**. 39. 반교어문학회. pp. 367-393.

이수경. 2020. ICT 기기를 활용한 학부 유학생 한국어 교육에 관한 연구. **인문사회 21**. 11-3. pp. 491-504.

우치갑, 양혜인, 김윤식 외. 2021. **블렌디드러닝 온라인 수업 도구 싹쓰리**. 디자인 봄.

河田翔太, 山口孝治. 2021.「タブレット端末を活用した小学校体育教育授業実践の検討－ICT教育推進の視点から－」,『**佛教大学教育学部学会紀要**』21. 佛教大学. pp. 107-116.(KAWATA Shouta & YAMAGUCHI Koji. 2021. 'A Study of effectiveness of physical education class that uses tablet device', "**佛教大学教育学部学会紀要**" 21. Bukkyo University. pp. 107-116.

朱炫姝. 2022.「韓国語会話に対する「理解と算出」を融合した実践学習」,『**授業力向上のためのハンドブック Vol.2 アクティブ・ラーニング実例集2022遠隔授業編**』目白大学高等教育研究所. (JU Hyunju. 2022. '한국어 회화를 위한 '이해와 산출'을 융합한 실천 학습', "**授業力向上のためのハンドブックVol.2アクティブ·ラーニング実例集2022遠隔授業編**". 目白大学高等教育研究所)

守部丘大, 小林博典. 2021.「Society5.0に向けて必要となる資質·能力を身につけるためのタブレット活用－デジタルとアナログを効果的に織り交ぜた数学科の授業モデルの検討－」,『**宮崎大学教育学部紀要**』96. 宮崎大学. pp. 15-25. (MORIBE Takatomo & KOBAYASHI Hironori. 2021. 'Using Tablets for Acquiring the Skills and Resources Necessary for Society5.0: a Study of a Model Mathematics Class That Effectively Interweaves Digital and Analog Elements', "**宮崎大学教育学部紀要**" 96. Miyazaki University. pp. 15-25.

Quizlet https://quizlet.com/ (2023년 2월 1일)

Google Classroom https://classroom.google.com/ (2023년 2월 1일)

퀴즈앤(QuizN) https://quizn.show (2023년 2월 1일)

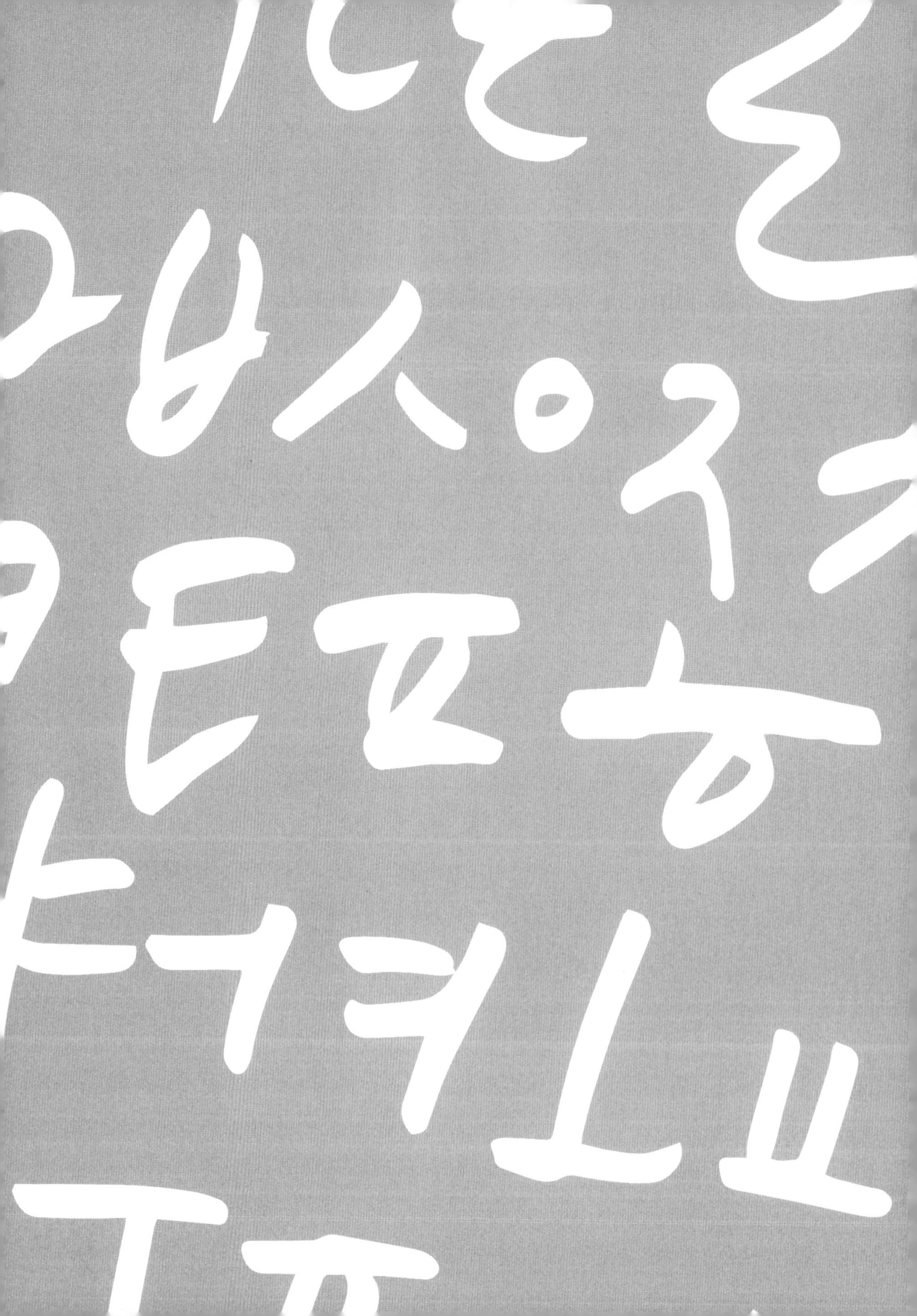

문화 및 번역과 한국어 교육

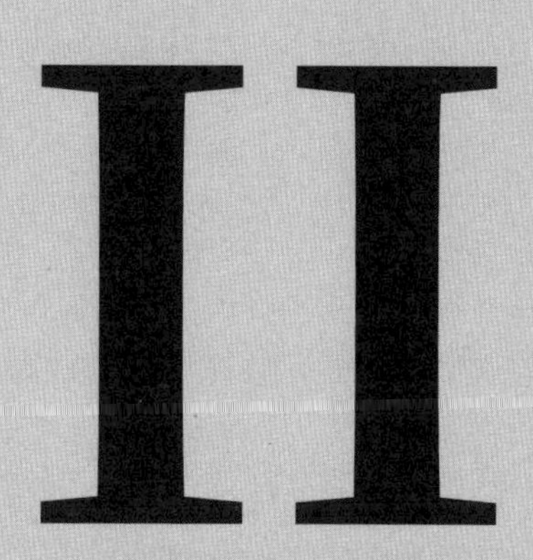

제1장

K-POP 노래를 활용한 취미 목적 한국어 실제 수업 방안

안드리이 르즈코프, 나젤리 로페스 로차
Andrii Ryzhkov, Nayelli López Rocha
멕시코 국립자치대학교
Universidad Nacional Autónoma de México

1. 들어가며

1988년부터 그 이전의 교육 자료와는 다른 과제 중심, 기능 통합적 형태의 교재를 비롯해서 학습자를 위한 다양한 교재가 개발되었으며, 한국 문화에 대한 중요성이 강조되어 문화 소개나 문화 교육이 교육 현장과 교재에 반영되었다(최용기, 2007). 의사소통 능력이 문화 능력의 함양으로 확장되어야 한다는 원리가 여태까지 한국어 교육의 기본 목표로 꾸준히 강조되어 왔다.[1] 기존 교수법은 연예 산업과 전통 및 대중문화를 다른 관점에서 바라보고 있기에 한류 콘텐츠를 교재에서 찾아보기가 어렵다. 하지만 다른 한편으로 취미 목적 교수법에 비추어 보면 한류로 한국 문화를 가르치는 것의 의의를 찾을 수 있다.

다만 한국 연예 산업에 관한 관심은 한국어에 대한 관심으로 이어지지만, 학습 지속성을 보장하지 않는다는 아쉬움을 여러 학술 논문에서 찾아볼 수 있다. 한국어 학습에 있어서 한류 기반 학생들은 보통 한국어 교육 기관에서 볼 수 있는 학습자와는 다른 특성을 보이는데, 한류에 의한 한국어 학습 동기를 부여받았고 한국어 학습의 목적 또한 한류 콘텐츠의 향유이며[2] 한국어 학습에 대한 지속성이 부족(우원묵, 2017: 125-126)하다는 두 가지 결론이 눈에 띈다. 한류 기반 학습자는 이들의 주된 관심사인 한류 콘텐츠로 언어를 학습하고자 하는데 막상 기존 (비)정규 한국어 과정을 수강하게 되면 기대 사

[1] 윤여탁(2000) 등 참조.

[2] 알려진 바와 같이 한류 콘텐츠 자체가 학습이 목적이 되고(이영제, 2019: 278), 한류로 인해 한국에 유학까지 오는 외국인 사례도 많아지고 있다. 예를 들어, 한영혜(2019), 나윤석(2019) 등 참조.

항과 관계가 없는 내용으로 공부해야 하니 관심이 떨어지는 것으로 해석될 수 있다.

한류를 한국 (대중)문화의 한 갈래로 볼 수 있는가의 문제는 차치하고, 이 현상은 외국에서 한국의 이미지를 가장 성공적으로 전파하는 요소 중의 하나로 알려져 있다(Lopez Rocha & Ryzhkov, 2017: 131). 한류는 해외에서 폭발적인 호응 등의 이유로 오늘날 전 세계에서 대한민국 국가 브랜드의 한 가지 양상으로 등장했다고 해도 과언이 아닐 것이다.

하지만 한류 현상이 시작된 지 15년여 되는 현재에 와서는 그동안의 잠재력이 외국어로서의 한국어 교육 분야에서 과소평가되었다는 생각이 든다. 비록 한류가 한국 사람들의 진정한 전통문화는커녕 대중문화조차도 대변할 수 없다 할지라도[3] 그 콘텐츠가 외국인의 입맛에 맞을 뿐만 아니라 교육 자료의 실질성 요구를 충족한다고 볼 수 있다.

[3] 한국 대학생을 대상으로 실시한 여론조사 결과가 증명해 주는 바, 한류가 국가 브랜드 정책의 하나로서 세계에서 한국 문화를 대변할 자격이 있느냐는 질문에 36%가 찬성을, 60%가 반대를 표의했다. 보다 자세한 내용은 Ryzhkov & López Rocha(2017)를 참조할 수 있다.

수년 동안 한류 현상을 뒷받침한 한국 연예 산업 상품을 소비한 결과, 오늘날 멕시코에서도 한국 이미지 변화 이외에 한국어 학습에 대한 관심이 생겼고 학습자들의 인식이나 취미에 따른 변화도 이루어지고 있다. 위의 상황과 요구에 힘입어 학습자의 학습 욕구를 충족할 수 있는 수업 설계를 고민하게 되었다. 그러므로 이번에 한류 콘텐츠를 보충 자료로 여기지 않고 그것을 소위 주된 학습의 소재로 활용해서 본격적이며 온전한 수업의 연습 문제 모형을 제시해 보고자 한다.

2. 한류와 한국어 교육

물론 한국어 교육에서 한류의 잠재력을 고려해야 한다는 중요성을 언급한 선행 연구들이 적지 않다. 최용기에 따르면 한류 열풍과 한국어 학습 동기의 강화가 필요하다는 점이나 한류가 경쟁력을 계속 발휘할 수 있도록 그 중심에 한국어 교육이 있어야 한다는 다른 연구자들의 지적이 있었다는 것을 알 수 있다(2007). 박갑수에 의하면 상기 현상에 주목하여 한류와 한국어를 연계, 동시에 보급하는 정책을 준비하여 추진하는 것이 바람직할 것(2012: 224)이라는 내용을 확인할 수 있다.

그 외에도 한류를 직접적으로 언급하지 않아도 그 현상을 이루는 주요 요소를 한국어 교육에 접목한 학습 자료들이 있다. 예를 들어, 드라마를 활용한 수업에 대한 연구를 바탕으로 개발된 교재가 적지 않다.[4] 이들 자료를 보면 수업 구조에 있어서 서로 비슷한 면이 많지만 연습 문제 배열, 순서, 양, 심도 등 구성 방식에 대한 기준이 저자나 발행 기관마다 약간의 차이점을 보이고 있다. 물론 교육 기관에 따라 각각의 과정마다 할애된 시수, 교수자의 개인적인 경험, 학생들의 관심사 등이 편찬 과정에 영향을 주었음을 알 수 있다. 그 외에도 어떤 교재를 보면 다루는 드라마가 몇 편밖에 없고 부교재 성격을 띠고 있기 때문에 한 학기 동안 진도를 나가기에 적합하지 않다. 또한 매체 자료의 활용 시

[4] 한국어교육개발연구원(2006), 서강대학교 국제문화교육원(2007), 김숙자(2008), 한국어읽기연구회(2014), 이미옥(2021) 등 참조.

간이 길어지면 기존 교육 과정을 벗어난 수업이 될 우려가 있고, 학생들은 수동적인 시청자가 될 가능성이 적지 않다(이영제, 2019: 283)는 점을 고려해야 한다.

본 연구는 K-POP 노래를 활용하여 한국어 교육 과정에 적용함으로써 어떻게 수업 계획을 구성할 수 있는지 연습 문제 사례를 중심으로 살펴보고자 한다. 비슷한 내용으로 노래를 활용한 교육 방안(튀르쾨쥬, 1999; 박재희, 2008), 노래의 상호텍스트성과 한국어 교육(노금숙, 2010), 뮤직비디오를 이용한 한국어 및 한국 문화 교육 방안(김경숙·라혜민, 2011), 노래 가사로 문형을 학습하는 방안(임유미·신주철, 2012), 대중가요와의 장르 결합을 통한 시 쓰기 활동(임수진, 2018) 등의 양상을 분석한 선행 연구가 있다. 그런데 초급 학습자를 위한 K-POP 노래 가사를 본격적인 한국어 수업에 적용한 연습 문제 모형에 대한 구체적인 논의는 거의 찾아보기 어렵다.

최근 들어 K-POP 노래 가사가 수업 시간에 부수적으로 다루어진다면, 본고에서는 학습자 관심사인 내용을 대등한 비중으로 다룰 수 있는 수업 계획이나 교수 방안을 제시하고자 한다.

본고는 쓰기·말하기·듣기와 읽기 기본 활동 영역을 통틀어 어떤 내용의 연습 문제를 제시할 수 있는지 여러 가지 활동 예시를 산출하고, 이들 수업 도입 순서를 구체적인 사례 중심으로 보여 주고자 한다. 내용적으로 한국어 교육에 적합한 자료를 선별하였는데, 자료 선택에 있어서 이러한 접근 방법은 학습자들의 흥미를 유발하고 자신감과 동기를 부여할 수 있으리라는 전제하에 적용되었다. 이러한 수업 활동은 기존 정규 과정의 틀을 다이내믹하게 넓혀서 흥미로운 수업 방식을 제시할 수 있음을 실제 사례를 통해서 보여 주고, K-POP을 통한 한국어 교육을 원하는 이들을 대상으로 활용할 수 있다는 데 그 의의가 있다.

그러나 다양한 한류 콘텐츠를 바탕으로 한 교육 자료에 대한 심도 있는 관찰, 그리고 동 내용을 본격적인 한국어 수업에 적용한 연습 문제 기출에 대한 논의는 거의 찾아보기 어렵다. 특수 목적 한국어가 공통 한국어 학습 다음 단계에서 이루어져야 한다거나 일반 목적 한국어보다 고급 단계에서 이루어져야 한다고 볼 수는 없다는 정나래, 김지형(2016: 256)의 견해에 전적으로 동의하면서 본 연구에서는 한류 콘텐츠를 핵심 학습 내용으로 삼았다. 따라서 교육 자료에서 다룰 여러 내용을 수업 시간에 골고루 체험하고 한 학기 동안 주교재로 활용할 수 있는 자료 개발이 요구된다.

3. 멕시코에서 취미 목적의 한국어 과정 등장

현재 멕시코에는 한류의 인기를 바탕으로[5] 한국어를 배우고 싶어하는 청년들이 매우 많다. 그러나 이들 모두가 대학 과정이나 어학원에서 체계적인 한국어 강의를 들을 정도로 직업적인 흥미를 갖는 것은 아니라고 분석된다. 그래서 멕시코 내 한국학 연구도 다양한 한류 현상에 초점을 맞출 필요가 있다고 생각한다. 학생들에게는 충분한 동기 부여가 될 것이고, 지도하는 교수진은 기존 교수법을 바탕으로 빠르게 변화하는 시대의 흐름과 요구에 대응하게 될 것이다. 실시간으로 연결되는 한류를 한국학에 접목한다면 수요자와 제공자 모두에게 도움이 될 수 있다고 확신한다(Ryzhkov, 2020; KBS World Radio, 2020). 특히 외국에서 한국어를 가르치는 교수자가 한류를 개인적으로 어떻게 생각하는지를 떠나서 그 내용을 교육의 장에서 어떻게 효과적으로 이용할 수 있는가에 대해서 고민한다면 취미 목적의 한국어 학습에 이바지할 수 있을 것이다.

물론 기존 전통적인 교수법에 입각한 한국어 수업은 멕시코 국립자치대학교의 언어통번역학대학에서 이미 오래 전부터 제공되고 있지만 이번에는 동 대학교의 아시아-아프리카학 센터에서 한류를 접목시킨 비정규 한국어 교육 과정이 출범하게 되었다. 2020년 2월부터 6월까지 세계적인 한류 스타에 관한 이야기나 음악 및 연예 사업 콘텐츠를 이용하여 수업을 진행하였고[6], 2020년 8월부터 12월까지는 K-POP을 이용하여 학습 내용[7] 개발 작업을 진행하였다.

[5] 멕시코에서 한류 현상 전개 과정과 한국 연예 산업 상품 소비에 대해서 López Rocha(2012), Lopez Rocha(2013), Lopez Rocha & Ryzhkov (2014; 2017) 참조.

[6] http://pueaa.unam.mx/educacion-continua/coreano-con-hallyu 참조.

[7] http://pueaa.unam.mx/educacion-continua/curso-coreano-con-k-pop 참조.

4. 자료 개발의 이론적 원리 및 교육 과정의 진행 방법

한류의 영향으로 한국과 한국 문화에 관한 관심이 한국말 학습에 대한 관심으로 이어져 생긴 학습자들을 대상으로 하는 범주를 취미 목적 한국어로 설정할 수 있다(정나래·김지형, 2016: 253). 이러한 수업은 “취미 목적”이라는 특수성이 있다 하더라도 “특수 목적” 개념으로 본격화되며, 활동을 정해진 원리에 따라 체계적으로 설계해야 한다. 선행 연구에서 지적하듯이, 특수 목적(정나래·김지형, 2016: 255) 한국어는 일반 목적 한국어의 상대적 개념으로서 등장했지만 이 둘이 대립되는 관계는 아니고(박한별, 2019: 85) 오히려 상호 보완적일 수밖에 없다.

한국어를 통해 한류를 접하고자 하는 학습자의 의도를 충족하는 점과 “교실 상황은 정형화된 내용의 교재와 텍스트 (……) 등으로 이루어져 있어서 학습자들이 실제로 한국어 환경에 노출되었을 때와는 현저한 차이를 가지고 있다(이인순·윤진, 2012: 194).” 따라서 김정우(2008: 28)의 논문에서처럼 한국어 교재가 “가급적 실생활의 자료를 바탕으로 하고, 듣기·말하기·읽기·쓰기 활동이 통합적으로 이루어지는 방향으로 설계되어야 할 것"이라는 전제하에 K-POP 노래를 바탕으로 교육의 장에서 활용할 학습 자료를 직접 개발해 보았다. 그리고 전은주(2012: 557)의 연구에서처럼, 학습자에게 필요한 교실에서 나타나는 다양한 의사소통 방식인 강의 듣기, 발표하기, 질문하기, 토론하기 등 기본적으로 네 가지 기능의 향상과 기타 언어 지식의 증진을 위주로 수업을 설계해 보았다.

학습자 중심 교육에 근거한 한류 콘텐츠를 활용한 한국어 교육 방안을 제시하기 위해서 다음과 같은 연구 및 준비 과정이 이루어져야 한다.

첫째, 먼저 학습반을 구성해야 한다. 사례 연구 대상은 멕시코시티 소재 멕시코 국립자치대학교 아시아-아프리카학 연구센터에서 공부한 멕시코 젊은이들이다. 수업은 동 대학교 다른 교양 과정 수업과 비슷하게 16주에 걸쳐 진행되었지만 비정규 취미 목적 과정의 특성이 있다.

둘째, 학습자들이 좋아하는 내용으로 배운다는 점은 여러 가지 심리적 효과가 있음에 틀림없다. 그러나 수업이 가능하도록 구성이나 자료 선정에 있어서 교수자의 역할이 매우 크다.

셋째, 이에 적합한 교과목을 선정할 때는 내용물 내부 구조의 평이성, 내용의 흥미성 등을 갖춘, 한국어 교육에 아주 적합한 실제적인 자료여야 한다. 노래는 실제적인 자료로서의 그 가치가 분명하며 여러 가지 문화적 요소들도 수반한다. 나아가서 학생들의 관심사인 아이돌, 연예 산업, 문화 산업 등뿐만 아니라 한국 문화, 그리고 현대 사회에서 살아가는 내용을 토대로 학습자 수준에 맞게 약간의 토론도 할 수 있도록 자료를 선택해 보았다. 또한 듣기, 읽기, 받아쓰기, 소감 쓰기 등의 과정을 통해 이상적으로 한국어를 학습하면 좋을 것이다.

한국어 사용에 필요한 다양한 문형과 구어체 표현들을 쉽게 배울 수 있도록 노력하였다. 노래 가사에는 일반 한국어 교재에서는 잘 볼 수 없는 구어체 표현들과 최근 한국인 화자들이 많이 사용하는 '니가(네가), 널(너를), 우릴(우리를), 맘(마음), 부턴가봐(부터인가봐)' 등 줄임말들이 나타난다(박재희, 2008: 20).

넷째, 정해진 내용을 분석하여 문법, 어휘의 난이도 등을 기준으로 교육하는 순서를 정해야 한다. 한국어 습득 경험이 거의 전무한 학생들을 대상으로 교육이 가능하도록 내용이 용이하면서도 기존 교재로 문법 교수와 문형 연습을 할 수 있는 수업 자료를 선택하기 위해 고민해야 한다. 자료의 선정은 문법 교육과 밀접한 관계를 가지고 있기 때문이다. 또한 노래의 문법과 어휘의 난이도를 분석하고 그 도입 순서를 결정한다. 문법 교육에 어긋난 노래를 활용해 버리면 한국어 교육이 불가능하기에 문법을 배운 다음에 노래를 활용해 학습한다.

선정된 노래를 수업에 활용하기 위해서 각 노래에 나타난 문법을 분석해야 한다.

이를 위해 먼저 노래에 나온 문법 항목이 각 대학에서 사용되는 한국어 교재의 몇 권 몇 과에 있는지 알아보았고, 그 이후 이를 문법적 난이도, 같은 곡에서의 반복적 사용, 다른 노래 수업에서의 반복적 사용 등의 기준으로 교육 순서를 배열하였다(박재희, 2008: 44).

따라서 기존 교재 중 문형 연습을 할 수 있는 부수적인 자료를 정했다. 그리고 문법적 난이도 등의 기준으로 교육 순서를 배열하였다. 조사에 따르면 응답자 중 70% 이상의 교사들이 교재의 목표 문법이나 어휘, 한국 문화 설명 등의 목적을 가지고 정규 수업을 위한 보조 자료로 노래를 이용하였다. 그러나 수업 시간에 진도를 맞추기가 빠듯하고 교과서의 내용과 관련 있는 노래를 찾는 데 어려움이 있어 노래 활용 수업이 어렵다고 응답하였다(박재희, 2008: 2). 그래서 본 연구는 교과 진도에 따른 노래 선택에 얽매이지 않고 노래에 나오는 문법을 위주로 문형을 학습하게 한다.

다섯째, 교육 후 수업 방식, 진행 등에 관한 학습자들의 평가와 만족도를 소개하는 설문조사를 실시한다.

5. K-POP 노래를 이용한 수업의 구체적인 사례

학습 모형을 제시하고자 수업을 듣기 전 단계, 듣기 단계, 듣기 후 단계로 구성하였다. 아울러, 앞서 지적한 바와 같이 문형은 기존 교재를 활용해서 수업 시간에 연습하는 식으로 하였다. 다시 말해, 문법을 연습하기 위해서 정규 과정에 쓰이는 모든 교재의 사용이 가능하다는 것이다.

다음과 같은 활동은 주어진 시간 및 기타 요건에 맞게 교수자의 판단에 따라 선택해서 진도를 나갈 수 있다. 또한 앞서 언급한 각 단계별로 이루어지는 활동은 순서상 약간의 차이가 있을 수 있다.

5.1. 예비 단계

이 단계는 "흥미를 느낄 수 있도록 동기화를 시키는 동시에 긴장하거나 불안해하지 않도록 자신감을 심어 주는"(이인순·윤진, 2012: 202) 기능이 있다. 우선 수업 시간에 소개될 밴드를 아는지, 그 밴드에 대해서 얼마나 알고 있는지, 좋아하는 곡이 있는지 등등의 질문을 하면서 학습자들 간의 자연스러운 의견 교환과 대화를 유도한다. 초기는 학습 단계이기 때문에 자신의 모국어로 이야기해도 무방하다. 도입부에서 교사는 학습자들에게 가사나 음악이 나오지 않게 소리를 끈 상태에서 영상 파일을 먼저 보여 준 후 이 곡이 어떤 느낌인지 추론하도록 한다.

5.2. 듣기 전 단계

첫 번째 단계로서 학습자들은 듣기 과제를 수행하는 데 있어 해당 주제 관련 어휘와 표현을 분명히 알아야 한다. 그러기 위해서는 수업을 시작하기에 앞서 가사에서 등장할 기본 어휘를 교수자가 학습자들에게 미리 이메일로 보낸다. 이를 통해 일반적으로 낯선 어휘나 주제에 대한 학생들의 부담을 최소화할 수 있다. 아래와 같이 듣기 전 활동의 내용을 바탕으로 구체적인 예시를 제시하도록 하겠다.

(a) 어휘의 해석과 그 통사적 관계를 살펴보기 위해 교수자가 품사별로 목록화한 주요 어휘의 뜻을 확인하고 모르는 단어의 의미를 알려 준다. 그리고 단어 결합 부류를 연습하고자 학생들로 하여금 '형용사+명사', '동사+명사', '부사+동사' 등 유형의 단어 결합을 주어진 시간 내에 생산하도록 유도할 수 있다.

(b) 교사가 미리 보낸 단어를 따라 올바른 발음 연습을 해 본다.

(c) 연습한 단어를 위주로 받아쓰기를 해 본다. 계속 획을 더하는 방식으로 기호 8개를 만들어 모음의 기호 체계를 완성한다.

(d) 그다음에 노래 제목을 알려 주고 그것으로 핵심 주제를 추측, 제목이 왜 그런 것인지 등을 추측하게 한다.

(e) 그리고 어휘 목록으로 판단해서 노래 내용을 유추하게 한다.

(f) 우선 노래 동영상을 보고 음악과 가사를 들으면서 노래가 어떤 느낌을 주는지 토론한다.

(g) 동영상을 다시 한번 감상하면서 어휘 목록을 보지 않고 배운 단어가 잘 들리는지 확인한다. 들리는 단어를 적는다.

(h) 학생들에게 생소한 구문과 문장을 제시하고 그 의미를 익히도록 한다. 이때 교사가 그 뜻, 사용법 등을 설명해 준다.

◈ 말이 잘 안 나와요

◈ 시간을 좀 더 줘요.

(i) 주어진 상황을 상상해 보면서 익힌 어휘를 사용해 문장을 완성해 보는 연습을 한다.

◈ 상황: "사랑하면……"

1) 그대를 보면……

2) 두 다리가……

3) 말이……

이때 단어의 결합, 순서, 배열 등을 주의하면서 익힌 어휘를 토대로 문장 구조 파악 능력을 향상하는 연습이 이루어진다.

(j) 어휘를 더 잘 익히기 위해서 모국어 번역을 듣고 한국어로 적어 본다.

(k) 다음 단계로 넘어가기 전에 단어 놀이를 제시할 수 있다. 가령, '단어 목록을 1분 동안 살펴본 후에 1분 동안 기억나는 어휘를 적어 보기'를 할 수 있다. 제일 많이, 올바르게 적은 학습자가 이긴다.

5.3. 듣기 (본) 단계

(a) 학생들에게 노래를 영상 없이 들려준다. 노래만 들으면서 이번에 배운 문법, 어휘, 문형 등에 최대한 주의를 기울여 대충 무슨 내용인지 설명하게 한다. 이때 핵심 어휘와 표현을 활용해서 자신이 전달하고자 하는 바를 뒷받침하는 것이 좋다. 학습자가 간단한 문장으로 전달할 수 있는 것이 목표이다. 만약에 너무 어려우면 모국어로 대답해도 상관없다. 정해진 정답은 없고 누구나 자신의 생각을 표현할 수 있도록 연습하는 것이다.

(b) 노래를 다시 들려주면서 가사 중에 핵심 어휘 일부분을 간단한 그림으로 대신해서 빈칸 채우기 식의 연습을 해 본다. 어휘를 익힌 학습자라면 문맥상 해당 단어를 알아맞히는 데 전혀 문제가 없을 것이다.

(c) 노래를 재차 들려주면서 빈칸 채우기를 연습하는 것도 좋다. 단, 이번에는 직전에 확인한 어휘를 위주로 하는 것이 아니라 다른 단어, 가령 학습자가 어려워할 것 같은 낱말의 자리에 빈칸을 남긴다. 음운 변화가 일어나는 표현에 사용하면 효과적이다.

(d) 제시된 가사를 적는 가운데 교사의 발음을 듣고 연습하게 한다. 교사는 초급 단계의 듣기 목표 중 하나인 정확한 음가와 기본적인 음운 변화에 초점을 맞추어 너무 느리지 않게 정상적인 속도로 읽어 준다.

(e) 이 단계를 마치기 전에 가사를 보면서 번갈아가며 노래해 본다. 이때 발음에 각별히 주의한다. 낱말, 구절, 문장을 소리내어 읽는다. 연음과 음운 변화에 주의하며 읽는다. 필요 시 음악을 멈추고 어려워하는 부분을 연습한다. 마지막으로 다 같이 노래한다.

5.4. 듣기 후 단계

이 단계는 언어 기능과 언어 지식인 문법 등이 실제적으로 통합되는 과정이다(이인순·윤진, 2012: 207). 학습자가 이해한 바를 함께 이야기하거나 토론을 통한 언어 능력 키우기를 학습한다.

(a) 교사는 학생들에게 노래 내용에 관하여 자유로이 질문을 한다. 학생들이 노래의 내용에 대해서 모국어로 토론한다.

◈ 노래를 들은 소감은 어떠한가?

◈ 이 노래에서 작가의 심정은 어떠한가?

◈ 이 노래의 전체적인 메시지는 어떠한가?

여태까지 학습한 문법, 어휘, 문형 등을 종합적으로 반복, 연습하는 단계이기도 하다.

어휘를 확인하는 연습 문제로 음절을 단어로 결합하는 놀이를 제시할 수 있다.

(b) 1분 내로 제일 많이 적은 학습자가 이긴다.

단어의 첫 부분	단어의 마지막 음절
당	백
다	래
고	대
노	무
마	인
그	굴
너	리
외국	신
얼	음

상기 연습 문제가 너무 쉽다 싶으면 첫 부분이나 뒷부분만 제시해서 배운 낱말을 알아맞히도록 한다.

(c) 핵심 문장을 단위로 교사가 한 문장을 두 번 읽고 학생들이 그것을 듣고 적어 보는 연습을 제시할 수 있다.

(d) 교사는 문장을 단위로 단어와 격조사 등의 순서를 바꾸어서 미리 준비한 연습 문제를 제시하고 주어진 시간 내에 그것을 올바른 문장으로 배열하게 한다.

1) 나와요, 안, 말이, 잘.

2) 을, 몰라요, 잘, 말.

3) 나는, 노래해요, 그래서, 이렇게.

(e) 전 시간에 배운 문법을 살펴보기 위해 연습 문제를 준비한다. '이/가', '을/를' 등이 대표적이다. 혹은 가사 중에 '-해요'체 문장을 '-ㅂ니다/-습니다'체로 바꾸는 연습을 해도 좋다. 또는 '-해요'체 평서문을 '-ㅂ니까/-습니까'를 사용해서 의문문으로 바꾸게 할 수도 있다.

(f) 주어진 단어로 문장을 생성할 수도 있다.

1) 나……

2) 나의 (내)……

3) 너……

4) 너의 (네)……

(g) 배운 표현으로 간단한 말하기 연습이 가능하다. 가령, 주어진 상황에 반응하기가 있다. 즉 교사가 배운 구문과 표현에 맞게 상상의 상황 만들기를 제시한다.

◈ BTS처럼 유엔에서 발언을 해야 한다는 것을 알게 되었을 때 어떻게 반응할까요?

◈ 선생님이 갑자기 배우지 않은 것을 물어보았을 때 혼잣말로 어떤 표현이 적합할까요?

(h) 노래가 특정 문법이나 어휘 등의 교수를 위해 활용되는 경우가 많은데 이때 해당 문법과 어휘를 사용해 새로운 문장을 만들어 보는 것으로 진행된다.

◈ '그래서' 접속사를 사용하여 문장 세 개씩 만드시오.

(i) 뿐만 아니라 배운 어휘, 문법을 토대로 익힌 것을 최대한 사용해서 대화를 유도한다. 가령, 살펴본 주제에 따라 서로 소개하기, 전화번호 묻기, 사랑 고백하기 등이 있다.

(j) 시간이 허락한다면 노래 대회, 노래 이어 부르기 등을 할 수 있다.

(k) 번역을 통한 연습도 가능하다. 이때 교사가 학습한 내용이나 수준에 어긋나지 않게 연습 문제를 미리 준비하는 것이 바람직하다. 한국어-모국어, 혹은 모국어-한국어로 간단한 번역 연습을 하게 한다.

5.5. 숙제

쓰기나 읽기 등 여러 기능에서 학습하는 내용에 대한 지식을 확장할 수 있는 방법으로는 다른 텍스트에서 정보 찾기나 참고문헌 인용하기 등이 사용된다(김지혜, 2012: 5).

(a) 과제 수행식의 숙제가 유용할 수도 있다. 예를 들어, 영상의 뒷이야기 만들기, 배운 노래를 바탕으로 자기 자신의 노래를 만들어 보기 등이 있다.

(b) 뿐만 아니라 익힌 내용을 바탕으로 살핀 노래 전체를 모국어로 번역하기, 가사 중에 영어 낱말이 있으면 그것을 한국어로 바꾸기 등이 있다.

(c) 기타 과제로 "/'를 사용해서 단어를 구별하시오'와 같은 연습 문제를 적용해서 띄어쓰기를 연습할 수 있다.

상기와 같이 학습 목표가 되는 내용을 여러 각도에서 살펴보며 내용에 관한 이해를 심화할 수 있다.

6. 나가며: 수업에 대한 평가 및 맺음말

멕시코 국립자치대학교 아시아-아프리카학 연구센터 관계자는 본 과정을 이수한 학생들을 대상으로 연구자들의 관여 없이 설문조사를 실시하였다. 설문 문항에 대한 답은 리커트(Likert) 5점 척도에 따라 '전혀 그렇지 않다/최저(1점)'부터 '매우 그렇다/최고(5점)'까지 선택하도록 하였다. 여기서는 그 결과가 담긴 내부 자료의 요점만 발표한다.

한국어 구사 능력 자평	1	2	3	4	5
과정 이수 전	58.8%	11.8%	17.6%	-	11.8%
과정 이수 후	-	-	5.9%	29.4%	64.7%

수업을 마치고 나서 모두가 진전을 느낄 수 있었던 것은 분명하다.

아울러 강의 전체 계획과 수업 구조에 대한 평가가 다음과 같이 나왔다. 이 부분도 역시 만족스러운 결과를 나타내고 있다는 것을 알 수 있다.

강의 평가	1	2	3	4	5
강의 전체 계획	-	-	-	11.8%	88.2%
수업 구조	-	-	-	17.6%	82.4%

그 외에 한국국제교류재단에서 실시한 강의에 대한 만족도 조사 결과는 다음과 같다.

	질문	1	2	3	4	5
강의 전반	강의 교재와 자료가 학습에 도움이 되었는가?	-	-	-	-	100%
	강의의 난이도는 적절하였는가?	-	-	-	43%	57%
	이 강의는 학생들이 적극적으로 수업에 참여하도록 유도할 수 있게 구성되었는가?	-	-	-	14%	86%
	수업 시간이 잘 준수되었는가?	-	-	-	-	100%
	과제물이 학습에 도움이 되었는가?	-	-	-	14%	86%
	성적 평가의 기준과 방법이 명확히 제시되었는가?	-	-	-	-	100%
	다른 사람에게 이 강의를 추천하겠는가?	-	-	-	14%	86%
한국 이해 제고	이 강의를 통해 한국을 더 잘 이해하게 되었는가?	-	-	-	14%	86%
	이 강의를 통해 한국에 더욱 관심을 갖게 되었는가?	-	-	-	-	100%
종합 평가	이 강좌에 전반적으로 만족하는가?	-	-	-	-	100%

그 결과 취미 목적 한국어 교육반 구성원들의 한류 콘텐츠를 활용한 학습 효과가 만족스러웠다는 사실이 증명되었다. 앞에서 제시한 문제에 대해 다음과 같은 결론을 도출해 본다.

첫째, 상기 실제 자료는 한국어 능력 향상의 자료로 쓰이기에 적합하다. 그러므로 이 논문에서는 네 가지 기능의 숙달도 증진을 통해 학습자의 한국어 구사 능력을 향상시킬 수 있음을 확인하였다. 비록 문법은 기존의 교재를 통해서 학습한다 하더라도 실제로 위 자료를 통한 한국어 능력의 향상이 가능하다는 것을 확인할 수 있다.

둘째, 한류뿐만 아니라 한국 문화에 대한 부분적인 교육이 가능하며 학습자 중심의 매체를 활용한 수업을 통해서 학습 동기를 부여함에 따른 성취감이 크다.

셋째, 수업 시간에 활용하는 콘텐츠는 비교적 짧은 시간 이내에 청취할 수 있는 것이 적당하다.

넷째, 이번 경험을 바탕으로 교수진은 한국어 교육에 적합한 콘텐츠 개발에 더 많은 시간을 투자해야 하고, 적합한 활동을 선택해서 수업을 설계해야 한다는 것을 알게 되었다.

참고문헌

김경숙, 라혜민. 2011. 뮤직비디오를 이용한 한국어·문화 교육 방안. **한국사상과 문화**. 59. pp. 473-496. https://www.kci.go.kr/kciportal/ci/sereArticleSearch/ciSereArtiView.kci?sereArticleSearchBean.artiId=ART001590978.

김숙자. 2008. **영화로 배우는 한국어-오세암**. 한국학술정보.

김정우. 2008. 중국의 한국어 초급 교재 비교 연구. **한국어교육**. 19-3. pp. 113-146. https://doi.org/10.18209/iakle.2008.19.3.113.

김지혜. 2012. 상호텍스트성에 기반을 둔 한국어 중-고급 듣기 과제 설계 방안. **이중언어학**. 48. pp. 1-22. https://doi.org/10.17296/korbil.2012..48.1.

나윤석. 2019. 코리안드림·한류 열풍 타고…… 결혼 10쌍 중 1쌍 다문화부부. **서울경제**. https://www.sedaily.com/NewsVIew/1VQP05M7I9.

노금숙. 2010. 노래와 시의 상호텍스트성을 활용한 한국어 교육-김소월의 시와 마야의 '진달래꽃'을 중심으로. **국어교육학연수**. 38. pp. 155-176. https://doi.org/10.20880/kler.2010..38.155.

박갑수. 2012. 한국어의 세계화, 그 실상과 새로운 추진 방안. **국학연구론총**. 10. pp. 201-232. https://doi.org/10.22861/tiks.2012..10.201.

박재희. 2008. 노래를 통한 학습자 중심의 한국어 교육 연구. 석사 학위 논문. 고려대학교. http://dl.nanet.go.kr/law/SearchDetailView.do?cn=KDMT1200866589#none.

박한별. 2019. 한류 콘텐츠와 스마트폰을 활용한 취미 목적 한국어 수업 효과 연구-싱가포르의 한국어 학습자를 대상으로. **언어와 문화**. 15-2. pp. 83-108. https://doi.org/10.18842/klaces.2019.15.2.4.

서강대학교 국제문화교육원. 2007. **드라마로 배우는 생생 한국어 1~2**. 서강대학교출판부.

우원묵. 2017. 모바일을 활용한 한류 기반 한국어 학습자 대상 한국어 교육 연구. **한국콘텐츠학회논문지**. 17-9. pp. 120-131. https://doi.org/10.5392/JKCA.2017.17.09.120.

윤여탁. 2000. 한국어 교육에서 문화의 위상과 역할. **국어교육연구**. 7. pp. 292-308.

이미옥. 2021. **인기 드라마로 배우는 한국어**. 서울셀렉션.

이영제. 2019. 한류 콘텐츠를 활용한 한국어 문법 교육 사례 연구. **겨레어문학**. 63. pp. 277-309. https://www.kci.go.kr/kciportal/ci/sereArticleSearch/

ciSereArtiView.kci?sereArticleSearchBean.artiId=ART002549420.
이인순, 윤진. 2012. 공익광고를 활용한 중국어권 학습자 듣기 교수 방안 연구. **새국어교육**. 91. pp. 193-224. https://doi.org/10.15734/koed..91.201206.193.
이정희. 1999. 영화를 통한 한국어 수업 방안 연구. **한국어교육**. 10-1. pp. 221-240.
임수진. 2018. 대중가요 매체를 활용한 한국어 시 쓰기 활동의 교육적 효과. **국어교육연구**. 42. pp. 133-200. https://doi.org/10.17313/jkorle.2018..42.133.
임유미, 신주철. 2012. 초급 한국어 교실에서 노래 가사 활용 방안 연구—나선형 접근을 응용하여 -. **우리말글**. 55. pp. 113-141. https://www.kci.go.kr/kciportal/ci/sereArticleSearch/ciSereArtiView.kci?sereArticleSearchBean.artiId=ART001690208.
전은주. 2012. 한국어 말하기 듣기 교육에서 '실제성 원리'의 적용 층위와 내용. **새국어교육**. 89. pp. 553-576. https://doi.org/10.15734/koed..89.201201.553.
정나래, 김지형. 2016. 취미 목적 한국어 수업 설계 방안 연구. **이중언어학**. 64. pp. 249-278. https://doi.org/10.17296/korbil.2016..64.249.
최용기. 2007. 한국어 교육의 현황과 세종학당 운영 방향. **문법 교육**. 6. pp. 212-246. https://www.kci.go.kr/kciportal/ci/sereArticleSearch/ciSereArtiView.kci?sereArticleSearchBean.artiId=ART001438539.
튀르쾨쥬, 괵셀. 1999. 노래를 활용한 한국어 교육—터키인을 대상으로-. **국어교육연구**. 6. pp. 157-171. https://s-space.snu.ac.kr/handle/10371/86988.
한국어교육개발연구원. 2006. **드라마 '신입사원'으로 배우는 한국어**. 아름다운 한국어학교.
한국어읽기연구회. 2014. **한국을 알린 드라마와 영화—외국인을 위한 한국어 읽기**. 학이시습.
한영혜. 2019. 결혼↓·국제결혼은↑…… 베트남 부인·중국 남편 많아 "한류 영향 있어". **중앙일보**. https://news.joins.com/article/23416788.

KBS World Radio. 2020. Andrii Ryzhkov: México muestra cada vez más interés por la cultura coreana. *KBS World Radio*. http://world.kbs.co.kr/service/contents_view.htm?lang=s&menu_cate=people&id&board_seq=387128&page=1&fbclid=IwAR1mbDt-c6v6sP_sAkS-4FGRhMh0qudFfQlwSNGuuTLY6DEdjXz0J4n3p5I.
López Rocha, N. 2012. Hallyu y su impacto en la sociedad mexicana. **스페인어문학**. 64. pp. 579-598. https://www.kci.go.kr/kciportal/ci/

sereArticleSearch/ciSereArtiView.kci?sereArticleSearchBean.artiId=ART001703588.

Lopez Rocha, N. 2013. Hallyu in Mexico and the Role of Korean Pop Idols' Fan Clubs. **외국학연구**. 24. pp. 615-637. https://doi.org/10.15755/jfs.2013..24.615.

Lopez Rocha, Nayelli & Ryzhkov, Andrii. 2014. Hallyu, the current issues of its development and dissemination process in Mexico. *Journal of Korean Culture*. 26. pp. 119-148. https://www.kci.go.kr/kciportal/ci/sereArticleSearch/ciSereArtiView.kci?sereArticleSearchBean.artiId=ART001878585.

Lopez Rocha, Nayelli & Ryzhkov, Andrii. 2017. Hallyu as a vehicle for internationalizing the Korean culture: official discourse and its repercussions. *Journal of Korean Culture*. 36. pp. 131-158. https://www.kci.go.kr/kciportal/ci/sereArticleSearch/ciSereArtiView.kci?sereArticleSearchBean.artiId=ART002203018.

Ryzhkov, Andrii. 2020. 멕시코의 한국어 교육 전망과 새로운 교수법. *KF Newsletter*. https://www.kf.or.kr/kfNewsletter/mgzinSubViewPage.do?mgzinSubSn=10760.

Ryzhkov, Andrii & López Rocha, Nayelli. 2017. Hallyu y su percepción por los jóvenes coreanos en el contexto de la Marca País coreana. *Revista Digital Mundo Asia Pacífico*. 6-11. pp. 6-26. https://doi.org/10.17230/map.v6.i11.01.

제2장

Teaching Culture in Undergraduate Korean Language Courses in Hungary

응우옌 크리스티나
Krisztina Nguyen
헝가리 엘떼대학교
Eötvös Loránd University, Hungary

1. Introduction

With the ever-growing interest toward the Korean language and culture in Hungary, Eötvös Loránd University (ELTE) remains the sole institution offering accredited programs in Korean Studies. As learning opportunities and student needs diversify, in-depth research into various aspects of Korean language and culture education in Hungary is essential.

Learning about culture is an indispensable aspect of foreign language education and in the foreign language classroom, cultural instruction is largely dependent on the instructor, while another significant carrier of cultural information is the language textbook. The present study, which is part of a large-scale, currently active research study aiming to enhance the effectiveness of Korean language courses at ELTE through adopting qualitative research methods by examining the participants, the materials and the framework of education from the perspective of integrated language and culture education, focuses on the cultural content and potential intercultural competence development during undergraduate beginner Korean language courses at ELTE. The following research questions are proposed:

i. What elements of culture are mentioned by language instructors during beginner Korean language courses and what methods are used to present cultural information and enhance intercultural competence development?
ii. How do the beginner Korean language textbooks used in Korean language courses represent cultural content and how do they promote or aid intercultural competence development?

First-year Korean language courses were observed for two semesters to gain insight into the currently adopted practices concerning language and culture teaching through content analysis. Also, the Korean language textbooks used during these courses will be examined in detail using content analysis, and the results will be compared to the results of a previous analysis (Nguyen, 2022; Mecsi & Nguyen, 2022b) conducted on other Korean language textbooks in order to analyze and assess the potential cultural education and intercultural competence development of textbooks.

2. Theoretical Background

2.1. Culture and Language Teaching

With increasing international mobility and widespread access to information and communication technology, today's globalized world provides a growing number of opportunities for intercultural encounters. For communication to be successful and effective in such encounters, one needs not only skills in a given foreign language, but also the ability or the competence to apply these skills appropriately to the actual cultural context. More and more focus is directed at the development of this competence, i.e., intercultural communicative competence (ICC).[1] Bennett and Bennett (2004) define ICC concisely as "the ability to communicate effectively in cross-cultural situations and to relate appropriately in a variety of cultural contexts."

[1] See Byram's (1997) intercultural competence (component of ICC) model designed for the foreign language classroom.

It is undeniable that culture constitutes an integral part of foreign language learning (e.g., Agar, 2004; Kramsch, 1993; Seelye, 1993). However, how it is introduced to students and how they are instructed throughout a lesson, especially regarding a language and culture that is geographically and fundamentally very different from the students' own language and culture, is largely dependent on the instructors, the teaching materials and the curriculum.

Teachers must assume a professional role to facilitate students' language learning process (Sercu, 2005, pp. 130-159), while also assisting them to become successful intercultural speakers. However, teachers' perceptions and actual teaching practices regarding teaching culture through language differ greatly (Aleksandrowicz-Pędich et al, 2003). While most of them regard culture teaching and intercultural competence development as important parts of language teaching, they are not confident about their definitions and they are not sure how to teach them. The courses' time restrictions and complete focus on the development of the four skills result in further reluctance on their part. On the other hand, there are studies that prove tendencies are changing (Czura, 2016; Salazar & Agüero, 2016).

2.2. Cultural Content in Language Textbooks

Although language textbooks all contain some form of cultural information, the mode of cultural representation and the scope of the contents covered may vary greatly. Concerning the type of culture, Cortazzi and Jin distinguished language textbooks according to whether a material (1) reflects the source culture, (2) it is based on the target culture or (3) it represents international target cultures (Cortazzi & Jin, 1999, pp. 196-219). Conceptualization of culture is also an essential aspect to consider. Canale (2016) compared several studies that have examined the cultural content of language books, and he concluded that the textbooks usually adopt the 'PPP model (perspectives, practices and products)', i.e., they mainly include stereotypical practices, products or persons of a culture and draw parallels between them.

As textbooks are socio-cultural materials, they can reflect (language) educational beliefs and paradigms, the currently dominant language policies and cultural realities of a nation, and thus serve as an important resource through which one can learn about the language, culture and society of a given nation (Curdt-Christiansen & Weninger, 2015). By acting as "vessels" of cultural information (Damen, 1987), textbooks may also foster intercultural competence development through various tasks and approaches.

Researchers employed various methods to measure and analyze the cultural content of language textbooks. One of the most common methods is frequency analysis, which is based on a previously established taxonomy of cultural elements (e.g., Tajeddin & Teimournezhad, 2015; Mecsi & Nguyen, 2022a). This approach may provide tangible data but may overlook connections and context. There are also different evaluation guides to assess the cultural content based on sets of questions (e.g., Damen, 1987; Liddicoat & Scarino, 2013). Content analysis provides deep insights into a textbook's cultural content; therefore, it is a useful tool for assessing cultural information.

Specifically, analyses of Korean language textbooks usually adopt frequency and content analysis (e.g., Yun Yŏng 윤영 & Son Gyŏngae 손경애, 2016; I Mihyang 이미향 et al., 2018). Textbooks were analyzed based on the books' target audiences (e.g., textbooks written for heritage learners, Sun & Kwon, 2019) and specific themes, such as 'hidden curricula' or the covert representation of genders (e.g., Kwon Kihyon 권기현 & Seo Duksoon 서덕순, 2018; Pak Chisun 박지순 & Yun Gyŏngwŏn 윤경원, 2020). Most analyses are rather critical about the cultural content and its way of representation in Korean language textbooks.

3. Research Method

3.1. Description of Observed Language Courses

Currently, 16 different language-related courses are offered during the six semesters of the Korean Studies BA program at ELTE. The present study focuses on the main beginner language courses taught to first-year students.

The courses run for 13 weeks with two 90-minute classes each week. Due to Autumn and Spring breaks, there are 22-23 classes in a semester.

Modern Korean Language 1. (MKL 1) focuses on the "[i]ntroduction to the characteristics, structure, basic grammars and vocabulary of the Korean language through a beginner-level acquisition of the language."[2] In the 2020/21 Fall semester, in the year of the observation, the number of students registered for this subject was 110 in total. Five different classes were offered; the one class observed for this study was attended by 25 students: all Hungarian nationals with Hungarian cultural backgrounds. The instructor was a native Korean teacher who speaks fluent Hungarian, has extensive knowledge about Hungary and Hungarian culture and has spent several years living in Hungary.

[2] The quotes in the following paragraphs about course objectives are excerpts from 'Modern Korean Language 1.' and 'Modern Korean Language 2.' course description.

Modern Korean Language 2. (MKL 2) has a similar focus to MKL 1, adding the following clause: "[a]s a continuation of the previous course, the course focuses on knowledge and skills development, and the student is expected to reach TOPIK level 1 at least." The course was observed during the 2020/21 Spring semester, when a total of 86 students registered for the subject, out of which 25 attended the observed class. Similarly to the previous course, all students were Hungarian nationals with Hungarian cultural backgrounds. The class was instructed by a native Hungarian teacher who speaks fluent Korean, has a broad knowledge of Korean culture and sojourned in Korea for a year.

Both courses set culture learning as one of their objectives. After completing the courses, the student is expected to "demonstrate a knowledge of the essential characteristics of Korean culture (beginner essential knowledge on civilization and behavior patterns), and the relevant specific terminology", "demonstrate the ability to compare his/her native culture to Korean culture on a beginner level, and the ability to reflect on his/her culture" and also "demonstrate openness and curiosity toward the acquisition of the Korean language and culture", while also showing "respect and empathy toward cultural phenomena different from his/her own."

3.2. Description of the Analyzed Textbooks

The observed classes use the *Seoul National University Korean Language* (*Seoul Korean*) textbook series (Sŏultaehakkyo ŏnŏgyoyugwŏn 서울대학교 언어교육원, 2013a; 2013b; 2013c). The series is designed for adult learners of Korean and consists of six levels with two textbooks at each level, from *1A* to *6B*. Each level may be completed with 200 hours of coursework. MKL 1 and 2 use *Seoul Korean 1A, 1B* and *2A*. The textbooks' general aim is "[…] to build basic communicative competence by developing their ability to construct language about topics of interest and apply language in real life situations" (Sŏultaehakkyo ŏnŏgyoyugwŏn 서울대학교 언어교육원, 2013a, p. 4). The textbooks consist of 8 to 9 chapters focusing on a specific theme, appendices, and in the case of *1A*, a chapter about learning the Korean alphabet. The units follow the structure of new vocabulary, grammar with example dialogues and sentences, followed by related simple practice tasks, speaking practice related to the grammar, listening and speaking tasks, reading and writing exercises, additional group activities, a separate 'culture note', pronunciation practice, self-checking questions and finally, the English translation of the new vocabulary and the dialogues of the speaking practices. There are twelve main characters: three of them are native Koreans, the others are from different cultural backgrounds, including American (2), Chinese (2), Japanese (2), Australian (1), Vietnamese (1) and French (1).

3.3. Instrument

To determine what counts as culture and what cultural content to focus on when observing language classes and examining language textbooks, a taxonomy of cultural elements was essential. Holló's (2019, p. 18) classification of the elements of culture was chosen due to its inclusion of knowledge, responses and also manners of expression and understanding. According to Holló's classification, three main groups are distinguished: (a) civilization, which includes history, geography, traditions, holidays, customs, arts, literature, popular culture, and culinary traditions among others; (b) behavior and speech patterns with functions of communication, pragmatic features, sociolinguistic features, non-verbal language and cultural dimensions; and (c) discourse structures and skills.

Based on a previous study analyzing the cultural content of language textbooks (Nguyen, 2022), an evaluation guide originally proposed by Damen (1987, pp. 272–276) was slightly modified and used as the basis for the analysis of textbooks. The guide was chosen for its inclusion of comprehensive questions that pertain to the assessment of cultural content and culture learning. The goal of the presentation of cultural information, the specific cultural items, the represented cultural groups, the presentation of cultural content, including possible explanations and illustrations were analyzed, alongside the method used to present cultural information.

3.4. Procedures of Data Analysis

Language classes were observed, video-recorded and reviewed, looking for mentions of different elements of culture and the method of presentation and/or discussion. While observing the classes, notes were taken, enumerating the mentioned elements and describing the context of their appearance. Later, these notes were supplemented when the recorded files were reviewed.

Content analysis was carried out on the data, also looking for certain practices or approaches that were applied frequently. Concerning the textbooks, the analyzed textbooks were carefully scanned page by page for cultural content and its form of presentation based on the modified list of evaluative questions. Through content analysis, the potential culture learning of the textbooks was assessed and analyzed. Question by question, the results of the analysis are presented for each textbook and then the findings are compared with the previous results of other Korean language textbooks' analysis to highlight possible similarities and differences regarding cultural content.

4. The Results

4.1. Observations of Korean language classes

Both MKL 1 and 2 adopted the *Seoul Korean* textbooks as *de facto* course objectives. The textbooks' structure formed the major framework for each class.

The instructor of MKL 1 regularly mentioned various products or elements of Korean popular culture. For instance, when teaching the sound '*tch* ㅉ', the instructor offered '*tchap'aguri* 짜파구리' a Korean noodle dish as an example, and immediately asked the students if they saw the Oscar-winning South Korean movie 'Kisaengch'ung 기생충', which popularized the dish globally.

When discussing new vocabulary either in the vocabulary lists or in the example sentences or dialogues, the teacher of MKL 2 made continuous efforts to add cultural information that was not present in the textbook. For example, 'Yŏŭidogongwŏn 여의도공원', a park in Seoul, was introduced during the practice of the sound '*ŭi* 의' with a small photo attached. The teacher explained where that place was and what activities Koreans usually do there. The teacher also provided explicit cultural information even if the new expression did not hold meaningful cultural content on the surface. For example, when learning the word '*kich'im* 기침' [cough], the teacher introduced '*chaech'aegi* 재채기' [sneeze] as well and asked the students if they knew what Koreans would say when someone sneezed, creating an opportunity for students to compare cultures and develop intercultural sensitivity. Or when the word '*tongari* 동아리' [club] was mentioned in the textbook, the instructor shared personal experiences with university clubs in Korea.

If a Korean national holiday was close to the date of the class, both teachers talked about the history and importance of the day. For example, the teacher of MKL 1 encouraged students to search for videos related to 'Han'gŭllal 한글날' [Hangeul Day].

Both teachers discussed the topics that were mentioned in the textbooks' special corner dedicated to culture ('culture note'). For example, in the corner detailing "unique" Korean items, the teacher of MKL 1 explained the meaning of *'hyo* 효' [filial duty] in *'hyojason* 효자손' [back scratcher], and also shared additional information about the importance of filial piety in Confucianism. The teacher of MKL 2 regularly pointed out syllables that are from Chinese characters (e.g., *yeyak* 예약, *yemae* 예매 [reservation]) and shared their meaning with the students.

Furthermore, both instructors frequently mentioned various elements of Hungarian culture, usually related to civilization or various behavior or speech patterns to situate Korean cultural information into context. For example, the teacher of MKL 1 talked about the structure of Hungarian houses in comparison to traditional Korean houses.

Finally, both teachers actively shared additional content on the classes' online platforms. These were primarily explanatory videos that supplemented the materials covered during lessons, but they also shared songs, clips from series or movies, newspaper articles on various topics, calls for cultural events and posts of prominent Korean figures.

4.2. Analysis of Korean language textbooks

The *Seoul Korean* textbooks series that are used during MKL 1 and 2 explicitly state the goal of cultural instruction. The textbooks were "[…] designed to actively integrate culture with classroom instruction. Cultural information is delivered through visual aids such as pictures and photographs, and level tailored concise explanation" (Sŏultaehakkyo ŏnŏgyoyugwŏn 서울대학교 언어교육원, 2013a, p. 4). The books also provide "[…] learners with opportunities for meaningful language production by sharing their own experiences interculturally. The appendix further extends the understanding of Korean culture" (Sŏultaehakkyo ŏnŏgyoyugwŏn 서울대학교 언어교육원, 2013a, p. 4). It is not explicitly stated that this goal would be secondary to other goals, i.e., development of language skills; rather it seems to be on an equal level with other goals. Due to the amount of cultural information presented in the textbook and also the goal of cultural instruction stated, the textbook is leaning towards the 'cultural/linguistic type' of textbook.[3]

The culture-specific content covered is diverse; elements from all categories were found frequently in all textbooks. Under the category of

[3] Damen (1987) differentiates three types of textbooks: traditional, communicative, and cultural/linguistic. Traditional textbooks focus on the development of linguistic skills, while lacking explicit cultural content. Communicative textbooks include cultural content, primarily cultural communicative information, more frequently. Cultural/linguistic textbooks are the most complex textbooks that incorporate language and culture learning.

civilization, Korean geographical locations (e.g., Han'gang 한강, Namsan 남산, Pusan 부산, Ch'unch'ŏn 춘천, 2A, p. 67), tourist attractions, cuisine (e.g., seasonal foods in Korea, 1A, p. 181), holidays (e.g., Lunar New Year, 1A, p. 140), practicalities (e.g., using public transportation in Korea, 1B, p. 125) and customs can be found among others. Regarding speech patterns, various functions of communication can be discovered in example conversations and speaking tasks, for example, greetings (*Ch'ŏŭm poepketsŭmnida* 처음 뵙겠습니다 [How do you do? Nice to meet you.], *Manna poepke toeŏsŏ kippŭmnida* 만나 뵙게 되어서 기쁩니다 [I'm please to meet you.] (2A, p. 31), apologizing, expressing gratitude, agreeing or leave-taking, requesting advice (e.g., *Hakkyoe chaju nŭjŏyo. ŏttŏk'e haeya twaeyo?* 학교에 자주 늦어요. 어떻게 해야 돼요? [I'm often late to school. What shall I do?] (1B, p. 78)). Different pragmatic features such as politeness (e.g., adding '*chom* 좀' after nouns can make it more polite, 1A, p. 226) and style and usage (e.g., it is more appropriate to use '*uri* 우리' [our] rather than '*nae* 내, *che* 제' [my], p. 206, 1B) are frequently elaborated upon, typically in the appendices. Discourse structures and certain characteristics of genres are presented through various forms of text (e.g., a letter written for parents, 1A, p. 119; an e-mail about inviting people to a party, 1B, p. 187).

Certain cultural groups such as Japanese, Chinese and French are mentioned or illustrations related to these cultures are presented. The cultural content can be found throughout the textbooks in the new vocabulary list, as part of example conversations, speaking, listening and writing tasks, 'culture notes' and grammar and culture extensions. Civilization and behavior and speech patterns are usually explained; if not adjacent to the appearance of the information, it can be found on the next page or in the appendices. However, discourse structures are not explicitly explained; only the forms of various written texts are displayed as examples to be replicated. Evaluative comments are not added to the cultural information. The content is written for textbooks, but original sources are also included mainly in the form of photographs of famous places or foods.

To present cultural information, the method of promoting the understanding of new cultural themes, patterns, behavior and the method of producing appropriate behavior are adopted simultaneously. While the textbooks are rich in role-plays eliciting the use of speech patterns, they also provide explanations for certain cultural elements, and they invite students to make meaningful comparisons in the follow-up tasks in the 'culture notes.'

4.3. Discussion and conclusion

Korean language courses for first-year BA students and the textbooks used in these courses were analyzed from the perspective of cultural education.

The textbooks play an important role in setting course objectives and the general framework of lessons. Although the selected textbooks are rich in various forms of cultural content that is also supplemented by explanations, the instructors devoted time to adding further details not included in the textbooks to provide an even broader context for the new expressions. They also encouraged students to engage in tasks that focused on meaningful comparisons of Korean and Hungarian cultures, thus aiding students in developing reflexivity. By sharing additional materials via online platforms, the instructors encouraged students to independently explore elements of culture in-depth. Also, the teachers' own experiences that they retold to students in connection with certain cultural information helped in developing a more profound understanding of cultural content.

To contrast the analysis of the *Seoul Korean* textbooks with the results of other studies where other Korean language textbooks – both Korean and Hungarian published – were examined using the same set of evaluative questions (Nguyen, 2022; Mecsi & Nguyen, 2022b), it can be observed that the *Seoul Korean* textbooks are abundant in explicit cultural information, whereas other analyzed publications – with the exception of textbooks from Yonsei University – lack information from all categories of cultural elements.[4] Also worth noting that discourse structures were nearly absent in all examined textbooks except for the *Seoul Korean* series, albeit no overt explanation was presented here either.

Concerning the illustrations of the presently examined textbooks, related photos and pictures enhanced the understanding of cultural information. In comparison, illustrations that supplemented the cultural content were not included in Hungarian-published Korean textbooks.

[4] The examined language textbooks were 100시간 한국어 1 [Korean in 100 hours 1], 연세 한국어 1-1 (영어판) [Yonsei Korean 1-1 (English version)], 연세 한국어 1-2 (영어판) [Yonsei Korean 1-2 (English version)], all three published by Yonsei University and 너랑 나랑 한국어 1-A [You, me and the Korean language 1-A], 너랑 나랑 한국어 1-B [You, me and the Korean language 1-B], published by Dankook University (Nguyen, 2022). Textbooks published by Hungarian authors *Koreai nyelvkönyv magyaroknak* (헝가리 학생을 위한 한국어 교재) [Korean language textbook for Hungarians] and 흰학: *A koreai nyelv kezdő lépései 1.* [White crane: First steps in Korean 1.] were also analyzed (Mecsi & Nguyen, 2022b).

In Korean-published textbooks, cultural content was also included in special corners dedicated to culture. These corners provided the opportunity for students to reflect on their own cultures in relation to Korean culture and even other cultures as well. Using comparison as a method of language and culture teaching has been recognized as an important step in developing intercultural competences (Byram – Morgan et al., 1994, pp. 42-47). The Hungarian published textbooks present a limited range of tasks and none of them focuses on the development of reflexivity. Therefore, the potential for intercultural competence development is higher in Korean-published textbooks.

Due to the lack of appropriate Korean language teaching materials in Hungary, university Korean language education continues to depend on materials published by Korean language institutes. Even though these materials do not present Hungary and Hungarian-culture specific content, they are rich in Korea-specific cultural content and teachers in undergraduate Korean language courses make efforts to help students from Hungarian cultural backgrounds to reflect on these contents. For beginner learners, a teacher who is well-versed in both Korean and Hungarian cultures may provide more active help in developing reflexivity and nurturing attitudes of respect and openness towards other cultural phenomena. Currently, Korean as a foreign language education in Hungary remains a relatively unexplored topic with few local language teachers and scholars; consequently, the task to develop materials that incorporate language and culture learning and also highlight local characteristics is a crucial one, through which the process of Korean language education and research in Hungary can be furthered. On the other hand, research is also necessary to gain insight into the present, overall situation of Korean language education in Hungary and to develop the overall effectiveness of the existing Korean language courses in order to aid students in becoming successful intercultural communicators and for them to be able to use the language appropriately in a variety of communicative situations.

Bibliography

I Mihyang 이미향, Yun Yŏng 윤영, Ch'oe Ŭnji 최은지, & Pak Chinuk 박진욱. 2018. T'ŭksumokchŏk kyoyukŭrosŏŭi iminja taesang han'gugŏ kyoyuk kwajŏng kyojae kaesŏn panghyang yŏn'gu-pŏmmubu sahoet'onghapp'ŭrogŭraemŭl chungshimŭro. 특수목적 교육으로서의 이민자 대상 한국어 교육 과정 교재 개선 방향 연구—법무부 사회통합프로그램을 중심으로 (A study on improving the Korea Immigration & Integration Program's Korean curriculum and textbook for immigrants as a specific purposes). Han'gugŏnŏmunhwahak **한국언어문화학**. 15(1). pp. 147-174.

Kwŏn Gihyŏn 권기현, & Sŏ Dŏksun 서덕순. 2018. Chamjaejŏk kyoyukkwajŏngŭrosŏŭi han'gugŏ kyojae yoso punsŏk-sejonghan'gugŏ kyojaerŭl chungshimŭro-. 잠재적 교육 과정으로서의 한국어 교재 요소 분석—세종한국어 교재를 중심으로— (Analysis of Korean textbook elements as hidden curriculums: Focusing on the 'Sejong Korean' textbooks). Inmunhakyŏn'gu **인문학연구**. 37. pp. 7-36.

Pak Chisun 박지순, & Yun Gyŏngwŏn 윤경원. 2020. Han'gugŏ kyojaeŭi chamjaejŏk kyoyukkwajŏng punsŏk -chendŏ, kukchŏk, yŏllyŏnge taehan inshikŭl chungshimŭro. 한국어 교재의 잠재적 교육 과정 분석 -젠더, 국적, 연령에 대한 인식을 중심으로- (An analysis of hidden curriculum in the Korean language coursebook for foreigners: Focused on gender, nationality and generation). Hanminjongmunhwayŏn'gu **한민족문화연구**. 71. pp. 311-349.

Sŏultaehakkyo ŏnŏgyoyugwŏn 서울대학교 언어교육원. 2013a. Sŏultae han'gugŏ 1A Student's Book **서울대 한국어 1A Student's Book**. Twoponds Co.

Sŏultaehakkyo ŏnŏgyoyugwŏn 서울대학교 언어교육원. 2013b. Sŏultae han'gugŏ 1B Student's Book **서울대 한국어 1B Student's Book**. Twoponds Co.

Sŏultaehakkyo ŏnŏgyoyugwŏn 서울대학교 언어교육원. 2013c. Sŏultae han'gugŏ 2A Student's Book **서울대 한국어 2A Student's Book**. Twoponds Co.

Yun Yŏng 윤영, & Son Gyŏngae 손경애. 2016. Ijuminŭi sahoet'onghabŭl wihan han'gungmunhwa kyoyuk pangbŏp yŏn'gu 이주민의 사회 통합을 위한 한국 문화 교육 방법 연구 (A study on the contents and methods of Korean cultural education for the social integration of immigrants). Ŏnŏwa munhwa **언어와 문화.** 12(3). pp. 123-154.

Agar, Michael. 1994. *Language shock: Understanding the culture of conversation.* William Morrow.

Aleksandrowicz-Pędich, Lucyna, Draghicescu, Janeta, Issaiass, Dora, & Sabec, Nada. 2003. The views of teachers of English and French on intercultural communicative competence in language teaching. In Lázár I. (Ed.), *Incorporating intercultural communicative competence in language teacher education.* Council of Europe. pp. 7-37.

Bennett, Janet M., & Bennett, Milton J. 2004. Developing intercultural sensitivity. In Janet. M. Bennett, Milton J. Bennett & Dan Landis (Eds.), *Handbook of intercultural training.* Sage. pp. 147-165.

Byram Michael. 1997. *Teaching and assessing intercultural communicative competence.* Multilingual Matters.

Byram, Michael, Morgan, Carol et al. 1994. Methodology and methods. In Michael Byram, Carol Morgan et al., *Teaching-and-learning language-and-culture.* Multilingual Matters. pp. 41-66.

Canale, Germán. 2016. (Re)Searching culture in foreign language textbooks, or the politics of hide and seek. *Language, Culture and Curriculum.* 29(2). pp. 225-243.

Cortazzi, Martin, & Jin, Lixian. 1999. Cultural mirrors: Materials and methods in the EFL classroom. In Eli Hinkel (Ed.), *Culture in second language teaching and learning.* Cambridge University Press. pp. 196-219.

Curdt-Christiansen, Xiao Lan, & Weninger, Csilla. 2015. *Language, ideology and education: The politics of textbooks in language education.* Routledge.

Czura, Anna. 2016. Major field of study and student teachers' views on intercultural communicative competence. *Language and Intercultural Communication.* 16(1). pp. 83-98.

Damen, Louise. 1987. Textbook selection and evaluation. In Louise Damen, *Culture learning: The fifth dimension in the language classroom.* Addison-Wesley Publishing Company. pp. 253-277.

Holló Dorottya. 2019. *Kultúra és interkulturalitás a nyelvórán* (Culture and interculturality in the language lesson) Károli Gáspár Református

Egyetem & L'Harmattan.

Kramsch, Claire. 1993. *Context and culture in language teaching*. University Press.

Liddicoat, Anthony J., & Scarino, Angela. 2013. *Intercultural language teaching and learning*. Wiley-Blackwell.

Mecsi, Beatrix, & Nguyen, Krisztina. 2022a. *Korean cultural symbols in Korean language textbooks for foreigners* [Manuscript submitted for publication].

Mecsi, Beatrix, & Nguyen, Krisztina. 2022b. *Cultural education and intercultural competence in Korean language textbooks: Focusing on textbooks published in Hungary* [Manuscript submitted for publication].

Nguyen, Krisztina. 2022. Analysis and evaluation of beginner Korean language textbooks from a cultural perspective. In Petra Doma & Ferenc Takó (Eds), *"Near and Far" 10.1: Proceedings of the annual conference of ELTE Eötvös Collegium Oriental and East Asian studies workshop, 2020*. Eötvös Collegium. pp. 159–178.

Salazar, Marta Garrote, & Agüero, María Fernández. 2016. Intercultural competence in teaching: Defining the intercultural profile of student teachers. *Bellaterra Journal of Teaching & Learning Language & Literature*. 9(4). pp. 41–58.

Seelye, Ned H. 1993. *Teaching Culture*. National Textbook Company.

Sercu, Lies. 2005. *Foreign language teachers and intercultural competence: An international investigation in 7 countries of foreign language teachers' views and teaching practices*. Multilingual Matters.

Sun, Wenyang, & Kwon, Jungmin. 2019. Representation of monoculturalism in Chinese and Korean heritage language textbooks for immigrant children. *Language, Culture and Curriculum*. 33(4). pp. 402–416.

Tajeddin, Zia, & Teimournezhad, Shohreh. 2015. Exploring the hidden agenda in the representation of culture in international and localised ELT textbooks. *The Language Learning Journal*. 43(2). pp. 180–193.

제3장

남북한 언어 이질화의 구체적인 현황과 그에 따른 문제점

– 북한의《로동신문》내용 분석을 기반으로

김훈태
라트비아 라트비아대학교
University of Latvia

1. 들어가며

본고는 현재 남북한의 언어 차이가 어느 정도인지를 최근 북한에서 발행된《로동신문》의 내용에 대한 분석을 통해 구체적으로 알아보고[1] 그로 인해 발생하는 문제점을 제시해 보고자 한다. 이러한 작업은 앞으로 남북한 언어 이질화를 좁히는 방안을 모색해 나가는 데 기초적인 작업 중의 하나가 될 것이다.

남북한이 완전히 다른 정치 체제 아래에서 70년이 넘는 시간이 흐르는 동안 한반도에는 두 국가가 공존함에도 불구하고 언중들 사이에서는 하나의 언어를 사용하고 있다는 대전제가 유지되어 오고 있다. 그러나 실제적으로 두 국가 사이에 존재하는 언어의 이질화 현상은 꽤 깊고 광범위하다. 특히 어휘 분야에서 이질화의 정도가 점차 심해지고 있어 이를 계속 방치할 경우에는 남북한에서 사용하는 한국어가 언제든지 소통이 가능한 하나의 언어로 인식되지 못할 가능성도 생길 것이다.

이에 본고에서는 현재 남북한 언어 이질화의 현황을 '어휘 분야'를 중심으로 알아보고자 한다.[2] 이를 위해서 발표자는《로동신문》에서 사용된 어휘를 대상으로 네 가지 유형으로 나누어 구체적으로 분석해 보고자 한다.

첫째, 남북한이 사용하는 어휘 중에서 형태가 유사하여 그 의미 파악이 가능한 경우, 둘째, 남북한이 사용하는 어휘 중에서 형태는 다르지만 그 의미 파악은 가능한 경우,

[1] 본고에서 분석 자료로 삼은《로동신문》은 2022년 3월 22일자와 4월 24일자로 총 44개의 기사, 5개의 보도, 2개의 소식, 1개의 실화, 1개의 기행, 1개의 상식, 1개의 수필, 1개의 참관기, 1개의 논설, 2개의 혁명 활동 보도이며 총 14,700여 개의 단어가 사용되었다.

[2] 남한의 '한글맞춤법'과 북한의《조선말규범집》의 내용을 살펴보면, '자모(글자)'와 '표기(맞춤법)', 그리고 '띄어쓰기' 등에서 볼 수 있는 남북한의 차이점은 아직까지는 언중들이 크게 느끼지 않을 정도라고 할 수 있다. 결국 남북한 언어 이질화에서 가장 큰 비중을 차지하는 것은 '어휘 분야'라고 할 수 있다.

셋째, 남북한이 사용하는 어휘 중에서 형태가 동일하지만 그 의미가 다르게 사용되는 경우, 넷째, 남북한이 사용하는 어휘 중에서 형태가 다르고 의미도 달리 사용되는 경우이다.

2. 《로동신문》[3]을 통해 본 남북한 언어 이질화의 구체적인 현황

앞서 언급한 대로 최근에 발간된 《로동신문》에서 사용된 어휘와 표현을 분석하여 발표자가 정한 네 가지 분석틀을 통해 최근 남북한에서 사용하고 있는 언어 이질화의 상황을 구체적으로 살펴보고자 한다.

2.1. 어휘의 형태[4]가 유사하여 그 의미 파악이 가능한 경우

이 유형에 해당되는 어휘는 다시 두 가지로 나누어 살펴볼 수 있다. 한 가지는 북한에서 사용하는 어휘의 형태가 현재 한국에서도 동일하거나 유사한 형태로 사용되고 있어 어휘 차제만으로 의미 파악이 어느 정도 가능한 경우이다. 다른 한 가지는 남한과 북한이 채택하고 있는 문법 규범의 차이에 의한 형태적인 변형도 이에 포함시킬 수 있을 것이다. 이에 대해 구체적으로 살펴보면 다음과 같다.

〈표 1〉 어휘의 형태만으로 의미 파악이 가능한 경우

유형	A형	B형	C형
예들	젖제품, 발자욱, 무드기, 쇠바줄다리, 미세알갱이, 한생토록, 값높다	지지찬동, 꽃나이청춘시절, 창작창조, 줄기줄기마다, 옹호고수, 자력자강, 한초한초, 분분초초, 근본원천, 부강번영, 창의창발성	걷고걸으시던, 넘고넘으시던, 찾고찾으시던

위 〈표 1〉에서 제시된 A형은 한국에서는 사용되지 않는 형태이지만 어휘 자체만으로 충분히 의미 파악이 가능한 경우라고 할 수 있다. 즉, '젖제품'은 '유제품'으로, '발자욱'은 '발자국'으로, '무드기'는 '무더기'로, '쇠바줄다리'는 '쇠밧줄다리'로, '미세알갱이'는 '미세먼지'로, '한생토록'은 '평생토록'이나 '일생토록'으로, 값높다는 '비싸다'로 해석할 것이다. B형은 'N+N'으로 구성된 어휘로 첫 번째 명사와 두 번째 명사의 의미가 동일하거나 유사한 어휘를 결합시켜 어휘의 의미를 강조하는 데 사용되는 경우이다. 특히 '한초한초'와 '분분초초'는 모두 "아주 짧은 시간"을 의미하는 어휘로 남한에서는 주로 '일분일초'라는 형태로 사용된다. 이러한 B형은 남한에서도 볼 수 있지만 주로 동일한

[3] 《로동신문》은 북한의 대외적 입장을 공식 대변하는 대표적인 신문으로 1945년 11월 1일에 창간되었다. 지면 구성은 제1면에는 김일성부터 김정은까지 김씨 관련 기사와 사설이 고정적으로 게재되고, 제2면에는 김씨 일가에게 보낸 외국의 전문 내용들이 소개되고 있다. 제3면에는 각지의 산업 소식 등 대내 경제 기사, 제4면에는 국내외 대표단의 활동 동향, 문화 및 행사 소식 등이다. 제5면과 제6면은 한국의 실상 및 통일 논조 등 대남 관계 기사와 국제 뉴스로 채워지고 있다. 모든 기사는 한글 전용이고, 사진과 활자는 거의 흑백으로 인쇄되어 지면 구성이 딱딱하고 획일적인 인상을 준다. 《로동신문》에서 사용되는 어휘와 표현은 노동당이 필요로 하는 선전·선동·조직·교화 등의 목적을 이루기 위하여 상당히 계몽적이면서 전투적이고 정치적인 것들로 채워져 있다. 그 밖에 북한의 입법기관인 최고인민회의 상임위원회와 행정기관인 정무원을 대변하는 신문으로 1946년 5월에 창간된 《민주조선》, 김일성-김정일주의청년동맹 기관지인 《청년전위》, 그리고 1957년 6월에 김일성에 의해 창간된 《평양신문》이 북한의 4대 중앙신문이다. 이들 신문이 다루는 내용과 구성은 물론이고 사용하고 있는 어휘와 표현 등은 《로동신문》과 거의 동일하다고 볼 수 있다.

[4] 본고에서 말하는 어휘의 형태는 기본형뿐만 아니라 활용형과 결합형도 포함하는 것이다. 즉, 기본형이 문법 요소와 결합하거나 다른 어휘와 결합하는 행태도 포함한다.

형태의 반복형으로 많이 사용된다고 할 수 있다.[5] C형은 'V-고V'의 구성으로 동일한 동사의 어간을 '-고'와 연결하여 일종의 복합어 형태로 사용된 것이다. 즉, 기본형은 각각 '걷고걷다', '넘고넘다', '찾고찾다'이다. 이러한 형태는 동일한 동사 어간의 반복으로 의미를 강조하는 데 사용된다고 볼 수 있다. 이러한 유형은 남한에서는 '걷고 또 걷다', '넘고 또 넘다', '찾고 또 찾다'의 형태로 사용된다.

[5] 남한에서 이러한 형태는 주로 의태어나 의성어에서 많이 볼 수 있고 부사형으로 많이 사용된다. 반면에 북한에서는 명사형이나 용언의 어근으로 자주 활용된다.

〈표 2〉 남북한 문법 규범의 차이에 의해 어휘 형태가 다른 경우

유형	A형	B형	C형
예들	태여나다, 뛰여들다, 빛내여가다, 어리여있다, 헤여지다, 띄여보다,	귀전, 뒤자리, 비물에, 나무가지, 해빛, 기발, 대잎, 고개길, 어제날, 수자, 바다가	보장할데 대하여, 생활할데 대하여, 제고할데 대하여서와, 개선할데 대한 문제, 보장할데 대한 문제

위 〈표 2〉의 A형은 《조선말규범집》에서 용언의 "'-아/-어'형에서 어간 끝소리가 'ㅣ, ㅐ, ㅔ, ㅚ, ㅟ, ㅢ'인 경우에는 '-여'를 붙인다."는 원칙에 따라 표기된 경우이다. 남한에서는 이러한 경우 모두 '-어'가 결합된 '태어나다, 뛰어들다, 빛내어 가다, 어리어 있다, 헤어지다, 띄어 보다'로 표기된다. B형의 경우에는 남한에서의 사이시옷 규정이 북한에서는 전혀 표기하지 않는다는 원칙이 반영된 것이다. 이 중에서 수자(數字)는 남한에서 '숫자'로 사용되는데, 북한과 달리 남한에서 이것은 '곳간, 셋방, 찻간, 툇간, 횟수'로 표기되는 것과 같이 사이시옷의 표기가 이미 관습적으로 굳었다고 보아 사이시옷의 표기를 인정하고 있다. C형은 'V-ㄹ데 대하여/대한'의 구성으로 사용되고 있는 형태이다. 이러한 형태는 남한에서는 'V-는/ㄴ데 대하여/대한'으로 사용된다. 예컨대, '보장할데 대하여'는 '보장하는 데(보장한 데) 대하여'로, '개선할데 대한 문제'는 '개선하는 데(개선한 데) 대한 문제'로 사용된다. 위 〈표 2〉에 제시된 어휘들은 모두 어느 정도 형태적인 차이가 있지만 의미적 변별과는 전혀 상관이 없는 경우라고 볼 수 있다.

2.2. 어휘의 형태는 다르지만 의미 파악이 가능한 경우

이 유형에 해당되는 어휘는 현재 남한에서는 전혀 사용되지 않거나 다른 형태로 사용되고 있지만 의미 파악이 가능한 경우이다. 대표적으로 '누음법칙'을 들 수 있다. 한편, 북한에서 사용하는 어휘의 형태만으로는 의미 파악이 쉽지 않지만 해당 어휘가 사용된 문장의 전체 맥락으로 의미 파악이 가능한 경우를 들 수 있다.

〈표 3〉 두음법칙의 적용 여부에 따라 어휘의 형태에 차이가 나는 경우

유형	A형	B형
예들	력사, 립장, 선렬, 려정, 념원, 로선, 녀자, 령토, 뢰성, 력량, 재리용, 리상향, 령도자, 춤률동, 로동자, 력력히, 효률천하, 제일락원, 전쟁로병, 물심량면, 륭성번영,	류다르다, 료해하다, 론하다, 론증하다, 류례없다, 련관시키다(되다), 락관하다, 랑비하다, 례의있다, 리탈되다, 릉가하다, 비렬하다, 랭정하다

위 〈표 3〉은 북한의《조선말규범집》제7장의 한자말 적기 제25항 "한자말은 소리마디마다 해당 한자음대로 적는 것을 원칙으로 한다."에 의해 표기된 것을 보여 주고 있다.[6] 즉, 남한에서 채택하고 있는 두음법칙을 배제하고 있는 것이다. 이러한 두음법칙의 적용 여부는 표기만의 문제가 아니라 발음과도 밀접한 관련이 있기 때문에 남북한 언중이 상대적으로 이질감을 크게 느끼는 부분이라고 할 수 있다.[7]

〈표 4〉 문장의 맥락 안에서 의미 파악이 가능한 경우

유형	A형	B형
예들	백두의 산발들은, 적들의 백색테로에, 극심한 가물로 인한 피해가, 선배들을 존대하는데서도 수범이 되여야 한다, 물우에 뜬 기름방울처럼, 자기의 온넋을 바치고, 사대와 외세의존은 남조선의 악페이며 토질병이다	항일의 피어린 자욱자욱우에, 혁명적신념을 벼려주고, 지난날의 하많은 추억들은, 하루빨리 온 군에 퍼치기 위한 사업을, 어머니와 같이 사려깊고 다심하며, 부단한 전진의 기상이 나래치게 되고, 하늘같은 믿음이 차넘치는, 애어린 학생들이 손톱이 빠지고, 얼마나 분별없이 헤덤비고 있는가를, 자기의 경험을 배워주고

위 〈표 4〉의 A형은 명사형을, B형은 용언형의 예를 제시한 것이다. 이들 어휘는 기본형만으로는 그 의미를 쉽게 파악하기 힘들 것이다. 예컨대, A형의 기본형 '산발(산줄기), 백색테로(백색테러), 가물(가뭄), 수범(모범), 물우(물위), 온넋(모든 정신), 토질병(풍토병)'과 B형의 기본형 '피어리다, 벼리다, 하많다, 퍼치다, 다심하다, 나래치다, 차넘치다, 애어리다, 헤덤비다, 배워주다'는 어휘 형태만으로 봐서는 그 의미를 파악하기가 쉽지 않다.[8] 그러나 그 기본형과 변이형이 문장 안에서 사용될 경우에는 문맥을 통해서 의미 파악이 어느 정도 가능하다고 할 수 있다.

[6] 예외적으로 변한 소리대로 적는 한자말도 규정하고 있다. 예컨대, '궁냥(窮量), 나사(羅紗), 나팔(喇叭), 류월(六月), 시월(十月), 오뉴월(五六月), 요기(療飢)' 등을 들고 있다.

[7] 두음법칙과 관련된 여러 가지 문제들 중에서 남북한 언중들이 크게 느끼는 이질감 중의 하나는 '성씨' 표기와 관련된 것이다. 그것은 남한과 북한의 이름 성씨에서 'ㄹ'이 들어간 한자인 경우 족보는 같지만 글자가 달라지기 때문이다. 즉, 남한에서의 성씨 '나', '이', '노', '유', '양', '임', '여' 등이 북한에서는 '라', '리', '로', '류', '량', '림', '려' 등으로 쓰일 뿐 아니라 발음도 한국과 다르다. 이에 북한 이탈주민이 남한에 와서 새로 신분증을 발급받게 될 때에는 성씨가 북한식이 아닌 한국식으로 바뀌게 된다. 예컨대, '리정호 → 이정호', '로영남 → 노영남', '류성호 → 유성호', '량국철 → 양국철', '림숙 → 임숙', '려운국 → 여운국' 등이다. 한국 언론에서 김정은 위원장의 부인인 '리설주'를 '이설주' 혹은 '리설주' 등으로 혼용하여 표기하는 반면에 북한 언론에서는 한국의 대통령들이나 유명인사들을 '노무현 → 로무현', '이명박 → 리명박' 등 북한식으로 표기하는 경우가 대표적이다.

[8] 〈표 4〉에서 제시된 B형 어휘가 가진 의미는 다음과 같다.
피어리다: 피 흘려 싸우거나 피가 맺히도록 고생한 자취가 깃들어 있다, 벼리다: 마음이나 의지를 가다듬고 단련하여 강하게 하다, 하많다: 매우 많다, 퍼치다: 퍼뜨리다, 다심하다: 여러 가지로 생각하거나 걱정하는 게 많다, 나래치다: 힘차게 기세를 떨치다, 애어리다: 아주 어리다, 헤덤비다: 헤매며 덤비다, 배워주다: 가르쳐서 알게 해주다.

2.3. 어휘의 형태는 동일하지만 의미가 다르게 사용되는 경우

이 유형에 해당되는 어휘는 남한에서도 동일한 형태로 사용되는 경우가 있지만 북한에서 사용하는 의미와는 다르다. 이 유형에 해당하는 어휘는 상대적으로 비중이 적다고 할 수 있다.

〈표 5〉 동일한 형태에 해당되지만 의미가 다르게 사용되는 경우

유형	A형	B형
예들	사변, 은, 틀, 잘, 동음, 빨치산	치다, (해)제끼다, 패다, 고이다, 점령하다, 헐하다, 짜고들다, 결속하다(되다), 잘라매다, 방조하다

위 〈표 5〉에서 A형으로 제시된 '사변, 은, 틀, 빨치산'은 명사로, '잘, 동음'은 부사로 사용된 것이다. 여기서 북한에서 사용하는 '사변'과 '빨치산'은 남한과는 거의 반대의 의미로 사용되고 있고[9], '은, 틀, 잘, 동음'도 남한에서 일반적으로 사용되는 의미와는 다르게 사용되고 있다. 즉, '은'은 '보람 있는 값이나 결과', '틀'은 '일정한 격식이나 형식', '잘'은 '바로/족히', '동음'은 '기계가 돌아가는 소리'의 의미로 사용된다.[10] 한편, 북한에서 사용되는 B형 어휘의 의미를 살펴보면, 남한에서 사용되는 의미와 많은 차이가 있음을 알 수 있다. 예컨대, '치다'는 '물건을 다른 데로 옮기다', '고이다'는 '봉양하다', '점령하다'는 '어떤 일을 이루어내다', '헐하다'는 '대수롭지 않거나 만만하다', '(해)제끼다'는 '어떤 일을 빠르고 시원스럽게 끝내다', '(밤을) 패다'는 '(밤을) 세우다', '짜고들다'는 '어떤 일을 해내기 위하여 미리 빈틈없이 계획을 세우고 달려들다', '결속하다(되다)'는 '마무리하다(되다)', '잘라매다'는 '어떤 요구나 부탁을 한마디로 거절하거나 더 이상 말하지 못하게 하다', '방조하다'는 '도움을 주다'[11]의 의미를 가지고 있어 남한과는 아주 다르게 사용되고 있다.

2.4. 어휘의 형태와 의미가 달리 사용되는 경우

이 유형에 해당되는 어휘로는 본래 북한에서만 사용되던 것 이외에 북한식 외래어(외국어) 표기와 북한에서 사용되고 있는 한자어를 중심으로 살펴보고자 한다.

[9] 북한에서 '사변'은 '사건'이라는 뜻으로 일상적·긍정적인 경우에 많이 쓰인다. 예컨대, "철길 개통은 커다란 사변이였다."처럼 쓰인다. 이와 달리 남한에서 '사변'은 주로 역사적·부정적 사건에 사용된다. '빨치산'의 경우에도 남한에서는 반정부적인 성격을 가진 무장 세력을 의미하는 '게릴라'를 의미하지만, 북한에서는 '혁명적 영웅'을 뜻한다.

[10] 《로동신문》에서 이들 어휘들이 사용된 문장을 예로 제시하면, "그것이 현실에서 은을 내는가 못내는가 하는 것은", "그들 앞에서 틀을 차리는 것은", "침수 구역의 물을 다 뽑자면 적어도 몇 시간은 잘 걸린다." 등을 들 수 있다.

[11] 《로동신문》에서 이들 어휘들이 사용된 문장을 제시하면 다음과 같다. "많은 눈을 치기 위해", "정성을 고이고", "알곡 생산 목표를 점령할 수 있다고", "일을 제낄 수 있는 사람들을 찾아 키우고", "전로공의 일은 결코 헐한 것이 아니었다.", "사업을 실속 있게 짜고들고 있기 때문이다", "봄갈이를 본때 있게 해제끼고 있었다.", "문제들 중 어느 것 하나 완전무결하게 결속된 것이 없었던 것이다.", "항해사는 선장의 사업을 방조하며 배의 항행을 수행한다." 이 중에서 '방조하다(傍助--)'는 북한에서는 긍정적 의미로 잘 쓰이지만 남한에서는 긍정적인 의미보다는 주로 '범죄를 돕는 행위를 하다'라는 뜻의 '방조하다(幇助--/幫助--)'로 사용된다.

〈표 6〉 북한에서만 사용되고 있는 경우

유형	A형	B형	C형
예들	돌물, 뜨락, 후비, 자욱, 타발, 노죽, 안해, 우등불, 꽃돋이, 뒤거둠, 잡도리, 울바자, 모지름, 일본새, 조건타발, 판가리싸움	얼구다, 피타다, 슴배다, 터치다, 내대다, 가닿다, 꿰들다, 드팀없다, 차례지다, 다우치다, 자랑차다, 빛발치다, 마사지다, 줴버리다, 이슥하다, 칼탕치다, 고아대다, 일떠세우다, 끓어번지다, 안받침하다	아글타글, 우렷이, 그쯘히, 하다면, 하기에, 쩌릿이, 인차

위 〈표 6〉은 북한에서만 사용되는 어휘를 품사별로 구분하여 제시한 것이다. 즉, A형은 명사, B형은 동사와 형용사, C형은 부사나 활용형이다. 이들 어휘의 의미를 알아보면 다음과 같다.

A형: 돌물(마그마), 뜨락(정원), 후비(앞날을 대비하여 준비하는 일이나 그런 사람), 자욱(자국), 타발(투덜거림), 노죽(남의 마음에 들기 위하여 말, 표정, 몸짓, 행동 따위를 일부러 지어내는 일), 안해(아내), 우등불(모닥불), 꽃돋이(발진), 뒤거둠(일의 뒤끝을 거두어 마무리하는 솜씨나 모양새), 잡도리(어떤 일을 하거나 치를 작정이거나 기세), 울바자(울타리), 모지름(고통을 견디어 내려고 모질게 쓰는 힘), 일본새(일하는 태도), 조건타발(조건을 트집잡아 탓하는 것), 판가리싸움(죽느냐 죽이느냐를 판가름하는 치열한 싸움)[12]

B형: 얼구다(얼리다), 피타다(몸과 마음을 다 기울여 힘겨움을 이겨내며 애쓰다), 슴배다(조금씩 스며들어 안으로 배다), 터치다(터뜨리다), 내대다(내놓다), 가닿다(일정한 수준이나 정도에 이르거나 올라서다), 꿰들다(어떤 일의 내용이나 사정을 자세하게 다 알고 있다), 드팀없다(조금도 흔들림이 없다), 차례지다(배당되다), 다우치다(일이나 행동 따 따위 빨리 끝내려고 몰아치다), 자랑차다(남에게 드러내어 몹시 뽐낼 만한 데가 있다), 빛발치다(어떤 것이 커다란 영향력을 가지고 내솟거나 뻗치다), 마사지다(부서지다), 줴버리다(함부로 내버리고 돌아보지 아니하다), 이슥하다(밤이 꽤 깊다), 칼탕치다(칼로 잘게 토막치거나 다지다), 고아대다(고함치다), 일떠세우다(기운차게 썩 일어서게 하다), 끓어번지다(어떤 심리 현상이나 분위기가 걷잡을 수 없이 몹시 설레어 움직이다), 안받침하다(뒷받침하다)[13]

C형: 아글타글(무엇을 이루려고 몹시 애쓰거나 기를 쓰고 달라붙는 모양), 우렷이(눈앞에 보이거나 떠오르는 모양 따위가 좀 희미한 가운데 은근하면서도 뚜렷

[12] A형의 어휘가 사용된 문장을 몇 가지 예로 들면, "육중한 쇠장대를 다루며 돌물을 녹여야 하는", "젊고 쟁쟁한 대상들을 한 명 한 명 선발하여 후비로 장악하였다.", "지난해에 잡도리를 단단히 하고", "당내부 갈등을 봉합하려고 모질음을 쓰고 있다고 한다.", "노죽을 부린 것이야말로" 등을 들 수 있다.

[13] B형의 어휘가 사용된 문장을 몇 가지 예로 들면, "전체 조선 민족을 일떠세우는", "차례진 짧은 휴식시간마저", "한몸을 서슴없이 내대였던", "피타는 사색과 고심어린 노력이", "씩씩하게 걸음을 다우치는", "계승의 진리가 빛발치고 있다.", "제품들에 대해서 환히 꿰들고 있지만", "입에 게거품을 물고 고아댔다." 등을 들 수 있다.

하게), 그쯘히(빠짐없이 충분히 다 갖추어 놓은 상태로), 하다면(그렇다면), 하기에(그렇기 때문에), 쩌릿이(마음이 흥분되고 떨리듯이), 인차(곧)[14]

〈표 7〉 북한식 외래어(외국어) 표기와 북한에서 사용되는 한자어의 경우

유형	A형	B형
예들	뜨락또르, 에네르기, 테로, 뽐프, 빠스, 페지, 세멘트, 크링카, 비루스, 로씨야, 히에나, 뚜니지, 메히꼬, 마다가스까르, 인터네트, 아랍추장국	이신작칙(以身作則), 결사옹위(決死擁衛). 간고분투(艱苦奮鬪), 견인불발(堅忍不拔), 한생(한生), 공품(空품), 한식솔(한食率), 군식솔(군食率), 례상사(例常事), 통장훈(通將훈), 견결(堅決)하다, 강위력(强偉力)하다, 전달침투(傳達浸透)하다, 장약(裝藥)하다

위 〈표 7〉은 북한식 외래어 표기와 북한에서만 주로 사용되는 한자어를 제시한 것이다. A형 중에서 남한의 표기와 유사한 '테로(테러), 뽐프(펌프), 빠스(버스), 페지(페이지), 세멘트(시멘트), 인터네트(인터넷)'와 같은 일반명사는 물론이고 '로씨야(러시아), 마다가스까르(마다가스카르), 뚜니지(튀니지)'와 같은 나라 이름은 의미 파악이 가능하다고 할 수 있다. 그러나 '뜨락또르(트랙터), 에네르기(에너지), 크링카(클링커), 비루스(바이러스), 히에나(하이에나), 메히꼬(멕시코)'는 어휘 자체의 형태만으로는 의미 파악이 쉽지 않다. 특히 '아랍추장국(아랍에미리트)'처럼 UAE라는 국가가 가진 정치 체제의 특징을 나라 이름으로 정한 경우도 있다.

한편, B형은 현재 남한에서는 거의 사용되지 않는 한자어라고 할 수 있다. 이들 한자어의 특징 중에서 두드러진 부분 중의 하나는 의미이다. 즉, 당 기관지의 역할을 하는 《로동신문》이 가진 특성상 선전·선동·조직·교화 등의 목적을 이루기 위하여 상당히 계몽적이면서 자극적이고 공격적인 의미를 가진 한자어를 사용한다는 것이다. 예컨대, '이신작칙(以身作則: 자기가 남보다 먼저 실천하여 모범을 보임으로써 지켜야 할 법칙이나 준례를 만듦)', '결사응위(決死擁護: 죽기를 각오하고 있는 힘을 다할 것을 결심함)', '간고분투(艱苦奮鬪: 고난과 시련을 이겨 내면서 있는 힘을 다하여 싸움)', '옹호보위(擁護保衛: 소중하게 보호하고 든든히 지킴)', '장약(裝藥: 총포에 화약이나 탄약을 재다)'하다, '견결(堅決: 꿋꿋하고 굳세다)'하다 등을 들 수 있다. 다른 한 가지는 B형의 어휘처럼 '한국어+한자어'나 '한자어+한국어'의 구성이 자주 사용되고 있다는 것이다. 예컨대, '한생(한生: 세상에 태어나서 죽을 때까지 동안)', '공품(空품: 아무 보람없이 들이는 품)', '한식솔(한食率: 한식구)', '군식솔(군食率: 군식구)', '통장훈(通將훈: 외통장군)'이 그것이다.

[14] C형의 어휘가 사용된 문장을 몇 가지 예로 들면, "아글타글 애를 썼다.", "연구소에 인차 정을 붙이지 못하였다." 등을 들 수 있다.

3. 남북한 언어 이질화로 인한 문제

앞서 북한의 대표적인 대중매체 중의 하나인《로동신문》최근 판에 실린 여러 기사의 내용에 대한 분석을 통해 남북한 언어 이질화의 일면을 살펴보았다.《로동신문》에서 다루고 있는 기사의 내용에 대해서는 남한 사람들도 대략적으로 이해는 할 수 있을 것이다. 그러나 내용을 전달하기 위해 사용된 어휘와 표현 중에는 낯설고 이해하기 힘든 것들도 상당하다. 그중에는 본래 북한에서만 사용되는 것들도 있지만 북한의 체제하에서 새로 만들어진 어휘 그리고 기존의 어휘 중에서 완전히 다른 의미로 사용되는 것들도 있다.

아울러《로동신문》이 북한 노동당의 기관지라는 특성 탓에 기사의 내용은 대부분 상당히 정치적이면서 계몽적이고 때로는 전투적인 어휘로 이루어져 있다. 이러한 언어 문화와 환경 속에서 수십 년 동안 살아온 북한 주민들의 언어관과 그들의 언어 습관이 어떨지는 충분히 예상할 수 있을 것이다. 그로 인해 파생되는 갈등은 현재 남한에서 '새터민'의 신분으로 살아가는 수만 명에 이르는 북한 출신 주민과 남한 주민과의 사이에 '불신감'으로 드러나고 있다.[15] 그러한 불신감의 밑바탕에는 서로의 언어문화에 대한 무지가 있다. 예컨대, 남한 주민은 북한 주민에 대해 기본적으로 '거칠고 공격적'이라고 생각하며 여기서 더 나아가 '예의 없고 무례하다'고 판단한다. 이것은 북한에서 사용하는 언어에 명령형이 많고 전투적이며 권위적인 문화의 특성이 일상적으로 나타난다는 것을 남한 주민들이 이해하지 못해서 생긴 오해일 것이다.

[15] 2000년대에 들어 '새터민'의 수는 매년 천 명대 이상을 유지하고 있으며 2022년 현재 그 수가 3만 5천 명 이상에 이르는 것으로 알려져 있다.

반면 북한 주민은 남한 주민에 대해 '솔직하지 못하다', '진정성이 없다' 심지어 '거짓말쟁이'라고까지 평가한다. 이것은 남한에서는 인사치레의 표현이 많고 상대방을 배려하기 위해 직설적으로 말하지 않는 문화가 있다는 것을 북한 주민들이 이해하지 못하기 때문에 빚어지는 일이다. 이것은 기본적으로 북한에서는 언어의 명시성을 강조하고, 남한에서는 언어의 예절을 강조하는 언어문화의 차이에서 비롯되며, 이는 사회적으로 오해와 갈등이 번져 나갈 수 있는 상황이 항상 존재한다는 사실을 의미한다. 결국 남북의 언어는 언어 그 자체의 차이도 문제이지만 언어와 관련한 태도나 언어가 사용되는 현장, 즉 화행(話行)의 차원에서 오는 이질감도 아주 크다고 할 수 있다. 결국 남북한 주민들 모두 양국의 언어가 같다고 생각하였다가 실제 언어생활에서 큰 차이를 느끼게 되는 상황이 의외로 많이 벌어질 수 있다는 것이다. 따라서 남북한 언어의 차이는 의사소통에 지장을 줄 정도는 아니라고 단순하게 생각할 문제는 아니다. 이것은 앞서 살펴본 남북한 어휘의 차이 중에서 특히 형태가 같고 의미가 다르게 사용되는 경우와 남북한의 서로 다른 체제 아래에서 생긴 어휘 등에서 더욱 빈번하게 발생할 것이다. 이러한 남북한 언어 이질화로 인해 서로 간의 불신감이 커진다면 북한 주민들은 물론이고 남한 주민들도 남북한이 가지고 있던 언어와 문화에 대한 '동질성'이 약화됨을 깨닫게 될 것이다. 즉, 70여 년 넘게 남북한이 다른 사회체제와 이념 속에서 살아오고 있지만 한반도에 살고 있는 언중들은 수천 년의 역사 속에서 언어와 문화에 대한 동질성을 가지고 있다는 믿음에 '회의감'을 느끼게 될 것이다. 이러한 남북한 간의 '동질성'의 약화가 심화되어 하나의 민족이라는 '정체성'의 약화로 이어진다면 한반도에서 남북한 평화 체제 유지는 물론이고 통일에 대한 염원과 노력보다는 그 불필요성에 대한 비관적인 생각에 매몰될 수도 있을 것이다.

4. 나가며

1950년 한국전쟁 이후 70여 년이 흐른 현재, 남북한 언어 이질화는 계속 진행되고 있다. 그에 대한 구체적인 상황을 최근에 발간된 북한의《로동신문》의 내용을 통해 살펴보았다. 북한에서는 언어가 혁명과 사회주의 건설을 위한 힘 있는 무기라는 언어관을 가지고 있다고 알려져 있는데,《로동신문》의 여러 기사를 통해서 분명하게 확인할 수 있었다. 대중매체에 사용되는 언어가 그 사회의 언어문화를 반영할 뿐만 아니라 다시 일반인에게 투영된다는 점을 감안한다면《로동신문》과 같은 대중 신문이 일상생활 속에서 북한 주민에 미친 영향력을 짐작할 수 있을 것이다. 이를 통해 남북한 주민들이 서로 상대방에 대해 느끼는 언어문화에 대한 이질감의 정도도 어느 정도 예상할 수 있다.

특히 북한에서 사용하는 어휘를 단순히 북한 사투리 정도로 생각하기에는 몇 가지 유형에서 남한과의 차이가 두드러지고 있음을 볼 수 있었다. 즉, 동일한 형태이지만 의미 차이가 있는 경우, 기존의 의미가 변화하여 사용되는 경우, 서로 다른 체제하에서 생긴 신조어, 그리고 두음법칙 적용 여부에 따른 어휘의 형태와 발음 차이 등에서 벌어진 남북의 차이는 매우 크다고 할 수 있다. 이로 인한 결과는 남한에 살고 있는 새터민이 한국 사회에 적응해 가는 과정을 통해 충분히 느낄 수 있을 것이다. 그러나 그러한 현실이 단순히 새터민에 한정된 문제가 아니라, 매년 한국 사회에서 살아가고 있는 새터민의 수가 증가하고 있는 상황을 고려한다면 점차 남한 주민들에게도 현실적인 문제로 인식될 날이 올 것이다. 이러한 추세는 앞으로도 지속되고 심화될 것이기에 남북한 언어 이질화를 완화하려는 노력은 지속되어야 한다. 왜냐하면 현재의 남북한 언어 이질화가 더 심화되면 그에 비례하여 남북한 모든 분야의 이질화가 가속화되고 수천 년 동안 한반도에서 유지되어 오던 하나의 '문화 공동체'라는 인식까지도 약화될 것이 자명하기 때문이다. 따라서 남북한 언어 이질화의 문제를 한반도 미래와 관련된 중요한 문제 중의 하나로 인식하고 적극적인 해결 방안을 마련해 나가야 할 것이다.

참고문헌

김민재. 2020. 남북한 언어 이질화 요인으로서의 언어 정책: 외래 용어 순화 문제를 중심으로. **사회언어학**. 28-1. 한국사회언어학회. pp. 29-53.

김주성. 2018. 한국어 교육과 조선어 교육의 통합에 대한 시론. **언어사실과 관점**. 144. 연세대학교 언어정보연구원. pp. 267-289.

문금현. 2007. 새터민의 어휘 및 화용 표현 교육 방안. **새국어교육**. 76. 한국국어교육학회. pp. 141-172.

신명순, 권순희. 2011. 새터민을 위한 한국어 어휘 교육 방안. **한국언어문화학**. 8-2. 국제한국언어문화학회. pp. 57-89.

이관규. 2016. 남북한 어문 정책의 동질성 회복 방안에 대한 연구. **국어국문학**. 176. 국어국문학회. pp. 63-90.

유은종. 2017. 두음법칙 사용 실태와 그 문제점에 대한 해결안. **한국어교육연구**. 12-1. 한국어교육연구소. pp. 132-147.

유영옥. 1999. 북한의 언어정책을 통해 본 남북한 언어의 이질화 실태 분석. **한국정책과학학회보**. 3-1. 한국정책과학학회. pp. 1-15.

윤익수. 2012. 남북한 언어의 이질화 현상. **기독교언어문화논집**. 15. 국제기독교언어문화연구원. pp. 119-134.

전영선, 김지니. 2019. 북한의 언어 정책과 대중매체를 활용한 언어 교양 사업. **북한학보**. 44-1. 북한학회. pp. 153-189.

조항록. 2004. 재외동포를 대상으로 하는 한국어 교육 정책의 실제와 과제. **한국어교육**. 15-2. 국제한국어교육학회. pp. 100-232.

정진경. 2007. 새터민-남한 주민 간의 갈등과 문화 이해 교육의 방향. **사회과학연구**. 24-1. 충북대학교 국제개발연구소. pp. 153-175.

최용기. 2007. 남북의 언어 차이와 동질성 회복 방안. **국학연구**. 10. 한국국학진흥원. pp. 199-228.

홍사만. 1985. 남북한 언어 이질화의 실태 분석과 그 통일 방안. **인문과학**. 1. 경북대학교 인문과학연구소. pp. 89-108.

제4장

번역 강의와 번역 태도
- LEA 한국어 전공 과정 번역 수업과 다양한 번역 시도에 대하여

이현희
프랑스 리옹 3 대학교
Université Jean Moulin Lyon 3

1. 들어가며

"번역이란 창문을 열어 빛을 들이는 일이요, 껍질을 깨 알맹이를 먹이는 일이며, 휘장을 거두어 지성소를 들여다보게 해 주는 일이요, 우물의 덮개를 거두어 물을 긷게 해 주는 일이다."(Edith Grossman, 2010: 61 재인용.)

1611년에 처음 출간된 킹 제임스 판 성경의 서문에 번역가들은 이 같은 말을 남겼다. 창을 열고 껍질을 깨고, 휘장이나 우물의 덮개를 걷는 일련의 행위라는 은유에서 짐작할 수 있듯, 번역은 필연적으로 A라는 출발 언어로 쓰인 텍스트를 B라는 도착 언어로 옮기는 데 동원되는 매개 행위일 수밖에 없다. 우리는 종종 전자를 출발 텍스트(texte de départ), 후자를 도착 텍스트 또는 목표 텍스트(texte d'arrivée, texte de cible)라고 부른다. 흔히 번역이라는 매개 행위가 출발 텍스트 쪽으로 기울어질 때 직역, 목표 텍스트와 도착 문화의 가독성이 중시될 때를 의역이라고 부르지만, 번역 태도를 둘러싼 이분법은 번역가나 번역 이론가에 따라서 꽤나 복잡하고 다양하게 구분되어 왔다. 가령, 로렌스 베누티는 자국화 번역(domestication)과 이국화 번역(foreignization)으로 나누어 불렀고, 앙투완 베르망은 자민족 중심(ethnocentrique) 번역과 윤리적 번역(éthique)이라는 용어를 사용했다. 19세기로 거슬러 올라가면, 1813년 독일의 철학자이자 번역 이론가 슐라이어마허는 번역 방식에는 "독자들을 저자 쪽으로 데리고 오든지, 아니면 저자를 독자 쪽으로 끌어 오는 방법”(Lefèvre, 1977: 74; Venuti 1995: 20 재인용)이 있다고 구분했으며, 같은 맥락에서 로렌츠바이크는 “번역은 두 주인을 섬기는 일(traduire, c’est servir deux maitres)”이라고 바꾸어 말했다. 이렇듯 유럽 번역사에서 직역과 의역을 둘러싼 번역 태도 논쟁은 기원전 1세기의 키케로(Cicéron)로 거슬러 올라갈 정도로 뿌리가 깊다. 한국의 경우 1927년 《외국문학 연구회》 동인들과 국어학자이자 번역가 양주동 사이에 번역을 둘러싼 논쟁이 《동아일보》 지면을 통해 벌어지는 과정에서 축역(縮譯), 의역(意譯), 축자역(逐字譯), 자유역(自由譯) 등과 같은 번역 개념들이 처음으로 공론의 대상이 되었음을 기억해 둘 만하다.

다시 말하면, 번역 태도를 둘러싼 논쟁은 시대적·지역적 국경을 초월하여 아주 오래전부터 존재해 왔으나, 번역을 직역과 의역이라는 이분법으로 나누는 태도는 논의로만 존재할 뿐, 막상 번역 실천은 한 가지 번역 논리로만 설명될 수 없음은 너무나 자명한 사실이다. 번역 태도와 방식은 텍스트의 성격과 장르뿐 아니라 누가 번역하는가, 번역의 주체는 누구인가, 누구를 위한 번역인가, 무엇을 위한 번역인가 등의 질문에 따라 엄연히 달라지기 때문이다. 번역 실천이 이처럼 주관성과 가변성을 필연적으로 내포하는 이상, 번역 강의는 더욱 어려워질 수밖에 없다. 중고등학교 영어 수업이 그러했듯 잘 모르는 단어 찾기와 독해의 수준으로 강의 방식을 축소하자니, 대학 교육만이 누릴 수 있는 차별성과 특수성을 지워 버리고 쉬운 타협점을 찾아 굴복하는 것만 같아 스스로가 남루해지는 느낌이다. 교수자보다 더 신속하고 나름 정확성까지 자랑하는 자동 번역기의 활약 앞에서 일찌감치 백기를 드는 것 같아 자존심이 상하는 것 역시 또 한 가지 이유다. 한술 더 떠서, 향후 10년 이내에 멸종할 직업군 중 하나로 번역가가 심심찮게 오르내리는 현실은 그럼에도 번역을 가르쳐야만 하는 교수자를 종종 궁지에 몰아넣는다.

이 글은 2년 전부터 프랑스 리옹 3 대학 한국학과에서 번역 수업을 진행해 온 경험을 함께 나누고 과연 지금보다 나은 번역 교육 방안은 없는지에 대해 함께 고민하기 위해 적어 내려간 시론이다. 구글 번역이 산스크리트어와 같은 고대 언어를 포함 전 세계 99% 인구가 사용하는 총 133개 언어의 번역을 지원하고, 딥러닝 기술, 인공신경망 번역 등 번역 기술의 진보를 보이는 2022년 현재, 대학에 번역 수업이 존재하는 이유는 무엇이고, 번역 수업은 무엇을 지향해야 하는 것일까. 번역의, 번역가의 위기는 곧 번역 수업의 위기인 것일까.

2. 기존 논의: 번역 교육 무용론과 유용론

아닌 게 아니라 강독, 문법, 쓰기, 말하기 등 한국어 교육의 모든 교과 과정이 번역을 떠날 수 없으니 독립적인 번역 과목을 설치할 필요가 있겠냐는 ‘번역 교육 무용론’ 또한 심심찮게 들려온다. 기타 교과목에서 모두 번역 과정의 역할을 수행하고 있는 것이나 마찬가지이니 번역 교육 시간을 다른 과목에 할당하는 것이 오히려 학습자의 한국어 실력을 높이는 데 더 효과적일 수 있다는 것이 이 주장의 골자이다(김기석, 2006). 반면, 한국어 교육에서 번역 교육은 번역 수행 능력의 향상을 위한 전문 번역 교육의 측면에서뿐 아니라 한국어 의사소통 능력 향상을 위한 언어 교수법의 측면에서도 필요하다는 유용론 또한 읽을 수 있다(김혜영, 2021). 특히 번역 교육을 직업 교육으로 협소하게 규정할 것이 아니라, "번역에 내재된 개념과 번역에 대한 기본 이해를 갖추며" 다양한 인문학적 소양과 자질을 함양하는 공간으로 만들어야 한다는 김련희의 주장은 귀하게 읽힌다(김련희, 2011: 40). 특히 이 저자는 학부 차원에서는 번역에 내재된 개념과 번역에 대한 기본적 이해를 갖추도록 필수 소양으로 교육해야 한다고 주장한다.

다시 말하면, 문제는 한국어 학습자들에게 번역 교육의 성격과 목표를 어떻게 이해시키고, 번역 수업을 어떻게 설정하는가에 있다. 번역은 외국어 학습의 도구일 뿐인가, 아니면 언어와 문화와 경계에 대해 보다 넓고 깊은 이해와 사고를 가진 문화 간 중재자가 되기 위해 반드시 거쳐야 할 단계인 것일까.

장 드릴(Jean Delisle)은 번역 교육을 그 목적이 무엇인가에 따라서 전문 직업으로서의 번역(traduction professionnelle)과 학습을 위한 번역(traduction pédagogique)으로 구분하였다. 전문 번역의 목적이 텍스트의 완성과 재생산이라면, 번역 학습의 목표는 언어 학습, 특히 외국어 학습에 있다. 차이는 또 있다. 전문 번역이 (잠정적) 독자를 염두에 두고 이루어지는 적극적이고 생산적인 실천이라면, 학습을 위한 번역의 수신자는 번역 교수자이다. 번역의 목적성이 달라질 때 번역의 정의와 거기에 부여하는 가치 또한 달라질 수밖에 없다. 도착 언어로의 내용적·문화적·문학적 완벽한 전달과 수용을 목적으로 하는 전문 번역의 경우, 번역은 곧 출발 언어와는 다른 언어적·문화적 세계로 들어가는(entrer dans un autre univers linguistique voire culturel) 글쓰기 실천으로 정의된다. 이 경우 번역가의 궁극적 목적은 도착 언어의 독자, 즉 번역서의 독자가 정서적으로나 예술적으로 출발 언어의 독자가 맛본 심미적인 경험에 필적하는 원문의 미학을 찾아서 실어 옮기는 것이다. 하지만 번역이 "한 죽은 언어와 다른 죽은 언어를 일치시키는 메마른 방정식과는 전혀 다른 방정식"(Benjamin, 1923; 2000: 245)인 이상, 이 같은 번역 목표는 결코 도달할 수 없는 아포리아(aporia)라는 것 또한 전문 번역이 갖는 한계이자 매력이다.

한편, 학습을 위한 번역의 궁극 목표는 외국어 학습이다. 여기서 번역은 외국어 학습을 위한 유용한 도구의 한 가지로서 동원되는데, 목표 언어의 어휘·단어·문법 체계뿐 아니라 목표 텍스트 문화 고유의 표현 등을 학습하기 위한 유용한 학습 수단으로서의 의미를 갖는다.

장 드릴의 이 같은 구분을 염두에 둔다면, 한국학과에서 번역 수업에 참여하는 학생들의 목표는 외국어 학습을 위한 번역의 범주에 가깝다는 것을 부인할 수 없겠다. LEA(Langue Étrangère Appliquée) 전공 언어인 한국어를 순수 학문보다는 실용 학문인 응용 언어(Langue Appliquée)로서 배우는 리옹 3 대학 학생들의 경우는 더욱 그렇다. 그럼에도 이와 같은 전공의 특성이 외국어 단어의 뜻을 익히고 문장의 의미를 파악하는 낮은 차원의 표층적 독해 수준의 프레임 속에 번역 교육을 한정하는 이유가 되어서는 안 된다는 생각에서 이 글은 시작되었다. 실용 학문으로 한국어를 학습하든, 인문학의 한 갈래로 한국학에 접근하든 번역에 대한 물음은 다층적이고 깊이 있게 다루어져야 하는데, 여기에는 크게 두 가지 이유가 있다. 우선 외국어 텍스트나 모국어 텍스트의 양방향 번역이 학부 수업의 큰 부분을 아우르는 이들에게 번역은 나라와 나라 사이의 교류를 위한 매우 기본적인 도구이자 백터라는 사실을 상기할 필요가 있다.

LEA 전공자들에게 번역은 외국과의 교류 단계에서 가장 대표적인 중재자로서 제안되며 학습된다. 같은 맥락에서 번역은 어휘 학습을 떠나 낯선 사람, 낯선 땅, 그리고 언어적·문화적·경제적·정치적 경계와 편견을 이해할 수 있는 긴요한 참조의 틀이 되어 준다. 또한 번역 수업은 학습자의 이중 언어 사유 능력을 최대한 개발하여 두 언어에 대한 체계적이고도 이성적인 인지관을 수립하게 해 주는 가장 종합적인 사유 능력 훈련 과정이라고 할 수 있다. 이 같은 사항을 염두에 둘 때, LEA의 번역 교육은 언어 학습뿐 아니라 학습자의 문화적 지식, 유연한 사유 능력과 표현 능력, 바람직한 번역 태도 등 다층적 요소를 훈련하는 장이 되어야 한다는 생각은 더욱 공고해진다.

3. 리옹 3 대학 LEA 한국학과의 구성과 특이점

실용 외국어 혹은 응용 외국어로 번역되는 LEA(Langue Étrangère Appliquée) 전공은 "동일한 수준의 두 가지 외국어 학습과 법률, 경영, 커뮤니케이션, 국제 무역 교육 과정이 결합된 것(Cet enseignement associe l'apprentissage de deux langues étrangères de même niveau et l'acquisition d'une formation en droit, gestion, communication, commerce international ou d'une troisième langue étrangère)"으로 학생들은 두 가지 기본 외국어(Langue A, Langue B)와 경영학(Gestion), 커뮤니케이션학(Communication), 국제 통상학(Commerce international) 등의 전공을 함께 배운다. 전공과 관계없이 제1외국어는 영어로 고정되어 있으며, 제2외국어로는 한국어, 독일어, 아랍어, 중국어, 스페인어, 이탈리아어, 일본어, 포르투갈어, 러시아어 등에서 학생이 선택을 하게 되는데, 이 중 한국어는 최근 몇 년간 지원자가 꾸준히 증가하는 추세이다.

한국어와 경영학을 전공하는 학생의 경우를 예로 들자면, 영어(제1외국어)+한국어(제2외국어)+경영학을 학부 3년 동안 공부한다. 리옹 3 대학 홈페이지는 LEA 전공 과정에 대해 다음과 같이 명시하고 있다.

"LEA 학부 전공은 비문학 분야의 언어 교육 과정(un enseignement de la langue non littéraire)으로, 전공 분야의 언어를 마스터하고 경제, 법 및 기술적 성격의 문서 번역의 실천을 교육하는 것을 목표로 한다(la maîtrise des langues de spécialité et à une bonne pratique de la traduction de documents de nature économique, juridique et technique). 또한 이 과정은 전공하는 나라의 사회, 문화, 경제 및 각종 기관/기구에 대한 심층 지식을 제공하는 것을 목표로 한다."

여기서 '비문학 분야의 언어 교육 과정', '경제, 법 및 기술적 성격의 문서 번역의 실천을 교육'이라는 대목은 우리의 각별한 주목을 요한다. 다시 말해 LEA 전공에서는 문학 분야의 텍스트를 배제할 것을 공공연히 명시하고 있으며, 번역 수업은 경제·법·기술·사회·문화 등 기능적이고 객관적인 텍스트를 다루는 데 집중할 것을 암암리에 강조한다.

학과 소개 페이지의 내용을 통해 우리는 두 가지 중요한 사실을 이해할 수 있다.

첫째, 번역은 LEA-한국어 학부 전공 수업의 근간을 이룬다. 다만, 1, 2학년 과정에서는 번역의 독해·읽기·작문 등의 명칭으로 부르는데, 이는 이 단계의 수업이 외국어 교육을 위해 번역을 활용하고는 있으나, 학습자에게 어휘를 암기시키고 문법 규칙을 습득하게 한 다음, 목표어 텍스트의 내용을 이해하게 하는 방식에 치중하는 소위 문법번역식 교수법에 집중되어 있음을 짐작할 수 있다. 번역이라는 단어를 명시하는 대신 번역을 둘러싼 메타 언어(독해·읽기·작문 등)를 표방한 1, 2학년의 수강 과목들은 어떤 의미에서 학습 번역을 위한 준비 단계에 해당한다고 볼 수 있다. 다시 말해, 이 단계는 한국어 학습자들로 하여금 출발어인 프랑스어와 한국어의 언어 대조와 양방향 번역을 통해 한국어 어휘, 문법 및 표현 형식의 특성과 다름을 이해하게 하고 번역을 대하는 '기본적 태도와 이해'에 방점을 찍고 있다. 우리 수업은 번역을 대하는 기본적 태도 세 가지—원문 읽기의 중요성에 대한 강조, 번역은 수많은 버전이 존재할 수 있는 상대적인 개념이라는 점, 그리고 번역은 주체적인 읽기 작업을 거쳐 도착 언어로 새로 쓰는 창의적 작업이라는 점—를 특히 강조한다. 가령, '남대문시장에 있는 식당에서는 다양한 음식을 판매합니다.'라는 단순한 문장에 포함된 '판매하다'라는 동사는 번역 주체의 주관과 다룰 수 있는 어휘의 범주에 따라 'vendre-판매하다'라는 사전적이고 기계적인 1:1 대응에서 벗어나, commercialiser(상품화하다, 시판하다), servir(음식을 제공하다), offrir(제안하다), proposer(제안하다) 등 도착 문화에 가장 적합하게 읽힐 수 있는 번역 문장을 찾아 고민하는 과정까지 나아간다. 이 과정을 통해 학생들은 앞서 서술한 네 가지 번역 태도—원문 촘촘히 읽기, 텍스트를 촘촘히 읽기, 번역의 상대성, 문화적 번역의 중요성—를 적용하고 훈련하는 기회를 갖는다.

둘째, 실제로 '번역(Traduction)'이라는 과목명이 학부 3학년에야 비로소 명시된다는 점은 제법 의미심장한데, 이는 학부의 마지막 번역 수업인 이 과정에서 번역 기술뿐 아니라 번역을 둘러싼 많은 논의들이 다루어져야 함을 의미하기도 한다. 이 과정의 수업은 경제·사회·문화·관광·역사 등 매우 다양한 분야의 프랑스어 텍스트를 학생들에게 제공하여 한국어 번역을 유도하는데, 특히 텍스트의 성격과 장르·번역 맥락·상황에 따라 달라져야만 하는 다양한 번역 방법과 태도를 기르게 하는 데 목적이 있다. 이어지는 절에서 이 수업을 통해 진행한 번역 실험들에 대해 조금 더 상세히 알아볼 필요가 있겠다.

4. 학부 3학년 번역(Traduction) 수업: 번역 담론을 둘러싼 다양한 시도들

학부 3학년은 LEA 한국어 전공 전 학년을 통틀어 가장 특이점이 많다. 우선, 공식적으로 2~3년의 한국어 학습 경력을 갖고 있음에도 해당 학생들의 한국어 능력이 그다지 뛰어나지 않다는 사실을 강의 첫 시간부터 감지할 수 있는데, 여기에는 그럴 만한 이유가 있다. 리옹 3 대학 LEA 전공자들 중 전공 언어인 영어와 한국어 성적 우수 학생들은 학부 2학년 말에 교환 학생으로 선발되어 3학년 한 해를 한국의 해당 대학에서 학습한다. 교환 학생 선발 리스트에서 탈락한 학생들은 많은 경우 의욕 상실 상태이거나, 한국어 학습 능력이 현저히 떨어지거나, 한국어를 포기하고 다른 진로를 모색하는 단계에 있다. 학생들이 한불 번역보다 한국어 문법과 작문 능력이 요구되는 불한 번역에 더 큰 부담을 갖는다는 사실 또한 중요한 이유가 된다.

어려운 사정이 있기란 교수자도 마찬가지다. 3학년 번역 수업은 1, 2학년보다 여러 면에서 수준이 높아야 한다는 고정 관념, 대학원 진학을 염두에 둔 극소수를 제외한 모든 학생들에게 가급적 부담을 덜 주면서 흥미로운 방식으로 접근하되, 번역 수업의 수준을 떨어뜨려서는 안 된다는 생각은 기존의 전공 관련 텍스트 번역 이외에 다른 수업 방식을 찾는 단초가 되었다. 그리하여 3학년 1학기는 기존의 프로그램 즉, 시사·경제·통상·수치 텍스트의 번역을 유지하되, 2학기가 되면 번역 담론에서 끝없이 제기되는 몇 가지 주요 개념들을 적용하고 시도할 수 있는 테마식 수업을 구상하게 되었다. 각 테마에 대한 소개는 아래와 같다.

4.1. 테마 1: 번역 가능성과 번역 불가능성에 도전하기

번역이 이편의 말을 저편의 말로 옮기는 의미 이식 작업이라는 데는 이견이 없다. 하지만 애석하게도 번역은 생각보다 복잡한 일이어서 근대 번역사 속에서는 번역이 결코 출발 언어의 의미를 제대로 전달할 수 없다는 주장도 쉽게 찾아볼 수 있다. 이제는 많은 이들에게 익숙해져서 격언처럼 들리는 말, '번역은 반역이다(Traduttore, traditore).'는 번역 작업의 고단함을 단적으로 드러낸다. 번역은 단순히 언어의 자리바꿈이 아니라 완결된 하나의 텍스트에 담긴 문화, 정서, 경험 등을 가져오는 행위이기 때문이다. 번역이 이토록 어렵고 지난한 작업이라는 생각은 곧 언어와 문화가 다르니 번역은 태생적으로 불가능한 작업이라는 '번역 불가능성'과, 그럼에도 번역은 어떤 식으로든 가능하다, 또는 가능성을 향해 나아가야 한다는 '번역 가능성' 사이의 대립을 낳는다. 이 둘을 둘러싼 논쟁과 대립의 역사는 동서양을 막론하고 대단히 길고 지난할 뿐 아니라 오늘날에도 번역 담론의 주요 이슈를 차지한다. 번역 불가능성과 가능성 논쟁이 특히 첨예하게 부딪치는 텍스트로는 단연 시 장르나 각종 속담, 격언 등이 꼽힌다.

문학 텍스트보다 실용 텍스트의 번역에 중점을 두어야 하는 LEA의 특성을 감안하여, 우리는 상호 문화성과 실용성, 마케팅적 시각과 언어 감각이 고르게 요구되는 분야, 즉 '영화 제목 번역하기'라는 조금은 색다른 시도를 통해 번역 불가능성과 가능성에 대해 타진해 보기로 하였다. 총 세 번에 걸쳐 진행된 영화 제목 번역 아틀리에는 영화 제목이 영화의 흥행을 좌지우지하는 열쇠가 될 수도 있을 만큼 중요한 요소임을 학생들에게 상기시키고, 다양한 번역 양상을 예로 들어 주는 것으로 시작되었다. 영화 제목의 번역 양상은 크게 세 가지로 나뉘는데, 첫째 원제를 그대로 쓰는 경우(〈스파이더맨〉), 둘째 도착 문화의 정서에 맞추어 창의적 '번안'을 시도한 경우, 셋째 원제의 언어(영어나 프랑스어)를 유지하되 도착 문화의 관객들도 쉽게 이해할 수 있도록 재조정하는 경우가 그것이다. 관객의 호기심을 유발할 수 있는 제목인가, 번역된 제목이 해당 영화에 대한 정보를 담고 있는가, 원제가 출발 문화 고유의 언어유희를 담고 있다면 그것은 도착 문화의 언어로 번역 가능한가, 그렇지 않은가, 여기에는 어떤 번역 전략이 필요한가 등에 따라 영화 제목 번역은 다양한 번역 실험의 장이 될 수 있다.

우리 강의의 경우 〈La Belle Époque〉, 〈C'est la vie〉, 〈Madres paralelas〉, 〈House of Gucci〉, 〈Lost in Translation〉 등의 영화가 번역 실험의 대상이 되었는데, 강의 한 주 전에 해당 영화의 짧은 시놉시스와 영화 제목 번역을 과제로 내주고 제출 과제에 대해 다 함께 토론하는 흐름으로 진행하였다. 강의 시간에는 우선 시놉시스 번역 과제 중 중요한 문법 사항과 주목할 만한 오류 등을 지적하고, 학생들이 제안한 제목 번역에 대해 토론하는 데 비교적 많은 시간을 할애하였다. 이 과정은 직역과 의역, 번역과 창작 사이의 아슬아슬한 경계, 번역 불가능성과 가능성의 타협, 눈에 보이는 번역자와 보이지 않는 번역자의 차이, 지배 언어로서의 영어 등 번역을 둘러싼 수많은 담론들을 언급하며 번역에 대한 시야를 넓히고 다양한 가능성에 대해 긍정적으로 검토하는 소중한 시간이 되어 주었다.

특히 마지막으로 선정한 영화 〈Lost in Translation(사랑도 통역이 되나요?)〉(2003년, 소피아 코폴라 감독)은 제목 번역뿐 아니라 번역 행위 자체에 대해 학생들과 교수자 모두에게 많은 고민거리를 던져 주었다. 원제 〈Lost in Translation〉은 미국 시인 로버트 프로스트의 "시는 번역하는 과정에서 상실하는 그 무엇(Translation is what gets lost in translation)."이라는 유명한 말에서 따온 것으로(Kim Wook-Dong, 2017), 번역 불가능성이나 문화 간 이해의 불통이라는 매우 묵직한 주제를 함축한다. 실제로 이 영화는 위스키 광고를 찍으러 도쿄에 갔으나 일본어 담당 통역이 완벽히 옮겨 내지 못하는 '그 무엇' 때문에 답답해하고 주변인으로서 도쿄 한복판을 배회하는 이방인 밥의 이야기를 그렸다. 과연 이 영화의 한국어 제목 〈사랑도 통역이 되나요?〉가 영화의 주제와 내용을 온전히 담아내고 있는가, 한국어로 번역된 제목이 영화를 보지 않은 잠정 관객들에게 심어 주는 선입관은 어떤 것인가, 그렇다면 이상적인 번역은 무엇일까, 번역은 원작을 잃어버리는 행위일까, 무언가를 새롭게 얻는 행위일까 등 교실에서 주고받은 일련의 질문들은 비단 영화 제목 번역에 국한되지 않고 번역을 공부하는 입장에서 응당 곱씹어야 할 번역의 정체성과 번역 소양에 대한 것이었음은 물론이다.

4.2. 테마 2: 번역은 말의 무게를 재는 것

20세기 전반기 프랑스에서 번역가이자 작가, 번역 이론가로 왕성한 활동을 펼친 발레리 라르보는 "번역 작업의 전 과정은 단어들의 저울질"이라고 정의했다. 그에게 번역이란 "저울의 한쪽에 저자의 말을 얹고 한쪽에 번역어를 올려놓는 일"이었다.

"우리는 저울 접시 한쪽에 원저자의 말들을 하나씩 차례로 올려놓는다. 또 다른 한쪽에는 번역가의 언어에서 골라낸 말들을, 몇 번을 시도해야 될지 알 수 없지만 차례로 올려놓아 보면서, 두 접시가 평형을 이루는 순간을 기다릴 것이다."(발레리 라르보, 《성 히에로니무스의 가호 아래》, 'IV 번역가의 저울', 2012, 한국어판).

이 말은 번역이 사전에 정의된 다수의 단어들 중에서 원 텍스트와 가장 정확하게 포개지는 번역어를 찾아나가는, 발레리 라르보의 표현을 빌리자면 '사랑의 작업'임을 의미하기도 한다(발레리 라르보, 같은 책, 105쪽). LEA 학부 3학년 2학기 번역 수업의 두 번째 테마는 원 텍스트의 저자가 의도한 단어를 찾을 때까지 원저자의 말과 학생들이 골라낸 말들을 차례로 올려놓으면서 저울이 평형을 이루는 순간을 찾아내는 훈련이었다. 이를 위해 단어의 정확한 쓰임과 번역자의 객관적인 판단이 요구되는 정보 전

달성 텍스트 중에서 리옹의 건축물, 특히 '다리'의 역사와 특성을 소개하는 짧은 글 몇 편을 번역 자료로 삼았는데, 그중 한 가지를 소개하면 아래와 같다.

예문 1) Pont Wilson

À l'emplacement du pont actuel, on construisit en 1838 un pont suspendu. Il fut démoli en 1910 et remplacé par l'ouvrage actuel, inauguré en 1918. (Jean Pelletier, 1986: p. 206)

두 문장으로 구성된 짧은 글이지만, 말들 사이의 저울질은 제목에서부터 시작된다. 적게는 두어 가지, 많게는 대여섯 가지로 사전에 등장하는 선택지 앞에서 가장 적절한 번역어를 고르기 위해서는 해당 글의 성격, 분위기, 시대 상황, 주제, 분야 등에 대한 정확한 파악이 중요함을 다시 한번 환기할 필요가 있었다. 학생들이 과제로 제시한 번역 텍스트에서 우리는 다음과 같은 선택지들을 마주할 수 있었는데, 해당 텍스트가 건축물을 객관적으로 설명하는 글이라는 점을 염두에 두고 각각의 단어의 무게를 재면서 가장 적합하고 균형 잡힌 번역어를 찾아내는 훈련을 하였다.

예문2) Jeong-dong (정동)

Ce quartier particulier fut le lieu de résidence de la majorité des Occidentaux lors de l'Ouverture du pays. Les légations étrangers, églises missionnaires et écoles modernes y furent construites par les Européens et les Américains autour du palais Deoksu.

이 예문 번역에서 교수자가 주목한 부분은 'Ouverture'라는 단어에 대응하는 번역어의 선택이었다. 학생들이 제출한 번역문들은 다음과 같았다(밑줄 필자).

- 나라가 <u>열릴</u> 때 이 특정 동네는 대다수의 서양인의 거주지였다.
- 국가의 <u>개봉</u> 기간 동안, 이 특별한 동네는 대부분의 서양인들의 거주지였다.
- 이 특정 지역은 <u>개국</u> 당시 대부분의 서양인들이 거주했던 곳이다.

열림, 개봉, 개국 모두 'Ouverture'라는 단어의 사전적 정의이기는 하나, 역사적 상황을 서술하는 텍스트라는 점을 고려하면서 단어들의 무게를 다시 재어 볼 필요가 있다. 외국 공사관들이 들어서기 시작하고, 근대식 학교와 서양식 교회가 문을 열었다는 다음 문장의 설명은 Ouverture라는 단어가 과연 '열리다, 개봉하다, 개국하다'라는 단어와 적절히 포개질 수 있는지, 아니면 역사적 한 시기를 가리키는 용어인지를 저울질하게 만든다. 이처럼 한 가지 단어의 여러 가지 무게와 번역 가능성을 두고 벌이는 토론은 역사적·문화적·사회적 범주로 확장되고, 이 과정을 통해 학생들은 아주 중요한 번역 개념을 자연스럽게 익히게 된다. 번역은 단어 대 단어가 아니라 텍스트 전체의 맥락과 긴밀하게 얽혀 있어야 한다는 점이 그것이다.

4.3. 테마 3: 리듬에 맞추어, 또는 리듬을 살려 번역하기

마지막으로 소개할 테마는 리듬 번역으로 각각 2020년과 2021년 2학기 마지막 두 수업에서 진행한 것이다. 세르주 갱스부르가 1973년 만들고 부른 샹송 〈Je suis venu te dire que je m'en vais〉를 멜로디에 맞추어 번역하기, 그리고 어린이 책 《Les aventures de trois gouttes d'eau(물방울 삼형제의 모험)》(이은희 지음, 이현희 번역, Cambourakis, 2019.)의 리듬을 살려 번역하기 훈련이었다.

1) 〈Je suis venu te dire que je m'en vais〉

먼저 샹송 〈Je suis venu te dire que je m'en vais〉 번역의 경우 번역을 시작하기에 앞서 노래를 반복해 들으면서 가사가 만들어 내는 리듬, 곡의 느낌, 화자의 어조, 어떤 종결어미를 사용하면 좋을지 등에 대해 생각해 볼 것을 주문했다. 프랑스어가 모국어인 대다수의 학생들은 해당 노래의 각 행이 '에' 음이나 '르' 음으로 각운을 형성한다는 사실을 자연스럽게 인지하고, 이를 비격식체 종결어미 '-요'나 반말체 종결어미 '-어'로 번역해 냈다. 또한 멜로디에 노랫말을 맞추어야 하는 형식적 제약을 의식하면서 반복되는 주어를 생략하는 기지를 보이기도 하였다(밑줄 필자).

> 떠난다고 말하려고 왔어요. 당신의 눈물은 아무것도 바꾸지 않아요.
> 베를렌느가 나쁜 바람 속에서 말한 것처럼 떠난다고 말하려고 왔어요.
> 당신은 옛날을 기억하고 눈물을 흘려요. 숨막히고 창백해지고 시간이 다 됐어요.
> 영원한 작별 떠난다고 말해서 미안해요. 네, 사랑했어요, 네, 하지만. (학생 F.)

> 난 간다고 너에게 말하기 위해 왔어. 그리고 너의 눈물은 아무것도 바꾸지 않을 거야. 나쁜 바람의 베를렌이 잘 말한 대로, 난 간다고 너에게 말하기 위해 왔어.
> 옛날을 기억하고 울어. 이제 시간이 되니 너는 숨을 못 쉬어.
> 영원히 작별 후회하지만 난 간다고 너에게 가라고 말해 그래, 사랑했어, 그래, 하지만. (학생 J.)

2) 어린이 책《Les aventures de trois gouttes d'eau》

번역이 독자에게 말을 거는 일이라고 한다면, 어린이 그림책 번역은 어린이 독자에게 말을 걸어야 한다. 그리고 어린이 독자에게 말을 걸 때 잊지 말아야 할 점은 말의 리듬감을 살리는 일이다. 다시 말해, 어린이책 번역의 묘미는 리듬감에 있는데 리듬감은 종결어미, 의성어나 의태어의 사용, 그리고 어린이 독자들이 쉽게 이해할 수 있는 쉬운 어휘의 사용에서 도드라진다. 이에 교수자는 번역할 텍스트를 배분하며 다음과 같은 지시 사항을 전달하였다.

첫째, 종결 어미로는 비격식체 종결어미 '-요'를 사용할 것.
둘째, 서술어를 의성어와 의태어를 이용해 번역할 것.
셋째, 사전 속에 등장하는 번역어들 중 가장 쉽고 일상적인 단어를 선택할 것.

지구의 탄생과 함께 태어난 물방울 세 개가 하늘로 올라가 비가 되어 내리기도 하고, 땅속으로 들어가 지하수가 되기도 하며, 또 샘을 지나고 강물을 타고 내려와 바다로 흘러 들어갔다는 이야기를 학생들은 적게는 한 페이지, 많게는 서너 페이지씩 자발적으로 맡아 번역하여 과제로 제출하였다. 번역과 토론이 끝난 뒤에는 해당 그림책의 한국어 원서를 함께 읽으며 학생들의 한국어 번역본과 비교해 보는 시간을 가졌고, 마지막으로 학생들의 번역을 전부 정리해 소책자를 만들어 배포하였다.

> 조금씩 구름이 성장해서 똑, 똑, 똑 비가 내리기 시작했고 세 물방울이 떨어졌어요. 아이고~
> 비를 받은 후에 불타는 땅이 식었어요. 비는 땅 심층에 자리잡는 곳에 거대한 바다를 그렸고,
> 세 물방울이 거기에 머물렀어요. (학생 E.)

> 조금씩 구름이 커지면서 후두두 비가 내리기 시작했고, 물 세 방울이 떨어졌어요. 지글지글 보글보글 비를 받으면서 불타는 땅이 차가워졌어요. 비가 땅의 한가운데 굉장한 바다를 그렸어요. 그리고 세 방울의 물이 그곳에 거주했어요. (학생 A.)

5. 나가며: 번역 강의의 지평 내지 전망

지금까지 리옹 3 대학 한국학과에서는 번역 수업을 어떻게 진행하고 있는지 하나의 사례로서 살펴보았다. 번역을 외국어 학습을 위한 보조 도구로 여길 때, 번역 강의의 스펙트럼은 외국어로 쓰인 텍스트의 독해나 어휘 공부, 작문 수준에 갇히게 마련이고, 실제로 다수의 번역 강의가 이 같은 틀 속에서 진행되고 있음을 적지 않게 목격한다. 최근에는 어떤 학생이 자동 번역기를 얼마나 베꼈는가를 번역 평가의 기준으로 삼는 경우 또한 관찰된 바 있다. 하지만 누가, 얼마나 자동 번역기에 의지했는가를 조사하고 해당 학생에게 벌점을 메기는 데 번역 수업을 할애할 때, 역설적으로 우리의 번역 수업은 기계번역의 그늘에서 영 벗어나지 못하는 신세가 되고 말 것이다. 번역기의 성능이 진화하듯, 번역 강의 또한 진화해야 한다.

결국 모든 물음은 번역을 무엇으로 볼 것인가, 번역 행위를 어떻게 이해할 것인가, 무엇을 가르칠 것인가의 문제로 돌아간다(이향, 2016). 번역을 의사소통과 외국어 학습의 도우미 정도로 여길 때, 번역가뿐 아니라 번역 교육의 위기는 자명해진다. 반면 어떤 보편적 원칙에 따라 한 언어에서 다른 언어로 자리를 이동하거나 단어를 대체하는 작업에 그치는 것이 아니라, 번역을 타자와 만나는 방법이며 타인의 언어와 문화를 이해하는 한 방법이고 이 과정에서 마주치는 언어적·문화적 고민을 창의적으로 극복하며 해답을 찾아 나가는 매우 주체적이고 주관적인 과정 그 자체로 이해할 때, 번역과 번역 강의의 위상은 더욱 공고해질 수 있을 것이다.

번역과 번역 강의에 대한 이 같은 이해는 이제 또 다른 질문으로 이어질 수 있다. 번역 결과물의 질은 결국 학생들의 한국어 실력에 좌우되는 것인가. 답은 그렇기도 하고 그렇지 않기도 하다. 번역의 1차 재료가 모국어와 외국어인 이상 해당 외국어 실력이 번역 훈련 과정에서 중요한 부분을 차지한다는 데는 이견이 없다. 하지만 번역이 보편적인 원칙만으로는 절대 설명될 수 없는 사회적·역사적·문화적 요소들의 복합체라는 점, 그리고 번역 실천에는 언어 능력을 넘어 번역하는 주체의 창의성, 다양한 소양들이 고르게 요구된다는 점 등은 외국어 실력이라는 절대적 기준에서 벗어나 모든 학생이 자유롭고 다양하게 번역을 시도하고 번역에 대해 고민해 볼 수 있다는 매우 긍정적인 변명이 되어 줄 수 있을 것이다. 번역 강의에서 결과물보다 중요한 것은 번역을 하는 과정이기 때문이다.

참고문헌

김기석. 2006. 중국 학습자를 위한 한국어 번역 교육 방법론. **국어 교육 연구**. 18. 서울대학교. pp. 245-266.

김혜영. 2021. 한국어 교원을 위한 번역 교육의 현황과 과제. **통번역교육 연구**. 가을 제19권 2호. 한국통번역교육학회. pp. 73-100.

김련희. 2011. 학부 번역 교육의 현재와 미래. **통역과 번역**. 13(2). pp. 19-52.

이향. 2016. 학부 번역 교육의 목표: 쟁점과 제안. **프랑스 어문 교육**. 제55집. 프랑스 어문 교육 학회. pp. 117-136.

BENJAMIN, Walter. 2000. *OEuvres I*. Trad. M. de Gandillac, R. Rochlitz et Pierre Rusch. Paris. Gallimard.

Bernitskaïa, Natalia. 2018. *Traduction Des Titres de Films : Entre Erreurs et Créativité'*. in Propos Sur l'intraduisible, ed. by Olga Artyushkina and Charles.

Delisle, J. 1980. *L'analyse du discours comme méthode de traduction*. Éditions de l'Université d'Ottawa.

Edith Grossman. 2010. *Why translation matters*. Yale University Press. 한국어판. 2014. **번역 예찬**. 공진호 옮김. 현암사.

Kim Wook-Dong, 2017, Lost in translation: (Mis)translation of foreign film titles in Korea. *Babel* 63. no. 5. pp. 729-745.

Ladmiral, J. R. 2004. Entre Babel et Logos. *Forum* 2. pp. 8-28.

Lawrence Venuti. 1995. *The Translator's Invisibility*. Routledge.

Pierre Brunel, Claude Pichois, André-Marie Rousseau. 1983. *Qu'est-ce que la littérature comparée?*. Paris. Armand Colin.

Valery Larbaud. 1946. *Sous l'invocation de Saint Jérôme*. Paris. Gallimard, 한국어판. 2012. **성 히에로니무스의 가호 아래**. 정혜용 옮김. 아카넷.

제5장

한국 현대사를 활용한 한국어 고급 학습자 교육 방안 연구
- 5.18 민주화 운동을 중심으로

김국진
이탈리아 시에나외국인대학교
Università per Stranieri di Siena

1. 들어가며

외국인 대상 한국어 교육의 역사가 깊어지면서 학습자들이 한국 사회와 문화를 이해하는 데에 한국사가 지니는 중요성에 많은 교수자들이 공감하고 있다. 특히 고급 수준에 도달한 외국어 학습자의 경우, 언어 자체에 대한 관심과 학습 욕구가 해당 언어권 내지는 사용국의 사회 및 문화에 대한 관심으로 확장되는 경향을 띠는데[1], 바로 이 점에서 한국 사회가 형성된 과정으로서 역사에 대한 학습이 필수적인 과제로 떠오르는 것이다. 케이팝(K-POP), 한국 영화, 음식 등 한국의 대중문화로 촉발된 한국어에 대한 관심은 곧 한국의 전통문화에 대한 관심으로 이어지게 마련이고, 한국어 이해력 및 구사력이 고급 수준에 가까워짐에 따라 한국 사회에 대한 학습자의 이해가 깊어지면서 그에 대한 문제의식이 생겨나게 된다. 여기에 학습자 개인의 해석이 동반되는 과정에서 현재 한국 사회가 형성된 과정으로서 한국사 학습의 필요성 또한 느끼게 되는 것이다.[2]

그러나 별도의 한국사 수업이 아니라 한국어 과정 내에 수업의 세부 주제로서 한국사를 활용하는 데에는 더욱 세심한 고려가 필요하다고 생각된다. 우선 고대부터 연대에 이르기까지의 광범위한 역사적 사건들 중에서 한국어 교육에 효과적인 주제를 선정해야 할 것이며, 무엇보다 읽기-듣기-말하기-쓰기의 네 가지 기능별 수업 구성을 위해서 다양한 측면에서의 접근을 담보할 수 있는 역사적 사건을 택할 필요가 있다. 이러한

[1] 이준기. 2019. 한국 현대사를 활용한 한국 문화 교육 내용 구성 연구. **한국언어문화학**. 16.3. pp. 268-269.

[2] 송수희. 2018. 한국어 교육에서 한국사 교육의 필요성 및 영역별 교육 방안 연구. **대학교양교육연구**. 3.2. pp. 83-84. 학습자의 심화된 요구에 부응하고자 시에나외국인대학교(Università per Stranieri di Siena)에서는 2019년 가을 학기부터 한국사 과정을 신설하였다. 해당 대학의 한국어 학사 교육 과정은 다음을 참고할 것. 정임숙, 김참이. 2019. 이탈리아에서의 한국학 동향과 전망-시에나외국인대학을 중심으로-. **한국문화연구**. 37. pp. 349-352.

점에서 문학 작품 내지는 영상 콘텐츠와의 연계가 용이한 주제의 경우, 높은 언어 수준을 요구하는 다양한 학습 활동을 구성할 수 있다는 점에서 고급 수준 학습자들을 대상으로 내용 중심 교수법(CBI: Content-Based Instruction)에 기반한 교육 모형을 설정하는 데 굉장히 효과적이라 할 수 있다.[3] 이에 여기에서는 현대 한국 사회의 주요한 특징을 구성하는 동시에 고급 학습자들을 위해 활용할 수 있는 다양한 문학 및 영상 작품이 있다는 장점을 고려하여 5.18 민주화 운동을 세부 주제로 선택, 교육 방안을 제시해 보고자 한다. 수업 모형의 적용 대상은 시에나외국인대학교 석사 과정 학생들 중 한국어 과정을 수강하는 학습자(Common European Framework of Reference for Languages, CEFR B2~C1에 상응)로 설정할 것이다.

[3] 내용 중심 교수법과 한국어와 한국사의 연계 교육에 대해서는 다음을 참고할 것. 권화숙. 2017. 학문 목적 한국어 학습자를 위한 내용 중심 교수법 기반 한국사 교육 방안 연구. **한국언어문학**. 120. pp. 315-338.

이 글에서 제시하는 수업 방안은 크게 두 부분으로 나뉜다. 먼저 5.18을 둘러싼 사회적·역사적 맥락 및 당시의 한국 사회, 해방 이후 민주화 운동의 흐름과 그 의미 등을 다루는 자료를 제시하고, 관련 어휘와 문법 표현 등을 학습하도록 한다. 다음으로 최근에 나온 관련 문학 작품 또는 영상 작품을 감상하고 글쓰기 수업의 일환으로 감상문 작성 및 토론 등의 추가 과제를 통해 해당 역사적 사건에 대한 이해를 심화함과 동시에 말하기, 듣기, 읽기, 쓰기의 통합 기능 활동을 포함시키도록 할 것이다. 20세기 동안 유럽의 여러 국가들이 경험한 유사한 역사적 사건들을 한국의 민주화 운동과 비교해 볼 수 있다는 점은 효과적인 토론 수업 구성의 가능성 또한 열어 준다고 할 수 있다.

감상 대상 작품으로는 한강 작가의 2014년 작 《소년이 온다》(창비), 장훈 감독의 2017년 작품인 영화 〈택시 운전사〉, 윤재혁 감독의 2021년 작 KBS 드라마 〈오월의 청춘〉을 제시하고자 한다. 《소년이 온다》의 경우 텍스트 자체의 난도는 높은 편이지만 여러 언어로 번역본이 출간되어 있으므로 이탈리아어가 모국어인 고급 학습자의 경우 한국어본과 번역본을 대조해 가며 작품에 대한 이해도를 높일 수 있다. 영화 〈택시 운전사〉는 이탈리아어 자막이, 드라마 〈오월의 청춘〉은 스트리밍 플랫폼 넷플릭스에서 영어 자막이 제공되므로 작품 내용 파악에 큰 도움을 줄 수 있다. 아울러 〈오월의 청춘〉의 경우 원작 동화 김해원 작 《오월의 달리기》(푸른숲, 2014)를 함께 제시할 수 있다는 장점을 갖는다. 대화에 호남 사투리가 포함되어 있기는 하지만, 고급 수준 외국인 학습자들에게는 읽기 자료로서 활용도가 높으리라 생각된다. 다른 한편으로 방언으로 구성된 단어나 문장을 경험함으로써 한국어를 심화적으로 이해할 수 있다는 장점 또한 들 수 있겠다.

아래에서는 우선 한국어 교육에서 한국사를 다룰 필요성과 효용성을 다루어 볼 것이다. 이어서 세부 주제 선정에서 고려해야 하는 측면들을 일별하고 어떠한 측면에서 5.18 민주화 운동이 효과적인 주제가 될 수 있는지 살펴볼 것이다. 그리고 내용 중심 교수법의 관점에서 해당 주제를 통한 수업 구성에 필요한 요소들 또한 구체적으로 정리해 보고자 한다. 마지막으로 교육 방안 제시의 일환으로서 구체적인 세부 수업 구성 요소들 및 보조 자료를 이용한 과제 등을 제안해 볼 것이다. 이를 통해 한국어 학습자들의 다양한 요구에 부응할 수 있는 하나의 가능성을 제시할 수 있기를 바란다.

2. 한국어 교육 내 한국사 교육의 의미와 방법

한국 문화 교육의 일환으로서 한국사 교육의 필요성을 주장한 연구는 이미 2000년대 중반부터 나오기 시작했다.[4] 한국어 교육 내에서 한국사 주제가 지니는 중요성에 대해서도 많은 연구자들이 공감하고 있는데, 특히 한국사가 한국어 교육에서 문화 교육의 일부로 중요하게 여겨지며, 문화의 심층 구조로서 상호문화적 의사소통 능력을 기르는 데에도 주효하다고 본다.[5] 이들 연구자들은 한국사 교육이 외국인으로 하여금 한국 현대 사회 및 한국인의 사고방식을 더 잘 이해할 수 있게 하며, 한국 문화에 대한 체계적 이해 또한 돕는다고 본다. 또한 한국사의 경우 다른 학문 분과와 연계한 다양한 교육 활동이 가능하다는 점과 고급 학습자들의 학습 욕구 또한 충족할 수 있음을 장점으로 꼽는다. 한국어 교육에 한국사는 양질의 콘텐츠를 제공할 수 있는 가능성이 있으며, 한국사에 대한 배경지식과 고급 어휘 습득을 통해 의사소통 능력 역시 향상될 수 있다는 것이다. 특히 중급 이상에서 언어 교육과 문화 교육이 동시에 이루어지는 것이 학습자의 의사소통 능력은 물론 문화 이해 능력을 향상시키는 데 효과적이라는 사실을 고려하면, 한국어 교육에서 한국사 교육이 지니는 효용성은 이미 광범위한 공감대를 얻고 있다고 할 수 있겠다.

이렇듯 한국어를 배우는 외국어 화자 학습자에게 한국사를 가르치는 것은 필요성과 효용성을 모두 충족하는 일이다. 그렇다면 논의의 대상으로 삼을 수 있는 것은 바로 한국어 교육에 한국사의 '어떤' 내용을 '어떻게' 포함시킬 것인가 하는 문제이다. 주지하다시피 한국어를 학습하는 외국어 화자 대상 한국사 교육과 대한민국 정규 과정 내 한국사 교육은 동일한 방식 및 내용으로 구성될 수 없다.

우선 대한민국의 정규 교육 과정에서 제시되는 통사적 방식의 교육은 분량과 시간 등의 제약으로 사실상 불가능에 가까우며, 국가 정체성 형성 내지는 민족의식 고취 등을 이유로 민족사적 관점에서 한민족의 우수성 등을 강조하는 등의 내러티브는 외국인 학습자를 대상으로 할 때 적합하지 않다. 이와 관련하여 기존 연구들이 제시하는 한국사 관련 교육 내용 선정 기준 및 교육 내용 요소 등이 주목된다. 이를 종합해 보면, 한국어 교육 내 한국사 교육은 언어 교육이자 문화 교육으로서 구성되어야 하며 그 과정에서 외국 문화로서의 한국 문화로 접근하는 것이 요구된다. 과거의 단편적인 사실보다는 현재적인 관심에서 출발해야 하며, 단순한 지식 습득이 아니라 상호 문화적 이해와 소

[4] 이들 연구들은 대체로 한국에서 공부하는 외국인 유학생을 대상으로 한국사 교육이 필요하다는 점을 역설했는데, '훌륭한 한국의 역사와 문화'를 외국인에게 알려야 한다는 입장에서 한국에 대한 바른 지식을 한국사 교육을 통해 제시할 수 있다고 주장했다. 이에 관해서는 다음을 참고할 것. 민현식. 2006. 한국어 교육에서 문화 교육의 방향과 방법. **한국언어문화학**. 3.2. pp. 131-170.

[5] 진대연. 한국어 교육에서 역사 문화 교수 설계에 관한 연구. **국어교육연구**. 38. pp. 227-228.

통 능력 신장을 목표로 구성되어야 한다. 따라서 한국 역사에서 중요한 장면을 제시하는 것이 요구되며, 동시에 현대 한국인들의 사고와 생활을 설명해 줄 수 있는 역사적 사건을 선정하는 것이 중요하다. 그리고 학습자의 언어 능력 향상에 직접적이고 실질적인 도움을 줄 수 있어야 할 것임은 물론이다.[6]

이러한 관점에서 한국 현대사 관련 주제는 현재와의 관련성 면에서 효과적인 주제라고 볼 수 있다. 한국어 교육 내 문화 교육의 관점에 따르면 관련 주제는 내용 선정 과정에서 내용의 타당성, 유의미성, 유용성, 학습 가능성, 학습자 요구 등을 고려해야 하는데[7], 현대사의 경우 현대 한국 사회의 다양한 측면들 및 한국인의 사고방식 내지는 행동양식을 이해하는 데 도움을 줄 수 있다는 점에서 내용의 타당성, 유의미성, 유용성을 담보할 수 있기 때문이다.[8] 학습 가능성과 학습자 요구 역시 이 글에서 상정하는 고급 학습자의 경우 문제없이 충족될 수 있을 것이다.

여기에서 사례로서 제시하고자 하는 한국 현대사의 세부 주제인 5.18 민주화 운동의 경우 현대 한국의 민주화 과정에서 하나의 이정표가 되는 사건이기에 한국어 학습자 대상의 교육 주제로 중요한 의미가 있는데, 4.19 혁명이나 1987년 6월 항쟁과 달리 직후에 가시적인 성과—이승만 하야, 대통령 직선제 개헌—가 나타나지 않았기에 의미 부여가 더욱 중요하다고 할 수 있다. 주지하다시피 5.18 민주화 운동은 6월 항쟁의 토대가 되었을 뿐만 아니라 아시아 국가들의 민주화 운동에도 큰 영향을 미쳤으며, 동시에 민중의 국가 주도 폭력에 대한 저항이라는 의미 또한 지닌다. 요컨대 5.18 민주화 운동은 한국 현대사의 중요한 사건으로서 상기한 내용의 타당성, 유의미성, 유용성 등을 모두 충족하는 주제다.

[6] 진대연. 한국어 교육에서 역사 문화 교수 설계에 관한 연구. p. 233; 진대연. 2018. 한국어 교육에서 역사 문화 내용 구성에 관한 연구. **한국언어문화학**. 15.3. p. 262; 이준기. 한국 현대사를 활용한 한국 문화 교육 내용 구성 연구. p. 277.

[7] 강승혜 외. 2010. **한국문화 교육론**. 형설출판사. 이준기. 한국 현대사를 활용한 한국 문화 교육 내용 구성 연구. pp. 287-288에서 재인용.

[8] 이준기. 한국 현대사를 활용한 한국 문화 교육 내용 구성 연구. pp. 287-288.

3. 내용 중심 교수법에 기반한 한국어-한국사 통합 교육 모형

한국 현대사 등 내용학의 성격이 강한 분야를 한국어 수업이라는 큰 틀 안에 녹여 내기 위해서는 적절한 교수 방법론의 채택 역시 필요할 것이다. 한국어 교육 내 한국사 교육의 경우 언어 기능의 측면과 내용 지식의 측면이 공히 고려되어야 한다는 점을 고려하면, 교과 내용 학습과 동시에 외국어 습득을 목표로 하는 '내용 중심 교수(content-based instruction)'의 관점이 유용할 것으로 생각된다.[9] 특히 내용 중심 교수법은 타교과 학습을 위한 수단으로 목표 외국어를 사용함으로써 내용학적 지식 습득과 외국어 능력을 향상시키는 것을 그 목적으로 하므로, 한국 현대사와 같이 한국과 한국인의 현재에 대한 이해는 물론 학습자의 한국어 능력을 향상시키는 데에도 매우 적합하다고 할 수 있다.[10]

[9] 진대연. 한국어 교육에서 역사 문화 교수 설계에 관한 연구. p. 232.

[10] 권화숙. 학문 목적 한국어 학습자를 위한 내용 중심 교수법 기반 한국사 교육 방안 연구. p. 322. 실제적인 교육 모형 및 수업 모형은 pp. 323-333.

내용 중심 교수법에 기반한 한국사-한국어 통합 교육 구성에 관해서 염두에 두어야 할 몇 가지 기본 원칙을 기존 연구에서 찾아볼 수 있다. 우선 교과 내용 학습과 언어 학습이 병행되어야 하며, 학습자의 필요에 적합한 교과 내용 중심의 수업 구성이 요구된다. 그리고 영상 매체 등 실제적인 자료를 제공함으로써 학습자의 흥미 유발이 가능해야 한다.[11] 아울러 내용 중심 교수의 하위 방법론에 대한 고찰 또한 요구된다. 내용 중심 교수는 주로 주제 중심(theme-based) 모형, 내용 보호(sheltered content) 모형, 병존 언어(adjunct language) 모형 등으로 나뉘는데,[12] 한국사 주제 한국어 수업의 경우 교수자가 언어 교수와 내용 교수를 동시에 함으로써 주제 중심 모형과 병존 언어 모형을 통합하는 것이 실질적 한국어 능력 향상과 한국사 내용 지식 습득을 공히 달성할 수 있는 융합적 교수법이라 하겠다. 이를 바탕으로 5.18 민주화 운동을 주제로 하여 도입 및 전개에 해당하는 부분의 교수-학습안을 제시하면 다음과 같다.

[11] 진대연. 한국어 교육에서 역사 문화 교수 설계에 관한 연구. p. 232.

[12] 강현화, 이미혜. 2010. **한국어교육론**. 한국방송통신대학교 출판문화원. p. 357. 진대연. 한국어 교육에서 역사 문화 교수 설계에 관한 연구. p. 231에서 재인용.

〈표 1〉 내용 중심 교수법의 유형 및 특징

	주제 중심 학습	내용 보호 학습	병존 언어 학습
대상/환경	언어 숙달도가 다소 낮은 L2 학습자에게 적합	언어 숙달도가 다소 높은 이중언어 학습자에게 적합	언어와 내용을 동시에 학습하는 상황에 적합

학습의 초점	언어 학습	내용 학습	언어와 내용 학습
교수 방법/내용	교수자 한 명에 의해 언어와 내용을 통합적으로 교수하는 것	전문가가 학습 내용을 외국인 학습자들이 이해할 수 있도록 전문 학술 자료를 변형하여 교수하는 것	학습자들이 학문적 내용을 다루는 강좌와 관련되는 목표 언어 학습을 위해 언어 강좌를 동시에 교수하는 것

▶ 출처: 권화숙(2017), 《한국언어문학》 제102호, pp. 319-320.

〈표 2〉 내용 중심 교수법 기반 한국사-한국어 통합 교수 모형

<table>
<tr><td>주제</td><td colspan="2">5.18 민주화 운동</td></tr>
<tr><td>학습 목표</td><td colspan="2">5.18 민주화 운동과 대한민국 민주주의의 실현 과정을 설명할 수 있다.</td></tr>
<tr><td rowspan="2">학습 자료</td><td>교수자</td><td>학습자</td></tr>
<tr><td>PPT, 동영상</td><td>교수자 배포 자료</td></tr>
</table>

교수 학습 단계	교수 학습 과정	내용 중심 한국사 교수-학습 활동		교수 학습 매체	유의점
		교수자	학습자		
도입	인사	인사	인사	읽기 자료 PPT	수업 주제의 중요성 환기
	동기 유발	읽기 자료 배포 민주화 운동 흐름 제시	읽기 자료 수령 수업 참여		
	수업 목표 제시	수업 주제 설명 수업 진행 과정 설명	수업 주제 파악 수업 진행 과정 파악		
	한국어 교수-학습 활동				
	이전 시간 학습한 어휘, 문법 표현을 사용하여 듣기 활동을 바탕으로 자연스럽게 생각을 표현할 수 있도록 유도			PPT	영상 자료로 듣기 활동
전개	배경 학습	시대적 맥락	1980년 이전 대한민국의 정치적 상황 파악: 부마 항쟁, 박정희 암살, 12.12 군사 쿠데타 등	읽기 자료 PPT	주요 어휘 및 문형 목록이 정리된 별도 자료 작성 및 활용
	5.18 발단	서울의 봄, 1980년 5월 전국적 민주화 요구 시위와 광주	정치적 민주화 염원 권력 공백과 정치적 혼란		
	폭력 진압	공수 부대 진압	국가 폭력, 언론 통제 《푸른 눈의 목격자》		
	의미	광주의 유산	1987년 6월 항쟁 대통령 직선제 개헌		
	한국어 교수-학습 활동				
	읽기	교수자는 학습자들에게 읽기 자료 독해 시간 부여, 자료에 나오는 새로운 어휘, 문법 표현 등 설명		읽기 자료 PPT	읽기 자료는 평이한 교과서 등 활용
	문법	학습지 활용 어휘 및 문형 표현 학습 말하기, 듣기, 읽기, 쓰기의 기능 통합 활동			

위에서 제시한 교수-학습 활동 중 한국사 교수-학습 활동에 필요한 자료의 효과적 구성을 위한 자료로는 학습자의 모국어로 작성된 파워포인트 슬라이드를 제시해 보고자 한다. 이는 내용학적 측면에서 수업의 세부 주제에 대한 이해를 높이는 효과가 있으며, 이어지는 한국어 교수-학습 활동에서 마주할 한국어 읽기 자료의 배경 지식으로 기

능하게 될 것이다. 특히 교수자가 학습자의 모국어 또는 공용어(영어 등)를 구사하는 경우, 내용 전달이 더욱 용이할 것이라 예상해 볼 수 있다. 이 경우 병존 언어 학습을 효과적으로 제공할 수 있을 것이다.

〈그림 1〉 내용 중심 교수법 기반 한국어-한국사 통합 교수용 PPT 자료(이탈리아어)

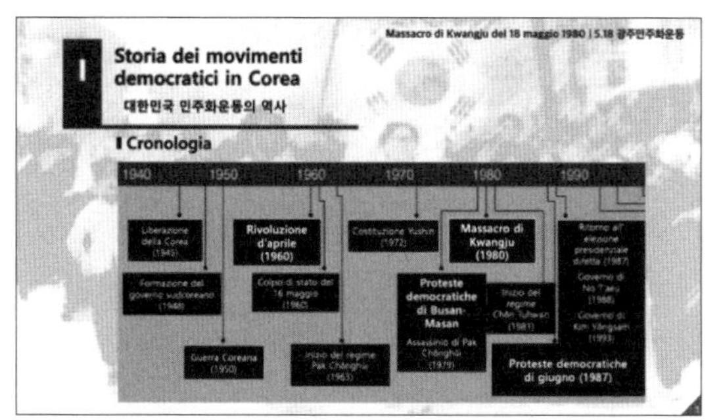

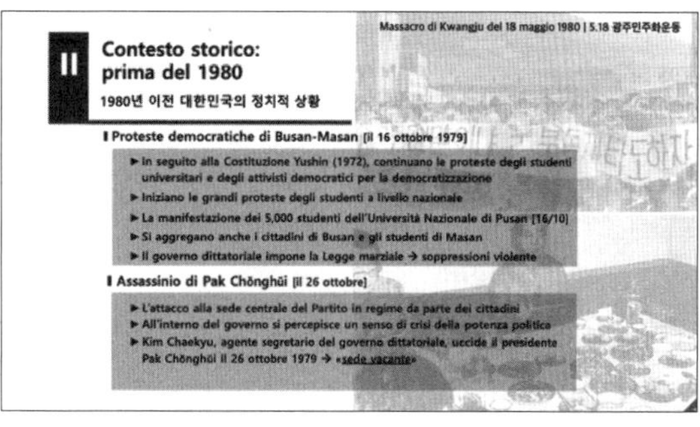

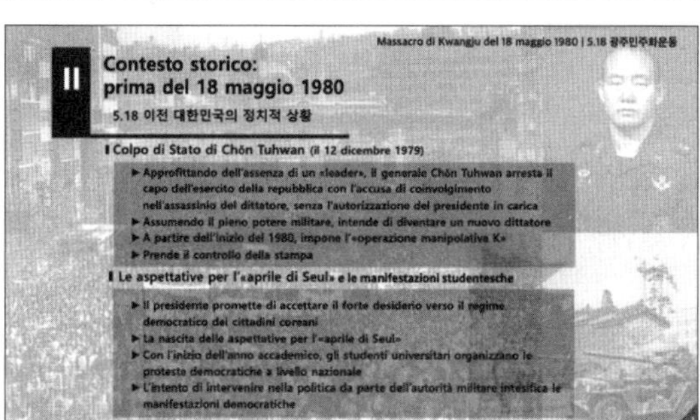

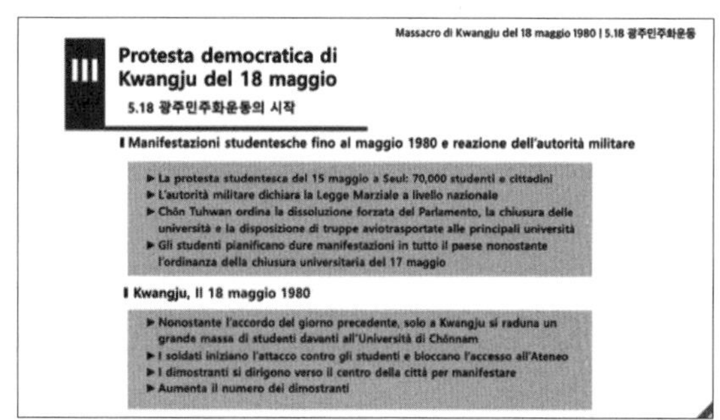

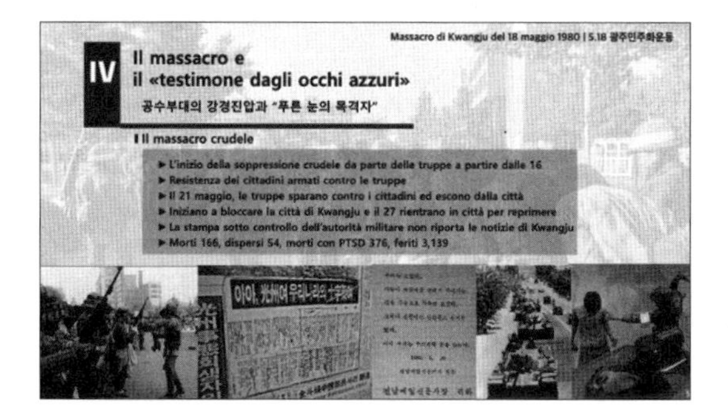

언어적 지식 습득 및 내용적 지식 이해 심화를 위한 읽기 자료로는 초등 혹은 중등학교 교과서 수준의 텍스트를 제안하고자 한다. 향후 보조 자료로 소설 등 문학 작품 또는 드라마나 영화 등 영상 콘텐츠를 제시할 예정이므로, 학습자 집단의 한국어 수준에 따라 텍스트의 난이도와 분량을 선별하는 것이 적절하다. 이를 고려하면 중학교 한국사 교과서의 관련 내용 심화 학습 자료 꼭지를 이용하는 것이 효과적이라 하겠다. 이외에도 5.18기념재단에서 출판한 교과 활동지 등을 활용할 수 있을 것이다.

이상과 같은 자료들을 학습자의 전반적인 수준에 따라 적절히 활용한다면 학습자들의 언어 능력 향상뿐만 아니라 내용적 지식의 전달에도 큰 도움이 되리라 기대된다. 또한 고급 수준 학습자, 특히 학문 목적 학습자의 경우 향후 본인의 관심에서 출발하는 학문적 과제 수행—연관 과목 레포트 작성 혹은 학위 논문 작성을 위한 연구—에 대한 접근법을 교수자의 도움을 얻어 선행해 볼 수 있다. 아울러 내용적 지식 및 언어적 지식 습득 후 정리 단계에서 사용할 수 있는 다양한 활동지 작성 역시 요구된다. 이와 관련하여 그림 자료 보고 이야기하기, 십자말 풀이 등 흥미를 유발할 수 있는 활동이 고안되면 더욱 좋으리라 생각된다.[13]

4. 보조 자료를 활용한 한국어-한국사 통합 교육 방안

서두에서 언급했다시피, 이 글에서 제안하는 5.18 민주화 운동을 세부 주제로 한 내용 중심 교수법 기반 한국어-한국사 통합 교수 모형의 보조 자료로 문학 작품과 영상 작품을 제시하고자 한다. 해당 세부 주제와 연관된 문학 작품과 영상 작품은 수업 내용에 대한 이해를 극대화할 수 있을 뿐만 아니라 소감문 쓰기 등의 과제를 통해 언어적 능력 향상 또한 도모할 수 있다. 특히 소감문 쓰기는 내면화된 스스로의 생각을 타인의 개입 없이 서술할 수 있는 활동으로서 의미가 있으며[14], 해당 역사적 사건과 작품에 대한 생각뿐만 아니라 작품이 주는 개인적인 의미 등을 포함하도록 함으로써 글쓰기 능력을 신장시킬 수 있다는 장점을 지닌다.

외국어 교육에서 문학 작품 및 영상 작품의 유용성과 효용성은 아무리 강조해도 지나치지 않을 것이다. 최근 들어 특히 한류의 영향으로 수많은 드라마와 영화 등이 각국 언어로 번역되고 있으며, 한국 문학 역시 높은 인기를 구가하면서 전에 없이 많은 외국어 번역본이 나오고 있다. 이는 역사적 사실의 단순한 학습에서 나아가 현재적 의미를 찾는 과정까지를 목표로 하는 한국어-한국사 통합 교수 방안에 관련 작품들이 보조 자료로서 반드시 포함되어야 하는 이유이기도 하다. 특히 학습자의 모국어 혹은 영어 등 공용어로 번역된 콘텐츠들의 경우 흥미 유발, 동기 부여 등 여러 장점을 지니고 있으므로 교수 과정에 십분 활용해야 할 필요가 있다.

5.18 민주화 운동 역시 여러 작품들의 소재로 사용되었다. 여기에서는 비교적 최근에 나온 작품들을 보조 자료로서 제시해 보고자 한다. 우선 영상 작품으로는 장훈 감독의 〈택시 운전사〉(2017년), 윤재혁 감독의 KBS 드라마 〈오월의 청춘〉(2021년)을 활용할 수 있을 것이다.[15] 〈택시 운전사〉의 경우 이탈리아어를 포함한 여러 외국어로 자막이 제공되므로 학습자가 어려움 없이 내용을 파악할 수 있다는 장점이 있으므로 특히 소감문 과제 및 감상 후 토론 활동 등에 적합하다. 또한 5.18 민주화 운동을 세계에 알리

[13] 십자말 풀이의 경우 민주화, 시위, 군부, 신군부, 비상계엄, 계엄군, 휴교령, 공수 부대, 도청, 학살, 국가 폭력, 사태 유신 등 핵심 어휘를 중심으로 구성해 볼 수 있을 것이다.

[14] 박성. 2017. 영화 〈국제시장〉을 활용한 한국 관념 문화 교육-상호 문화 능력을 중심으로-. **국제한국어교육학회 학술대회논문집**. 국제한국어교육학회. p. 235. 영화 대상 소감문 쓰기 과제의 세부적인 내용과 그 결과 등에 대해서는 윤영. 2019. 역사 영화를 활용한 한국 문화 교육 방법 연구. **문화교류와 다문화교육**. 8.2. pp. 209-212.

[15] 한국어 내지는 한국학 분야에서 역사 등을 교육하기 위한 영화 등의 선정 기준에 대해서는 다음을 볼 것. 최정순, 송임섭. 2012. 영화를 활용한 한국 문화 교육 방안-〈공동경비구역 JSA〉를 중심으로. **국제어문**. 55. pp. 25-26; 윤영. 역사 영화를 활용한 한국 문화 교육 방법 연구. p. 199.

는 데 지대한 공헌을 한 힌츠페터 기자와 그를 태우고 서울에서 광주로 온 택시 기사라는 외부인의 시점을 채택하고 있기에 외국인 학습자에게 적합한 내러티브를 가지고 있다. KBS 드라마 〈오월의 청춘〉은 최근작으로 영어, 독일어, 스페인어, 프랑스어 자막이 제공될 뿐만 아니라 과거와 현재를 오가는 구성을 띠고 있다는 면에서 학습자의 흥미를 유발할 수 있는 요소를 많이 가지고 있다. 게다가 원작 동화인 김혜원 작 《오월의 달리기》를 함께 제시할 수 있다는 장점이 있다.

〈그림 2〉 보조 자료를 활용한 수업 모형 가안

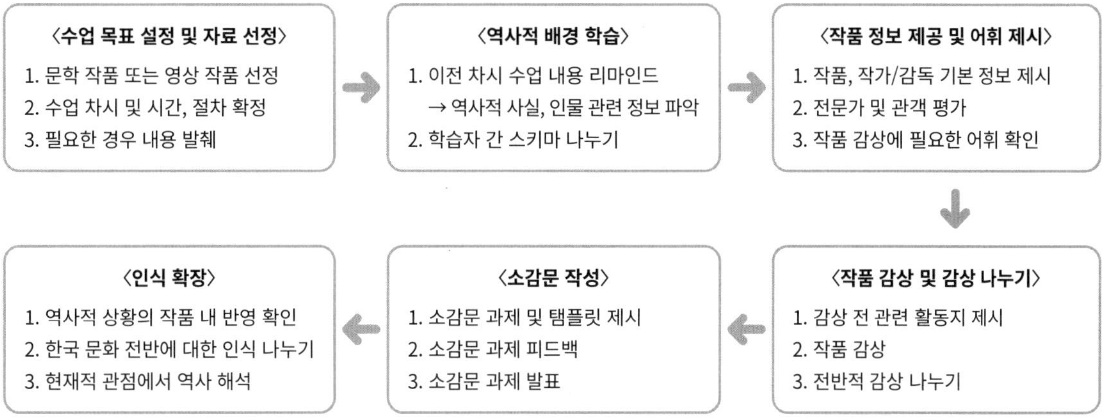

〈수업 목표 설정 및 자료 선정〉
1. 문학 작품 또는 영상 작품 선정
2. 수업 차시 및 시간, 절차 확정
3. 필요한 경우 내용 발췌

→

〈역사적 배경 학습〉
1. 이전 차시 수업 내용 리마인드
→ 역사적 사실, 인물 관련 정보 파악
2. 학습자 간 스키마 나누기

→

〈작품 정보 제공 및 어휘 제시〉
1. 작품, 작가/감독 기본 정보 제시
2. 전문가 및 관객 평가
3. 작품 감상에 필요한 어휘 확인

↓

〈작품 감상 및 감상 나누기〉
1. 감상 전 관련 활동지 제시
2. 작품 감상
3. 전반적 감상 나누기

←

〈소감문 작성〉
1. 소감문 과제 및 탬플릿 제시
2. 소감문 과제 피드백
3. 소감문 과제 발표

←

〈인식 확장〉
1. 역사적 상황의 작품 내 반영 확인
2. 한국 문화 전반에 대한 인식 나누기
3. 현재적 관점에서 역사 해석

문학 작품으로는 《오월의 달리기》 외에 한강 작가의 2014년 작 《소년이 온다》를 고려할 수 있다. 《오월의 달리기》의 경우 초등학교 고학년을 주 독자층으로 한 동화이기 때문에 상대적으로 난도가 낮으므로 보조 자료로서 활용도가 높을 것으로 생각된다. 아울러 호남 사투리가 등장하므로 방언으로 구성된 단어나 문장을 경험함으로써 한국어를 심화적으로 이해할 수 있다는 장점 또한 들 수 있겠다. 《소년이 온다》의 경우 5.18 민주화 운동 전후 역사, 정치, 사회에 대한 담론보다는 사건을 둘러싼 개인의 고통과 내면에 몰두하는 작품의 특성상 국가 폭력의 잔인함과 그로 인해 한 개인이 겪을 수밖에 없는 어려움의 무게를 이해하는 데 더없이 좋은 자료가 될 수 있다. 내용이 다소 무겁고 난도가 높은 편이지만 번역본을 함께 안내함으로써 이해도를 끌어올릴 수 있다.

문학 작품과 영상 작품을 한국어-한국사 통합 교수의 일부로서 활용하고자 할 때 수업 모형의 구성과 수업 각 단계별 세부 활동 내용의 선정 또한 필수적일 것이다. 보조 자료 활용의 목적은 내용적 지식의 효과적인 전달과 학습자의 언어적 능력 향상에 있으므로 이를 고려하여 간략한 모형을 구성해 보고자 하였다. 자료 선정 과정에서 해당 역사적 사건을 잘 반영하고 있는 작품 선택 이후 수업 시간 내 활용을 위한 일부 내용 발췌 및 활용이 요구된다. 제한된 수업 시간 내에 문학 작품 하나를 다 읽거나 영화 전체 혹은 드라마 1회분 등을 모두 시청하기란 곤란하기 때문이다. 따라서 이후 학습자 개인이 직접 작품을 감상할 수 있도록 충분한 안내를 한 뒤 피드백 및 의견 나누기를 통해 학습 효과를 극대화하는 것을 목표로 모형을 구성하였다.

5. 나가며

아날학파의 창시자 마르크 블로크(Marc Bloch)는 1928년 오슬로에서 열린 국제 역사학 대회에서 당대 역사학계의 민족사 내지는 국가사(historie nationale) 중심의 역사 서술을 비판하면서 그 대안으로 비교사를 제시하고, "서로의 이해 없이 언제까지 민족사만을 이야기하지 말자."라고 주장한 바 있다.[16] 이는 한국사 관련 주제를 외국인에게 어떻게 가르칠 것인가에 대한 시사점을 준다. 한국의 정규 교육 내지는 대중 대상 강연 등 콘텐츠에서 드러나는 민족사적 관점과 한국인의 우수성 등을 강조하는 내러티브는 외국인 학습자 대상으로는 적절하지 않으며, 민족사적 관점에서 탈피해야만 서로를 더욱 잘 이해할 수 있을 것이다.

[16] March Bloch, "Pour une historie comparée des sociétés européens," *Mélanges historiques*, tome I (Paries, 1963), p. 40. 고원. 2007. 마르크 블로크의 비교사. **서양사론**. 93. p. 2에서 재인용.

본 연구는 이러한 견지에서 한국어-한국사 통합 교수를 위해 적절한 주제를 탐색하고, 그에 따른 수업 모형을 제안해 보고자 하였다. 이를 위해 우선 한국어 교육에서 한국사의 세부 주제를 교수하고자 할 때 고려해야 할 지점들과 이를 구현하기 위한 방안을 도출해 내고자 노력하였다. 내용 중심 교수법을 적용하여 수업 모형을 설계하였으며, 이 과정에서 고급 학습자를 대상으로 다양한 보조 자료를 활용하는 점이 효과적이라는 데에 주목하여 구체적인 문학 작품과 영상 작품을 이용한 과제 역시 제시하였다.

본 연구에서 고안한 수업 모형과 이론적 틀은 향후 실제 수업 적용 및 그것을 통한 평가와 보완 과정으로 이어질 예정이다. 여기에서 제시한 수업 모형을 실제 교육 현장에 적용시켜 보고, 학생들로부터 피드백을 얻어 더욱 구체화된 수업 모형을 도출해 내는 것을 이어지는 과제로 삼고자 한다. 한국어 교육 내에서 한국사 관련 주제들을 교수함으로써 외국인 학습자 대상 한국어 교육이 내용적으로 더욱 풍성해질 수 있기를 기대하며, 외국어로서의 한국어 교육 모형과 관련하여 고급 학습자를 대상으로 한국사를 교수 내용에 효과적으로 포함시키기 위한 방안을 제시하려는 노력의 일환으로 기획된 본 연구가 여기에 보탬이 될 수 있기를 바란다.

참고문헌

강진숙. 2010. **한국사를 활용한 한국어 문화 교육 방안 연구**. 한국외국어대학교 석사 학위 논문.

고원. 2007. 마르크 블로크의 비교사. **서양사론**. 93호. pp. 159-182.

권화숙. 2017. 학문 목적 학습자를 위한 내용 중심 교수법 기반 한국사 교육 방안 연구. **한국언어문학**. 102호. pp. 315-338.

김영주, 김태은, 임광호. 2013. **오일팔-5.18 중등활동지**. 5.18 기념재단.

민주화운동기념사업회 연구소. 2017. **민주화운동 관련 역사교과서 분석 및 서술 방향 연구보고서**. 민주화운동기념사업회.

민현식. 2006. 한국어 교육에서 문화 교육의 방향과 방법. **한국언어문화학**. 제3권 2호. pp. 137-180.

박성. 2017. 영화 〈국제시장〉을 활용한 한국 관념문화 교육-상호 문화 능력을 중심으로 -. **국제한국어교육학회 학술대회논문집**. 국제한국어교육학회. pp. 233-243.

송수희. 2018. 한국어 교육에서 한국사 교육의 필요성 및 영역별 교육 방안 연구. **대학교양교육연구**. 제3권 2호.

윤영. 2019. 역사 영화를 활용한 한국 문화 교육 방법 연구. **문화교류와 다문화교육**. 제8권 2호. pp. 193-217.

이준기. 2019. 한국 현대사를 활용한 한국 문화 교육 내용 구성 연구. **한국언어문화학**. 제16권 3호. pp. 267-296.

정임숙, 김참이. 2019. 이탈리아에서의 한국학 동향과 전망-시에나 외국인 대학을 중심으로 -. **한국문화연구**. 37호. pp. 339-360.

진대연. 2016. 한국어 교육에서 역사 문화 교수 설계에 관한 연구. **국어교육연구**. 38호. pp. 223-251.

진대연. 2018. 한국어 교육에서 역사 문화 내용 구성에 관한 연구. **한국언어문화학**. 제15권 3호. pp. 243-270.

최정순, 송임섭. 2012. 영화를 활용한 한국 문화 교육 방안-〈공동경비구역 JSA〉를 중심으로-. **국제어문**. 55호. pp. 639-668.

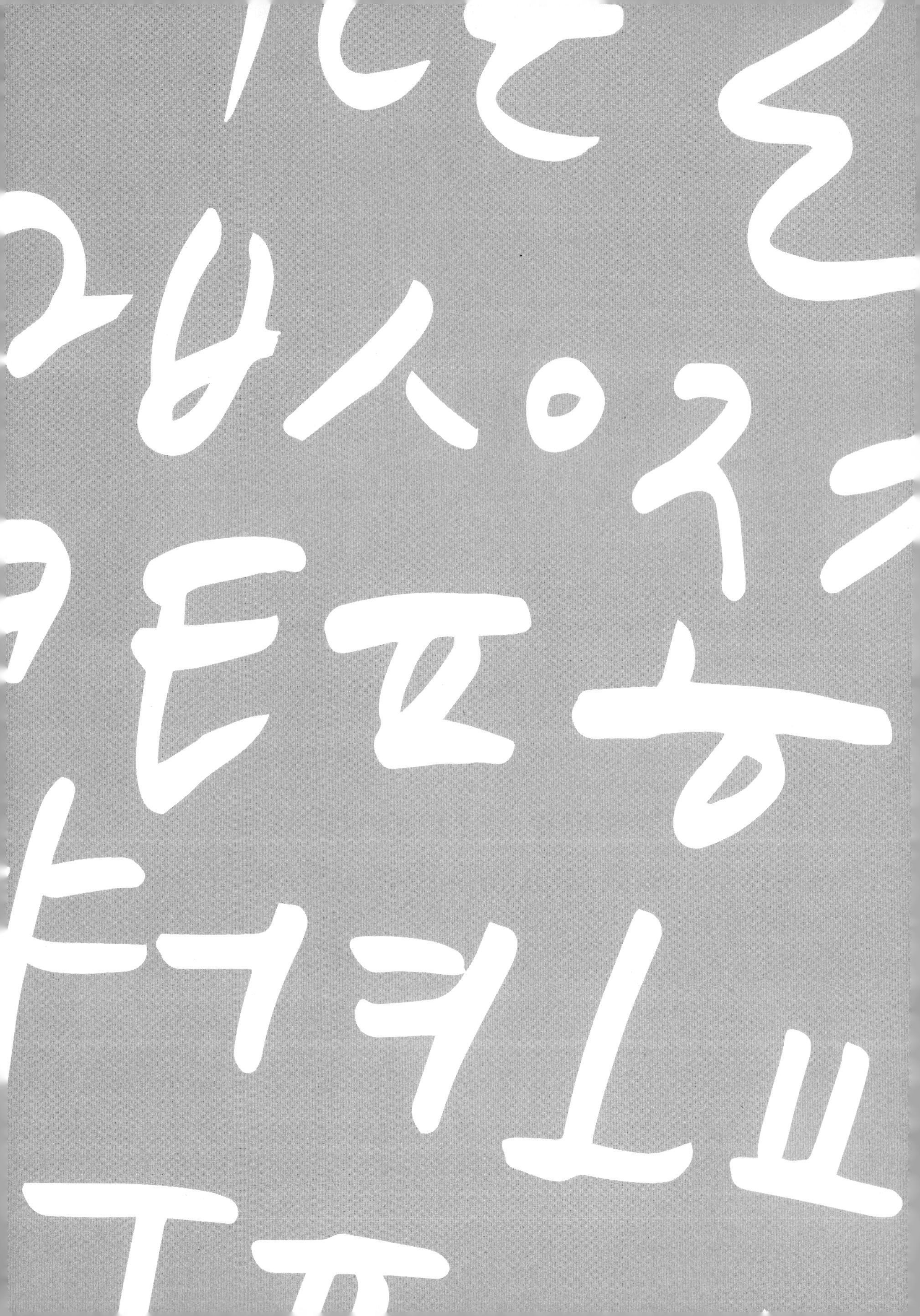

어휘 및 문법과 한국어 교육

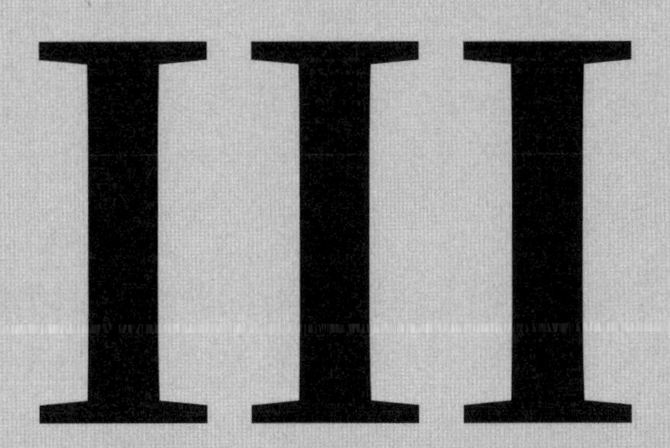

제1장

L2 한국어의 발달 연구
- 처리가능성 이론에 기반하여

왕흠범
한국 연세대학교
Yonsei University

1. 들어가며

중간언어(Interlanguage: IL)는 외국어 학습자가 제2언어(Second language: L2)를 산출하려고 시도할 때 관찰될 수 있는 독립적인 언어 체계(linguistic system)를 말한다(Selinker, 1972). 이러한 언어 체계는 고도로 구조적(highly structured)이고 상당한 체계성(systematicity)을 지니기 때문에(Selinker, 1992: 231) 일정한 발달 패턴(developmental pattern)[1]에 따라 발전해 간다. 즉, 학습자가 외국어를 습득할 때 예측할 수 있는 일정한 단계, 곧 발달 순서(developmental sequence)에 따라 IL을 발전시켜 나간 것이다(VanPatten 외, 2020: 10-11).

[1] '발달 패턴'은 언어 습득에 있어서의 규칙성을 가리키며 '발달 순서'를 포괄하는 용어로 볼 수 있다 (Ellis, 2008: 67).

따라서 1960년대부터 많은 SLA 학자들이 다양한 이론적 프레임워크를 통해서 학습자의 IL 발달 패턴을 설명하고자 노력하였다. 그중 독일 심리언어학자 만프레드 피네만(Manfred Pienemann)이 1998년에 제시한 '처리가능성 이론(Processability Theory: PT)'은 IL 발달 패턴에 대한 획기적인 이론이라고 할 수 있다.

PT(Pienemann, 1998; 2005a)는 인간의 언어 프로세서(language processor)에 기반한 언어 산출(production) 이론이자 IL 발달 이론이다. Pienemann(1998: 6; 2005a: 13)에서는 빌름 르펠트(Willem Levelt)의 '언어 산출 모형(Model of Speech Production)'을 토대로 "언어 처리 절차(processing procedure)는 계층적이고 한 번

에 하나만 마스터될 수 있으며, 이를 위한 언어 처리 장치(processing device) 또한 각자가 산출 과정에서 활성화되는 순서대로 습득된다."라고 주장하였다. 즉, 언어 처리 과정에서 낮은 처리 절차는 그보다 높은 절차의 전제가 되며 전자를 마스터하지 못한 학습자는 후자에도 접근할 수 없어 그에 의존한 문법 구조를 습득하지 못하는 것이다. 결국 학습자는 어떤 발달 단계에서든 현재 언어 프로세서에서 처리할 수 있는 L2 언어 구조만 이해하고 산출할 수 있으며, 학습자가 일정한 순서대로 L2 언어 구조를 습득하여 IL을 발전시켜 나간다. 다시 말해 IL은 보편적인 단계(stage)를 걸쳐 발달하며, 이러한 발달은 처리가능성 계층(processability hierarchy)에 의해서 제약된다. 이러한 처리가능성 계층이 바로 PT의 핵심이라고 할 수 있다.

이처럼 PT는 '언어 산출 모형'을 기초로 두는 한편, '어휘 기능 문법(Lexical-Functional Grammar: LFG)'에 의해서 모델링된다. LFG(Kaplan & Bresnan, 1982; Bresnan, 2001; Bresnan 외, 2016)는 언어 프로세서의 아키텍처에 알맞아 언어 사용에서 문법이 조직되고 작동되는 규칙에 대한 통사 이론이기 때문에, 학습자가 각 처리가능성 계층에서 처리할 수 있는 문법 구조를 설명할 수 있다. 또한 유형론적으로나 심리학적으로 타당한 통사 이론(Van Valin, 2001: 193)으로서 다양한 언어에서 검증을 받아 왔다. 따라서 PT에서 제시한 처리가능성 계층이 모든 언어의 L2 습득에 보편적으로 적용되며 PT 또한 모든 L2의 발달 궤도(developmental trajectory)를 예측할 수 있다(Pienemann & Keßler, 2012: 230).

PT는 또한 L1과 L2 습득의 유사성과 차이성, IL의 변이성(variability), 학습자의 발달 속도(rate)와 최종 성과(ultimate attainment)에 나타난 차이, L1이 L2 습득에 미치는 영향 등 중요한 SLA 연구 문제도 다루고 있다. 이러한 점에서 PT는 상당한 이론적 가치와 교육적 가치를 지닐 뿐만 아니라 경쟁 모형(Competition Model)을 제외한 다양한 SLA 이론 혹은 모형 중 가장 강한 예측력을 가지고 있다고 할 수 있다(Ellis, 2008: 464; Mitchell 외, 2019: 148).

PT의 또 다른 특징으로는 유형론적 타당성(typological plausibility)을 들 수 있다(Pienemann, 2005b: 61; Dyson & Håkansson, 2017: 79, Bonilla, 2021: 204). 즉, SLA 이론이 모든 자연 언어의 L2 습득에 보편적으로 적용되어야 하듯 PT에 따르면 모든 언어의 L2 학습자가 동일한 처리가능성 계층에 따라 IL을 발전시켜 나간다. 피네만은 최초로 PT를 제시하기 위해서 대규모의 데이터베이스를 사용하고 각 언어의 형태·통사 구조에 대한 실증적인 연구를 대량으로 진행하였다. 그러나 주된 연구 대상이 된 독일어, 영어 그리고 스웨덴어는 모두 게르만어파(Germanic languages)에 속해 있는 언어로서 문법 구조에 공통점이 매우 많은 편이다. 그 이후 PT의 유형론적 타당성을 검증하기 위해 덴마크어, 노르웨이어, 스페인어, 이탈리아어 등 다양한 언어에 PT

를 적용해 보는 연구가 진행되었다. 이 연구들에서 각 언어의 L2 학습자들이 예측된 처리가능성 계층에 따라 형태·통사 구조를 습득한 것으로 나타났기 때문에 PT의 유형론적 타당성은 증명된 셈이다. 그러나 이 언어들 역시 인도유럽어족에 속해 있는 굴절어(inflectional language)로서 유형론적으로 공통점이 많은 언어라 할 수 있다. 이와 반대로 Kawaguchi(2000)와 Zhang(2001)에서는 PT를 각각 일본어와 중국어에 적용한 결과, L2 일본어와 중국어의 발달 역시 처리가능성 계층과 일치하였다. 이처럼 인도유럽어족의 굴절어 외에 교착어(agglutinative language)와 고립어(isolating language)의 L2 학습자도 처리가능성 계층에 따라 IL을 발전시킨다는 것이 확인되어 PT의 유형론적 타당성을 한층 뒷받침하였다.

그러나 국내외에서 PT를 통해 L2 한국어의 발달을 살펴본 연구는 아직 찾을 수 없는 실정이다. 한국어는 일본어와 마찬가지로 교착어에 속하고 비형성적 언어(non-configurational language)이다(Chomsky, 1981). 즉, 두 언어는 어순이 비교적 자유로워 문법 기능이 어순이 아닌 조사에 의해서 결정되며 주어와 주제는 하나의 주제-논평 구조(topic-comment structure)에 포함되어 있다는 공통점을 가지고 있다(Li & Thompson, 1976: 468). L2 일본어의 경우 처리가능성 계층이 Di Biase & Kawaguchi(2002), Iwasaki(2004), Kawaguchi(2005, 2007, 2009, 2010, 2015), Itani-Adams(2009), Mukai(2014) 등에 의해서 지지되어 L2 일본어 학습자들이 또한 예측된 순서대로 문법 구조를 습득한 것으로 나타난 반면, L2 한국어의 경우 처리가능성 계층이 확인되지 않아 한국어 학습자의 IL도 일정한 순서대로 발전하느냐 하는 문제를 제시할 수 있다. 물론 지금까지 한국어 학습자의 IL 발달 패턴에 대한 연구는 어느 정도 축적되어 왔지만 이 연구들은 보통 개별적인 문법 항목의 발달에 초점을 맞추고 있어 IL 형태론·통사론의 전반적인 발달 패턴을 파악하기에는 부족하다고 할 수 있다.

이러한 점을 감안하여 본 연구에서는 PT에 기반하여 L2 한국어의 발달 패턴을 살펴보고자 한다. 즉, L2 한국어의 처리가능성 계층을 제시하는 것을 본 연구의 목적으로 삼는다. PT를 한국어라는 교착어에 최초로 적용해 PT의 유형론적 타당성에 대한 논의에 기여할 뿐만 아니라, L2 한국어의 발달 패턴을 예측해 향후의 한국어 교수와 한국어 교재 편찬에 도움이 될 수 있으리라 생각한다.

2. 처리가능성 이론(PT)

처리가능성 이론(Processability Theory: PT)은 앞선 여러 모형이나 가설[2]의 한계점들을 보완하는 결과라고 할 수 있다(Pienemann & Keßler, 2012: 228). PT를 포함한 이런 모형과 가설들은 공통적으로 'IL 발달의 모든 단계에서 학습자는 현재 상태의 언어 프로세서가 처리할 수 있는 L2 형태만 처리할 수 있다.'라고 주장한다. PT는 바로 Kempen & Hoenkamp(1987)의 '점진적인 절차적 문법(Incremental Procedural Grammar: IPG)'과 LFG에 이론적 기반을 두며 'MM, 전략 접근법, TH, 예측적 프레임워크'의 한계점을 보완하여 IL 발달을 예측하고 설명하는 것을 목적으로 삼는다. IPG를 통해서는 L2 처리에 필수적인 전제를 논의하여 L2 처리 절차의 발달 순서를 위계화하며, LFG를 통해서는 학습자가 각 발달 단계에서 처리하고 산출할 수 있는 구체적인 언어 구조를 예측한다.

[2] Meisel 외. 1981. 다차원 모형(Multi-dimensional Model: MM), Clahsen. 1984. 전략 접근법(strategy approach), Pienemann. 1984/ 1989. 교수가능성 가설(Teachability Hypothesis), 그리고 Pienemann & Johnston. 1987. 예측적 프레임워크(Predictive Framework)가 그것이다.

먼저 IPG는 언어 산출의 점진적인 과정을 바탕으로, 문법적 인코딩(grammatical encoding)[3] 절차는 그것이 언어 산출 과정에서 활성화되는 순서에 따라 언어 구조 형성기에서 형성된다고 주장하였다. 즉, 문법적 인코딩은 아래 (1)의 순서대로 활성화된 것이다.

[3] Levelt(1989)의 '언어 산출 모형'에서는 화자의 정보 프로세서를 '개념 형성기(conceptualizer)', '언어 구조 형성기(formulator)', 그리고 '조음 기관(articulator)'의 3가지 모듈로 나누었다. 화자는 어떠한 발화의 의도를 가지고 이를 표현하고자 하는 관련 정보를 '개념 형성기'에서 수집 및 조직하며, 이로부터 받은 입력을 '문법적 인코딩'과 '음운적 인코딩(phonological encoding)' 과정을 거쳐서 음성적 계획(phonetic plan) 혹은 조음 계획(articulatory plan)을 형성한다.

(1) 문법적 인코딩의 활성화 순서(Kempen & Hoenkamp, 1987)
  ㄱ. 레마
  ㄴ. 범주적 절차(레마의 어휘적 범주)
  ㄷ. 구 절차
  ㄹ. 문장 절차, 그리고 어순 규칙
  ㅁ. 종속절 절차(가능한 경우에 한하여)
(2) ㄱ. A child gives a dog to the mother.
  ㄴ. 아이가 어머니에게 개를 주었다.

첫째, 개념 형성기에서 생성된 전언어적 메시지(pre-verbal message)가 언어 구조 형식기의 입력물이 되는데, 이때 해당 개념과 관련된 '레마'가 활성화되어 화자의 머릿속 어휘부로부터 검색된다. 예를 들어 'dog'라는 개념에 대해서는 한국어, 중국어, 일본어에서 각각 '개', '狗', '犬'이라는 레마가 활성화된다.

둘째, '범주적 절차(category procedure)'는 이 레마의 어휘부에 포함되어 있는 범주적 정보를 활성화해 현재 처리 중인 자료를 점검하여 변별적 자질에 값을 부여한다. 예를 들어 명사라는 '개'의 품사 범주(명사)와 수(단수) 정보를 활성화할 수 있다.

셋째, 위의 범주적 절차는 '구(句) 절차(phrasal procedure)'를 이끌게 된다. 이때 레마가 명사에 속하면 'a dog'에서 한정사가 추가되는 것처럼 'NP 절차'가 적절한 NP가 생산되도록 활성화한다. 여기에서 핵어 명사(head noun)의 자질 값은 한정사와 같은 수식어를 결정한다. 예컨대 핵어 명사의 수가 단수라면 한정사도 단수를 나타내는 'a'를 취해야 한다. 이처럼 핵어 명사와 수식어의 변별적 자질 값과 일치하는 것이 확인될 때까지 전자가 범주적 절차에서 저장되어야 한다(Pienemann, 1998: 4). 이와 같은 문법적 정보 교환은 언어 산출 과정의 비선형성(non-linearity)을 반영한다.

넷째, 연속적이고 유창한 발화를 위해서 활성화된 NP는 의도된 발화의 나머지 부분과 연관되어야 한다. 이를 위해서 '문장 절차(sentence procedure)'에서 NP는 문장에 연결되어 그 문법적 기능이 결정된다. 예컨대 앞 (2)ㄴ.과 같이 한국어의 경우 '개'라는 NP가 격표지(case marker)인 목적격 조사 '를'과 결합하여 '개를'이 NP_{OBJ}의 문법적 기능을 하게 된다.

이와 동시에 각 구가 어순 규칙에 의해서 문장으로 배열된다. 여기에서는 앞 '구 절차'와 비슷하게 각 구의 변별적 자질 값은 문장의 다른 위치와 일치하는 것이 확인될 때까지 저장되어야 된다. 예컨대 앞 (2)ㄱ.에서 NP_{SUBJ}의 'child'의 '수'와 '인칭'의 값은 동사 'give'와 형태소 '-s'가 결합될 때까지 통사적 버퍼에 저장된다. 이처럼 '문장 절차'는 문장에서 각 구의 특징 값이 일치하는지 확보한다.

마지막으로 복문을 산출하는 경우 '종속절 절차(subordinate clause procedure)'까지 활성화될 수 있다.

IPG를 바탕으로 Pienemann(1998)에서는 언어 산출의 점진적인 과정을 L2 습득 맥락에서 재검토하여 L2 학습자가 형성해야 하는 다양한 처리 절차를 논의하였다. Pienemann(1998: 74)에 따르면 L2 습득 과정에서 학습자는 L2만의 언어 처리 장치를 습득해야 하는데, 앞 (1)과 같이 문법적 인코딩 절차가 5가지 단계를 걸쳐 형성되는 만큼 PT에서는 학습자도 동일한 순서에 따라 L2 처리 장치를 습득하여 L2 처리 절차를 형성해야 한다고 주장하였다(Pienemann, 1998: 7). 즉, 언어 산출에 있어서는 문법적 인코딩 활성화 과정에서 각 단계가 그다음 단계의 필수적인 전제가 되기 때문에 '함축적 계층'을 형성하게 되는데 L2 학습자는 바로 이 '함축적 계층'에 따라 L2 처리 절차를 발달시켜 가는 것이다.

요약하면, PT는 기본적으로 "L2 처리 절차의 형성에서 L2 처리 장치는 함축적 계층에 따라 습득되는데, 이 함축적 계층에서 낮은 계층의 처리 절차는 그것보다 높은 계층의 처리 절차보다 먼저 활성화되며 후자의 필수적인 전제가 되기도 한다."라고 주장하였다(Pienemann, 1998: 7). 이러한 관점에서 L2 습득은 'L2의 문법 구조를 인코딩하기 위한 계층적인 처리 장치의 점진적인 습득'으로 볼 수 있다.

〈표 1〉 L2 처리 절차 발달의 함축적 계층(Pienemann, 1998: 8)

처리 절차	시점 1	시점 2	시점 3	시점 4	시점 5
5. 종속절 절차	-	-	-	-	+
4. 문장 절차	-	-	-	+	+
3. 구 절차	-	-	+	+	+
2. 범주적 절차	-	+	+	+	+
1. 레마	+	+	+	+	+

('+':습득, '-':미습득)

위 〈표 1〉은 한 학습자가 함축적 계층에 따라 L2 처리 절차를 발달시켜 나가는 순서를 보여 준다. 이 함축적 계층에서 각 처리 절차는 그다음 층의 처리 절차의 전제가 되어, 학습자가 모든 낮은 층의 처리 절차를 형성해야만 높은 층의 처리 절차를 발달시킬 수 있다. 만약 학습자가 어느 층의 처리 절차를 형성하지 못한다면 함축적 계층이 이 층에서 절단되어 L2 처리 장치가 미발달하며, 그것과 관련된 언어 구조의 산출도 불가능해진다. 예컨대 〈표 1〉의 시점 3에서 학습자는 '구 절차'까지만 형성하였기 때문에 그다음 층의 '문장 절차'에서 이 처리 절차의 함축적 계층이 절단되어 '문장 절차'와 '종속절 절차'의 처리를 요구하는 모든 문법 구조가 산출될 수 없다.

PT는 바로 이와 같은 학습자가 L2를 처리하는 데 받는 제약과 언어 산출의 비선형성과 점진성을 바탕으로 하며 IPG를 통해서 학습자가 L2 처리 절차를 형성하는 단계, 곧 '함축적 계층'을 위계화한다. 또한 LFG를 통해서 이 함축적 계층을 모델링하여 학습자가 각 처리 절차를 통해서 산출할 수 있는 문법 구조를 예측한다. 이러한 문법 구조를 포함하는 함축적 계층은 PT의 핵심인 '처리가능성 계층(processability hierarchy)'이다.

처리가능성 계층은 구 혹은 문장 내·외부의 '문법적 정보 교환(exchange)'에 기초한다. PT에서는 이러한 성분 간의 '문법적 정보 교환'을 L2 문법 구조의 처리와 습득이 의존하는 핵심 요소로 보고 있다. PT에 따르면 L2 습득 초기에는 성분 간의 특정한 문법적 정보 교환이 필요한 문법 구조를 처리하여 산출할 수 없다. 이러한 문법 구조가 요구하는 문법적 정보의 교환 범위는 '함축적 계층'을 형성한다. 이 '함축적 계층'은—IPG에서 문법적 정보가 통사적 버퍼에 저장되는 기간이 문법적 인코딩의 활성화 순서를 결정하는 것처럼 문법적 정보 교환이 발생하는 출발점과 목적지에 의해서 결정되기 때문에—〈표 1〉의 L2 처리 절차 발달의 함축적 계층과 동일하다.

〈표 2〉 처리가능성 계층의 예시(Pienemann, 2011b: 58)

함축적 계층	L2 처리 절차	문법적 정보 교환의 범위	L2 문법	예시
5	종속절 절차	주절과 종속절	-	목적어 보어절: He wants to drink some juice. 부사어 보어절: I'll see when you get back. RC: The things you want are never cheap.
4	문장 절차	문장 내부	구 간 형태소	수의 일치: He like**s** me.
3	구 절차	NP 혹은 VP 내부	구 형태소	NP 일치: two kid**s** VP 일치: He **has seen** her.
2	범주적 절차	없음	어휘적 형태소	과거: I walk**ed**. 복수: dog**s**
1	레마	-	단어 정형화된 표현	Yes. How are you?

위 〈표 2〉는 함축적인 처리가능성 계층을 보여 주는데, 이 처리가능성 계층은 〈표 1〉에서 나타난 L2 학습자가 L2의 처리 제약을 극복하여 L2 처리 절차를 발달하는 단계에 더하여 문법적 정보에 기초하는 L2 문법의 발달 순서도 나타낸다. 이러한 발달 순서는 모든 L2 습득에 보편적으로 적용된다.

첫째, L2 습득 초기에는 학습자가 L2 처리 절차를 형성하지 못하기 때문에 통사적 정보에 접근할 수 없다. 이때 학습자는 성분 간에 문법적 정보를 전혀 교환할 수 없어 통사적 절차가 요구되지 않는 단어 혹은 정형화된 표현(formulaic language)밖에 산출하지 못한다.

둘째, L2 처리의 범주적 절차가 형성되면 L2의 레마에 어휘적 범주가 부각되어 학습자가 어휘적 형태소(lexical morpheme)를 산출할 수 있게 된다. 이러한 어휘적 형태소는 개념적 구조에 의해서 형성되거나 어휘부로부터 직접 검색될 수 있기 때문에 역시 문법적 정보 교환을 요구하지 않는다. 예를 들어 과거의 사건을 나타낼 경우 시간과 관련된 정보는 동사의 레마에 포함되어 있으며 변별적 자질 '시제(tense)'의 값은 'PAST'로 구현된다. 이때 변별적 자질과 과거 표지의 위치가 동일하기 때문에 이러한 문법적 정보를 통사적 절차에 저장하거나 다른 성분과 교환할 필요가 없다.

셋째, L2 처리의 구 절차가 형성되었을 때 변별적 특징이 통사적 버퍼(syntactic buffer)에 저장될 수 있어 문법적 정보가 NP 혹은 PP의 핵어와 수식어 사이에 교환될 수 있다. 이때 학습자가 복수 '-s'와 같은 '구 형태소(phrasal morpheme)'를 산출할 수 있게 된다. 또한 Pienemann(2005a: 24)에서는 '구 절차'에 이어서 '동사구 절차(verb phrase procedure)'를 추가하여 영어의 L2 형태론 발달 순서를 6단계로 위계화하고 있다. 구 절차를 처리할 수 있는 학습자는 보조사와 과거 분사의 일치처럼 VP 안에 문법적 정보를 교환할 수 있다[4].

넷째, '구 절차'가 발달한 후 학습자는 '지정 규칙(Appointment Role)'을 습득하여 각 NP의 문법적 기능을 결정할 수 있다. 이와 동시에 '구 간 형태소(inter-phrase morpheme)'가 발달하고 '문장 절차'를 형성하며, 각 구의 문법적 정보를 임시로 저장하여 문장에 통합시킬 수 있게 된다. 즉, 학습자는 더 이상 기본 어순에 구애받지 않아 L2 어순 규칙에 따라 문장을 조직할 수 있게 된다. 그러나 이것은 학습자가 아직 문장의 경계를 넘는 문법적 정보 교환을 할 수 없기 때문에 단문에만 한정된다.

다섯째, 학습자가 마지막 처리 절차인 '종속절 절차'를 형성하면 절과 절 사이의 문법적 정보를 교환할 수 있게 된다. 특히 주절과 종속절을 구분할 수 있으며 보어절(complement clause), 관계절(relative clause: RC) 등의 비교적 복잡한 문법 구조를 산출할 수 있다.

이와 같은 5가지 단계로 구성되는 처리가능성 계층은 무엇보다도 함축적인 성격을 지니고 있다. 즉, 낮은 계층의 처리 절차와 문법적 정보 교환은 높은 계층의 전제가 되므로 전자가 발달하지 않으면 후자도 발달할 수 없다. 예를 들어 '구 절차'까지 형성한 학습자는 NP 안에서만 문법적 정보를 교환할 수 있어 NP와 다른 문장 성분 사이의 문법적 정보 교환을 요구하는 '수의 일치' 구조를 산출할 수 없다. 그러므로 학습자가 하나의 문법 구조를 습득한다는 것은 그보다 낮은 처리가능성 계층에 있는 모든 문법 구조를 습득했음을 함축하고 있다. 이러한 함축적 계층은 또한 언어 산출의 시간 과정(time course)을 반영한다. 즉, L2 처리 절차는 언어 산출 과정에서 활성화되는 순서에 따라 발달하므로, 학습자는 선택의 여지 없이 이 함축적 계층에 따라 IL을 발달시킬 수밖에 없다(Pienemann, 2008: 15).

[4] L2 영어 발달에서 보이는 이 '동사구 절차'의 독립적인 처리 절차, 그리고 '함축적 계층' 중 하나의 층으로서의 지위에 대해서는 논란의 여지가 있지만, 모든 언어의 L2 문법 발달은 나머지 5가지 단계를 포함한다(Pienemann, 2011: 37). 결국 앞의 〈표 2〉와 같이 '동사구 절차'가 '구 절차'에 포함되는 것이 일반적이다(Dyson & Håkansson, 2017: 6).

3. 한국어의 처리가능성 계층

앞선 제2절에서 논의한 바에 의하면 PT는 IL 문법을 설명하고 그것의 발달 순서를 예측하는 이론이다. 이러한 설명과 예측은 인간의 보편적인 언어 처리 장치에 기반하기 때문에 특정한 언어뿐만 아니라 형태론, 통사론에 큰 차이가 나는 모든 유형 언어의 L2 발달에 보편적으로 적용된다(Pienemann, 1998: 88). 그러나 이러한 발달 단계는 실시간 L2 산출에 필요한 '문법적 정보 교환'의 본질에 달려 있기 때문에 기존에 PT로 연구되지 않은 언어에 PT를 적용하려면 무엇보다도 이 언어의 문법 구조의 언어 산출에 필요한 정보 교환을 규명해야 한다(Kawaguchi, 2010: 91). 이 절에서는 최초로 PT를 한국어에 적용하여 한국어 학습자의 IL 문법 발달 순서를 예측하고자 한다. 즉, L2 한국어 문법의 처리가능성 계층을 설정하여 각 계층에서 학습자가 처리하고 산출할 수 있는 한국어 문법 구조를 예측할 것이다. 제2절에서 논의한 바와 같이 L2 학습자는 '레마 → 범주적 절차 → 구 절차 → 문장 절차 → 종속절 절차'의 순서대로 L2 처리 제약을 극복하여 L2 처리 절차를 발달시킨다. 이러한 L2 처리 절차의 발달 순서는 보편적인 언어 처리 장치에 기반하기 때문에 모든 유형 언어의 L2 습득에서 나타날 수 있다. 따라서 L2 한국어 문법 역시 이 5가지 처리 절차에 걸쳐 발달할 것을 가정해 볼 수 있다.

3.1. 단계 1: 레마

처음에는 학습자가 무엇보다도 어휘부에 한국어의 어휘 항목을 추가해야 한다. 이때 학습자는 아직 한국어만의 처리 절차를 형성하지 못했기 때문에 문법적 정보에 접근할 수 없고 문법적 정보도 전이할 수 없다. 한국어 문장 성분 간의 문법적 정보를 교환하지 못하기 때문에 학습자의 발화는 형태적·통사적 절차에 전혀 의존하지 못한다. 결국 형태적·통사적 절차가 요구되지 않는 단일 단어 혹은 정형화된 표현만 산출할 수 있다. 이들의 생산을 위해서는 한국어만의 문법 절차나 문법적 정보 교환이 필요하지 않기 때문이다.

3.2. 단계 2: 범주적 절차

범주적 절차가 형성되면 학습자의 한국어 어휘부에 어휘적 범주가 첨가되기 때문에 학습자의 발화에 문법 형태소들이 생겨 이들을 통한 교착이 나타나기 시작한다. 이러한 교착에는 용언 활용과 조사 사용이 포함된다. Bresnan 외(2016)에 따르면 교착어에서 용언, 조사와 같은 문법 형태소는 개념적 구조에 의해서 형성되기 때문에 역시 문법적 정보 교환을 요구하지 않는다.

먼저, 학습자가 용언의 어간에 다양한 어미를 붙일 수 있다.

(3) ㄱ. 할아버지께서 이 소설을 읽으시겠어요.
ㄴ. V어간 + 주체 높임(V1) + 시제(V2) + 서법(V3)

위 (3)ㄱ.에서 동사 '읽다'에 붙는 어미 '-으시-, -겠-, -어요'는 활용형 '읽으시겠어요'를 형성하는 과정에서 각각 '주체 높임, 시제, 서법'의 문법 범주를 실현하나 각각은 독립적이어서 서로 간에 문법적 정보 교환을 발생시키지 않는다. 용언의 활용은 어휘적 절차에 속하므로 범주적 절차가 발달한 학습자는 용언의 어간에 다양한 어간을 붙일 수 있다.

또한 '범주적 절차'가 형성된 단계 2에서는 학습자가 체언과 다양한 조사를 결합할 수 있다. Simpson(1991)에서는 왈피리어의 격표지를 논의하여 명사의 격에 대한 형태론적 표시는 명사의 어휘적 범주에 대한 식별을 요구할 뿐 명사와 격표지 사이의 문법적 정보 교환은 일어나지 않는다고 지적하였다. 이에 Pienemann(1998)에서 일본어의 체언과 조사 결합을 어휘적 범주에 포함시켰다. 따라서 한국어 학습자의 경우에도 범주적 절차가 발달한다면 체언을 다양한 조사와 결합시킬 수 있으리라 가정한다.

3.3. 단계 3: 구 절차

그다음으로 단계 3에서 '구 절차'가 형성되어 문법적 정보가 NP 혹은 VP 안에 교환될 수 있다. 즉, 한 NP 혹은 VP 내부의 여러 성분 사이에 '문법적 정보의 교환'이 일어나는데 이러한 교환의 본질은 '일치'를 통해서 포착될 수 있다[5]. 아래와 같이 NP 혹은 VP 안에 문법적 정보 교환을 요구하는 문법 구조는 '구 절차'로 포함된다.

첫째는 소유를 나타내는 관형격 조사 '의'이다. 그러나 소유를 나타내는 소유격(possessive: POSS)의 위계화는 기존의 PT 연구에서 논쟁이 있다. 예를 들어 일본어와 중국어의 소유격 구조가 유사하지만 두 언어의 처리가능성 계층에서 각각 단계 3의 '구 절차'(Kawaguchi, 2015)와 단계 2의 '범주적 절차'(Zhang, 2001, 2005)로 설정되었으며, 심지어 L2 영어의 경우 단계 2와 단계 3으로 처리한 연구가 모두 있다. Pienemann(1998)에서는 '소유'를 '수, 시제'와 똑같이 단어의 어휘 항목에 포함되어 있는 변별적 특징으로 간주하며, 이를 처리하려면 개념적 구조에서 직접적으로 추출할 뿐 문법적 정보 교환이 일어날 필요가 없다고 주장하였다. 따라서 소유격은 최초의 L2 영어 및 L2 독일어의 처리가능성 계층의 단계 2에 위치하고 있다.

그러나 언어 유형론, 그리고 LFG에서는 소유격 주조를 NP로 처리하는 것이 일반적이다. Falk(2001: 82)에서는 접미사 '-s'는 POSS의 문법적 기능을 갖는 성분을 핵어 명사로 하는 명사에만 사용할 수 있다고 지적하였다. 따라서 최초의 PT 연구에서 단계 2의 '범주적 절차'로 처리되었던 소유격 구조는 피소유물인 핵어 명사와 소유주인 수식어 사이에 POSS의 문법적 정보 교환이 발생한다는 점에서 Yamaguchi(2010)와 Medojević(2014)에서는 '구 절차'를 요구하는 단계 3으로 위계화되었다.

이러한 점을 고려할 때 한국어 관형격 조사 '의'를 L2 한국어 처리가능성의 단계 3에 포함시키는 것이 단계 2보다 더욱 합리적이라고 할 수 있다. 즉, 학습자는 POSS의 문법적 정보가 NP 안의 소유주와 피소유물 사이에서 교환되도록 '구 절차'를 형성해야만 '의'를 처리할 수 있다.

둘째는 분류사(classifier: CL)이다. 한국어는 중국어, 일본어, 미얀마어 등의 아시아 언어처럼 분류사가 발달되어 있는 언어이다. 분류사는 주로 NP의 핵어 명사인 명

[5] 그러나 '구 절차'는 교착어의 처리가능성 계층에는 문제가 될 수도 있다. Kawaguchi(2010)에 따르면 다른 굴절어보다는 L2 일본어 처리가능성 계층의 경우 '일치 현상'이 포함되어 있지 않지만 모든 언어의 처리가능성 계층 중 '구 절차'의 문법 구조는 동일한 처리 절차를 요구한다. 예를 들어 영어에서 'VP 일치' 중의 하나인 '시제 일치'의 경우 '굴절(inflection: INF)'과 '분사(PARTICIPLE)'의 변별적 특징 값은 본동사와 조동사 사이에 통합되어야 한다(Pienemann, 2005a: 27). 이와 비슷하게 일본어 보조 용언 'V1-て V2'의 구조에서는 본동사 V1와 보조 동사 V2의 유형이 용언구 내에서 통합되어야 한다. 따라서 일본어 'V1-て V2'의 처리를 위해서 영어의 '시제 일치'와 마찬가지로 '구 절차'가 필요하다. 이러한 점을 감안하여 본 연구에서는 L2 한국어의 '구 절차'의 형성과 함께 학습자가 처리할 수 있는 문법 구조를 예측할 때 이 문법 구조들이 엄격히 '일치' 현상으로 분류될 수 있는지 여부에 고착하지 않고 그것들이 과연 '구 절차'가 필요로 하는 문법적 정보 교환을 요구하는지를 고려해 판단하였다.

사 지시물(noun referent)을 수량화(quantification)할 때에 한하여 쓰인다(김영희, 1981). 또한 분류사는 명사 지시물의 모양, 기능 및 크기 등 의미적 정보도 인코딩하여 부류화(quatification)하는 기능도 지닌다(Li & Thompson, 1981). 따라서 분류사의 어휘 항목에는 '부류화(QUAN)'의 변별적 특징이 포함되어 있다(Dobson, 1974).

그러나 한국어는 수의 범주가 없고 명사의 수에 대한 표시가 필수적이지 않은 만큼 한국어의 분류사는 '부류화'가 일차적인 기능이고 '수량화'가 부류화 기능에 기댄 부차적인 것이라고 할 수 있다(우형식, 2000). 따라서 수사, 분류사, 그리고 핵어 명사로 구성되는 수량사구(quantifier phrase)가 의미적으로 성립하기 위해서는 분류사와 핵어 명사 사이에 QUAN의 변별적 특징이 통합되어야 한다. 이러한 QUAN의 의미적 정보 교환이 NP인 수량사구 내부에서 일어나기 때문에 '구 절차'를 요구한다.

셋째는 보조 용언이다. 한국어는 보조 용언이 다양한데, 각 보조 용언이 특정한 종류의 본용언과 결합할 수 있다. 한국어의 용언은 '동작류(Aktionsart)'에 따라 '상태동사(stative)' 곧 형용사, '행위동사(activity)', '완성동사(accomplishment)', '달성동사(achievements)', 그리고 '심리·인지동사(pscyo-cognitives)'로 나뉘는데, 아래 (4)와 같이 동작류에 따라 보조용언과 결합하는 데 제약을 받는다.

(4) ㄱ. 선생님이 와 계셨다.
ㄴ. 기차가 도착해 있다.
ㄷ. *집이 매우 커 있다.
ㄹ. *학생들이 교실에서 노래해 있다.
ㅁ. *철수가 편지를 써 있다.
ㅂ. *우리나라는 축구 결승전에서 이겨 있다.
ㅅ. *그 비밀을 이미 알아 있다.

위 (4)에서 보여 주듯이 '완료상'을 나타내는 보조용언 '-어 있다'와 결합할 수 있는 본용언은 단지 '결과성 완성 동사'와 '결과성 달성 동사'뿐이다(박선희, 2013). 이처럼 보조용언을 산출하기 위해서 본용언과 보조용언의 '유형(TYPE)'에 대한 의미적 정보가 용언구 내부에서 교환되어야 하기 때문에 '구 절차'가 필요하다.

3.4. 단계 4: 문장 절차

단계 4에서 학습자는 '문장 절차'를 형성해 구를 넘어 문장 안에서 문법적 정보를 교환할 수 있게 된다. 예를 들어 주격 조사의 자리에 '께서'가 쓰인다면 서술어에 주체높임 선어말어미 '-으시-'를 붙여 NPSUBJ와 서술어 일치를 도모한다(고영근·구본관, 2018:

282). 즉, NP_{SUBJ}와 서술어는 '주체높임(HON)'의 문법적 정보가 일치하기 때문에 구를 넘는 문장의 층위에서 문법적 정보 교환이 실현되는 것이다.

3.5. 단계 5: 종속절 절차

마지막으로 학습자가 '종속절 절차'를 형성하면 절을 넘어서 절과 절 사이로 문법적 정보를 교환할 수 있게 된다. 즉, 단계 4까지는 최대 단문(simple sentence)까지만 처리할 수 있지만 단계 5에 도달하는 학습자의 경우 복문(complex sentence)도 처리할 수 있게 되는 것이다. 한국어 문장 구조의 특징을 고려하여 학습자들이 종속절 절차를 활용해서 안은문장과 이어진문장을 산출할 수 있다는 것을 가정하고자 한다.

먼저 학습자는 명사절, 관형절, 부사절, 서술절, 인용절을 산출할 수 있는데, 이러한 안은문장을 산출하기 위해 학습자는 주절과 종속절을 구별해야 한다.

(5) ㄱ. 나는 어머니가 {어제 돌아왔음을 알았다/돌아오기를 기다린다}.
　ㄴ. 민지가 입원을 했던 것이 사실인가?
　ㄷ. 부모가 어떠한 가치관을 가지고 살아야 {되는지, 되느냐, 되는가}도 중요하다.
(6) ㄱ. 지호는 어제 청소하시는 어머니를 도와드렸다.
　ㄱ'. 어제 어머니는 청소하셨다. 지호는 어머니를 도와드렸다.
　ㄴ. 나는 내가 그 사람을 직접 만난 기억이 없다.
　ㄷ. 우리는 급히 학교로 돌아오라는 연락을 받았다.

첫째, 위 (5)ㄱ.처럼 한국어 문장은 주로 '-음'이나 '-기'를 통해서 명사화하는데, 이 두 가지 어미는 배타적으로 쓰인다. '-음'은 현실(realis), '-기'는 비현실(irrealis) 서법의 의미를 가지며 각각 이미 실현되거나 실세계에 존재하는 사태, 아직 실현되지 않거나 실세계에 존재하지 않는 사태를 나타낸다는 차이점이 있다(남기심 외, 2019: 344). 결국 어느 명사형 전성어미를 쓰는지는 주절 서술어의 서법적 의미에 의해서 결정되는 것이 일반적이다. 따라서 명사절의 처리를 위해서는 주절의 서술어와 내포절 사이에 'MOOD'에 대한 문법적 정보의 교환이 요구된다.

또한, (5)ㄴ.에서 밑줄 친 부분은 관형사형 어미와 의존명사 '것'이 형성하는 명사절이며 (5)ㄷ.의 경우는 의문형 종결어미 '-는지/은지, -느냐/으냐, -는가/은가'가 이끄는 명사절로 볼 수 있다. 학습자들 역시 주절과 내포절의 경계를 정확히 파악해야 안긴문장을 명사화하여 명사절을 포함하는 안은문장을 산출할 수 있다.

둘째, 위 (6)은 관형절을 가진 안은문장의 예시다. (6)ㄱ.에서 밑줄 친 관형절은 RC라고 하는데, RC의 주어는 주절의 목적어와 동일하기 때문에 생략되었다. 학습자는 RC

를 처리하기 위해서 주절과 RC의 경계를 식별하여 후자를 관형사형 전성어미와 결합해야 할 뿐만 아니라, 공통적인 문장 성분을 생략하기 위해서 그것의 문법적 정보를 RC와 주절 사이에 교환시켜야 한다. 또한 관형사형 어미는 일정한 시간 표현에도 참여하는데, RC에서는 절대 시제가 허용되지 않고 상대 시제 해석만 적용된다. 즉, (6)ㄱ'.에서 보여 주듯이 '어머니는 어제 청소하였다.'의 시제를 '지호는 어머니를 도와드렸다.'와 관련시켜 '과거에 있어서의 현재'로 상대적으로 결정하는 것이다(남기심 외, 2019: 384). 따라서 학습자는 RC를 현재 시제 관형사형 전성어미 '-는'과 결합하기 위해서 주어와 RC의 사이에서 'TENSE'의 문법적 정보를 교환해야 한다. 이상의 두 가지 문법적 정보의 교환, 곧 특징 통합의 범위는 단문을 넘어 주절과 내포절의 사이까지 달하기 때문에 '종속절 절차'를 분명히 요구한다.

한편, (6)ㄴ.과 (6)ㄷ.은 한 문장의 모든 성분을 완전하게 갖추고 있는 보문절, 곧 동격 관형절(appositive clause)이며, 각각 종결어미에 '-는'이 붙은 '긴 관형절'과 서술어 어간을 관형사형 어미와 결합하여 이룬 '짧은 관형절'로 분류할 수 있다. 보문절의 선택은 핵어 명사의 종류에 따라 다르며 긴 관형절의 경우 종결어미 역시 핵어 명사와 일치해야 하기 때문에, 학습자가 보문절을 산출하기 위해서는 관형절과 핵어 명사 사이에 문법적 정보 교환이 일어나야 한다.

그 외에는 부사절, 서술절, 그리고 인용절의 처리도 이와 같은 '종속절 절차'를 요구한다.

또한 복문 중에는 둘 이상의 문장이 연결어미로 이어져서 이루는 이어진문장도 있다. 그러나 연결어미는 각각 제 나름대로의 의미를 지니고 있기 때문에 그것의 쓰임에는 다양한 문법적 제약이 따른다.

(7) ㄱ. 날씨가 더워서 창문을 {열었다./열었니?/*열어라./*열자.}
ㄴ. 철수는 책을 읽고자/읽으려고/읽으러 {Ø/*영희는/?철수는} 도서관에 갔다.
ㄷ. 점심은 {*먹으나/먹었으나} 배는 여전히 고팠다.

위 (7)ㄱ.과 같이 연결어미 '-어서'가 원인을 나타낼 때 후행절은 평서문이나 의문문만 취할 뿐 명령문이나 청유문과 결합하지는 못한다. (7)ㄴ.에서 보여 주듯이 '의도'나 '목적'의 의미를 갖는 연결어미 '-고자, -으려고, -으러' 등이 결합하는 이어진문장은 선·후절의 주어가 같아야 한다. 이로 인하여 후행절의 주어가 생략되는 것이 더욱 자연스럽기도 하다(고영근·구본관, 2018: 494). (7)ㄷ.의 경우 선·후절의 시제가 같아야 한다.

이처럼 학습자가 이어진문장을 처리하기 위해서는 선행절과 후행절 사이에 'MOOD, SUBJ, TENSE' 등과 관련된 특징이 통합되어야 한다. 만약 학습자가 이러한 제약에 어굿난 비문을 산출한다면 아직 선행절과 후행절을 구분하지 못하거나 이들의 사이에 문법적 정보를 교환하기 위한 '종속절 절차'가 아직 발달되어 있지 않다고 할 수 있다.

4. 나가며

앞선 제3절에서는 L2 한국어 문법의 처리가능성 계층을 가정하였다. 가정된 처리가능성 계층은 아래 〈표 3〉과 같이 요약할 수 있다.

〈표 3〉 한국어 처리가능성

L2 처리 절차	L2 한국어 문법 발달 순서
종속절 절차	안은문장 이어진문장(문법적 제약)
문장 절차	주격조사 '께서' + 선어말어미 '-시-'
구 절차	관형격 조사 분류사 보조용언
범주적 절차	용언어간 + 어미 체언 + 조사
레마	개별 단어 및 정형화된 표현

본 연구에서는 PT에 기반하여 L2 한국어의 발달 패턴을 예측하고 L2 한국어 문법의 처리가능성 계층을 제시하였다. SLA 분야에서 상당한 영향력을 갖는 PT를 한국어라는 교착어에 최초로 적용해 보고 L2 한국어의 처리가능성 계층을 제시하는 것은 PT의 유형론적 타당성에 대한 논의에 기여할 뿐만 아니라 한국어 교수와 한국어 교재 편찬에도 중요한 참고 자료가 될 수 있다.

그러나 실제적인 학습자 언어 자료를 통해서 L2 한국어의 처리가능성 계층을 검증하고 한국어 학습자의 문법 발달이 과연 처리가능성 계층을 따르는지 살펴보는 연구도 진행되어야 한다. 그렇지 않으면 본 연구에서 제시한 L2 한국어의 처리가능성 계층이 타당한지 파악할 수 없다. 이는 향후의 과제로 미룬다.

참고문헌

김영희. 1981. 부류 셈숱말로서의 셈 가름말. **배달발**. 6(1). pp. 1-28. 배달말학회.
고영근, 구본관. 2018. **우리말 문법론(개정판)**. 집문당.
남기심, 고영근, 유현경, 최형용. 2019. **(새로 쓴)표준국어문법론: 전면개정판**. 한국문화사.
박선희. 2013. 언어 맥락적 상세화와 협동적 출력 과제를 통한 한국어 완료상 교수 방안 연구. **언어와 문화**. 9(3). pp. 141-169.
우형식. 2000. 한국어 분류사의 기능과 범위. **한글 248**. pp. 49-84. 한글학회.
Bresnan, J. 2001. *Lexical-Functional Syntax*. Malden, Mass: Wiley Blackwell.
Bresnan, J., Asudeh, A., Toivonen, I. & Wechsler, S. 2016. *Lexical-Functional Syntax (2nd edition)*. Malden, Mass: Wiley Blackwell.
Clahsen, H. 1984. The acquisition of German word order: A test case for cognitive approaches to L2 development. In R. Anderson (Ed.) *Second Languages: A cross-linguistic perspective*. Rowley, MA: Newbury House.
Di Biase, B. & Kawaguchi, S. 2002. Exploring the typological plausibility of processability theory: Language development in Italian L2 and Japanese L2. *Second Language Research*, 18(3). pp. 274-302.
Dobson, W. 1974. *A Dictionary of the Chinese Particles*. Toronto: University of Toronto.
Dyson, B. P. & Håkansson, G. 2017. *Understanding Second Language Processing*. Amsterdam: John Benjamins.
Ellis, R. 2008. *The study of second language acquisition (2nd edition)*. Oxford: Oxford University Press.
Falk, Y. N. 2001. *Lexical-functional Grammar: An introduction to parallel Constraint-based syntax*. Stanford CA: CSLI.
Iwasaki, J. 2004. *The acquisition of Japanese as a second language and Processability Theory: A longitudinal study of a naturalistic child learner*. [Unpublished doctoral dissertation], Edith University.
Itani-Adams, Y. 2009. Development of discourse functions in Japanese and English bilingual language acquisition. In J.-U. Keßler & D. Keatinge (Eds.) *Research in second language acquisition: Empirical evidence across languages*. pp. 41-68. Newcastle upon Tyne: Cambridge Scholars.

Kaplan, R. & Bresnan, J. 1982. Lexical-functional grammar: A formal system for grammatical representation. In J. Bresnan (Ed.) *The Mental Representation of Grammatical Relations*. pp. 173–281. Cambridge, MA: The MIT Press.

Kawaguchi, S. 2000. Acquisition of Japanese verbal morphology: Applying processability to Japanese. *Studia Linguistica*. 54(2). pp. 238–248.

Kawaguchi, S. 2005. Argument structure and syntactic development in Japanese as a second language. In M. Pienemann (Ed.) *Cross-linguistic Aspects of processability theory*. pp. 253–298. Amsterdam: John Benjamins.

Kawaguchi, S. 2007. Lexical mapping in processability theory: A case study in Japanese. In F. Monsouri (Ed.) *Second language acquisition research: Theory-construction and testing*. pp. 39–80. Newcastle: Cambridge Scholars Press.

Kawaguchi, S. 2009. Acquisition of non-canonical order in Japanese as a second language: The case of causative structure. In J.-U. Keßler, & D. Keatinge (Eds.) *Research in second language acquisition: Empirical evidence across languages*. pp. 213–240. Newcastle: Cambridge Scholars Publishing.

Kawaguchi, S. 2015. The development of Japanese as a second language. In C. Bettoni & B. Di Biase (Eds.) *Grammatical Development in Second Languages: Exploring the boundaries of Processability*. pp. 149–172. Amsterdam: The European Second Language Association(EuroSLA).

Kemper, G. & Hoenkamp, E. 1987. An incremental procedural grammar for sentence formulation. *Cognitive Science*. 11. 201–258.

Levelt, W. J. M. 1989. *Speaking: From Intention to Articulation*. Cambridge: Cambridge University Express.

Li, C. & Thompson, S. 1976. Subject and topic: A new typology. In C. Li (Ed.) *Subject and Topic*. pp. 457–489. San Diego, CA: Academic Press.

Medojević, L. 2014. *The effect of first year of schooling on bilingual language acquisition: A study of second and third generation Serbian-Australian 5-year-old bilingual children from processability perceptive*. [Unpublished doctoral dissertation], University of Western Sydney.

Meisel, J., Clahsen, H. & Pienemann, M. 1981. On determining developmental stages in natural second language acquisition. *Studies in Second Language Acquisition*. 3. pp. 109–135.

Mitchell, R., Myles, F. & Marsden, E. 2019. *Second Language Learning Theories (4th edition)*. London: Routledge.

Pienemann, M. 1984. Psychological constraints on the teachability of languages. *Studies in Second Language Acquisition*. 6(2). pp. 186–214.

Pienemann, M. 1989. Is language teachable? Psycholinguistic experiments and hypotheses. *Applied Linguistics*. 1. pp. 52-79.

Pienemann, M. 1998. *Language Processing and Second Language Development: Processability Theory*. Amsterdam: John Benjamins.

Pienemann, M. 2005a. An introduction to Processability Theory. In M. Pienemann (Ed.) *Cross-Linguistic Aspects of Processability Theory*. pp. 1-60. Amsterdam: John Benjamins.

Pienemann, M. 2005b. Discussing PT. In M. Pienemann (Ed.) *Cross-Linguistic Aspects of Processability Theory*. pp. 61-84. Amsterdam: John Benjamins.

Pienemann, M. 2008. A Brief Introduction to Processability Theory. In J.-U. Keßler (Ed.) *Processability Approaches to Second Language Development and Second Language Learning*. pp. 9-30. Newcastle: Cambridge Scholars Publishing.

Pienemann, M. 2011a. The psycholinguistic basis of PT. In M. Pienemann & J-U. Keßler (Eds.) *Studying Processability Theory: An Introductory Textbook*. pp. 27-49. Amsterdam: John Benjamins.

Pienemann, M. & Keßler, J-U. 2012. Processability Theory. In S. Gass & A. Mackey (Eds.) *The Routledge Handbook of Second Language Acquisition*. pp. 228-246. London: Routledge.

Pienemann, M. & Lenzing, A. 2020. Processability Theory. In B. VanPatten, G. D. Keating & S. Wulff (Eds.) *Theories in Second Language Acquisition: An Introduction*. pp. 162-191. London: Routledge.

Selinker, J. 1972. Interlanguage. *International Review of Applied Linguistics*. 10. pp. 209-231.

VanPatten, B., Williams, J., Keating, G. D. & Wulff, S. 2020. Introduction: The Nature of Theories. In B. VanPatten, G. D. Keating & S. Wulff (Eds.) *Theories in Second Language Acquisition: An Introduction*. pp. 162-191. London: Routledge.

Van Valin, R. D. 2001. *An introduction to syntax*. Cambridge: Cambridge University Press.

Yamaguchi, Y. 2010. *The acquisition of English as a second language by a Japanese primary school child: A longitudinal study from a Processability Theory perspective*. [Unpublished doctoral dissertation], University of Western Sydney.

Zhang, Y. 2001. *Second Language Acquisition of Chinese Grammatical Morphemes: A processability perspective*. [Unpublished doctoral dissertation]. The Australian National University.

제2장

일본인 한국어 학습자의 '먹다'와 '마시다' 동사 사용에 관한 연구

신정은
일본 쓰쿠바대학
University of Tsukuba

1. 들어가며

외국어를 학습하는 경우 대부분의 학습자는 자신이 습득해 온 기점 언어 지식을 활용한다. 이러한 기점 언어 지식의 활용은 긍정적으로 작용하여 학습을 촉진시킬 수도 있고, 부정적으로 작용하여 원활한 학습을 방해하는 요인이 될 수도 있다. 이와 같이 학습자가 가지고 있는 언어적 지식이 새로운 학습에 직접적 또는 간접적으로 영향을 미치는 것을 언어 전이(Language Transfer)라고 하는데, 일본인 한국어 학습자가 프랑스어나 독일어 등을 기점 언어로 하는 외국인 한국어 학습자에 비해 한국어 학습의 진입 장벽이 상대적으로 낮은 이유는 바로 이 언어 전이의 긍정적 작용 때문이다. 하지만 두 언어 간의 유사성이 오히려 간섭 요인으로 작용하여 기점 언어 지식의 과용으로 인한 부정적인 전이도 빈번하게 일어나는데, 한국어 학습자의 초기 단계에서 쉽게 나타나는 부정적인 전이의 한 예로 어휘를 들 수 있다. 배주채(2010: 89)의 어휘 통계 조사에 따르면, 한국어 어휘에서 가장 높은 비중을 차지하는 것은 한자어이고, 그다음으로 고유어와 외래어이 순이다. 김은정·김선정(2018: 167)은 한국어의 기초 한자 1,800자 중에서 일본 상용 한자에도 포함되는 한자의 수는 1,604자로, 기초 한자 중 약 90%에 해당하는 한자가 한국어와 일본어에서 공통적으로 사용되고 있다고 지적한다. 이와 같이 한국어와 일본어의 어휘적 유사성은 어휘적 간섭과 밀접한 관련이 있다. 그 밖에 듣기·말하기·읽기·

쓰기 등 기능 중심의 지도와 어휘 지도 방안에 대한 연구 부재 등도 문제점으로 꼽을 수 있겠다.

어휘 교육의 중요성에 대한 인식 부족으로 인하여 어휘 학습의 몫은 오롯이 학습자가 떠안게 되는데, 학습자들은 양적 어휘력 신장에 초점을 두고 있기 때문에 기점 언어의 어휘와 목표 언어의 어휘가 형식적인 면에서 일대일 대응 관계를 이루며 사전적 의미가 유사한 경우, 기점 언어의 지식을 기반으로 목표 언어의 어휘를 이해·구사하는 경향이 강해진다. 기점 언어 지식을 활용한 학습 전략은 어휘 습득에 있어 매우 효율적인 학습 전략이라고 볼 수 있지만, 어휘의 사전적 의미를 확인하는 단계에서 머무르지 않고 다양한 용례 및 어휘의 문맥적 의미까지 이해하고 기점 언어와의 차이점에 주의해야 할 필요가 있겠다. 이정희(2003)는 일본인 학습자가 어휘 사용에 있어 부담감을 적게 느끼기 때문에 한국어 학습에 있어 비교적 높은 성취도를 보일 수 있으나, 반대로 그 유사성 때문에 단순한 어휘 오류율이 다른 언어권에 비해 약간 높게 나타난다고 지적하였다. 이에 본 연구는 일본인 한국어 학습자를 대상으로 한국어 학습 초기 단계에 도입되는 기초 동사 중 기점 언어인 일본어와 목표 언어인 한국어 간에 어휘적 형식 관계가 일대일 대응 관계를 이루며 사전적 의미가 유사한 한국어의 섭취 동사 '먹다', '마시다' 그리고 이에 대응하는 일본어의 '食べる', '飲む'를 한 예로 들어 학습자들의 어휘 학습 실태를 파악하고 기점 언어 지식 활용의 문제점을 꼬집고자 한다.

어휘의 의미는 어휘가 가지고 있는 가장 기본적이고 일차적인 의미라고 할 수 있는 사전적 의미와 이를 바탕으로 다양한 방향으로 의미가 파생된 문맥적 의미로 나눌 수 있는데, 본 연구에서는 사전적 의미에 중점을 두고 논하도록 하겠다. 한국어와 비슷한 범주의 구조와 규칙 등을 가진 일본어를 기점 언어로 하는 일본인 한국어 학습자가 연구 대상이기 때문에 연구 대상이 다소 제한적이기는 하나, 기점 언어의 어휘와 목표 언어 어휘의 형식적 대응 관계가 일대일 대응 관계를 형성하는 어휘에 대한 학습자의 학습 실태를 다루고 있다는 점에서 본 연구는 일본인 한국어 학습자뿐만 아니라 다양한 언어권 학습자들의 어휘 교육에 참고할 수 있는 기초 자료가 되리라 본다.

2. 사전적 의미 및 쓰임에 관하여

각 동사에 대한 일본인 학습자들의 사용 실태를 분석하기에 앞서 사전에 기재되어 있는 의미 및 용례를 통해 한국어 동사 '먹다', '마시다'와 이에 대응하는 일본어 동사 '食べる', '飲む'의 사전적 의미와 쓰임에 관해 정리하고자 한다. 한국어는 《표준국어대사전》(웹사전)과 《연세 현대 한국어사전》(웹사전)을 검토하였고, 일본어는 《大辞林》과 《日本語大辞典》을 검토하였다.

2.1. '먹다', '마시다'의 사전적 의미 및 쓰임

《표준국어대사전》과 《연세 현대 한국어사전》에 기술되어 있는 '먹다', '마시다'의 사전적 의미를 각각 살펴보면 아래와 같이 정리할 수 있다.

'먹다'의 사전적 의미

① 음식 따위를 입을 통하여 배 속에 들여보내다.
② 약을 씹거나 마시다.
③ 담배나 아편 따위를 피우다.
④ 연기나 가스 따위를 들이마시다.

'마시다'의 사전적 의미

① 물이나 술 따위의 액체를 목구멍으로 넘기다.
② 공기나 냄새 따위를 입이나 코로 들이쉬다.

위의 내용을 살펴보면 '먹다'의 사전적 의미는 주체자인 인간이 음식물을 입에 넣어 씹거나 그대로 삼켜 목구멍을 통하여 배 속으로 들여보낸다는 의미이다. 이어서 '마시다'의 사전적 의미는 액체 및 기체를 목구멍으로 넘긴다는 의미이다. 이처럼 '먹다'와 '마시다' 두 동사 모두 주체자인 인간이 대상물을 입 안으로 넣어 배 속으로 들여보내는 행위를 나타낸다는 점에서 일치한다. 그러나 아래 (1)ㄱ.~ㄷ.에서와 같이 '먹다'는 입에 넣어 씹거나 그대로 삼키는 행위 모두를 포함하기 때문에 결합하는 대상물의 형태가 제한적이지 않은 반면, '마시다'는 씹는 동작을 내포하지 않기 때문에 그대로 삼킬 수 있는 액체 및 기체인 경우에 한해 결합할 수 있다는 점에서 '먹다'가 '마시다'보다 대상물에 대한 결합의 허용 범위가 더 포괄적이며 가장 기본적인 섭취 동사라고 볼 수 있다.

(1) ㄱ. 밥을 {먹다/?마시다} (고체)
ㄴ. 물을 {먹다/마시다} (액체)
ㄷ. 가스를 {먹다/마시다} (기체)

2.2. '食べる', '飲む'의 사전적 의미 및 쓰임

다음으로 《大辞林》과 《日本語大辞典》에 기술되어 있는 일본어 '食べる', '飲む'의 사전적 의미를 각각 살펴보면 아래와 같이 정리할 수 있다.

'食べる'의 사전적 의미

음식을 씹어 삼키다.

[1] 아래는 필자가 번역한 내용이다.

'飲む'의 사전적 의미[1]

① 물이나 술 또는 그 밖의 음료를 입에서 배 속으로 들여보내다.

② 고형물을 씹지 않고 배 속으로 들여보내다.

③ 약을 복용하다.

④ 흡연하다.

위의 내용을 살펴보면 '食べる'의 사전적 의미는 주체자인 인간이 음식물을 씹어서 배 속으로 들여보낸다는 의미이고, '飲む'의 사전적 의미는 목구멍을 통하여 씹지 않고 그대로 배 속으로 들여보낸다는 의미이다. 이처럼 '食べる'와 '飲む' 두 동사 모두 한국어와 마찬가지로 주체자인 인간이 음식물을 입 안으로 넣어 배 속으로 들여보내는 행위를 나타낸다는 점에서 일치한다. 그러나 (2)ㄱ.~ㄷ.에서와 같이 '食べる'는 씹는 행위를 동반하는 대상물과 결합하는 반면 '飲む'는 그대로 삼킬 수 있는 대상물과 결합한다는 점에서 일본어는 씹는 동작의 유무에 따라 '食べる'와 '飲む'를 엄격하게 구분 지어 사용한다고 볼 수 있다.

(2) ㄱ. ご飯を {食べる／?飲む} (밥을 먹다/?마시다)
ㄴ. 水を {?食べる／飲む} (물을 ?먹다/마시다)
ㄷ. ガスを {?食べる／飲む} (가스를 ?먹다/마시다)

지금까지의 내용을 정리하면 한국어의 섭취 동사 '먹다', '마시다'와 이에 대응하는 '食べる', '飲む'의 사전적 의미는 유사하지만 〈그림 1〉과 같이 두 동사의 구분 방법과 쓰임에 차이점이 있다고 볼 수 있다.

〈그림 1〉 섭취 동사의 사용 구분

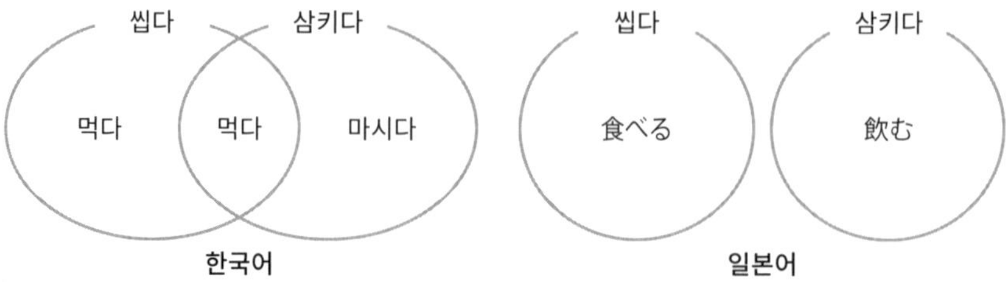

〈그림 1〉과 같이 한국어 '먹다'는 섭취 방법에 상관없이 대상물을 배 속으로 들여보내는 동작 모두에 허용 가능한 기본적인 섭취 동사이기 때문에 한 대상물에 대해 '먹다', '마시다' 두 동사 모두가 결합 가능한 경우도 있다. 반면 이에 대응하는 일본어 '食べる'는 섭취 방법인 씹는 행위에 중점을 두고 있으며 이는 '飲む'와의 엄격한 구분 요인으로 작용한다. 예를 들어 '약을 복용하다'의 의미를 섭취 동사로 나타낼 경우 아래 (3)에서와 같이 한국어는 '먹다'와 결합하지만 일본어는 '飲む'와 결합한다. 그 이유는 앞서 말했듯이 일본어의 경우 섭취 방법에 주목하여 동사의 쓰임을 구분 짓기 때문이다. 즉, '약'을 섭취할 때 물과 함께 대상물을 그대로 삼켜서 배 속으로 들여보내기 때문에 일본어의 경우 '약'은 '食べる'가 아닌 '飲む'와 결합한다.

(3) ㄱ. 약을 먹다.
ㄴ. ?약을 마시다.
ㄷ. 薬を飲む。(약을 마시다.)
ㄹ. ?薬を食べる。(?약을 먹다.)

한국의 경우에도 '약'을 섭취하는 방법은 일본과 다르지 않다. 하지만 '마시다'가 아닌 '먹다'와 결합하는 이유는 '마시다'의 결합 대상물은 반드시 액체 내지는 기체의 형태를 띠어야 하는 제약이 따르기 때문이다. 따라서 비슷한 예로 아래 (4)에서와 같이 '수박씨'를 삼켰을 경우 '먹다'와 결합 가능하지만 '마시다'와 결합하지 못하는 이유도 결합 대상물의 형태가 액체 내지는 기체의 형태를 띠지 않기 때문이라고 볼 수 있다.

(4) ㄱ. 수박씨를 먹어 버렸다.
ㄴ. ?수박씨를 마셔 버렸다.

이상에서와 같이 기점 언어인 '食べる', '飲む'와 목표 언어인 '먹다', '마시다'는 어휘적 형식 관계가 일대일 대응 관계를 이루며 사전적 의미가 유사하다. 그러나 엄밀하게 살펴보면 그 구분이 다르기 때문에 일괄적으로 대응시켜 다루는 것은 올바르지 못하며 주의가 필요하다. 앞서 말했듯이 기점 언어적 지식을 활용하여 목표 언어를 습득하는 것은 효율적인 학습 전략이다. 그렇기 때문에 대다수의 일본인 한국어 학습자들이 기점 언어적 지식을 과용하여 범하는 오류가 적지 않다.

이어서 실제 일본인 한국어 학습자들이 한국어의 섭취 동사 '먹다', '마시다'를 어떠한 기준으로 구분하여 사용하는지, 학습자의 한국어 능력에 따라 그 쓰임은 어떠한지 살펴보고자 한다.

3. 연구 방법

3.1. 조사 대상 및 기간

본 연구 조사에 참가한 응답자들은 일본 동경에 소재한 대학의 한국어학과 학부생 102명이다. 응답자들의 한국어 학습 기간 및 한국어 능력에 관한 내용은 본문의 맨 마지막 페이지에 별도 〈자료 1〉을 통해 제시한다. 설문조사 실시 기간은 2022년 3월 12일~2022년 7월 31일까지이다.

3.2. 조사 방법 및 내용

조사는 Google 폼을 이용해서 설문조사를 작성, 실시하였다. 응답자들은 각자 PC 또는 스마트폰으로 Google 설문지 링크에 접속하여 설문조사에 응답하였다. 한국어의 섭취 동사 '먹다', '마시다'는 섭취의 대상물에 따라 둘 다 허용 가능한 경우가 있기 때문에 기입형이 아닌 택일형으로 설정하였다.

응답자들의 한국어 능력이 각자 다르기 때문에 응답 시간에 제한을 두지 않았다. 또한 질문 내용을 정확하게 이해하고 응답할 수 있도록 질문 항목에는 일본어를 추가하였다. 단, 응답 항목에는 기점 언어의 영향을 피하기 위해 한국어만 제시하였다. 조사 항목 수는 총 35문항으로 더미 항목 23문항, 분석 대상 항목 12문항이다. 응답자 중 일부(68명)에게는 같은 항목의 내용으로 일본어 표현 및 섭취 동사에 대한 의견도 조사하였다. 더미 항목을 제외한 분석 대상 항목은 다음과 같다. 일본어 항목은 그 내용이 동일하기 때문에 생략한다.

〈조사 항목 내용〉

1) A: 오늘 날씨가 좀 쌀쌀하다.
   ① 따뜻한 커피라도 마실래?
   ② 따뜻한 커피라도 먹을래?
   ③ 둘 다 적절하다.

2) A: 나 목이 좀 아파.
   ① 약 마셨어?
   ② 약 먹었어?
   ③ 둘 다 적절하다.

3) A: 오늘 저녁은 스파게티 어때?

① 좋아. 스파게티 마시자.
② 좋아. 스파게티 먹자.
③ 둘 다 적절하다.

4) A: 위장염에 걸렸어.
① 그럼 오늘은 죽을 마시는 게 어때?
② 그럼 오늘은 죽을 먹는 게 어때?
③ 둘 다 적절하다.

5) A: 아침에 브로콜리 수프를 만들었어.
① 나도 그 수프 마셔 보고 싶다.
② 나도 그 수프 먹어 보고 싶다.
③ 둘 다 적절하다.

6) A: 머리가 너무 아프다.
① 술을 얼마나 마신 거야?
② 술을 얼마나 먹은 거야?
③ 둘 다 적절하다.

7) A: 피자엔 역시 콜라지.
① 맞아. 콜라 마시자.
② 맞아. 콜라 먹자.
③ 둘 다 적절하다.

8) A: 뭐가 좋을까?
① 난 스무디 마실래.
② 난 스무디 먹을래.
③ 둘 다 적절하다.

9) A: 오늘따라 소화가 잘 안되다
① 그럼 면은 남기고 국물만 마셔.
② 그럼 면은 남기고 국물만 먹어.
③ 둘 다 적절하다.

10) A: 미역국 어때?
① 난 미역국 마시면 배가 아파.
② 난 미역국 먹으면 배가 아파.
③ 둘 다 적절하다.

11) A: 아…… 너무 긴장된다.
① 물 좀 마셔 봐.
② 물 좀 먹어 봐.
③ 둘 다 적절하다.

12) A: 한약이 별 효과가 없는 것 같아.
① 한약은 따뜻하게 마셔야 해.
② 한약은 따뜻하게 먹어야 해.
③ 둘 다 적절하다.

조사 항목의 제시 순서에 따른 부정적 영향을 최소화하기 위해 조사 항목을 무작위로 설정하여 각 피실험자들이 제시 순서가 다른 설문조사에 응답하도록 유도하였다. 2.1절에서 살펴본 바와 같이 한국어 '먹다'는 가장 기본적인 섭취 동사이며 '마시다'는 대상물의 형태에 따라 결합이 제한적이다. 이 점을 고려하여, 본 연구에서는 조사 대상을 고체와 액체 내에서 선정하였다.

4. 결과 및 고찰

4.1. 응답자들의 한국어 능력과 분류

한국어 능력에 따른 응답의 결과를 비교하기 위해 본고에서는 한국어 능력 및 학습 기간 등을 참고하여 응답자들을 아래와 같은 기준으로 나눴다. 분류 결과, 전체 응답자 중 초급은 24명, 중급은 34명, 상급은 44명이다.

〈응답자들의 한국어 능력별 분류 기준〉

초급: 한국어 학습 기간이 1년 미만으로 한국어능력시험 2급 이하 혹은 그에 상응하는 한국어 능력을 가진 자.

중급: 한국어 학습 기간이 1년 이상으로 한국어능력시험 4급 이하 혹은 그에 상응하는 한국어 능력을 가진 자.

상급: 한국어 학습 기간이 2년 이상으로 한국어능력시험 5급 이상 혹은 그에 상응하는 한국어 능력을 가진 자.

4.2. '먹다', '마시다'에 대한 일본인 학습자들의 사용 실태

다음 〈그림 2〉, 〈그림 4〉, 〈그림 5〉는 한국어 표현에 대한 각 그룹의 항목별 응답 결과를 나타낸 그래프이고, 〈그림 3〉은 일본어 표현에 대한 항목별 응답 결과를 백분율로 환산해서 나타낸 그래프이다.

〈그림 2〉 응답 결과(초급)

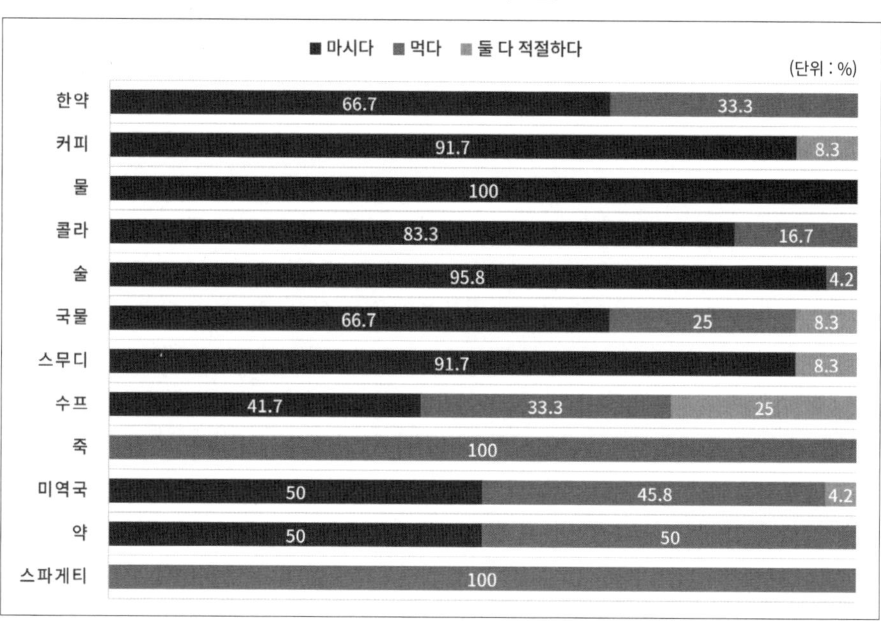

먼저 〈그림 2〉는 초급자들의 응답 결과이다. 전반적으로 '마시다'의 응답 비율이 높은 반면 전체 응답 중 '둘 다 적절하다'의 선택률이 현저하게 낮다. 그 이유는 '먹다'에 대한 이해 부족과 기점 언어 지식에 기반한 선택의 결과라고 볼 수 있겠다.

다음 〈그림 3〉은 전체 응답자 102명 중 68명을 대상으로 실시한 일본어 표현에 대한 조사 결과이다.

〈그림 3〉 응답 결과(일본어)

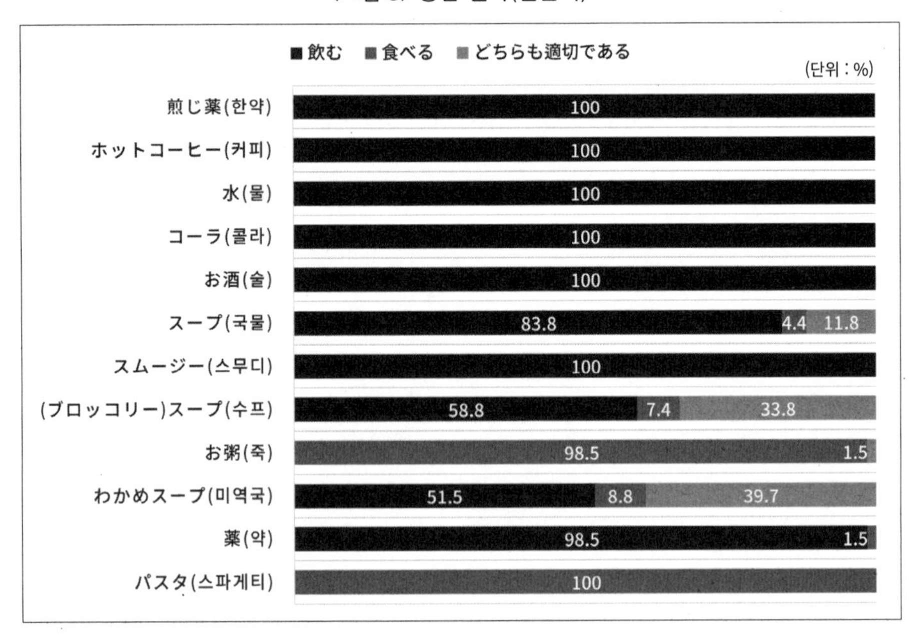

〈그림 3〉의 결과에서 알 수 있듯이 일본어의 경우 섭취 대상물에 따라 '食べる', '飲む'를 구분 지어 선택한다. 그리고 조사 항목들이 대부분 '飲む'와 결합되는 대상물이기 때문에 결과적으로 〈그림 5〉와 같은 결과로 이어졌다고 본다. '수프'와 '미역국'에 한하여 비교적 'どちらも適切である(둘 다 적절하다)'의 선택 비율이 높은 이유는 '커피', '물', '콜라' 등과는 달리 여러 형태의 '수프'와 '미역국'을 떠올릴 수 있기 때문이다. 한 예로 같은 국물 요리(汁物)이지만 아래 (5)에서와 같이 말하는 경우도 있다.

(5) ㄱ. みそ汁を飲む。(된장국을 마시다.)
ㄴ. 豚汁を食べる。(돼지 된장국을 마시다.)

'みそ汁'는 건더기의 양이 매우 적어 마시면서 먹을 수 있지만, '豚汁'는 건더기의 양이 매우 많아 씹으면서 먹어야 하기 때문이다. 이처럼 '수프'와 '미역국'의 경우에도 건더기의 양에 따라서 '食べる' 또는 '飲む'와 결합할 수 있기 때문에 이 대상물에 한해서는 'どちらも適切である(둘 다 적절하다)'의 선택 비율이 높은 것으로 보인다.

앞서 언급했듯이 학습자들은 기점 언어 지식에 기반하여 목표 언어를 이해하려는 경향이 있다. 〈그림 3〉의 결과와 2.2절에서 지적한 바와 같이 응답자의 기점 언어인 일본어의 경우 음식물의 섭취 방법에 따라 '食べる'와 '飲む'의 용법을 구분 짓고, 한국어의 경우 '먹다'가 가장 기본적인 섭취 동사이고 같은 대상물에 대하여 '먹다'와 '마시다'

두 동사 모두 결합 가능하다는 점을 미처 이해하지 못한 결과, '둘 다 적절하다'의 선택률이 낮았던 것으로 보인다(〈그림 2〉 참조). 또한, 일본인 한국어 학습자들을 대상으로 하는 교재 중 《가나다Korean for Japanese初級 I》과 《できる韓国語初級 I》에 실려 있는 예문에서 '먹다'와 '마시다'를 살펴보면 다음과 같다.

먹다

불고기를 먹다. 냉면을 먹습니다. 케이크를 먹었습니다. 고기를 먹다. 밥을 먹다. 아침을 먹다. 저녁을 먹다. 빵이나 밥을 먹습니다. 국수를 먹다. 야채는 먹지만 고기는 안 먹어요. 고기만 먹어요. 고기를 먹을까요? 찌개를 먹을까요?

마시다

차를 마시다. 술을 마시다. 커피를 마시다. 맥주를 마시다. 2잔 마시다. 커피를 몇 잔 마십니까? 우유나 커피를 마십니다. 어제 저녁에 술을 많이 마시다. 커피라도 마실까요? 술을 마실까요? 차를 마실까요? 소주를 못 마십니다. 술을 전혀 못 마십니다. 맥주는 마실 수 있습니다.

예문을 보면 '먹다'와 결합하는 대상물은 입 안에 넣어 씹어서 먹는 음식이고 '마시다'와 결합하는 대상물은 씹지 않고 그대로 삼킬 수 있는 음식이다. 즉, 암시적으로 '먹다'와 '마시다'의 대상물을 음식물의 섭취 방법으로 나눠서 구별하고 있다. 이는 일본인 한국어 학습자들에게는 이해하기 쉬운 적절한 예문이라고 볼 수 있겠다. 그러나 '먹다'가 가지고 있는 용법의 의미를 충분히 설명하고 있다고는 볼 수 없다.

다음 〈그림 4〉는 중급자들의 응답 결과이다. 전반적으로 초급자들의 응답 결과에 비해 '마시다'의 선택 비율이 낮고, '먹다'와 '둘 다 적절하다'의 선택 비율이 높다. '커피', '물', '콜라', '술', '스무디'와 같이 그대로 삼켜서 배 속으로 들여보내는 대상물에 대해서는 여전히 '마시다'의 선택률이 높지만, '둘 다 적절하다'를 선택한 비율이 증가한 점도 주목할 만하다.

〈그림 4〉 응답 결과(중급)

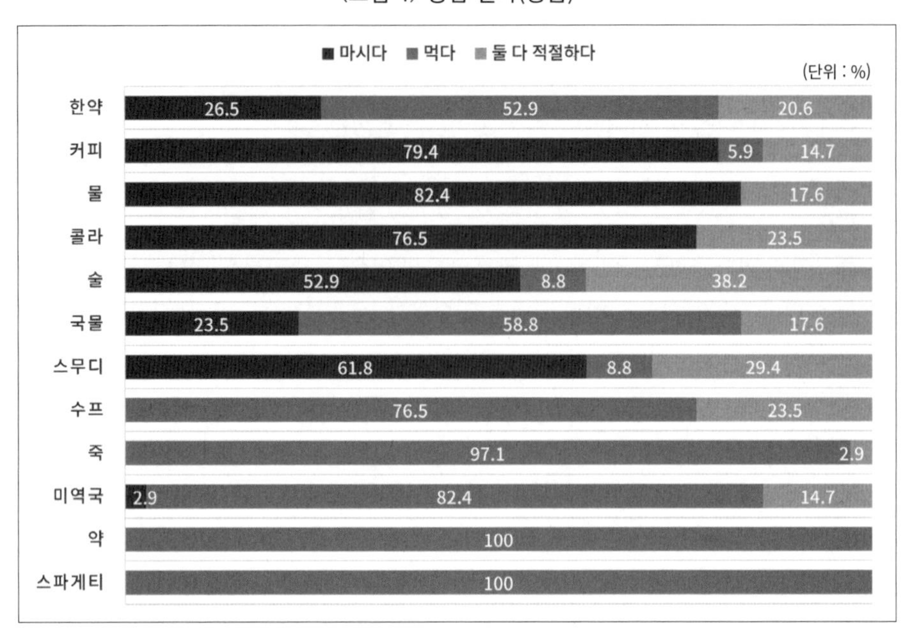

이와 같은 응답 항목에 대한 선택률의 변화는 한국어의 '먹다' 동사가 일본어의 '食べる'와는 달리 씹지 않고 그대로 삼켜 배 속으로 들여보낸다는 의미까지 내포하고 있다는 것을 이해하고 있다고 볼 수 있겠다. 다음으로 〈그림 5〉는 상급자들의 응답 결과이다.

〈그림 5〉 응답 결과(상급)

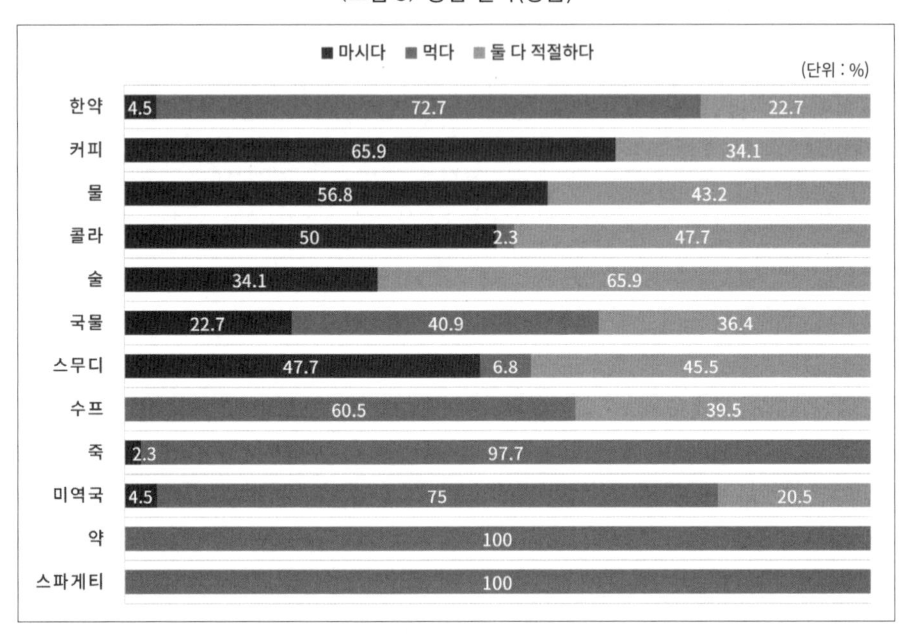

〈그림 2〉, 〈그림 4〉의 결과와 비교해 보면 '마시다'의 선택 비율이 가장 낮고 '둘 다 적절하다'의 선택 비율이 가장 높다. 〈그림 4〉의 결과에서 언급한 '콜라'나 '술' 등과 같이 그대로 삼켜서 배 속으로 들여보내는 대상물에 대해서도 '둘 다 적절하다'의 선택 비율이 크게 증가하였다.

마지막으로 〈그림 6〉은 그룹별 응답 항목의 선택률 및 응답자들의 기점 언어인 일본어에 대한 결과를 나타낸 그래프이다. 〈그림 6〉의 결과를 살펴보면 예상대로 일본어에 대한 응답 결과와 가장 비슷한 비율로 응답한 그룹은 초급자들이다. 그리고 응답자들의 한국어 능력이 높아질수록 '마시다'의 선택률이 점점 감소되는 반면 '둘 다 적절하다'의 선택률은 점점 증가하고 있는 것을 확인할 수 있다. 이와 같이 '마시다'의 선택 비율이 낮아짐과 동시에 '둘 다 적절하다'의 선택 비율이 높아진 것은 일본인 한국어 학습자들의 한국어 능력이 올라감에 따라 '먹다'를 '食べる'와는 다른 용법을 가진 동사로서 이해, 적용하고 있다는 증거이기도 하다.

〈그림 6〉 그룹별 응답 항목의 선택률 및 일본어에 대한 결과

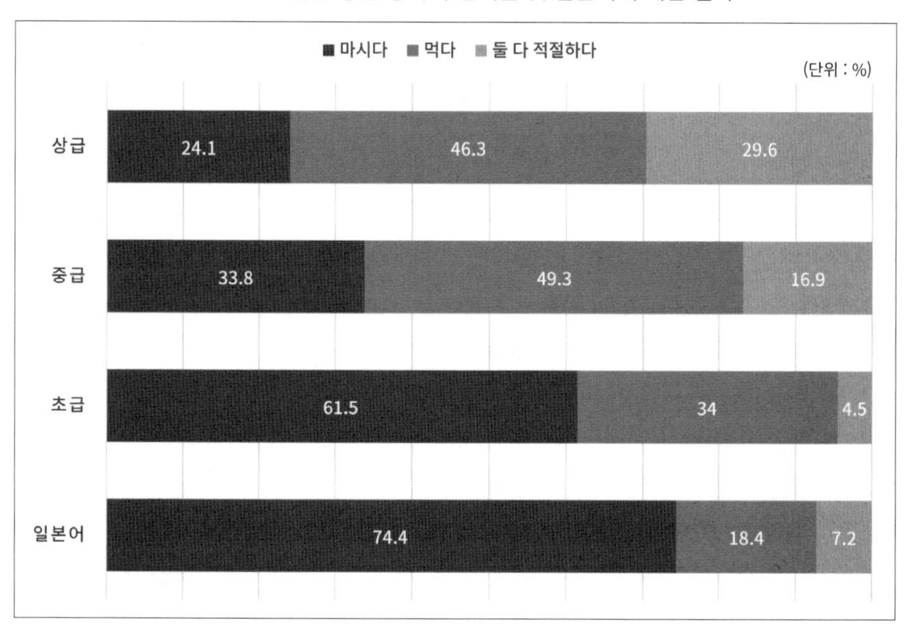

이상 4.2절에서는 설문조사의 결과를 바탕으로 '먹다'와 '마시다'에 대한 일본인 한국어 학습자들의 사용 실태에 대해 분석·고찰하였다. 4.3절에서는 한국어 및 일본어의 섭취 동사에 대한 응답자들의 의견을 살펴보고자 한다. 한국어 학습자들의 의견은 앞으로의 한국어 지도에 있어서 좋은 참고 자료가 되리라 본다.

4.3. 섭취 동사에 대한 이해

한국어 및 일본어의 섭취 동사에 대한 응답자들의 의견은 희망자에 한해서 기입하도록 권고하였다. '먹다', '마시다'에 대한 쓰임이 한국어 능력에 따라 다르다는 점을 고려하여, 기입 내용은 초급자들과 중·상급자들로 나눠서 제시한다. 응답자들의 기입 내용은 필자의 번역임을 밝힌다.

초급자

- 액체의 경우 '마시다'를 쓰지만 액체가 아닌 경우 '먹다'를 쓴다.
- 일본어는 씹지 않는 수프 등의 액체는 기본적으로 '飲む'라고 한다.
- 씹는 것은 '食べる', 씹지 않는 것은 '飲む'라고 한다.
- '食べる'는 턱관절을 상하로 움직이면서 먹는 것, '飲む'는 턱관절을 상하로 움직이지 않고 먹는 것.
- 일본어는 입을 상하로 움직여서 먹는 것이 '食べる'이고 움직이지 않고 먹는 것이 '飲む'이다.
- 한국어의 '먹다'와 '마시다'의 차이를 잘 모르겠다. 일본어에서도 국물을 '食べる', '飲む' 어느 쪽이든 쓰는 경우가 있다.
- 한국어는 씹는지 안 씹는지에 따라 나뉜다.
- 일본어는 고체인지 액체인지에 따라 구별합니다.
- 일본어는 액체인지 아닌지에 따라 구별한다.
- 일본어는 씹는지 아닌지에 따라 구별하지만 한국어는 잘 모르겠다.
- 한국어의 '먹다'와 '마시다'의 구분 기준을 모릅니다. 일본어는 씹는지 마시는지에 따라 '食べる' 아니면 '飲む'를 씁니다.
- 일본어와 같다고 생각합니다.
- 그때의 상황 및 '국'이라면 건더기가 있는지 없는지에 따라 '食べる' 아니면 '飲む'를 씁니다.
- 기본적으로 씹는 것에는 '食べる', 액체에는 '飲む'를 쓴다.
- 건더기 크면 '食べる'를 쓰고 씹지 않아도 먹을 수 있는 것은 '飲む'를 쓴다.
- 한국어에서 '약'은 '먹다'를 쓰는 걸로 알고 있습니다. 그 외엔 잘 모르겠습니다.
- 일본어의 경우 '薬を飲む'라고 하는데 한국어의 경우 '약을 먹다'라고 하니 일본어와 한국어는 기준이 비슷한 것 같으면서도 꽤 다른 것 같습니다. 일본어의 경우 고체인 경우엔 '食べる'라고 하지만 그 외엔 '飲む'를 씁니다.

중·상급자

- 씹지 않고 먹는 것은 '마시다', 씹지 않으면 먹을 수 없는 것은 '먹다'를 선택했습

니다. '약'은 '먹다'라고 배웠기 때문에 '한약'도 '먹다'를 선택했습니다.

- 고체는 '먹다', 액체는 '마시다'로 구분해서 사용합니다. 그러나 액체라도 음료수나 수프의 경우 '먹다'를 쓰는 것 같습니다.
- 일본어의 경우 액체는 '飲む', 고체는 '食べる'로 구분해서 사용합니다.
- 한국어의 경우 음식이면 '수프' 등의 액체라도 '먹다'를 쓰는 것 같습니다.
- 저는 개인적으로 액체가 많으면 '飲む', 고체가 많으면 '食べる'라고 합니다.
- 일본어는 액체일 경우에는 '飲む', 고체일 경우에는 '食べる'라고 하는데 한국어는 일본어만큼 명확한 구분이 없는 것 같습니다.
- 액체만 있는 경우에는 '飲む'이고, 액체 안에 고체가 있는 경우에는 '食べる'라고 합니다.
- 한국어의 경우 '약'은 '먹다'이고 국이나 수프 같은 것은 '먹다'와 '마시다' 둘 다 쓸 수 있는 것 같습니다.
- '飲む'는 '마시다'이고 '食べる'는 '먹다'인 것 같은데 '먹다'는 액체에도 쓰는 것 같습니다.
- 감으로 구분해서 씁니다.
- 일본어는 '약을 마시다'이고 한국어는 '약을 먹다'라고 합니다.
- 한국어는 액체에만 '마시다', 고체가 들어 있으면 '먹다'라고 합니다.
- 일본어는 고체라도 수분이 포함되면 '飲む'가 된다. 예) 薬を飲む。
- 한국어는 음료수만 '마시다'이고 일본어는 액체와 '약'만 '飲む'라고 한다.
- 일본어는 그릇에 입을 대고 먹는 것은 '飲む'라고 말한다.
- 음료의 경우에는 '먹다', '마시다'를 쓰고, 음식은 액체라도 기본적으로 '먹다'를 쓰는 것 같다.
- 한국어는 액체라도 '먹다'를 쓰는 이미지가 있습니다.
- 저는 한국어의 경우 물에 가까운 것은 '마시다'를 쓰고, 무언가 들어 있으면 '먹다'를 쓰도록 하고 있습니다.
- 한국어는 '술을 마시다' 외에 무엇이든 '먹다'를 쓰는 것 같습니다. 일본어는 고체일 경우에는 '食べる'를 쓰고 '飲む'는 액체일 때 씁니다.
- 한국어는 건더기가 들어 있으면 '먹다'를 쓰고 일본어는 도구를 쓰지 않고 입에 넣는 것은 '飲む'라고 표기합니다.
- 액체의 경우 '먹다'와 '마시다' 둘 다 쓸 수 있지만 고체의 경우 '먹다'밖에 쓸 수 없다. 그리고 미역국과 같이 구체적인 요리명의 경우에는 '먹다'를 사용한다.
- 일본어는 액체라면 '飲む', 고체라면 '食べる'를 쓰는 것 같다. 한국어는 액체라면 '먹다'와 '마시다' 둘 다 사용 가능. 단 액체라도 식사와 관련된 것은 '먹다'를 사용한다고 생각합니다.

- 한국어는 기본적으로 고체는 '먹다', 액체는 '마시다'로 나타내지만 '약'은 '먹다'를 쓴다. 일본어는 액체라면 '飲む', 고체라면 '食べる'라고 한다.
- 액체뿐이면 '마시다'를 쓰지만 조금이라도 고형물이 들어 있으면 '먹다'와 '마시다' 둘 다 쓰는 것 같다. 따뜻한 건 특히 둘 다 사용하는 것 같다. 일본어는 고형물이 들어 있어도 액체가 들어 있으면 '飲む'를 사용하는 경향이 있는 것 같다.
- 한국어의 '먹다'는 일본어보다 조금 더 넓은 의미가 있다.
- 한국어의 기준은 잘 모르겠습니다. 일본어는 고형물이면 '食べる'이고 '飲む'는 고형물이라도 무형물과 같이 먹으면 '飲む'를 쓰는 것 같다.
- 한국어는 그냥 외웠고 일본어는 씹는지 안 씹는지로 나뉘는 것 같습니다.
- 한국어의 경우 일본어와는 달리 '약', '수프', '술'일 때도 '먹다'를 쓴다는 걸 한국어 공부하면서 점점 자연스럽게 알게 되었습니다.
- 일본어와 한국어는 대체적으로 비슷하고 '약을 복용하다'라는 표현에서만 다르다고 배웠습니다.
- 일본어는 기본적으로 먹는 것은 '食べる'를 쓰고, 마시는 것은 '飲む'를 사용합니다. 한국어에서도 기본은 같지만 '약'만 다릅니다. 일본어는 '飲む'라고 하지만 한국어는 '먹다'를 사용합니다.
- 일본어의 경우는 '약', '수프', '술' 등을 전부 '飲む'라고 하는데 한국어의 경우 그렇지 않아서 한국어 배울 때 어려웠던 것 중에 하나입니다.

일본인 한국어 학습자들의 응답 내용을 통해서도 알 수 있듯이 초급자들에 비해 중·상급자들이 한국어와 일본어의 차이점에 대해 더 잘 이해하고 있는 것을 다시 한번 확인하였다. 그리고 초급자들뿐만 아니라 중·상급자들도 일본어에 대해서는 비교적 명확한 자신만의 기준으로 '食べる'와 '飲む'를 구분해서 설명하고 있지만 한국어에 대해서는 '~인 것 같다', '감으로 쓰고 있다' 등의 기술이 보인다. 또한, '약'에 대한 기술이 많은 점은 교수자가 한국어와 일본어 두 언어 간의 차이점으로 다루었기 때문이라고 짐작된다. 그러나 그 밖에 '잘 모르겠다', '~이미지가 있다' 등의 의견과 학습자들 중에서 잘못된 기준으로 '먹다'와 '마시다'를 구분하고 있는 점에서 '먹다'와 '마시다'에 대한 용법 설명이 충분히 이뤄지지 않고 있음을 확인할 수 있다.

'먹다'와 '마시다'는 한국어의 기초 동사에 포함되는 어휘로 한국어 초급 단계에 익히는 어휘 중 하나이다. 본 연구에서 조사한 학습자들의 기술 내용 및 실태 상황을 참고로 하여 학습자들이 혼란을 겪지 않고 올바른 기준으로 '먹다'와 '마시다'를 구분해서 쓸 수 있도록 한국어와 일본어의 용법 차이에 대한 설명이 필요하겠다.

5. 나가며

본고는 '언어 전이의 양면성', '학습 전략', '어휘 학습'이라는 3개의 키워드를 연구의 출발점으로 삼았다.

1절에서도 언급했듯이 한국어와 일본어는 범주의 구조와 규칙 등이 유사하다. 그렇기 때문에 다른 언어권의 학습자들에 비해 일본인 한국어 학습자의 경우 상대적으로 학습의 장벽이 낮다. 하지만 언어 간의 유사성은 여러 가지 측면에서 긍정적 효과를 낳지만 기점 언어 지식의 과용으로 인한 오류도 빈번하게 일어난다. 기점 언어의 어휘와 목표 언어의 어휘가 형식적인 면에서 일대일 대응 관계를 이루며 사전적 의미가 유사한 경우 학습자는 더욱 기점 언어적 지식에 기반하여 이해·운용하는 경향을 보인다.

본 연구에서는 이러한 점에 주목하여 일본인 한국어 학습자를 대상으로 한국어의 '먹다'와 '마시다'에 대한 실태 조사를 실시하였다. 조사 결과에 대한 분석에 앞서 2절에서는 한국어의 '먹다'와 '마시다', 일본어의 '食べる'와 '飲む'의 사전적 의미를 살피고 각 용법의 차이점에 대해서 논하였다. 구체적으로 한국어의 '먹다'는 가장 기본적인 섭취 동사로, 대상물을 씹거나 씹지 않고 그대로 배 속으로 들여보내는 의미를 가지고 있으므로 '마시다'의 대상물과도 결합 가능하다. 그러나 '마시다'는 대상물의 형태에 제한적이기 때문에 그대로 삼킬 수 있는 대상물이라 하더라도 액체 내지는 기체가 아닌 경우 '마시다'와 결합할 수 없다. 반면 일본어의 '食べる'와 '飲む'는 대상물의 섭취 방법에 따라 두 동사를 구분한다. 그렇기 때문에 기점 언어의 어휘와 목표 언어의 어휘가 형식적인 면에서 일대일 대응 관계를 이루며 사전적 의미가 유사하더라도 용법에 차이가 있다는 점을 정리하였다. 다음으로 3절에서는 조사 방법 및 분석 대상의 항목에 대하여 설명하고, 4절에서는 조사 결과를 분석하며 고찰하였다. 구체적으로 한국어와 일본어 표현에 관한 응답 결과를 통해 일본인 한국어 초급자들은 기점 언어인 일본어의 지식을 기반으로 '먹다'와 '마시다'를 이해·운용하는 경향이 두드러지는 것을 확인하였다. 그리고 한국어 능력이 향상됨에 따라 '마시다'의 선택률이 줄어드는 반면 '둘 다 적절하다'의 선택률이 증가하는 것과 응답자들의 의견을 통해 일본인 한국어 학습자들이 기점 언어적 사고에서 벗어나 한국어와 일본어의 차이점을 인지하고 새로운 기준을 정립하여 목표 언어의 어휘를 이해·운용하는 것을 밝혔다.

이번 연구에 많은 한계와 문제점 등이 있었지만 이를 수정 보완하고 발판으로 삼아 향후 일대일 대응 관계의 동사뿐만 아니라 일대다 대응 관계의 동사도 연구 범위에 넣어 최종적으로는 한국어의 섭취 동사와 일본어의 섭취 동사의 관계성을 도식화하고자 한다.

참고문헌 및 참고 자료

김은정, 김선정. 2018. 한국어 교육을 위한 한자어 난이도 위계 설정-일본인 학습자를 중심으로. **현대사회와 다문화**. 제8권 제1호. 대구대학교 다문화사회정책연구소. pp. 166-189.

배주채. 2010. 국어 어휘의 통계적 특징. **최명옥 선생님 정년 퇴임 기념 국어학논총**. 태학사.

이정희. 2003. 초급 단계 한국어 학습자의 어휘 오류. **이중언어학**. 22. 이중언어학회. pp. 299-318.

표준국어대사전 (https://stdict.korean.go.kr)

연세 현대 한국어사전 (https://ilis.yonsei.ac.kr/dic)

松村明編集. 2019. **大辞林**. 第四版. 三省堂

梅棹忠夫他監修. 1995. **日本語大辞典**. 第二版. 講談社

가나다한국어학원. 2004. **가나다 Korean for Japanese初級 I**. LanguagePLUS

李志暎. 2015. **できる韓国語初級 I**. アスク出版

〈자료 1〉 응답자들의 한국어 학습 기간 및 한국어 능력

No	학습 기간	자격 시험	No	학습 기간	자격 시험	No	학습 기간	자격 시험
1	1년 미만	없음	35	1년 이상	한글3급	69	3년 이상	한국어6급
2	1년 미만	없음	36	1년 이상	한글4급	70	3년 이상	한국어6급
3	1년 미만	없음	37	1년 이상	한국어3급	71	3년 이상	한국어6급
4	1년 미만	없음	38	1년 이상	한국어3급	72	3년 이상	한국어6급
5	1년 미만	없음	39	1년 이상	한국어4급	73	3년 이상	한국어6급
6	1년 미만	없음	40	1년 이상	한국어5급	74	3년 이상	한국어6급
7	1년 미만	없음	41	1년 이상	한국어5급	75	3년 이상	한국어6급
8	1년 미만	없음	42	2년 이상	한국어3급	76	3년 이상	한국어6급
9	1년 미만	없음	43	2년 이상	한국어3급	77	4년 이상	한국어5급
10	1년 미만	없음	44	2년 이상	한국어3급	78	4년 이상	한국어5급
11	1년 미만	없음	45	2년 이상	한국어3급	79	4년 이상	한국어5급
12	1년 미만	없음	46	2년 이상	한국어3급	80	4년 이상	한국어5급
13	1년 미만	없음	47	2년 이상	한국어3급	81	4년 이상	한국어5급
14	1년 미만	없음	48	2년 이상	한국어4급	82	4년 이상	한국어5급
15	1년 미만	없음	49	2년 이상	한국어4급	83	4년 이상	한국어5급
16	1년 미만	없음	50	2년 이상	한국어4급	84	4년 이상	한국어5급
17	1년 미만	없음	51	2년 이상	한국어4급	85	4년 이상	한국어5급
18	1년 미만	없음	52	2년 이상	한국어4급	86	4년 이상	한국어5급
19	1년 미만	없음	53	2년 이상	한국어4급	87	4년 이상	한국어6급
20	1년 미만	없음	54	2년 이상	한국어4급	88	4년 이상	한국어6급
21	1년 미만	없음	55	2년 이상	한국어5급	89	4년 이상	한국어6급
22	1년 미만	없음	56	2년 이상	한국어5급	90	4년 이상	한국어6급
23	1년 미만	없음	57	2년 이상	한국어5급	91	4년 이상	한국어6급
24	1년 미만	없음	58	2년 이상	한국어6급	92	4년 이상	한국어6급
25	1년 이상	없음	59	3년 이상	없음	93	4년 이상	한국어6급
26	1년 이상	없음	60	3년 이상	없음	94	4년 이상	한국어6급
27	1년 이상	없음	61	3년 이상	한국어3급	95	4년 이상	한국어6급
28	1년 이상	없음	62	3년 이상	한국어4급	96	4년 이상	한국어6급
29	1년 이상	없음	63	3년 이상	한국어4급	97	4년 이상	한국어6급
30	1년 이상	없음	64	3년 이상	한국어5급	98	4년 이상	한국어6급
31	1년 이상	없음	65	3년 이상	한국어5급	99	4년 이상	한국어6급
32	1년 이상	없음	66	3년 이상	한국어5급	100	4년 이상	한국어6급
33	1년 이상	없음	67	3년 이상	한국어5급	101	4년 이상	한국어6급
34	1년 이상	없음	68	3년 이상	한국어5급	102	4년 이상	한국어6급

제3장

한국어 강조 정도 부사의 사용 양상

- 대학생 구어코퍼스를 바탕으로

윤수미
일본 후쿠오카대학교
Fukuoka University

고지마 다이키
일본 긴키대학교
Kindai University

1. 들어가며

본 연구는 한국어 및 일본어 회화 분석에 근거하여 회화 관리 능력 육성을 위한 한국어 회화 교재 및 교수법 개발의 일환으로, 한국어 구어에서의 정도 부사의 사용 양상을 밝히는 것이 목적이다.[1] 정도 부사 중에서도 특히 정도가 높음을 나타내는 강조 정도 부사(진짜, 너무, 엄청, 되게, 정말, 아주, 매우 등)에[2] 대해 한국어 모어 화자의 사용 양상 및 한국어 교재(일본의 대학에서 사용되고 있는 교재)에서의 제시 현황을 중심으로 분석하여 고찰한다. 그리고 기존의 연구에서 그다지 주목을 받지 못한 강조 정도 부사 '엄청'에 대해 그 사용 양상을 공기 관계를 중심으로 살펴본다. 또한 다른 강조 정도 부사와의 비교를 통해 '엄청'의 의미적 기능을 고찰한다. 본 연구에서 밝히고자 하는 물음을 구체적으로 기술하면 다음과 같다.

1) 한국어 구어에서 실제 모어 화자의 강조 정도 부사 사용 양상은 어떠한가?
2) 일본 대학의 한국어 교재에서 제시하는 강조 정도 부사의 양상은 어떠한가?
3) 강조 정도 부사 '엄청'의 사용 양상과 의미적 기능은 어떠한가?

[1] 본 연구는 JSPS KAKENHI 21K00717의 조성을 받았다.

[2] 선행 연구에서는 '정도부사'와 '정도 부사'같은 띄어쓰기를 비롯해 '강조부사' 등과 같은 다양한 용언을 사용하고 있다. 본 연구에서는 강조를 나타내는 정도 부사의 의미로 천수연·조태린(2020)에서 사용한 '강조 정도 부사'로 통일한다. 다만 선행 연구를 인용할 때는 선행 연구에서 사용한 용어를 그대로 사용하되 띄어쓰기에 있어서는 국립국어원 《표준국어대사전》을 참고하여 '정도 부사'로 통일한다.

2. 선행 연구

정도 부사에 대한 기존 연구에는 우선 정도 부사의 목록을 제시하고 있는 연구들을 들 수 있다(서상규, 1991; 왕문용·민현식, 1993; 손남익, 1995; 박선자, 1996; 서정수, 1996). 이러한 연구들은 연구자에 따라 다양한 기준으로 여러 정도 부사의 목록과 특징 등을 제시하고 있다.

임유종(2010)은 위에서 기술한 선행 연구들의 정도 부사 목록을 조사하여 '아주, 매우, 몹시, 무척' 등 대표적인 정도 부사 이외에는 다소 다른 목록 구성을 보임을 지적하고(임유종, 2010: 374), 문어 자료 중심으로 구축된 세종 코퍼스를[3] 분석하여 각 정도 부사의 출현 양상을 빈도순으로 나타냈다.[4]

임유종(2010)의 연구 이후 코퍼스를 활용한 정도 부사 연구가 다양하게 이루어졌다(김혜영·강범모, 2010; 서상규, 2014; 이유미·김진식, 2019). 김혜영·강범모(2010)에서는 성별 및 상황별 구어코퍼스를 분석하여 구어에서의 정도 부사의 사용 빈도를 밝혔는데 그 결과는 문어코퍼스를 분석한 임유종(2010)의 결과와 다름이 확인되었다.[5]

한편 한국어 교육 분야에 있어서도 정도 부사에 대한 연구가 활발히 이루어지고 있는데, 이유미·김진식(2019)은 한국 내 7개 대학에서 사용 중이던 한국어 교재 59권을 토대로 말뭉치를 구축하여, 한국어 교재에서의 정도 부사 사용 양상을 밝혔다.[6] 또 이를 바탕으로 출현 빈도가 높은 '아주, 매우, 너무, 가장, 더, 덜'에 대한 사용 빈도와 공기 관계에서 보이는 특징을 분석하여, 한국어 교재에서도 가급적 공기 어휘를 중심으로 결합 양상을 보완할 필요가 있음을 지적했다(이유미·김진식, 2019: 278).

이미희·임규홍·조은정(2019)은 한국의 대학에서 사용하는 한국어 초급 교재에[7] 나타난 정도 부사와[8] 국립국어원에서 펴낸 '현대 국어 사용 빈도 조사'를[9] 비교 조사하여, 한국어 초급 교재에 반영된 정도 부사가 모어 화자의 발화에서나 문맥에서 사용하는 빈도와 크게 다르지 않음을 밝혔다. 한국의 대학에서 사용하고 있는 한국어 교재를 분석 자료로 사용한 이유미·김진식(2019)과 이미희·임규홍·조은정(2019)의 결과는 출현 빈도순에 있어서는 '가장'의 빈도수에 차이가 있는 등 다소 다른 점도 보였지만 대체로 비슷한 경향을 보였다.

지금까지 소개한 기존 연구에서 필자들이 주목한 정도 부사 '엄청'에 대한 언급은 찾아볼 수 없었다. 우리가 확인한 기존 연구 중 '엄청'이 언급된 연구는 본 연구와 같이 정도 부사 중 강조 부사에 중점을 두고 이루어진 연구가 있었다.

박동근(2006)은 현대 한국어에서 강조를 실현하는 어휘 범주로 강조 부사를 설정하고, '현대 국어 사용 빈도 조사' 결과와 '21세기 세종계획 균형 말뭉치'를 분석하여 강조 부사의 출현 빈도를 조사했다. 그중 '엄청'은 두 코퍼스의 분석 결과 모두 9번째로 많이 사용되었음을 확인했는데, 사용 빈도 조사 결과는 12회로, 가장 많이 사용된 '너무'(859

[3] '세종 코퍼스'와 '21세기 세종 말뭉치' 등의 표현은 선행 연구에서 사용한 표현을 그대로 사용한다.

[4] 임유종(2010)에서 밝혀진 정도 부사를 빈도순으로 정리하면 '가장 〉 너무 〉 아주 〉 매우 〉 너무나 〉 무척 〉 몹시 〉 상당히 〉 대단히 〉 꽤 〉 퍽 〉 굉장히 〉 너무너무'의 순이다.

[5] 김혜영·강범모(2010)가 구어코퍼스를 분석하여 얻은 정도 부사를 사용 빈도순으로 정리하면 '되게 〉 너무 〉 진짜 〉 정말 〉 아주 〉 가장 〉 상당히 〉 매우 〉 무척 〉 몹시'의 순이다.

[6] 이유미·김진식(2019)의 결과는 '더 〉 너무 〉 가장 〉 아주 〉 제일 〉 매우 〉 더욱 〉 훨씬 〉 무척 〉 덜 〉 몹시 〉 한결'의 순이다.

[7] 《연세한국어 1-1~2-2》, 《경상대한국어 1~2》, 《서울대한국어 1A~2B》, 《서강대한국어 1A~2B》, 《경희대한국어 문법 1~2》.

[8] 이미희·임규홍·조은정(2019)의 결과는 '많이 〉 좀 〉 아주 〉 제일 〉 너무 〉 정말 〉 더 〉 조금 〉 보통 〉 얼마나 〉 보다 〉 꼭 〉 참 〉 매우 〉 별로 〉 가장 〉 전혀 〉 특히 〉 훨씬'의 순이다.

[9] 2002년 국립국어연구원에서 한국어 학습용 어휘 선정을 위한 기초 조사로 수행한 150만 어절 규모의 빈도 조사.

회)에 비해 그 수가 확연히 적음을 알 수 있다. 또한 '21세기 세종계획 균형 말뭉치'에서 31회 사용으로, 가장 많이 사용된 '너무'(4,670회)에 비해 그 수가 매우 적었다. 이렇듯 '엄청'의 사용 빈도는 적게 나타났지만, 박동근(2006)은 '엄청'을 강조 부사로 지정하고 목록을 만들었다. 박동근(2006)의 강조 부사 목록에 대해서는 뒤의 결과와 고찰에서 구체적으로 살펴볼 것이다.

천수연·조태린(2020)은 한국어 강조 부사를 사회언어학적 관점에서 조사했다. DCT(Discourse Completion Test, 담화 완성 테스트)를 이용하여 한국어 모어 화자(10대에서 50대 이상의 남녀)를 대상으로, 예를 들어 예쁜 연예인을 본 것을 친구에게 이야기할 때 '(　　) 예쁘다'라고 말한다면 괄호 안에 어떤 말을 넣을 것인가를 물었다. 그 결과 '너무'(231회), '진짜'(202회), '정말'(143회)에 이어 '엄청'(115회)이 4번째로 많이 사용되었는데, 가장 많이 사용된 '너무'와의 차이는 코퍼스를 분석한 박동근(2006)의 결과에 비해 적음을 확인했다. 다만 천수연·조태린(2020)은 담화 완성 테스트를 사용하면서 강조 부사가 들어갈 괄호 뒤의 어휘를 조사자들이 제시하고 있는데, 괄호 뒤의 어휘는 대부분이 형용사로, 동사와 부사는 그다지 제시되고 있지 않음을 고려하면 각 강조 정도 부사의 공기 관계에 따른 특징이 이 조사에 영향을 미쳤을 가능성이 높다.

3. 조사 자료 및 분석 방법

3.1. 한국어 구어코퍼스

본 연구에서 사용한 자료는 대학생들의 구어코퍼스《일본어·한국어·중국어 담화집》(김경분·세키자키·조해성, 2018)이다. 이 코퍼스의 한국어는 서울 및 수도권 소재의 대학에 재학 중인 대학생(남성 20명, 여성 20명)이 2명(동성, 친한 친구)으로 팀을 이루어 1팀당 약 20분간 대화한 것을 녹화 및 녹음하여 문자로 나타낸 것이다. 실제로 대화가 이루어진 시기는 2015년이며 대화의 주제는 자신이 잘하는 것과 잘하지 못하는 것으로 각 주제에 대해 10분씩 자유롭게 대화했다.

이 코퍼스의 분석 방법은 우선 대화 중에 강조 정도 부사 '아주', '너무', '엄청', '정말' 등이 사용된 발화를 골라 개별 부사의 사용 빈도를 계량적으로 확인했다. 그리고 기존 연구에서 다루어지지 않았던 '엄청'에 대해 공기 관계 등을 중심으로 좀 더 구체적으로 분석했다.

3.2. 한국어 교재

현재 일본의 대학에서 한국어 교재로 사용되고 있는 29권의 초급 및 중급 교과서를 선정하여, 각 교재에서 제시하고 있는 강조 정도 부사의 종류를 확인했다. 29권의 교과서는 모두 일본어 모어 화자(또는 일본어 사용 화자)인 한국어 학습자를 대상으로 작성된 것이며 모든 교과서는 일본의 출판사에서 출판되었다. 각 교재는 한국어 모어 화자가 단독으로 작성한 것, 일본어 모어 화자가 단독으로 작성한 것, 그리고 한국어 모어 화자와 일본어 모어 화자가 공동으로 작성한 것이 있다. 29권의 한국어 교재 리스트는 이 논문의 마지막 장 〈자료 1〉에서 확인할 수 있다.

한국어 교재에 대해서는 교재의 어휘 목록 등을 통해 제시하고 있는 강조 정도 부사의 종류를 교재별로 확인했다. 교과서마다 구성 내용과 제시하는 어휘의 양이 다른 점을 고려하면, 교과서에서의 사용 빈도를 조사하는 것은 그다지 큰 의미가 없다고 생각되기 때문이다.

4. 결과 및 고찰

4.1. 한국어 구어코퍼스에서의 강조 정도 부사 사용 빈도

이 절에서는 필자들이 조사한 대학생 구어코퍼스에서의 강조 정도 부사의 종류 및 사용 빈도에 대해 그 결과를 정리하여 고찰한다. 〈표 1〉은 대학생 구어코퍼스에서의 강조 정도 부사 사용 빈도를 표로 나타낸 것이다.

〈표 1〉 대학생 구어코퍼스에서의 강조 정도 부사 사용 빈도

순위		1	2	3	4	5	6	7
정도 부사		진짜	너무	되게	엄청	정말	아주	매우
빈도	남	118	62	25	34	14	20	0
	여	272	206	75	57	23	3	0
	합계	390	268	100	91	37	23	0

(단위: 회)

사용 빈도가 높은 강조 정도 부사는 '진짜'(390회) 〉 '너무'(268회) 〉 '되게'(100회) 〉 '엄청'(91회) 〉 '정말'(37회) 〉 '아주'(23회) 〉 '매우'(0회)의[10] 순으로 나타났다. 이 중 '진짜', '너무', '되게', '엄청'의 사용 빈도는 90회 이상으로 나타났으며, '정말', '아주'의 사용 빈도는 40회 이하로, 상위 4개의 강조 부사에 비해 사용률이 현저하게 낮음을 확인했다. 또한 대표적인 강조 정도 부사로 분류할 수 있는 '매우'는 단 1번도 사용되지 않았음을 확인했다.

[10] '매우'는 우리의 조사 자료인 대학생 구어코퍼스에서는 1번도 사용되지 않았지만, 대표적인 강조 정도 부사임을 고려해 그 결과를 보이고 순위를 7번째로 나타냈다.

천수연·조태린(2020)의 10대 및 20대의 결과는 '너무'(19%) > '존나'(15%) > '진짜'(14%) > '엄청'(12%) = '개'(12%) 순이었다. 앞에서도 기술했지만 천수연·조태린(2020)은 담화 완성형 테스트를 사용하면서 강조 부사가 들어갈 괄호 뒤의 어휘 즉 공기 관계를 확정 짓는 어휘(대부분 형용사)를 조사자들이 제시하고 있다. 본 연구와는 조사 방법에 차이가 있음에도 불구하고 비속어인 '존나'와 '개'를 제외하면 사용 빈도가 높은 강조 정도 부사가 비슷한 것을 알 수 있다. 10대 또는 20대와 같은 청년층의 한국어 모어 화자들은 구어 담화에서 '너무', '진짜', '엄청'과 같은 강조 정도 부사를 선호하여 사용하는 경향이 있다고 생각된다.

한편 대학생 구어코퍼스에 나타난 성별에 따른 강조 정도 부사의 사용 양상을 보면, 전반적으로 남성에 비해 여성이 강조 정도 부사를 더 많이 사용하는 경향을 보인다. 상위 4개의 강조 정도 부사 '진짜'(남 118회, 여 272회), '너무'(남 62회, 여 206회), '되게'(남 25회, 여 57회), '엄청'(남 34회, 여 57회)에서 모두 남성에 비해 여성의 사용 빈도가 월등히 높은 것을 확인했다. 특히 상위 3개의 '진짜, 너무, 되게'는 여성이 남성에 비해 3배 이상 또는 3배에 가까운 빈도로 사용하고 있다.

정도 부사의 사용 양상을 성별에 따라 분석한 김혜영·강범모(2010)에 따르면 남성은 '아주'를 선호하고 여성은 '너무, 되게, 진짜'를 선호하는 경향이 있다고 했는데, 본 연구에서도 '아주'에 대해서는 여성(3회)에 비해 남성(20회)이 많이 사용하는 것을 확인했다.

4.2. 한국어 교재에서의 강조 정도 부사 제시

이 절에서는 현재 일본의 대학에서 사용되고 있는 한국어 교재에서 강조 정도 부사가 어떻게 제시되고 있는지를 살펴본다. 〈표 2〉는 일본의 대학에서 사용되고 있는 한국어 교재(초급~중급)의 강조 정도 부사 제시 현황을 표로 나타낸 것이다.

〈표 2〉 한국어 교재에서 제시된 강조 정도 부사

순위	1	1	3	4	5	6	7
정도 부사	정말	너무	아주	진짜	매우	엄청	되게
제시 교재 수	27	27	24	12	7	5	1

(단위: 권)

총 29권의 교과서에서 제시된 강조 정도 부사의 종류를 빈도순으로 보면 '정말'(27권) = '너무'(27권) > '아주'(24권) > '진짜'(12권) > '매우'(7권) > '엄청'(5권) > '되게'(1권)이다. 이유미·김진식(2019)과 이미희·임규홍·조은정(2019)의 연구와는 달리 본 연구에서는 한국어 교재에서의 강조 정도 부사의 출현 빈도를 조사한 것이 아니라 각 교과서에서 어떠한 강조 정도 부사를 제시하고 있는가 그렇지 않은가에 대해서만 조사했다. 조사 방법에는 차이가 있었지만 앞서 언급한 두 선행 연구의 결과와 비슷하게 '너무, 아주, 정말(이유미·김진식(2019)의 결과에는 보이지 않음)'이 높은 비율로 제시되고 있음을 확인할 수 있었다.

한편 이 결과를 위 4.1.절에서 확인한 한국어 모어 화자가 실제로 사용하는 강조 정도 부사와 비교하면, 거의 모든 교과서에서 제시하고 있는 '너무'는 실제 한국어 모어 화자의 사용 양상이(빈도 2위) 반영되었다고 할 수 있다. 그러나 '너무'를 제외한 그 외 대학생 구어코퍼스에서 상위 3위의 사용 빈도를 보인 '진짜, 엄청, 되게'는 전체 29권 중 각각 12권, 5권, 1권에서밖에 제시하고 있지 않다. 일본의 대학에서 선정하고 있는 한국어 교과서, 특히 초급 교과서에서는 모범적인 대화 모델(실제 구어에서 이루어지는 조사 생략 등이 반영되지 않고 문어 담화적인 표현에 가까운)을 제시하고 그것을 중심으로 어휘 및 문법을 제시하고 있는데, 이것이 실제 구어코퍼스에서 보이는 강조 정도 부사의 사용 양상과 차이를 보이는 이유가 될 것으로 생각된다. 그리고 본 연구와 천수연·조태린(2020)의 조사 대상자의 연령에 따른 결과를 고려하면, 교과서의 저자와 대학생 간의 세대 차이에서 비롯된 것은 아닌지 고려해 볼 필요가 있을 것 같다.

4.3. 강조 정도 부사 '엄청'의 사용 양상

4.3.1. '엄청'의 사전적 의미

여기에서는 기존의 정도 부사 연구에서는 그다지 주목을 받지 않아 중점적으로 고찰이 이루어지지 않았던 강조 정도 부사 '엄청'의 사용 양상을 살펴본다. 우선 '엄청'의 사전적 의미는 다음과 같다.

엄청: [부사] 양이나 정도가 아주 지나친 상태.
(국립국어원 《표준국어대사전》 인터넷판 2022. 9.)

'엄청'은 부정적인 의미를 지니는 '지나친' 상태임을 사전적으로 명시하고 있다. 이는 또한 사전적으로 '지나친'의 의미를 갖는 강조 정도 부사 '너무'와 유사한데 '너무'는 사전적 의미와 달리 언어 현실에서 부정적인 의미를 배제하고 순수하게 '강조'의 의미만 실현하는 경향이 매우 높다는(박동근, 2006: 124) 것이 여러 연구에 의해 확인되고 있다.

박동근(2006)에서는 강조 부사의 판정 기준을 통해 최종적으로 강조 부사를 세 분류로 나누었다. 그중 '너무, 몹시, 엄청, 되게'는 모두 '지나침'의 의미를 공통적으로 갖는데, 동일한 문맥에서 '지나침'의 의미가 배제되어 '강조'의 기능을 가지는 강조 부사로 분류했다(박동근, 2006: 126).

더불어 박효정(2019)에서는 '너무'의 의미 기능이 기본적으로 강조 부사로서 부정성에 있으나 강한 긍정의 성격을 갖기도 하고, 부정성도 긍정성도 아닌 상황에서 쓰일 수 있다고 보았다. 그리하여 본래 의미에 '지나치다', '과분하다'의 의미를 담고 있지만 가치중립적 성격으로 변하고 있음을 밝혔다(박효정, 2019: 201).

또 하나 '엄청'의 사전적 의미에서 주목을 끄는 것은 '양'이다. 이는 '엄청'과 비슷한 의미를 지니는 '아주, 너무'의 사전적 의미에서는 찾아볼 수 없는 것으로 '엄청'은 '아주'나 '너무'와 같이 보통 '정도'보다 훨씬 더 넘어선 상태나 '정도'가 지나침을 나타낼 뿐만 아니라 '양'이 지나침 즉 '양'이 많은 상태를 의미하는 말이라고 할 수 있다.

4.3.2. '엄청'의 공기 관계

위에서 '엄청'의 사전적 의미를 살펴보았는데, 본 연구에서는 또한 '엄청'의 공기 관계를 구체적으로 분석하여 다른 강조 정도 부사와의 의미 및 기능적인 면에서의 공통점과 차이점을 확인한다.

〈표 3〉은 '엄청'의 품사별 공기 관계를 정리하여 나타낸 것이다. '엄청'의 공기 관계를 품사별로 보면 형용사(42개)가 가장 많았고, 그다음이 동사(21개)와 부사(15개), 그리고 명사(3개)의 순으로 나타났다.

가장 많은 공기 관계를 보인 형용사에서는 특히 '크다', '많다', '높다' 등 수량이 많거나 크기가 큰, 그리고 높이가 높은 정도를 나타내는 어휘를 수식하는 비율이 다른 어휘들에 비해 높은 것을 알 수 있다. 또한 부사 '많이'와의 결합도 눈에 띄는데, 이는 박동근(2006)에서 나타난 결과, 즉 '너무'와 공기하는 말들을 '균형 말뭉치' 자료로 살펴본 결과와 비슷하다(많다(10) 〉 크다(6) 〉 높다(3) = 많이(3)[11]).

〈표 3〉 '엄청'의 품사별 공기 관계

형용사	동사	부사	명사
크다(7)[12]	보다(2)	많이(4)	도전
많다(4)	치다(2)	막(3)	옛날
힘들다(4)	잘하다	빨리	전부
높다(3)	가다	약간	
비싸다(2)	남다	열심히	
어렵다(2)	때리다	오래	
좋다(2)	땡기다(당기다)	일찍	
쩔다(대단하다)(2)	떨어지다	잘	
깊다	못하다	좀	
놀랍다	빠지다	진짜	

[11] 여기에서 보이는 순서는 박동근(2006)의 순서를 그대로 보인 것이 아니라 이 논문에서 분석 대상이 되는 말들을 필요에 따라 나타낸 것이다.

[12] 괄호 안의 수는 '엄청'과 결합 관계로 나타난 빈도수를 나타낸다. 괄호가 없는 품사들은 그 빈도수가 1번이다.

뚱뚱하다 바쁘다 부지런하다 빵빵하다 쉽다 싸다 아프다 여리여리하다 (여리다) 자유롭다 재미있다 중요하다 피곤하다 하얗다 험하다	안다 올라오다 올리다 조리돌리다 좋아하다 찌다 헌신하다 헷갈리다 흘리다		

아래 (1) a.~d.는 '엄청'이 각각 형용사 '많다', '크다', '비싸다', '높다'와 결합한 예이다. 수량이 많음을 나타내거나 어떤 정도를 강조할 때 결합하는 전형적인 예라고 할 수 있는데 대학생 구어코퍼스에서 활발하게 사용되고 있다.

(1) a. 막 이런 여자애들이 엄청 많대.
b. 야, 니 좋은 데 사네. 엄청 크네, 이 정도면.
c. 몰라, 엄청 비싼 거지.
d. JPT 팔백오십 점이 그게 엄청 높은 점수라며.

아래 (2)의 a.는 '엄청'이 형용사 '힘들다'와 결합한 예이고, (2)의 b.는 형용사 '좋다'와 결합한 예이다.

(2) a. 맨 처음에 턱걸이 할 때 엄청 힘들잖아.
b. 내가 엄청 좋은 프로그램을 발견을 했거든.

위 예문에서처럼 '엄청'은 부정적인 의미를 내포하는 '힘들다'뿐만 아니라 긍정적인 의미를 나타내는 '좋다'와 결합하기도 한다. 이와 같이 '엄청'은 뒤의 형용사를 강조할 때 부정적이거나 긍정적인 의미에 상관없이 결합할 수 있음을 알 수 있다. 이는 사전적인 의미와 실제 언어 사용 양상에 차이를 보이는 것으로 '너무'와 유사한 성격을 가지는 것으로 생각된다.

아래 (3) a.~c.는 '엄청'이 각각 동사 '떨어지다', '흘리다', '안다'와 결합한 예이다.

(3) a. (환율이) 팔백 몇까지 떨어졌잖아. 그래 엄청 떨어졌어.
b. 내가 그것 때문에 시간 엄청 흘렸었거든.
c. (큰 고양이를) 여자가 이렇게, 그니까 엄청 이렇게 안고 있거든?

각각 환율의 하락, 시간의 흐름, 고양이를 안는 것을 강조하는 것으로, 이때의 '엄청'은 강조의 의미와 동시에 각 동사와 관련하여 문장에서 '많음'이나 '크기'의 의미도 나타내는 것을 지적할 수 있다. '수량'과 관련된 문장으로 다음과 같은 예를 들 수 있다.

(4) a. 그냥 나, 그냥 JPT도 엄청 봤단 말이야.
b. 그냥 나, 그냥 JPT도 {?너무/*몹시/*되게} 봤단 말이야.

(4)의 a.는 '엄청'이 동사 '보다'와 결합한 예인데 시험을 본 횟수가 많음을 나타내고 있고 자연스러운 문장으로 성립이 가능하다. 그러나 (4)의 b.에서처럼 강조를 나타내는 '너무', '몹시', '되게'와 '보다'가 결합하면 시험에 응시한 횟수가 많다는 의미로서의 허용도가 떨어지거나 문장의 성립이 어려워진다. 이것은 '엄청'이 문장 안에서 '많이'와 같은 부사 없이 단독으로 사용되어도 어떠한 행위를 한 횟수가 많음을 나타낼 수 있다는 특징을 보여 준다.

아래 (5) a.~c.는 '엄청'이 각각 부사 '열심히', '빨리', '잘'과 결합한 예이다.

(5) a. 그거 채우려고 엄청 열심히 했잖아.
b. 엄청 빨리 끝나.
c. 엄청 잘 춰요.

각 부사는 뒤에 오는 용언을 수식하는데 이러한 성상 부사와 어울리는 것도 그 특징 중의 하나이다.

4.3.3. '엄청'의 특징

여기에서는 '엄청'의 특징에 대하여 다른 강조 정도 부사와의 차이를 통해 설명한다. '지나침'과 관련하여 '엄청'과 '너무'를 조금 더 자세히 분석하기 위해 다음의 (6)을 확인해 보자.

(6) a. 숙제가 엄청 많다.
b. 숙제가 너무 많다.

(6)a.와 (6)b. 두 문장 모두 숙제의 양이 많음을 나타내고 있으며 부정적인 의미를 나타낸다. 그러나 두 문장을 비교하면 (6)a.보다는 (6)b.가 좀 더 부정적인 의미를 지니고 있으며 그에 비해 (6)a.는 강조의 의미를 가지는 것 같다.

다음 두 문장을 보면 '너무'와 '엄청'의 차이를 좀 더 뚜렷하게 알 수 있다.

(7) a. 저 사람 키가 엄청 크다.
b. 저 사람 키가 너무 크다.

(7)a.와 (7)b. 모두 어떤 사람의 키가 크다는 사실을 말하고 있는데, (7)a.는 그것을 강조하여 말하는 것 같은 반면에 (7)b.는 부정적인 의미를 가지는 것 같다.

많은 것이 '숙제'가 아니라 '돈'이라면, 큰 것이 '키'가 아니라 '눈'이라면 '너무'가 사용된 문장이나 '엄청'이 사용된 문장 모두 강조의 의미를 가질 수 있을 것이다. 즉 어떤 대상의 정도에 대해 말하는 것인지에 따라 '너무'와 '엄청'의 의미는 달라질 수 있다.

또한 '엄청'은 말 자체에 긍정적 의미를 지니는 '좋다'와 부정적 의미를 지니는 '힘들다' 등의 다양한 형용사를 수식하는 것을 확인했다. 아래의 문장 (8)a., b.와 (9)a., b.를 보면,

(8) a. 한국어 공부가 너무 좋다.
b. 한국어 공부가 엄청 좋다.

(9) a. 한국어 공부가 너무 어렵다.
b. 한국어 공부가 엄청 어렵다.

수식하는 형용사 자체에 긍정과 부정의 의미가 포함되는 경우에는 '엄청'이 '너무'에 비해 좀 더 강조의 의미를 나타내는 기능을 한다고 보기 어렵다. 즉 공기하는 형용사의 의미적 특성에 따라 강조 정도 부사 '엄청'과 '형용사'의 의미적 기능이 달라진다고 할 수 있다.

한편 그 수는 적지만 본 연구에서 분석한 구어코퍼스에서 '엄청'은 '양'이 적음을 나타내는 부사 '좀'과 '약간'과도 공기 관계를 보이는 것을 확인했다. 이러한 현상이 단순히 비문 즉 잘못된 언어의 사용인지 또는 '엄청'의 의미적 기능이 변화하고 있는 건 아닌지 더 많은 자료를 통해 살펴볼 필요가 있을 것 같다.

마지막으로 '엄청'이 동사와 공기하여 사용될 때는 다른 강조 정도 부사에 비해 확실히 '양'이 많은 상태를 제시하는 것으로 보인다. 본 연구 결과에서도 다양한 동사와 공기하는 것을 확인했는데 그중에서도 1번씩만 나타난 다른 동사들과는 달리 2번씩 사용된 것은 '보다'와 '치다'이다.[13]

강조 정도 부사가 특정한 동사들을 수식할 때는 박동근(2006)에서 같은 종류의 강조 부사로 분류된 '너무, 몹시, 되게'와는 다른 양상을 보인다. 다음의 문장들은 각각 '엄청, 너무, 몹시, 되게'와 동사 '보다'의 공기 관계로 나타낸 것이다.

[13] '보다'와 '치다' 모두 각각 한 사람이 한 발화 내에서 사용한 것으로 사용 빈도의 관점에서 크게 영향은 없다.

(10) a. 이 영화 엄청 봤다.
b. ?이 영화 너무 봤다.
c. *이 영화 몹시 봤다.
d. *이 영화 되게 봤다.

위의 문장 중에서 가장 자연스럽고 정확한 의미를 제시하고 있는 것은 (10)a.로 어떤 특정한 영화를 많이 봤다는 것, 즉 한 영화를 본 횟수가 많음을 의미한다. 그러나 (10)b.는 영화를 본 횟수가 많다는 것인지 매우 집중해서 보았다는 것인지 정확한 의미를 알기 어렵다. 그리고 (10)c.와 (10)d.는 비문이다. '엄청'은 순수 강조 부사의 측면과 말 자체에 '양이 많음'을 나타내는 양적인 측면을 가지고 있고 이러한 기능은 특히 동사와 결합할 때 실현되는 것 같다. 이는 다른 강조 정도 부사와는 다른 '엄청'만의 특징이라고 할 수 있다.

5. 나가며

본 연구는 일본의 대학에서 한국어 교재로 사용되고 있는 교과서와 한국어 구어코퍼스에서의 강조 정도 부사의 사용 양상을 분석했다. 그리고 기존의 연구에서 그다지 주목을 받지 못한 강조 정도 부사 '엄청'에 대해 공기 관계를 중심으로 사용 양상을 살펴봤다. 우리의 분석 결과를 정리하면 다음과 같다.

1) 일본의 대학에서 사용되고 있는 한국어 교재에서 강조 정도 부사와 실제 한국어 모어 화자가 사용하는 강조 정도 부사는 '너무'를 제외한 다른 부사에서 사용 빈도 등에 차이를 보였다.
2) 구어코퍼스를 분석한 결과 실제 한국어 모어 화자가 사용하는 강조 정도 부사의 사용 양상은 문어에서 사용되는 양상과 확연하게 다르며, 같은 구어 담화에서도

특히 모어 화자의 연령에 따라 선호하는 강조 정도 부사에 차이를 보였다. 그리고 강조 정도 부사의 사용 양상을 성별로 보면, 남성에 비해 여성의 사용 빈도가 더 높았으며 성별에 따라 선호하는 강조 정도 부사의 종류도 조금 달랐지만 그리 큰 차이는 보이지 않았다.

3) 강조 정도 부사 '엄청'은 특히 젊은 세대의 구어코퍼스에서 '정말' 또는 '아주'에 비해 월등히 높은 비율로 사용되고 있다. '엄청'의 공기 관계는 주로 형용사 또는 동사와 함께 이루어지는 것을 확인했는데, 공기되는 어휘에 따라 조금씩 차이는 있지만 '너무'에 비해 부정적 의미를 덜 지님을 알 수 있다. 그리고 특히 동사와의 공기에서 특정 행위를 한 횟수가 많음을 명확하게 나타내는데 이는 다른 강조 정도 부사와는 다른 '엄청'의 특징이라고 할 수 있다.

본 연구에서 분석 자료로 사용한 구어코퍼스는 대학생이라는 특정 사회 집단의 말로 구성된 것이다. 그로 인해 젊은 세대가 선호하는 강조 정도 부사는 어떠한 것이 있는지, 그리고 기존의 연구에서는 그다지 주목을 받지 못한 '엄청'의 특성은 무엇인지 등을 밝힐 수 있었다. 그러나 당연한 말이지만, 이러한 사회 집단이 한국어 모어 화자의 언어 사용 양상을 반영한다고는 할 수 없다. 앞으로 더 다양한 세대의 구어코퍼스(또는 문어코퍼스)를 자료로 하여 세대, 성별, 말의 형태, 나아가 말하는 상황에 따른 강조 정도 부사의 사용 양상을 밝히는 것을 과제로 삼고자 한다.

참고문헌

김경숙. 2016. 비격식 담화에 나타난 정도부사 '너무'의 '긍정 강조' 양상. **언어학**. 24. 대한언어학회. pp. 321-342.

김혜영, 강범모. 2010. 구어속 강조적 정도부사의 사용과 의미. **한국어학**. 48. 한국어학회. pp. 101-129.

박동근. 2006. 강조부사 범주의 설정과 기능적 분석. **한말연구학회 학술발표논문집**. 한말연구학회. pp. 118-136.

박선자. 1996. **한국어 어찌말의 통어 의미론**. 집문당.

박효정. 2019. 강조의 정도 부사 '너무'의 사용 양상 연구. **한말연구**. 54(0). 한말연구학회. pp. 171-206.

서상규. 1991. 정도부사에 대한 국어학사적인 조명과 그 분류에 대하여. **연세어문학**. 23. 연세대학교 국어국문학과. pp. 219-266.

서상규. 2014. **한국어 기본 어휘 의미 빈도 사전**. 한국문화사.

서정수. 1996. **수정증보 국어문법**. 한양대학교 출판부.

손남익. 1995. **국어 부사 연구**. 박이정.

이미희, 임규홍, 조은정. 2019. 한국어 초급 교재에 나타난 국어 정도부사 실현 빈도에 대한 연구-말뭉치와의 비교를 통해서-. **언어과학**. 26(3). pp. 61-81.

이유미, 김진식. 2019. 코퍼스를 활용한 정도부사 연구. **새국어교육**. 120. 한국국어교육학회. pp. 249-284.

임유종. 2010. 정도 부사의 결합 관계와 한국어 교육. **한국언어문화**. 42. 한국언어문화학회. pp. 371-393.

왕문용, 민현식. 1993. **국어 문법론의 이해**. 개문사.

천수연, 조태린. 2020. 강조 정도 부사의 사용 양상에 대한 사회언어학적 연구. **담화와 인지**. 27(4). 담화·인지언어학회. pp. 145-168.

〈자료 1〉 한국어 교재 목록

저자	출판 연도	제목	출판사
李淑炫	2011	チェミナ韓国語	白帝社
松尾勇，金善美，千田俊太郎	2013	じゃんけんぽん―入門初級韓国語教材―	同学社
金殷模，権来順，宋貞熹，文慶喆	2013	かんたん! 韓国語	朝日出版社
朴大王，李賛任	2014	韓国の今を体感♪すぐに使える韓国語入門	白帝社
金殷模，権来順，宋貞熹，張錫璟，文慶喆	2014	かんたん!韓国語　実践会話編	朝日出版社
金京子	2014	パランセ韓国語中級　会話入門	朝日出版社
朴瑞庚，林河運，崔在佑	2016	スクスク!韓国語―総合編―	朝日出版社
金京子	2016	改訂版 パランセ韓国語中級	朝日出版社
李潤玉，酒勾康裕，須賀井義教，睦宗均，山田恭子	2016	改訂版・韓国語の世界へ 初中級編	朝日出版社
中西恭子	2017	ふじのちゃんのコリア語入門 文法編	朝日出版社
金情浩，中西恭子	2017	ふじのちゃんのコリア語入門 会話編	朝日出版社
李潤玉，酒勾康裕，須賀井義教，睦宗均，山田恭子	2017	三訂版・韓国語の世界へ　入門編	朝日出版社
文珍瑛，郭珍京	2019	いっしょにコリアン―基礎編	白帝社
中島仁，金珉秀，吉本一	2019	新みんなの韓国語1	白帝社
中島仁，金珉秀，吉本一	2019	新みんなの韓国語2	白帝社
曺美庚，李希姃	2019	キャンパス韓国語 第2版	白帝社
鄭世桓，権来順，金永昊，呉正培，張基善	2019	パルン韓国語 初級	朝日出版社
睦宗均，須賀井義教，小島大輝	2019	ロールプレイで学ぶ韓国語―初級から中級へ	白水社

生越直樹，三ツ井崇，チョ・ヒチョル	2020	ことばの架け橋 精選版	白帝社
髙木丈也，金泰仁	2020	ハングル ハングルI	朝日出版社
長谷川由起子	2021	コミュニケーション韓国語 読んで書こう II	白帝社
金秀晶，朴鍾厚	2021	もう初級者なんて言わせない韓国語 中級から上級編	白帝社
金京子，喜多恵美子	2021	三訂版 パランセ韓国語初級	朝日出版社
都恩珍 監修，李正子，金昭鍈	2021	ひかりとシフのどきどき韓国語	朝日出版社
金銀英，金英姫，崔秀蓮，尹芝惠	2021	これでOK! 韓国語初級	朝日出版社
髙木丈也，金泰仁	2021	ハングル ハングル II	朝日出版社
中島仁，金珉秀，吉本一	2021	新・韓国語へのとびら―会話と練習をふんだんに―	朝日出版社
河村光雅	2021	韓国語ポイント50 改訂版	白水社
町田小雪，尹秀一，金辰成	2022	韓国語1st Step―大学生のための実践会話―	白帝社

제4장

한국어 복수 표지 '들'의 문법적 특이성과 교육의 필요성

– 이탈리아어와의 비교를 통하여

강순행

이탈리아 카포스카리 베네치아대학교

Ca' Foscari University of Venice

1. 들어가며

이 연구의 목적은 한국어 복수 표지 '-들'의 문법적 특이성과 교육의 필요성을 이탈리아어와의 비교를 통하여 살펴보는 데 있다. 이탈리아어와 한국어에서 명사의 복수형은 접미사 '-i/e'와 '-들'이 명사의 뒤에 부가 표시되며 두 언어 모두 아래 (2)와 같이 가산명사에서 주로 쓰인다는 공통점이 있지만 아래의 예에서 확인할 수 있는 것처럼 차이점도 존재한다.

(1) 가. I treni sono veloci (iI treno → I treni)
The trains are fast (the train → the trains)
나. 기차는/(*기차들은) 빠르다.

(2) 가. Ho letto cinque libri (libro → libri)
(I) have read five books (book → books)
나. 책 다섯 권을 읽었다/*다섯 권의 책들을

이탈리아어 복수 형태 명사구에 (대응하는) 한국어 명사구들은 모두 복수 형태보다 단수 형태가 더 자연스러우며 이는 이탈리아어와 한국어 복수접미사의 문법적 지위가 같지 않다는 것을 보여 준다. 따라서 본 연구에서는 한국어와 이탈리아어 복수 형태의 차이점을 통해 한국어 복수 표지 '-들'이 가지는 문법과 의미 특징 그리고 결합 양상을 살펴본 후에 교육적 필요성을 제기해 보고자 한다.

2. '-들'의 특징: 한국어와 이탈리아어의 복수 형태 비교

이탈리아어는 대표적인 굴절어로 성과 수와 같은 형태론적 정보들에 따라 접미사 조합이 달라진다. 아래의 예를 보자.

(3) 가. uno studente italiano intelligente
an student Italian intelligent
'An intelligent Italian student'
나. due studenti italiani intelligenti
two students Italian intelligent
'two intelligent Italian students'

(4) 가. una bella macchina rossa
a nice car red
'a nice red car'
나. due belle macchine rosse
two beautiful cars red
'two beautiful red cars'

(3)은 남성 명사구, (4)는 여성 명사구로 명사가 복수형으로 바뀌는 경우에 그 명사를 수식해 주는 부정관사와 형용사들도 명사의 복수접미사와 같은 형태로 굴절되고 있다. 반면, 아래 (5)와 (6)에 대응되는 한국어 명사구에는 일체의 변화가 일어나지 않으며 복수 의미를 갖는 명사에 복수 표지 '-들'을 부가하면 오히려 비문이 되는데 이러한 이탈리아어와 한국어 복수접미사의 사용과 복수 형태의 차이는 한국어를 배우는 이탈리아 학습자들이 모국어의 간섭으로 복수 표지 '-들'을 과잉 사용할 오류 가능성을 예측하게 한다.

(5) 가. 똑똑한 이탈리아 학생 한 명
나. 똑똑한 이탈리아 학생 두 명(*들)

(6) 가. 멋있는 빨간 차 한 대
나. 멋있는 빨간 차 두 대(*들)

또한 '-들'은 셀 수 있는 명사나 대명사 뒤에 붙어 복수의 뜻을 더하는 접미사로 사용될 수 있다(김경열, 2020: 16-17).

(7) 가. 사람들(사람), 학생들(학생)
나. 마음씨들이 참 곱다.
다. 철수가 힘이 나게 용기들을 좀 줘.
라. 모두들(모두)/*모두가들 낄낄 웃었다.

이처럼 '-들'은 셀 수 있는 개체를 지칭하는 명사에 부가되어 그 복수성을 나타낸다. 하지만 한국어에서는 이탈리아어와 달리 문장 내에서 '복수' 해석을 받기 위해 반드시 명사에 '-들'이 부가되어야 하는 것은 아니다.

(8) 가. 학생이 공부를 한다.
나. 학생들이 공부를 한다.

'-들'을 포함하고 있는 (8)나.는 복수의 의미를 분명하게 드러내지만 '-들'이 실현되지 않은 (8)가.도 단수의 의미와 더불어 복수의 의미를 동시에 가질 수 있다.[1] 이는 이탈리아어에서 복수 접미사의 부가는 가산명사와 불가산명사의 구분에 따라 달라지지만 한국어에서의 가산명사와 불가산명사의 구분은 개체에 대한 의미적 기준에 의한 것으로 복수접미사 '-들'의 부가 여부와 무관함을 시사한다.

(9) 나는 옷을 산다.

(9)에서 '옷'은 가산명사이지만 문맥에 따라 '옷 한 벌', '여러 벌의 옷', '옷을 반복 혹은 습관적으로 사는 경우'로 해석이 가능하므로 한국어 명사가 가산명사와 비가산명사로 쉽게 구분되지 않는다는 것과 왜 한국어 문법에서 '수' 범주가 하나의 독립된 문법 범주로 다뤄지지 않았는지 알 수 있다. 이러한 특징은 가산명사에 복수접미사가 명시적으로 부가되는 이탈리아어와 분명히 다르다. 가산명사와 비가산명사의 불명확한 구분은 한국어 수 범주가 하나의 문법 범주로 다뤄지지 않는 이유이기도 하다. 예를 들어, '사람'이라는 단수 명사와 그 복수 형태 '사람들'이 실제로는 구분되지만 그러한 구분이 문

[1] 김경열(2020: 6)에 따르면 '-들'의 의미 기능에 대한 논의가 문법적 설정에 대한 논의보다 활발하게 진행된 이유가 한국어에서 '들'의 실현 여부와 관계없이 복수의 의미를 나타낼 수 있기 때문이라고 한다. 또한 그는 '-들'의 실현 유무에 따라 '개체화, 집단화, 복사'와 같은 의미 기능과 문법적 특성이 달라지기 때문에 '-들'을 단순히 잉여적이라고 할 수 없다고 보고 있다.

법적인 차이점을 드러내지 못하고, 서술어 따위와의 어울림에도 영향을 미치지 않기 때문에 적어도 문법 관계로는 단수와 복수를 구분해야 할 필요성이 없다는 것이다(서정수, 1996: 446).

이탈리아어와 한국어 복수 표지의 또 다른 차이점은 명사를 가산화할 때 개체화시키는 명사 분류사와 공기하는 경우에 나타난다. 아래의 예를 보자.

(10) 가. 나는 하루에 커피(*들) 세 잔(*들)을 마신다.
　　나. 나는 스파게티(*들) 두 접시(*들)를 먹는다.

(11) 가. Io bevo tre tazze di caffè al giorno
　　　I drink three cups of coffee a day
　　　'I drink three cups of coffee a day'
　　나. Io mangio due piatti di spaghetti.
　　　I eat two plates of spaghetti
　　　'I eat two plates of spaghetti'

이탈리아어와 달리 한국어 가산명사에 사용된 분류사에 복수 표지 '-들'을 부가하면 비문이 된다. 이와 관련하여 백미현(2002: 63)은 한국어에서 수사는 개체나 집단을 셀 수 있는 여러 단위로 해체시켜 일종의 개별성을 발생시키므로, 복수 표지를 첨가하는 것은 의미적으로 잉여와 다름없다고 설명한다.

한국어 복수 표지 '-들'과 관련한 또 다른 특징은 가산명사보다 유정명사에 더 자주 출현한다는 것이며 이는 이탈리아어와 대조를 이룬다.

(12) 가. 학생들이 도서관에서 공부를 한다.
　　나. 관광객들이 산 마르코광장에 많다.
　　다. 베네치아에는 박물관(*들)이 많다.
　　라. 우리는 메일(*들)을 자주 주고받는다.

한국어 복수 표지 '-들'이 유정명사와 관계된 것들에 높은 출현 빈도를 보이며 결합하고 상대적으로 무정명사의 경우 낮은 출현 빈도를 보인다는 것은 무정명사보다 유정명사가 복수성과 개체성이 강하다는 언어 보편적인 특징에 부합한다.

한국어 복수 표지 '-들'은 앞선 (7) 접미사적 특징 이외에도 보조사나 의존명사로도 기능할 수 있다. 아래는 한국어 사전에서 제시된 '-들'의 문법적 지위이다(김경열, 2020: 13).

(13) 가. 《우리말 큰사전(1992)》: 보조사, 접미사
　　나. 《표준국어대사전(1999)》: 의존명사, 보조사, 접미사
　　다. 《연세 한국어사전(1998)》: 의존명사, 접미사

지금까지 논의된 '-들'의 특징을 정리하면 다음과 같다.[2]

(14) 가. 수의 대립(단수/복수)에 따른 한국어 명사 자체의 형태 변이가 없다.
　　나. 한국어에서 복수의 표시가 다양한 방법으로 나타나 규칙성을 찾기가 쉽지 않다.
　　다. 한국어 문장에서는 '-들' 표지가 없어도 복수의 의미로 해석 가능하다.
　　라. '-들'은 가산명사에 결합하여 복수의 의미를 추가한다.
　　마. '-들'은 가산명사보다 유정명사에 더 자주 출현한다.
　　사. 명사 분류사 뒤에 쓰지 않는다.
　　아. '-들'은 접미사적 특징 이외에도 보조사나 의존명사적 특징도 가진다.

[2] 하신영(2019: 63)에서도 한국어 학습자를 대상으로 한 기존의 문법 기술 내용을 종합하여 '-들'은 셀 수 있는 명사에 결합하여 복수의 의미를 더하며 복수 인칭 대명사에 결합하여 복수 의미를 강조한다. 또한 수를 나타내는 단위 명사 뒤에서, 그리고 문장에 복수를 뜻하는 단어가 있는 경우 '들'을 쓰지 않는다. 마지막으로 특정한 대상을 가리키는 경우에는 '들'의 사용이 필수적인 경우가 있다고 정리하고 있다.

3. '-들' 의 의미

앞 절에서 이미 언급된 것처럼 '-들'의 출현 유무와 상관 없이 아래의 (15)가.와 (16)가.는 복수 의미를 가지며 (15)나.와 (16)나.에서 '-들'은 잉여적이면서 복수 의미를 강조한다.

(15) 가. 관광객이 온다.　　　　(단복수 의미, 중의적)
　　나. 관광객들이 온다.　　　(복수 의미)

(16) 가. 주말 잘 보냈어요?　　　(단복수 의미, 중의적)
　　나. 주말 잘 보냈어요들?　　(복수 의미)

하지만 한국어에서 복수 의미를 위한 '-들'의 부가가 잉여적이거나 수의적이지 않다는 논의도 있다. 다음의 예를 보자(백미현, 2002: 59-61).

(17) 가. 대학생이 시위를 한다. (단복수 의미, 중의적)
나. 대학생들이 시위를 한다. (복수 의미)

(18) 가. *학생이 각자 질문을 했다.
나. 학생들이 각자 질문을 했다.

백미현(2002)에 따르면, (17)가.에서 '대학생'의 복수의 해석은 개별 대학생들이 모인 대학생 집단으로, 하나 이상의 학생이 존재하긴 하지만 그 개체 간의 분명한 경계가 없어 하나의 덩어리로 인식돼 (18)가.의 비문법성을 설명해 주기 때문에 '-들'은 집합을 분해하여 각각의 개별 구성원으로 개체의 복수성을 나타낸다고 할 수 있다. 또한 복수대명사 '우리/우리들', '너희/너희들', '저희/저희들', '여러분/여러분들'에서 '들'도 복수 의미 강조 또는 단순히 잉여적이라는 것에 대해서도 이견이 있다.

(19) 가. 우리는 축구공이 하나밖에 없다.
나. 우리들은 축구공이 하나밖에 없다.

'우리'와 '우리들'은 모두 복수의 의미를 나타내지만 (19)가.는 '우리' 전체에게 '축구공'이 하나밖에, (19)나.는 '우리' 각자에게 '축구공'이 하나씩밖에 없다는 의미로 해석이 될 경우 이때 '-들'은 개체성을 확립한다(임홍빈, 2000).

'-들'의 의미와 관련한 또 다른 특징은 집단 해석과 배분 해석의 대조이다(홍용철, 2003).

(20) 가. 아이들이 도서관에 갔어요. (집단 해석, 배분 해석)
나. 아이들이 도서관에들 갔어요. (배분 해석)

(20)가.는 '아이들이 함께 도서관에 갔다'는 의미로 집단 해석을, (20)나.는 '아이들 각각이 다른 도서관에 갔다'는 의미로 배분 해석을 받는다. 이러한 의미 대조는 문장의 부사구에 부가된 '-들'에 따른 것으로 이탈리아어에서 발견되지 않는 특징들이다.

4. 복수 표지 '-들'의 결합 양상

이탈리아어와는 다르게 한국어에서 복수 표지 '-들'은 부사, 어미 또는 조사 그리고 독립어와도 결합할 수 있다. 먼저 '-들'이 부사와 결합한 예를 보자.

(21) 가. 많이 드셨어요?
나. 빨리 오세요.
다. 왜 이러고 있어요?

(22) 가. 많이들 드셨어요?
나. 빨리들 오세요.
다. 왜들 이러고 있어요?

(22)는 부사에 '-들'이 결합된 경우로 (21)과 비교하여 생략된 주어가 복수임을 나타내 준다. 이때 '-들'은 간접 복수 표지 역할을 한다. 아래는 '-들'이 어미 또는 조사와 결합된 예이다.

(23) 가. 밥은 먹고 다니니?
나. 그 소식을 듣고 좋아하세요.
다. 그 가방을 가지고 다니더라.

(24) 가. 밥은 먹고들 다니니?
나. 그 소식을 듣고 좋아들 하세요.
다. 그 가방을 가지고들 다니더라.

고영근·구본관(2008)도 아래의 예에서 '-들'은 부사, 조사, 어미 등과도 연결될 수 있어 보조사의 분포 특성과 '-들' 이 없는 문장에서 주어가 단수로 이해될 수 있으므로 '-들'은 고유한 어휘적 의미와 문맥적 의미를 가진다는 보조사의 특성에 부합된다고 보고 있다.

(25) 가. 소파에 앉아 한가롭게 신문을 보고-들 있다.
나. 배가 고파서-들 밥을 많이 먹었다.

다음은 '-들'이 독립어와 결합된 예이다.

(26) 가. 여보게.
　　나. 여보게들.

위의 예문은 생략된 주어의 복수가 아니라 '-들' 앞의 선행 성분인 '여보게'가 지칭하는 청자가 복수임을 나타내는 것으로 청자가 한 명이냐 두 명 이상이냐에 따라 복수 표지 '-들'의 실현이 결정된다.

마지막으로 복수 표지 '-들'은 문장과 결합이 가능하다. 다음 예문을 보자(김경열, 2020: 12).

(27) 가. 숙제 해 왔어요들?
　　나. 숙제 해 왔어요?

(27)가.는 문장에 복수 표지 '-들'이 실현된 것이고, (27)나.는 '-들'이 실현되지 않은 문장이다. 의미적으로 (27)가.는 복수의 청자를, (27)나.는 단수와 복수로 해석될 수 있기 때문에 복수 표지 '-들'의 부가는 복수의 의미를 더 분명하게 해준다고 할 수 있다.

5. 나가며: '-들'의 교육 필요성과 교육 내용

한국어 복수 표지 '-들'이 현재 한국어 문법 교육에서 명시적인 어휘 또는 문법 항목이 아니라는 것은 이미 이전 연구들에서 지적된 바 있다. 하신영(2019: 58)에 따르면 대부분의 한국어 교육 연구와 교재 편찬의 기준인 국제 통용 한국어 표준 교육 과정(2017년)에서도 복수 표지 '-들'을 문법 또는 어휘 항목으로 구분하여 다루지 않고 있어 복수 표지 '-들'의 의미와 기능에 대한 공통 기준이 없고 연구자마다 기준으로 삼는 문법 내용이 다를 수밖에 없다고 한다.[3] 이러한 문제는 이탈리아 학생을 비롯한 한국어를 배우는 외국인 학습자들이 그들의 모국어의 영향으로 '-들'의 사용에 오류를 보일 가능성을 줄일 수 있도록 외국인 한국어 학습자에게 복수 표지 '-들'이 가지는 문법적 특이성을 학습 단계별로 구분하여 교수할 필요성을 제기한다.[4]

이탈리아어와 한국어 복수접미사의 대조를 바탕으로 한국어 학습자용 복수 표지 '-들'의 교육 내용을 정리해 보면 아래와 같다.

[3] 하신영(2019)은 서울대, 연세대, 고려대, 경희대, 서강대 등 5개 대학 기관의 한국어 교재에서 '-들'에 대한 교육 내용이 명시적이지 않으며 다만 《연세 한국어1-1》에서 '복수 접미사', 《서울대 한국어1A》에서 '복수화 접미사' 등 새 어휘로, 나머지 교재에서는 예문으로만 제시된다고 보고하고 있다.

[4] 하신영(2019: 74)에서 제안된 초급 학습자용 복수 표지 '-들'의 교육 내용은 아래와 같다.
(1) 가. '들'은 사람 명사에 결합하여 복수의 의미를 더한다.
　나. 명확한 수를 나타내는 표현(수사, 단위 명사)과는 함께 쓰지 않는다.
　다. 불명확한 수를 나타내는 표현(많다, 여러 등)과 함께 쓸 때는 '-들'을 사용하지 않는 것이 자연스러우나 '사람 명사-들'로 사용할 수도 있다.
　라. '들'은 복수 인칭 대명사(우리, 저희, 너희, 여러분)에 결합하여 복수 의미를 강조한다.
　마. '이런, 그런, 저런' 등의 특정한 수식어와 함께 쓰이는 경우 셀 수 있는 사물 명사에도 '-들'을 붙일 수 있다.

(27) 가. 이탈리아어와 한국어 두 언어 모두에서 '복수성'를 표시하는 표지가 존재한다.
나. 이탈리아어와 달리 한국어는 '복수 해석'을 위해 반드시 복수 표지가 필요하지 않기 때문에 수의성을 가진다.
다. 한국어 복수 표지 '-들'은 복수 의미를 강조한다.
라. 한국어 복수 표지 '-들'은 가산명사에 결합하여 복수의 의미를 추가한다.
마. 무정명사에 복수 표지가 부가될 수 있는 이탈리아어와 달리 한국어 복수 표지 '-들'은 가산명사보다 유정명사에 더 자주 실현된다.
바. 한국어 복수 표지 '-들'은 수사나 단위 명사와 공기할 수 없으므로 수사와 함께 출현한 명사에 복수접미사가 의무적으로 실현되는 이탈리아어와 구분된다. 이는 분류사의 유무에 따른 한국어와 이탈리아어의 언어유형학적 차이를 보여 준다.
사. 한국어 복수 표지 '-들'은 집단 해석 및 배분 해석과 관련하여 의미적 차이를 초래한다.
아. 한국어 복수 표지 '-들'은 집합을 분해하여 각각의 개별 구성원으로 개체의 복수성을 나타낼 수 있다.
자. 한국어 복수 표지 '-들'은 명사뿐만 아니라 부사, 조사, 어미, 구, 문장 등에도 결합하여 복수의 의미를 나타낼 수 있다.

지금까지 이탈리아어의 복수접미사와 비교하여 한국어 복수 표지 '-들'이 가지는 특징들을 살펴보았다.

한국어에서는 복수 표지 '-들'이 실현되지 않은 명사나 명사구도 복수의 의미를 나타낼 수 있으며 일반적으로 사물 명사보다 유정성을 지닌 명사들에 부가되어 사용된다. 또한 한국어 복수 표지 '-들'은 이탈리아어 복수 표지 '-i/e'처럼 체언의 뒤에서만 결합하는 것이 아니라 부사어나 서술어 혹은 목적어 위치에서 보조사의 역할을 하며, 이때의 '-들'은 결합한 단어의 복수 의미가 아닌 청자의 수가 복수임을 나타낸다는 것을 확인할 수 있었다. 이러한 이탈리아어와 한국어 복수 표지의 대조적 특징들은 교육적 측면에서 더 명확하게 세분화하여 학습 단계별로 교수할 문법 내용을 체계화할 필요성을 제기한다.

참고문헌

강범모. 2007. 복수성과 복수 표지: '들'을 중심으로. **언어학**. 47. 한국언어학회. pp. 3-31.

고영근, 구본관. 2008. **우리말 문법론**. 집문당.

김경열. 2020. 복수 표지 '들'의 문법적 지위 고찰. **영주어문**. 44. 영주어문학회. pp. 5-29.

김중섭 외. 2017. **국제 통용 한국어 표준 교육과정 적용 연구(4단계)**. 국립국어원.

김찬곤. 2017. 복수접미사 '-들'과 서양 문법의 '수 범주' 연구. **우리말교육현장연구**. 11. 우리말교육현장학회. pp. 423-443.

남기심, 고영근. 2017. **표준 국어문법론**. 박이정.

노은주. 2008. 한국어 무표형과 '들' 복수형의 의미. **담화와 인지**. 제15집 제1호. 담화인지 언어학회. pp. 43-62.

배주채. 2019. **한국어문법**. 신구문화사.

백미현. 2002. 한국어 복수 의미 연구. **담화와 인지**. 9-2. 담화와인지언어학회. pp. 59-78.

백봉자. 2006. **한국어 문법 사전**. 도서출판 하우.

서정수. 1996. **국어문법**. 한양대학교 출판원.

연세대학교 언어정보개발원 편. 1998. **연세한국어사전**. 두산동아.

이건희. 2018. 한국어 복수 표지 '들'의 습득 양상–중국어권 학습자를 대상으로. **새국어교육**. 117. pp. 203-226.

임홍빈. 2000. 복수 표지 '들'과 사건성. **애산학보**. 24. 애산학회. pp. 3-50.

전영철. 2007 한국어 복수 표현의 의미론: '들'의 통합적 해석. **언어학**. 49. 한국언어학회. pp. 337-359.

국립국어연구원 편. 1999. **표준국어대사전**. 두산동아.

하신영. 2019. 초급 한국어 학습자 대상 복수 표지 '들' 교육의 필요성에 대하여. **한민족어문학**. 21. 한민족어문학회. pp. 53-79.

홍용철. 2003. 비해석성 표지 '들', **프랑스어문교육**. 제15집. 한국프랑스어문교육학회. pp. 253-285.

제5장

한국어 용언의 활용형 연구

김종덕
일본 도시샤대학교
Doshisha University

1. 들어가며

이 논문은 외국어로서의 한국어(혹은 제2언어로서의 한국어) 학습자들에게 활용형 교본을 제공하기 위해 만들어진 기초 자료이다. 김종덕·이종희(2005)에서 모두 66개의 용언과 57개의 어미를 제시하고 전체 일람표의 일부분을 소개한 바 있다. 그러나 그 논문에서의 목표는 국어사전의 부록으로 들어가는 활용형 일람표였기 때문에 당연히 지면의 제한이 있었고, 그런 이유로 용언의 어간에 어말어미가 이어지는 활용형만을 보였을 뿐이다. 즉, 용언의 어간에 선어말어미가 연결되는 활용형은 보이지 못한 치명적인 단점이 있었다. 그렇기 때문에 이번 연구에서는 어간과 선어말어미의 연결형에 어말어미가 연결되는 활용형까지 모두 보이려 했다. 그러나 이러한 시도가 처음은 아니다. 남지순(2007)은 수많은 용언의 다양한 활용형을 담고 있기 때문에 그 책을 이용하면 대부분의 용언의 활용형을 만들어 낼 수 있다. 그러나 오히려 너무 방대한 양 때문에 가볍게 들고 다니면서 손쉽게 활용형을 찾아 보기는 힘들다는 단점이 있다. 이번 연구의 최종 목표는 가볍게 들고 다니면서 쉽게 활용형을 만들어 낼 수 있는 활용형 교본을 만드는 것이다.

2. 용어 규약

용언의 활용형에 대한 설명을 원활하게 하기 위해 본 논문에서는 다음과 같이 용어를 약속한다.

2.1. 용언의 종류

용언의 종류는 동사, 형용사, 존재사, 지정사의 4가지로 한다. 존재사는 '있다, 없다, 계시다'를 중심으로 '~있다, ~없다'를[1] 모두 포함한다. 존재사를 별도의 품사로 지정하느냐에 대한 논의는 매우 중요한 문제이나 이 논문의 주제에서 벗어나므로 더 깊이 논의하지 않는다. 다만 존재사가 동사 및 형용사와 다른 활용형을 보이기 때문에 설명의 편의를 위해 별도의 품사로 지정하여 두었다. 지정사는[2] '-이다, 아니다, 계시다'이다.

[1] '맛있다, 맛없다, 재미있다, 재미없다' 등을 예로 들 수 있다.

[2] 지정사는 허웅(1983: 192)의 잡음씨의 다른 이름이다.

2.2. 어간의 분류

어간 끝음절의 형태에 따라 '자음어간'과 '모음어간', '양성어간'과 '음성어간'으로 분류하였고, 활용할 때 표기상 어간 및 어미의 형태가 변하는지에 따라 '정칙어간'과 '변칙어간'으로 분류하였다.

2.2.1. 자음어간·모음어간

어간의 끝음절이 자음으로 끝나면 자음어간이고 모음으로 끝나면 모음어간이다. 자음어간은 다시 'ㄱ어간, ㄴ어간' 등으로 나뉘며, 모음어간도 'ㅏ어간, ㅓ어간' 등으로 분류된다. 자음어간과 모음어간을 한꺼번에 이를 때는 자음모음어간이라 한다.

2.2.2. 양성어간·음성어간

자음어간이든 모음어간이든 어간 끝음절의 모음이 양성모음이면 양성어간, 그렇지 않으면 음성어간으로 부르기로 한다. 양성모음은 'ㅏ, ㅑ, ㅘ, ㅗ, ㅛ'뿐이고 그외의 모음은 모두 음성모음으로 한다. 이 둘을 한꺼번에 이를 때는 양성음성모음어간이라 한다.

결국 모든 용언의 어간은 양성자음어간, 양성모음어간, 음성자음어간, 음성모음어간 중 하나가 된다. 그 예를 간단히 보이면 아래와 같다.

〈표 1〉 어간의 분류

	양성어간	음성어간
자음어간	잡다	먹다
모음어간	가다	주다

2.2.3. 정칙어간·변칙어간

활용을 할 때 어간의 일부분이나 혹은 어미의 모습이 한 번이라도 변하게 되면 변칙이고 그렇지 않으면 정칙이다. 여기서 변화라고 하는 것은 형태소 변동의 차원이 아니라 표기의 차원이다. 예를 들어, '먹다'의 '먹-'은 '먹니[멍니]'에서는 [멍]으로 형태 변동이 일어나지만 표기의 차원에서 '먹-'은 절대로 변하지 않으므로 '먹다'는 정칙용언이고 '먹-'은 정칙어간이 된다. '듣다'의 '듣-'은 '들어요, 들으면'과 같이 '듣-'이 '들-'로 변하는 경우가 있으므로 변칙어간이 된다.

2.3. 어미의 분류

어미는 시작하는 음절의 형태에 따라 분류된다. 여러 활용형에서 어미의 첫음절에 한 번이라도 '아' 혹은 '어'가 보이면 그 어미는 '아/[3]어계어미'라 하며, '으'가 한 번이라도 보이면 '으계어미'라 한다. '가서'의 '-서'는 '먹어서'의 '어서'와 같은 의미이므로 '가서'에서는 '아'나 '어'가 보이지 않지만 아/어계어미가 되고, '가면'의 '-면'은 '먹으면'에서 '으'가 보이므로 으계어미가 된다. 아/어계어미와 으계어미를 제외한 모든 어미는 자음어미가 된다. 자음어미도 첫음절의 자음에 따라 세분할 수 있는데 '먹고'의 '-고'는 ㄱ어미, '먹느라고'의 '-느라고'는 ㄴ어미이다.

이러한 분류에 한 가지 예외가 있다. '먹는데, 작은데'에서 '-는데, 은데'는 이형태 관계이므로 위 분류에 의하면 으계어미가 되어야 하지만 이것만은 예외로 동사, 존재사 어간에 붙는 '-는데'는 ㄴ어미라 하고 형용사와 지정사에 붙는 '-은데'만 으계어미라 하기로 하며 이같이 용언의 품사에 따라 어미의 첫음절에서 '는'과 '은/ㄴ'의 대립을 보이는 어미들은 모두 같은 방식으로 처리한다.

[3] '/'는 빗금 혹은 슬래시라고 칭한다. 음운론적 조건에 따른 이형태를 보일 때 사용한다.

3. 교본의 구성

교본은 크게 두 부분으로 구성된다. 먼저 대표 용언의 활용형을 보여 주는 '대표 용언의 활용표'(이후 '활용표'라 한다)가 있고, 그 뒤에 용언의 목록을 보여 주는 '용언 목록'이 있다. 활용표의 각 페이지에는 대표 용언의 활용형 및 어미 그룹이 들어 있다. 대표 용언은 뒤에 기술한 용언의 선정 기준에 따라 70여 개가[4] 선택되었으며 어미는 15개의 대표 어미가 선정되었다. 먼저 대표 용언 중 하나인 '입다'의 활용형을 보자.

[4] 활용형 교본을 직접 작성해 가면서 조정할 부분이 있기 때문에 아직 정확한 개수를 지정하지 못했다.

〈표 2〉 대표 용언 '입다'의 활용형

〈2〉 입다

어간＼어미			-고	-습니다/ㅂ니다	-(으)면	-(으)니까	-아/어요	…	-니
어간	비존대	입	입고	입습니다	입으면	입으니까	입어요		입니
	존대	입으시	입으시고	입으십니다	입으시면	입으시니까	입으세요		입으시니
어간+었	비존대	입었	입었고	입었습니다	입었으면	입었으니까	입었어요		입었니
	존대	입으셨	입으셨고	입으셨습니다	입으셨으면	입으셨으니까	입으셨어요		입으셨니
어간+겠	비존대	입겠	입겠고	입겠습니다	입겠으면	입겠으니까	입겠어요		입겠니
	존대	입으시겠	입으시겠고	입으시겠습니다	입으시겠으면	입으시겠으니까	입으시겠어요		입으시겠니
어간+었었	비존대	입었었	입었었고	입었었습니다	입었었으면	입었었으니까	입었었어요		입었었니
	존대	입으셨었	입으셨었고	입으셨었습니다	입으셨었으면	입으셨었으니까	입으셨었어요		입으셨었니
어간+었겠	비존대	입었겠	입었겠고	입었겠습니다	입었겠으면	입었겠으니까	입었겠어요		입었겠니
	존대	입으셨겠	입으셨겠고	입으셨겠습니다	입으셨겠으면	입으셨겠으니까	입으셨겠어요		입으셨겠니

(1) -고: -자, -거자, -더라
(2) -습니다/ㅂ니다: -습니까/ㅂ니까
(3) -(으)면: -(으)러, -(으)려고
(4) -(으)니까: (으)나마, -(으)냐, -(으)ㄹ수록
.
.
.
(14) -(으)ㄹ
(15) -(으)오

각 대표 용언은 자신의 고유 번호와 함께 제시되는데 예를 들어 위에 보인 대표 용언 '입다'의 고유 번호는 〈2〉이다. 대표 용언의 어간은 10개의 형태가 제시되는데 선어말어미가 없는 것부터 시작해서 '-었-, -겠-, -었었-, -었겠-'이 붙어 있는 형태가 각각 비존대형과 존대형으로 제시된다. 위 표에 나와 있는 형태를 나열하면 '입다'의 어간 형태는 '입, 입으시, 입었, 입으셨, 입겠, 입으시겠, 입었었, 입으셨었, 입었겠, 입으셨겠'이 된다. 이는 분포가 넓은 선어말어미 '-시-, -는-, -었-, -겠-, -옵-'(남기심·고영근, 1993: 152) 가운데 사용 빈도가 높다고 생각되는 '-시-'와 '-었-, -겠-, -었겠-'을 서로 엮어서 어간 부분의 형태를 만든 것이다. 그 외 나머지 선어말어미들은 모두 어미의 일부분으로 처리되었다. 이 어간 형태들은 모두 15개 대표 어미와의 활용형이 제시되며 각 대표 어미와 같은 활용형을 만드는 어미들이 활용형 표 밑에 제시된다.

[5] '//'는 겹빗금 혹은 겹슬래시라고 한다. 형태론적 조건에 따른 이형태를 보일 때 사용한다. 위의 예에서는 품사에 따른 이형태를 보이고 있다.

4. 대표 어미 분류

한국어의 활용형을 결정하는 주요소는 용언의 품사, 정칙·변칙, 어간 끝음절의 형태, 어간 끝음절 모음의 종류 등이다. 가장 복잡한 어미의 유형은 '-는데//[5]-은데/-ㄴ데'로서

'-은데/-ㄴ데'는 선어말어미 '-었-'이나 '-겠-'이 보이지 않는 형용사어간과 지정사어간에 자음어간과 모음어간을 구분해서 붙고, 그 외의 어간의 형태에는 모두 '-는데'가 연결된다. 예를 들어, 자음어간형용사인 '작다'는 '작은데'가 되며 모음어간형용사인 '크다'는 '큰데'가 된다. 이 두 형용사에 주체존대 선어말어미가 붙으면, '작으신데, 크신데'가 된다. 지정사도 마찬가지로서 '선생님인데, 의사인데, 선생님이신데, 의사이신데'가 된다. 그러나 같은 형용사라도 '-었-'이나 '-겠-'이 있으면 모두 '작았는데, 컸는데, 작으셨는데, 크셨는데, 선생님이었는데, 의사였는데, 선생님이셨는데, 의사셨는데'가 된다. 형용사와 지정사 이외의 동사와 존재사는 모든 어간의 형태에 '-는데'가 붙게 된다. 이와 반대로 가장 간단한 어미는 '-고'를 들 수 있는데, 위에 든 어떤 조건에도 어떠한 형태의 변함 없이 모든 어간에 '-고'를 붙이면 올바른 활용형이 된다.

이와 같은 과정을 고려하여 설정된 대표 어미 그룹 15개는 다음과 같다.

4.1. '-고' 그룹

위의 어떤 조건에도 상관없이 어간의 형태에 그대로 연결된다. 활용을 할 때 어간과 어미의 변화가 전혀 없다는 뜻이다.

같은 그룹의 어미로는 ㄱ어미(-거나, -거든……), ㄷ어미(-더라, -더구나, -던, -다가……), ㅈ어미(-지[6], -자……) 등이 있다. 그런데 예를 들어 ㄷ어미인 '-던' 뒤에는 다른 어미가 붙어서 '-던데, -던걸, -던가' 등과 같은 복합어미가 되기도 한다. '-더라, -더구나'도 마찬가지로 '-더' 뒤에 다른 어미가 붙어서 만들어진 복합어미이다. 이러한 것들은 사용 빈도가 높은 어미들을 대표 어미 뒤에 제시하기로 한다.

[6] '-지'는 '먹지 않아요'와 '이게 뭐지?'에서 보이는 것인데 동음이의 관계인 두 어미는 교본의 전체 윤곽이 보인 다음에 다시 처리하기로 한다.

4.2. '-습니다/ㅂ니다' 그룹

자음모음어간에 의해 어미가 결정된다. 또 ㄹ변칙어간[7]과도 관련되어 있는데 ㄹ변칙어간의 ㄹ이 탈락된 뒤 만들어진 모음어간에 '-ㅂ니다'가 연결된다. 이 그룹에 들어가는 다른 어미는 '-습니까/ㅂ니까, -습디다/ㅂ디다' 등이 있다.

[7] ㄹ어간은 모두 ㄹ변칙어간이다. 이러한 변칙을 보편적 변칙이라 한다. 혹자는 이러한 보편성 때문에 변칙이라 하지 않고 그냥 ㄹ어간이라 하기도 하지만 어간의 일부가 활용 시 변한다는 점에서 변칙으로 처리하는 것이 논리적이다. 또 ㄹ어간으로 지칭하게 되면 모음어간, 자음어간, ㄹ어간으로 균형이 맞지 않는 분류를 해야 한다.

4.3. '-(으)면' 그룹

자음모음어간에 의해 어미의 형태가 바뀐다. ㄹ변칙어간 및 모음어간 뒤에서 어미의 '으'가 탈락된다. 양성음성모음 및 품사와는 전혀 상관이 없다. 이 그룹에 들어가는 어미로는 '-(으)러, -(으)려고, -(으)마, -(으)ㅁ[8]' 등이 있다.

[8] '-음'과 '-ㅁ'을 한 형태로 보인 것이다. -(으) 뒤에 자음이 붙어 있는 어미는 모두 같은 방식의 표기임을 의미한다.

이 어미들은 변칙어간과는 연결되는 모습이 불규칙하다. ㄷ변칙어간 및 ㅅ변칙어간에는 '들으면, 이으면'처럼 '으'가 있는 형태가 연결되며, ㅂ변칙어간 및 ㅎ변칙어간에는

'추우면, 하야면'처럼 '으'가 없는 형태의 어미가 연결된다. ㄷ변칙어간은 어미 맨 앞음절인 '으' 앞에서 어간 끝자음인 ㄷ이 ㄹ이 되어 마치 ㄹ변칙어간과 같은 모습이 되지만 어간 끝에 있는 'ㄹ'이 탈락되지 않으면서 '으'가 있는 형태의 어미가 연결된다. ㅅ변칙어간은 어간 끝에 있는 ㅅ이 탈락되어 결국 모음어간의 형태를 띄지만 그럼에도 불구하고 어미의 '으'가 없어지지 않는다. ㅂ변칙어간과 ㅎ변칙어간도 모음어간과 같은 모습이 되나, '으'가 생략된 형태의 어미가 연결된다는 점에서 규칙적이지 않다는 뜻이다. 뒤에 나열되는 '-(으)니까' 그룹의 어미들도 변칙어간에는 같은 모습으로 연결된다.

4.4. '-(으)니까' 그룹

자음모음어간에 의해 어미의 형태가 바뀐다는 점에서 '-(으)면'과 같지만 ㄹ변칙어간의 경우 '살다-사니까'처럼 어간 끝 ㄹ이 탈락되기 때문에 '-(으)면 그룹'과는 별도로 분류하였다. 양성음성모음 및 품사와는 전혀 상관이 없다. 여기에 들어가는 어미로는 '-(으)나마, -(으)냐, -(으)ㄹ수록, -(으)오, -(으)ㄹ지언정, -(으)ㄹ텐데' 등이 있다. '-(으)ㄹ~' 즉 '-(으)ㄹ' 뒤에 어미의 일부가 되는 다른 요소가 붙어 있는 '-을걸, -을수록, -을텐데' 등이 모두 같은 그룹에 속하는데 이것들에 대해서도 빈도가 높은 것들을 제시하도록 한다.

4.5. '-아/어요' 그룹

용언의 품사나 자음모음어간과는 관련이 없고, 양성음성어간에 의해서 어미의 형태가 결정된다. 양성어간에는 '-아요'가 붙고, 음성어간에는 '-어요'가 붙는다. 이 그룹에 속하는 어미는 이것 하나뿐인데, 그 이유는 '-아/어요'가 존경형 어간과의 연결형에서 '-세요'라고 하는 독특한 어형을 보이기 때문이다. 예를 들어, '가다'라는 동사의 존대형인 '가시-'에 '-아/어요'가 붙으면 '가세요'가 되지만 '-아/어도'가 붙으면 '가셔도'가 된다. '가세요'라는 활용형 하나 때문에 활용표에 열을 하나 더 만들어야 하지만 사용 빈도가 높고 특히 한국어 교육 분야에서는 필수적으로 교육을 해야 하는 항목이기 때문에 별도의 그룹으로 설정하였다.

이 어미는 어간에 과거 선어말어미(-었-/-았-/-ㅆ-)가 붙어 있거나, 미래 선어말어미(-겠-)가 붙어 있으면[9] 그 구분이 모두 없어지고 '-어요'로 통일된다. 이러한 내용은 활용표에서 보이면 된다.

모음어간 뒤에서 어미의 일부인 '아/어'가 생략되거나 축약되는 경우가 있는데 그 생략이나 축약이 필수적인 것도 있고 수의적인 것도 있기 때문에 각각의 경우에 해당하는 모음어간용언을 하나씩 대표 용언으로 두어야 한다. 아래에 그 내용을 밝혀 둔다.

[9] 이후로 어간에 과거 선어말어미가 붙어 있는 것을 용언의 과거형이라 부르고 미래 선어말어미가 붙어 있는 것을 용언의 미래형이라 부른다.

생략 필수: ㅏ어간 (가요), ㅓ어간(서요), ㅕ어간(켜요)
생략 수의: ㅐ어간(내요/내어요), ㅔ어간(세요/세어요)
축약 필수: ㅗ어간 및 ㅜ어간 가운데 어간 끝음절에 초성이 비어 있는 어간(와요, 배워요)
축약 수의: ㅣ어간(껴요/끼어요), ㅗ어간 및 ㅜ어간 가운데 어간 끝음절에 초성이 있는 어간(봐요/보아요, 줘요/주어요), ㅚ어간(돼요/되어요)

4.6. '-아/어' 그룹

품사나 자음모음어간과는 관련이 없고, 양성음성어간에 의해서 어미의 형태가 결정된다. 빗금(/)을 중심으로 양성어간 뒤에는 왼쪽에 있는 어미가, 음성어간 뒤에는 오른쪽에 있는 어미가 연결된다. 용언의 과거형이나 미래형에는 모두 '-어'가 붙은 형태가 연결된다. 존경형 어미와의 결합에서만 '-아/어요'와 다를 뿐, 나머지는 모두 같다.

이 그룹에는 '-아/어서, -아/어야, -아/어라, -아/어도' 등이 있다.

4.7. '-는다/ㄴ다//다' 그룹

'//'는 형태적 조건에 의한 이형태를 표시하는 데 사용된다. 여기서는 용언의 품사에 의해 왼쪽과 오른쪽이 구분된다는 표시인데, 이 그룹의 경우 겹빗금의 왼쪽은 동사어간에만 연결되는 어미이며 오른쪽은 형용사, 존재사, 지정사의 어간에 연결되는 어미들이다. 다시 '/'의 왼쪽에는 자음어간에 연결되는 어미가 있고, 오른쪽에는 모음어간에 연결되는 어미가 있다. 이에 의하면 '공부한다//유명하다' 및 '산다(←살다)//멀다'가 된다. 이에 근거하여 '-하다'가 붙어 있다는 공통점이 있음에도 불구하고 '공부하다'와 '유명하다'는 같은 그룹의 용언이 되어서는 안 되며, 또 '살다'와 '멀다'가 각각 용언의 한 대표로서 존재해야 한다는 것을 의미한다. 용언의 과거형이나 미래형에는 품사에 상관없이 모두 '-다'가 붙는다. 이에 속하는 다른 어미는 없다.

4.8. '-는데//은데/ㄴ데' 그룹

품사에 의해 먼저 어미의 형태가 결정된다. //의 왼쪽은 동사어간과 존재사어간에 붙고, 오른쪽은 형용사어간과 지정사어간에 붙는다. 다음으로 형용사와 지정사의 경우 자음어간에는 '-은데'가 모음어간에는 '-ㄴ데'가 연결된다. 여기서도 용언의 과거형이나 미래형에서는 이러한 구분이 다 사라지고 '-는데'로 통일된다. 이 그룹에는 의문형 종결어미인 '-나//은가/ㄴ가'가 속하게 된다. 이 역시 용언의 과거형이나 미래형에는 맨 앞에 있는 '-나'가 연결된다.

4.9. '-는구나//구나' 그룹

단순히 용언의 품사에 의해서만 어미의 형태가 결정된다. //의 왼쪽에 있는 어미는 동사어간에, 오른쪽에 있는 어미는 형용사어간, 존재사어간, 지정사어간에 연결된다. 과거형이나 미래형에는 모두 '-구나'가 붙는다. 같은 그룹에 '-는군//군'이 있다.

4.10. '-니'(어디 가니?) 그룹

'-(으)니까'와 거의 흡사하지만 따로 하나의 어미 그룹으로 구분해야 한다. 동사 및 존재사에는 어간의 종류에 상관없이 '-니'가 연결될 뿐만 아니라 형용사의 자음어간에는 '-니'와 '-으니'의 교체가 수의적이기 때문이다. 또 ㄹ변칙어간에 연결될 때는 어간의 ㄹ받침이 탈락된다. '-냐'가 같은 그룹의 어미에 속하게 된다.

4.11. '-느라고' 그룹

단순히 ㄹ변칙어간에만 작용을 하는 어미이다. 이에 해당하는 어미는 '-냬, -네, -느니'와 '-소[10], -사옵니다, -사외다[11]' 등이 있다.

4.12. '-는' 그룹[12]

동사어간과 존재사어간에만 붙는 관형사형 어미이다. 과거 선어말어미나 미래 선어말어미가 붙은 어간 형태에는 절대로 연결되지 않기 때문에 활용표에서 대표 용언의 용언의 과거형이나 미래형과의 연결형에는 ×표를 할 수 있다는 장점이 있다.

4.13. '-(으)ㄴ' 그룹

동사어간, 형용사어간, 지정사어간에만 붙는 관형사형 어미이다. 이 역시 활용표에서 대표 용언의 과거형이나 미래형과의 연결형에는 ×표를 할 수 있다.

4.14. '-(으)ㄹ' 그룹

모든 품사에 두루 연결되는 관형사형 어미이다. 다른 관형사형 어미들과는 달리 선어말어미 '-었-'이 붙은 어간 형태에도 연결될 수 있다는 특성이 있다. 다음과 같은 예문에서 확인할 수 있다.

(1) 시간이 조금만 더 있었으면 우리가 이겼을 경기였어.
(2) 아무리 배가 고파도 맛있었을 음식이 아니야.

[10] '어디 가소?', '다 먹었소?'에서 보이는 의문형 종결어미이다.

[11] '-사옵니다, -사외다'처럼 현대 한국어에서 잘 쓰이지 않는 어미는 교본에서는 제외하기로 한다. 다만 종이 교본이 아닌 전자사전 형태의 교본이라면 굳이 제외하지 않아도 괜찮다.

[12] '-는, -(으)ㄴ, -(으)ㄹ'은 한국어의 관형사형 어미라는 점에서 모두 같이 두어야 하나, 품사에 따라서 관형사형 어미의 선택이 달라지고 또 세 어미의 사용 빈도도 매우 높기 때문에 모두 각각 따로 두기로 했다.

(3) 우리 딸이 입었으면 예뻤을 옷이네.
(4) 이 집은 마치 예전에 카페였을 분위기네요.

4.15. '-(으)오' 그룹

품사에 상관없이 ㄹ변칙어간의 ㄹ이 탈락되며 또 자음어간과 모음어간이 구분되는 어미이다. 이 그룹에는 '-(으)세, -(으)소서' 등이 속하게 된다.

5. 대표 용언의 제시

정칙용언의 경우에는 일단 동사와 형용사로 나눈 후 각각 양성음성어간의 예를 제시하되 자음어간과 모음어간의 구분이 필요하다. 다음으로는 축약이나 생략이 가능한 것들의 예를 들어야 한다. 변칙용언은 동사와 형용사로 구분하여 각각 양성어간, 음성어간의 예를 제시하면 된다. 변칙용언 중 가장 복잡한 것으로는 ㄹ변칙용언을 들 수 있는데, 동사로는 '살다, 만들다'를, 형용사로는 '달다, 멀다'를 대표 용언으로 지정했다.

그리고 '존재사, 지정사, 시어간 존대어[13], 불완전 동사(가로다, 달다[14], 데리다), 뵙다[15]' 등도 별도로 대표 용언으로 지정하여야 한다.

[13] 어간의 끝음절이 '시'인 존대어로서 '드시다, 주무시다, 잡수시다, 돌아가시다' 등이 있다.

[14] '이리 다오'의 '달다'이다.

[15] '뵙다'는 특히 자음어미와 모음어미에 의해 활용할 때 어간의 형태가 달라지기 때문이다.

5.1. 정칙용언의 대표 용언

〈1〉 축약이나 생략이 되지 않는 용언

① 양성자음어간동사: 받다
② 음성자음어간동사: 입다
③ 음성모음어간동사: 뛰다
④ 양성자음어간형용사: 작다
⑤ 음성자음어간형용사: 적다
⑥ 음성모음어간형용사: 희다

양성모음어간동사와 양성모음어간형용사, 음성모음어간동사 가운데 ㅟ어간 및 ㅢ어간을 제외한 것, 음성모음어간형용사는 모두 축약이나 생략이 가능하기 때문에 다음 절에 따로 두었다.

〈2〉 축약이나 생략이 가능한 용언

① ㅏ, ㅓ, ㅕ 어간동사: 가다, 서다, 켜다[16]

[16] 여러 개의 용언이 제시된 것은 해당 어간마다 용언의 예를 보여 주기 위한 것이다. 실제 교본에는 하나의 대표 용언만 실릴 예정이다.

② ㅏ, ㅓ, ㅕ[17]어간형용사: 짜다
③ ㅐ, ㅔ 어간동사: (이불을) 개다, (돈을) 세다
④ ㅐ, ㅔ 어간형용사: 날쌔다, (힘이) 세다
⑤ ㅣ 어간 축약필수 동사: (꽃이) 지다, (살이) 찌다
⑥ ㅣ 어간 축약수의 동사: (담배를) 피다
⑦ ㅣ 어간 축약금지 동사: (애기가) 기다, 삐다
⑧ ㅣ 어간 축약필수 형용사: 느리다[18]
⑨ ㅣ 어간 축약수의 형용사: 시다, 졸리다
⑩ ㅚ어간동사[19]: 되다
⑪ ㅚ어간형용사: (반죽이) 되다
⑫ ㅗ어간 축약필수[20] 동사: 오다
⑬ ㅗ어간 축약수의 동사: 보다
⑭ ㅜ어간 축약필수 동사: 배우다
⑮ ㅜ어간 축약수의 동사: 주다

[17] ㅓ어간형용사와 ㅕ어간 형용사는 없다.

[18] '값지다, 더디다, 멋지다, 무디다, 시리다, 쓰리다, 질기다, 흐리다' 등의 또 다른 축약필수로 느껴지는 형용사들이 있다.

[19] ㅚ어간은 축약이 모두 수의적이라서 굳이 밝히지 않았다.

[20] 뒤에 이어질 ㅗ어간 축약 및 ㅜ어간 축약의 필수와 수의는 다른 모음 어간의 축약과 달리 반드시 지켜야 한다.

5.2. 변칙용언의 대표 용언

〈1〉 ㄷ변칙[21]

① 양성어간동사: 깨닫다
② 음성어간동사: 걷다

ㄷ변칙용언은 동사뿐이다.

[21] ㄷ변칙은 형용사가 없기 때문에 양성, 음성만을 고려하여 두 개의 대표 단어를 두었다.

〈2〉 ㄹ변칙

① 양성어간동사: 살다
② 음성어간동사: 만들다
③ 양성어간형용사: (맛이) 달다
④ 음성어간형용사: 멀다

〈3〉 ㅂ변칙

① 동사: (고기를) 굽다
② 형용사: 춥다
③ 예외 동사: 돕다[22]
④ 예외 형용사: (마음씨가) 곱다

[22] '도와요, 도왔어요, 도와서……' 때문에 이것은 따로 두어야 한다. 이와 비슷한 활용을 하는 형용사로 '곱다'가 하나 더 있는데 이는 '돕다'와 품사가 서로 다르기 때문에 각각 대표 용언으로 두어야 한다.

〈4〉 ㅅ변칙

① 양성어간동사: (병이) 낫다

② 음성어간동사: 잇다

③ 양성어간형용사: 낫다(더 좋다)

④ ㅅ변칙의 음성어간형용사는 예가 없다.

〈5〉 ㅎ변칙

① 양성어간형용사: 하얗다

② 음성어간형용사: 허옇다[23]

③ 예외 형용사: 이렇다[24]

〈6〉 으변칙

① 어간의 끝에서 두 번째 음절의 모음이 양성모음인 동사: 모으다

② 어간의 끝에서 두 번째 음절의 모음이 음성모음인 동사: 애쓰다

③ 어간의 끝에서 두 번째 음절의 모음이 양성모음인 형용사: 아프다

④ 어간의 끝에서 두 번째 음절의 모음이 음성모음인 형용사: 예쁘다

⑤ 어간이 한 음절인 동사: 끄다[25]

⑥ 어간이 한 음절인 형용사: (맛이) 쓰다

〈7〉 르변칙

① 어간의 끝에서 두 번째 음절의 모음이 양성모음인 동사: 고르다

② 어간의 끝에서 두 번째 음절의 모음이 음성모음인 동사: 기르다

③ 어간의 끝에서 두 번째 음절의 모음이 양성모음인 형용사: 빠르다

④ 어간의 끝에서 두 번째 음절의 모음이 음성모음인 형용사: (시간이) 이르다

〈8〉 러변칙

① 동사: (~에) 이르다

② 형용사: 푸르다

〈9〉 우변칙

푸다 – 하나밖에 없다.

〈10〉 여변칙

① 동사: 하다

② 형용사: 건강하다

[23] 실제로는 '하얗다-하얘서, 허옇다-허예서'이기 때문에 '하얗다, 허옇다'를 각각 대표 용언으로 두지 않아도 문제 되지는 않는다. 그럼에도 어간의 모습이 서로 다르므로 각각 대표 용언으로 두기로 했다.

[24] '이렇다'는 '이래요, 이랬어요, 이래서……'로 활용을 한다. 같은 부류로는 '그렇다, 저렇다, 어떻다' 등이 있다.

[25] 어간이 한 음절인 '쓰다, 끄다, 뜨다' 등을 따로 보이는 것이 효과적일 수 있다.

5.3. 특별한 활용을 하는 용언

① 존재사: 있다
② 존재사: 없다
③ 존재사: 계시다
④ 지정사: 이다[26]
⑤ 지정사: 아니다
⑥ -시어간 존대어: 드시다, 주무시다, 잡수시다, 말씀하시다
⑦ 가로다
⑧ 달다
⑨ 데리다
⑩ 뵙다

[26] 앞에 붙는 성분의 끝음절이 자음으로 끝나는지 모음으로 끝나는지에 따라 달라지는 활용의 모습을 모두 보여야 한다.

6. 용언 목록

6.1. 용언 목록 선정

표제어 수가 비교적 적은《연세 현대 한국어사전》에서 내려받은 용언의 수는 동사가 9,391개(보조동사 36개 포함), 형용사가 2,909개(보조형용사 11개 포함)로 모두 12,300개이다. 거기서 이상하게 들어간 '가라사대'를 제외하면 총 12,299개의 용언이 실려 있다. 이는 산술적으로 계산했을 때 한 페이지에 100개씩의 단어를 싣는다 해도 123페이지나 필요하다는 뜻인데, 의미를 밝혀야 하는 동음이의어가 적지 않고, 또 각 용언마다 어느 대표 용언에 속하는지를 밝혀야 하는 숫자 표지도 들어가야 하기 때문에 한 페이지에 100개의 단어를 싣는다는 것은 사실상 불가능하다. 전자사전 형식이라면 양의 제한이 없으니 얼마든지 많은 용언을 제시할 수 있으나 가볍게 늘 지니고 다니면서 참고하기 위한 활용형 교본을 지향하려면 빈도 조사를 거쳐 용언을 추려 내야 한다는 결론에 이르게 된다.

6.2. 용언 목록 기술

용언의 목록 선정 못지않게 중요한 것은 용언의 어떤 정보를 어떻게 주어야 할 것인지를 결정하는 것이다.

먼저 용언의 기본 정보는 아래와 같이 '단어(품사, 변칙 종류)-그룹 정보'를 주기로 한다. 아래 예에 붙어 있는 대표 용언 번호는 여기서 보이기 위해 임의로 붙인 것들이다.

아래 예 1.의 '먹다'에는 〈2〉가 붙어 있는데 이는 대표 용언 〈2〉의 어간을 '먹다'의 어간인 '먹-'으로 대치하면 '먹다'의 활용형이 만들어진다는 뜻이고, 예 2.의 '가볍다'는 같은 방법으로 21번 대표 용언을 참조하라는 뜻이다.

예 1. 먹다(동사, 정칙) – 〈2〉
예 2. 가볍다(형용사, ㅂ변칙) – 〈21〉

다음으로 동음이의어의 처리 방법인데 두 가지 방안이 필요하다. 먼저, 의미가 전혀 다른 별개의 용언이지만 품사도 같고 활용형도 같으면 기본 정보만을 주는 것이다. 예를 들어 '눈을 감다, 머리를 감다, 실을 감다'의 '감다'는 모두 동음이의어 관계에 있으나 의미에 상관없이 모두 같은 활용을 하고 있으므로 굳이 의미를 밝힐 필요가 없기 때문이다. 아래 예 3.과 같은 방식을 취하면 된다.

예 3. 감다(동사, 정칙) – 〈1〉

그러나 동음이의어로서 활용형이 다르면 어깨번호와 함께 그 용언의 의미를 밝히기 위해 간단한 예문을 준다. 이것이 없으면 학습자가 알고자 하는 용언의 대표 번호가 무엇인지를 판단할 수 없기 때문이다. 아래 예에서 보이듯이 학습자는 '(길을) 걷다'의 활용형을 알고 싶으면 예 5.의 대표 용언의 번호를 찾아서 활용형을 보면 된다.

예 4. 걷다[1](동사-돈을 걷다, 정칙) – 〈2〉
예 5. 걷다[2](동사-길을 걷다, ㄷ변칙) – 〈19〉

'쓰다'의 경우는 더 복잡하다. 일단 아래와 같이 처리하기로 한다.

예 6. 쓰다[1](동사, 으변칙) – 〈33〉
예 7. 쓰다[2](형용사-맛이 쓰다, 으변칙) – 〈34〉

동사 '쓰다'는 '기계를 쓰다, 글씨를 쓰다, 모자를 쓰다, 묘자리를 쓰다' 등의 동음어가 여럿 있지만, 의미에 상관없이 활용이 같기 때문에 의미를 지정하지 않고 다만 동사라는 정보만 제공하였고, 형용사 '쓰다'는 품사와 함께 의미를 주어 빨리 알아볼 수 있도록 하였다.

7. 나가며: 남은 문제 및 결론

활용형 교본을 완성하기 위해서 가장 시급하게 해결해야 할 문제가 하나 있다. 그것은 여러 모음어간과 아/어계어미의 연결에서 나타나는 축약 및 생략의 '필수, 수의, 금지'를 결정지어야 한다는 것이다. 이를 위해 먼저 국립국어원의 《표준국어대사전》을 참조하여 ㅣ어간의 활용형을 어떻게 처리하였는가를 살펴보았으나 사전에서는 어떠한 설명도 없이 보통 연결형과 축약형을 모두 제시하고 있었다. 예를 들면, ㅣ어간의 '지다'는 여러 동음이의어가 있음에도 불구하고 그에 상관없이 모두 '지어(져)'를 보이고 있다. 이를 참조하면 결국 한국어 학습자들은 '꽃이 지어요, 꽃이 지었어요, 꽃이 지어도' 및 '시합에 지어요, 시합에 지었어요, 시합에 지어도' 등 표기의 차원에서는 매우 부자연스러워 보이는 어형을 생성하게 된다. '기다'라는 동사 역시 '기어(겨)'로 되어 있는데, 이럴 경우 '아기가 겨요, 아기가 겼어요, 아기가 겨서'처럼 매우 부자연스러운 축약형 표기가 나오게 된다.

ㅗ어간에서도 축약을 거부하는 듯한 어형이 보이기도 한다. 예를 들어, '보다, 쏘다, 꼬다'는 '보아요/봐요, 쏘아요/쏴요, 꼬아요/꽈요'가 모두 자연스러운 데 비해 '쪼다, (고기를) 고다'의 축약형인 '쫘요, 과요'는 '쪼아요, 고아요'에 비해 어색하다. 축약이 아닌 생략형에도 비슷한 문제가 생기는데, ㅐ어간과 ㅔ어간의 어계어미와의 활용형에서 찾을 수 있다. 일반적으로 어미의 일부분인 '어'의 생략은 수의적이라고 하지만 어떤 용언들은 생략하지 않은 형태가 매우 어색하다. 예를 들어, '(힘이) 세다'는 '힘이 세어요, 힘이 세었어요, 힘이 세어서, 힘이 세어도'가 부자연스럽다. 반면에 '(돈을) 세다'는 '돈을 세어요, 돈을 세었어요, 돈을 세어서, 돈을 세어도'가 그리 어색하지 않고 오히려 '돈을 세요, 돈을 셌어요, 돈을 세서, 돈을 세도'와 같은 생략형이 어색해 보인다. 이렇듯 축약형 및 생략형이 가능한 활용형에서 부자연스러운 어형이 나타나는데 그 부자연스러움을 판정할 수 있는 객관적인 기준이 없다는 것이 가장 큰 문제이다. 설문조사 등의 통계적인 결과를 보고 더 논의를 해야 할 사항이다.

'-는대요/ㄴ대요//대요//래요'는 모두 인용문에 사용되는 어미인데, 품사에 따라 그리고 자음어간인지 모음어간인지에 따라 어미의 형태가 달라진다. 같은 그룹으로 '-는답니다//답니다//랍니다, -는대/대//래' 등이 있다. 그런데 이 인용형 뒤에는 다시 수도 없이 많은 어미들이 붙을 수 있기 때문에 그에 대한 대비가 필요하다.

용언 목록의 수를 어떻게 제한하느냐 하는 것은 여전히 크게 남아 있는 문제이다. 용언 목록을 제시하면서 세 개의 '감다'가 하나로 줄어들긴 하지만 그런 것들에 의지해서는 목록을 획기적으로 줄일 수 없기 때문에 더 효과적인 방안을 강구해야 한다.

한 손에 들고 다니면서 쉽게 용언의 활용형을 만들어 낼 수 있는 교본을 만들기 위한 작업은 아직 진행 중이기 때문에 본 논문에서 그 완성본을 보여 주지 못하는 아쉬움이 매우 크다. 더 다듬어서 빠른 시일 내에 교본의 완성 초본을 다음 지면에 발표하겠다는 약속으로 결론을 대신한다.

참고문헌 및 참고 사이트

김종덕, 이종희. 2005. 용언의 활용형 일람표 연구-사전의 부록으로 활용하기 위한 방안을 중심으로'. **한국사전학 제5호**. pp. 185-207.

남기심, 고영근. 1993. **표준 국어문법론 개정판**. 탑출판사.

남지순. 2007. **한국어 동사형용사 활용 마법사**. 박이정.

배주채. 2010. **국어사전 용언활용표의 음운론적 연구**. 한국문화 52. pp. 23-52.

연세대학교 언어정보원. 2008. **연세 현대 한국어사전**. 두산 동아.

허웅. 1983. **국어학-우리말의 오늘·어제**. 샘문화사.

연세 현대 한국어사전 (https://ilis.yonsei.ac.kr/dic/)

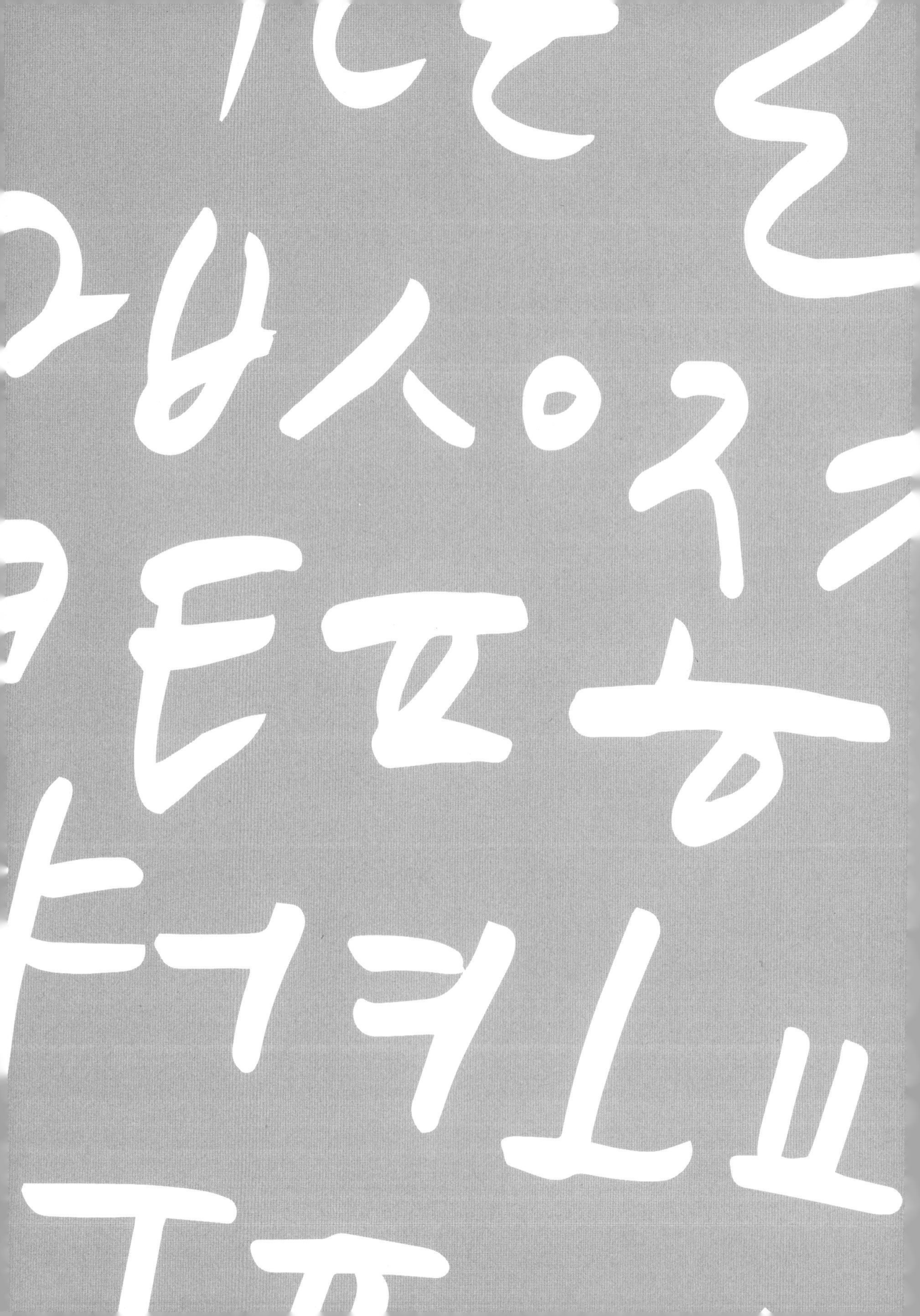

학습자 및 교육 자료와 한국어 교육

IV

제1장

학문 목적 학습자의 학술적 글쓰기 결론 구조에서 드러나는 개입(engagement) 양상

공나형
한국 전남대학교
Chonnam National University

1. 들어가며

이 연구의 목적은 평가어 이론(이하 AT, Appraisal Theory)에서 다루어지는 개입(engagement) 범주에 근거하여 인문·사회 계열의 학문 목적 한국어 학습자의 학술적 보고서 결론 구조를 대조적 관점에서 분석하는 데 있다. 구체적으로 이 연구는 한국어 작문에서 범장르적으로 적용 가능한 개입 모형을 설정하고자 하였던 공나형·조태린(2021)의 기존 논의에서 제시한 개입 모형을 활용하고자 하였다. 이를 통해 본고는 한국어 교육의 작문 교육적 측면에서 인문·사회 계열의 학문 목적 한국어 학습자를 위한 학술적 글쓰기 교육의 지향점을 제시하고자 한다.

평가어 이론의 '평가(evaluation)'에 대하여 Thompson & Hunston(2000: 5)에서는 말하고 있는 명제에 대한 화자/작가 자신의 태도나 입장, 관점 또는 느낌의 표현에 대한 광범위한 커버 용어라 언급한다. 또한 그러한 태도는 확실성(certainty), 의무(obligation), 소망(desirability) 또는 그 밖의 여러 가지의 가치(values)와 관련될 수 있다고 언급한 바 있다. 요컨대 필자가 자신의 정체성(authorial identity)을 독자/청자와의 관계 속에서 조율하고 협의하는 데 사용하는 언어적 자원을 '평가어'라고 할 수 있다(이창수, 2009: 190 참고). 담화 차원에서 평가어를 연구해야 하는 까닭은 그것이 다기능성(multifunctionality)을 가지고 독자를 표현하고 텍스트를 구성하는 데 지속적으로 사용(Thompson & Hunston, 2000: 6ff)되기 때문이다. 이러한 정의에 빗대어 '평가어 이론'을 생각해 본다면, 평가어 이론은 결국 화자의 태도가 드러나는 여러 언어적 자원을 살피는 것을 목적으로 하는 이론이라 할 수 있겠다.

AT의 이론적 기반이 되는 것은 Halliday의 체계기능언어학(이하 SFL, Systemic Functional Linguistics)이라 할 수 있는데, 그중에서도 AT는 필자와 독자의 상호작용적(대인적) 의미(interpersonal meaning)를 살펴보기 위한 개념틀이라 할 수 있다. 평가어 이론은 다시 '태도(attitude) 측면', '개입(engagement) 측면', '강도(graduation) 측면'의 언어적 자원을 규명하는 것으로 나뉠 수 있는데, '개입'은 필자 외의 대안의 목소리나 그것의 지위, 또는 저자를 위치 짓는 상호 주관적인 언어적 자원과 관련하며, '개입'의 양상을 살펴본다는 것은 필자가 동의하거나 동의하지 않는 관계에 대해 필자가 독자를 염두에 두고 어떠한 협상의 전략을 취하는지, 그리하여 어떠한 의도를 전달하려는지를 살펴보는 것이다(공나형, 2022; 공나형·조태린, 2021 참고).

이처럼 AT 이론의 '개입' 범주는 필자의 독자에 대한 관점을 엿볼 수 있다는 점에서 설득적 장르를 분석하기에 적합하다. 지금까지 한국어 교육에서 쓰기 교육은 일반적으로 기관 학습자를 대상으로 이루어진 것이 대부분이다. 이러한 이유로 외국인 유학생들에게는 학술적 담화를 구축하기 어려운 현실이 한국어 학업으로 이어지게 되고 결과적으로는 중도 탈락으로까지 이어지게 된다는 문제가 지적되어 왔다(이해영, 2004 참고). 특히 학술적 글쓰기에서 결론은 필자가 자신의 연구를 요약하고 연구가 갖는 의의를 강조함으로써 자신의 논지를 강화한다는 점에서 연구에 대한 이해와 함께 수사학적 기술도 상당 부분 요구된다고 할 수 있다. 동시에 인문·사회 계열 논문의 결론에서는 대체로 논문을 작성하면서 미처 해결하지 못한 후속 문제나 자신의 논의가 지닌 한계를 밝히는 역할을 하기도 하는데, 그러면서도 해당 논문의 의미를 충분히 설득함으로써 궁극적으로는 학술적 측면에서 해당 연구가 지니는 중요성을 설득하는 역할을 한다는 점에서 중요하다.

따라서 본 글에서는 외국인 유학생과 한국인 모어 화자의 학술적 보고서의 결론 부분을 중심으로 평가어 이론의 개입 양상을 살펴봄으로써 대조적으로 비교하고자 한다. '개입' 범주를 실현하는 언어적 전략이나 어휘 사용을 대조적으로 살펴본다는 것은 독자에 대한 필자의 설득적 전략을 교수할 수 있는 근거로 기능한다는 측면에서 의의를 지닐 것이다. 더 나아가 결론 부분은 자신의 한계를 객관적으로 인정하면서도 논문이 지니는 의의를 독자들에게 설득한다는 측면에서, 독자와의 상호 작용이 가장 적극적으로 일어난다는 점에서 의미를 지닐 것이다. 마지막으로 학문 목적 학습자들은 언어적 수준은 상당함에도 불구하고 전략적 측면에서 독자들을 설득하는 데 실패하는 경우가 많은데, 이는 한국의 학문 공동체 문화에 대한 이해가 아직 미흡하기 때문이다. 따라서 해당 논의는 그러한 한계를 극복할 수 있을 것이다.

본고의 구체적인 연구 문제는 다음과 같이 정리될 수 있다.

연구 문제 1: 학술 보고서의 결론을 검토하였을 때 인문·사회 계열 학습자와 모어 화자 간 학술적 보고서 결론 구조의 거시 구조에 따른 '개입' 요소는 어떻게 다른가?
연구 문제 2: 연구 문제 1을 통해 알 수 있는 교육적 함의는 무엇인가?

연구 문제 1을 위해서는 Bitchener(2010)의 모형을 수정 및 보완한 박지희(2016)에 근거하여 해결하고자 한다. 연구 문제 2를 해결하기 위해서는 Martin & White(2005)의 '개입' 장르를 한국어에 맞게 수정 및 보완하여 범장르적으로 적용 가능한 '개입' 범주를 도출해 낸 공나형·조태린(2021)의 '개입' 범주 틀을 적용하고자 한다.

2. 이론적 논의

2.1. 학문 목적 학습자를 대상으로 한 쓰기 교육에서 장르 연구

본 연구는 학술적 보고서의 결론을 중심으로 '개입'의 범주를 살피는 것을 목적으로 한다. 이는 작문 교육에서 장르 분석 접근법(genre analysis approach)에 근거한 연구로 해당 접근법은 텍스트 장르에 따라 드러나는 텍스트 구조적·언어적 특성을 분석하는 것을 목적으로 하는데, 특수 목적을 위한 언어 교육에서 중요한 접근법으로 논의되어 왔다(Dudley-Evans, 1994 참고). AT에서는 궁극적으로 기능 문법적 관점을 견지하는데, 해당 관점에서 문법 교육 이론에 의하면 맥락과 텍스트의 언어적 형식은 서로 체계적이고 기능적인 관계를 가지며, 텍스트의 의미는 이들 간의 관계를 통해 언어로 실현된다고 본다(Knapp & Watkins, 2005 참고).

학문 목적 학습자를 대상으로 한 장르 분석 연구는 ESP 분야에서 가장 적극적으로 진행된 바 있다. 해당 분야에서 가장 널리 알려진 Swales(1990)에서는 영어권 모어 화자들이 쓴 논문을 대상으로 서론의 구조를 분석한 바 있는데 이를 통해 도출된 모형이 바로 CARS(Create A Research Space)이며 이후 연구자들의 목적에 따라 수정되거나 보완된 여러 후속 모형들이 등장하게 되었다. 이에 따라 한국어를 대상으로 한 KAP에서도 학술적 글쓰기를 장르 분석적 접근법에 근거하여 분석한 연구들이 속속 등장하였으며 이는 2000년대 초반부터 현재까지 활발하게 연구가 이루어지고 있는 부분이기도 하다. 연구자들마다 연구의 목적이나 대상은 다를지라도 공통적으로 지적한 사항은, 장르 중심 교수가 학문 목적의 한국어를 배우는 학습자들에게는 긍정적인 영향을 미친다는 점이었고 학습 기술(study skills)로서 매우 중요하다는 점이었다. 특히 학술적 글쓰기는 학술적 공동체가 기대하는 암묵적 글쓰기의 전략적 틀이 고정적이라는 점을 상기하여 본다면 이와 같은 장르 중심적 접근법에 따른 작문 교육은 매우 중요하다고 할 수 있다.

본고에서는 학술적 글쓰기의 결론에 드러나는 '개입' 범주의 속성을 대조 분석적으로 살피는 데 있어 Bitchener(2010)의 결론 모형을 수정 및 보완하여 사용하고자 한다.

2.2. AT에서 '개입' 범주의 속성

상기하였다시피 AT는 체계기능언어학에 모태를 두고 있다. 기능(function)이라는 말은 언어 표현이 하는 일정한 역할을 의미하는데, 체계기능언어학에서 대기능(metafunction)이란 생산자가 선택하는 언어적 자원이 수행하는 모든 의미 기능을 아우르는 용어라 할 수 있다. 이러한 대기능은 다시 크게 세 가지로 나뉠 수 있는데, 관념적 대기능(ideational metafunction), 대인적 대기능(interpersonal metafunction), 텍스트적 대기능(textual metafunction)이 그것이다.

특히 대인적 대기능은 그 언어를 사용하는 언어 사용자 간의 관계 맺음 방식과 관련하는데, 이러한 언어 사용은 독자에 대한 필자의 인식을 살피는 역할을 하며, AT는 이러한 대인적 대기능을 분석하는 이론 중 하나라 할 수 있다. 평가어 이론은 학습 부진 학생의 글쓰기와 문식성 향상 프로젝트(the Disadvantaged Schools Program's Write Right Lieteracy Project)의 일환으로 시작되어 글을 읽고 쓰는 능력을 양성시키는 과정에서 탄생되었다(김해연, 2016: 172; 맹강, 2018: 67에서 재인용). 평가어는 '태도(attitude)', '개입(engagement)', '강도(graduation)'의 세 가지 상호 연관성이 있는 하위 영역으로 나뉘는데, '태도'는 감정적인 반응을 포함하여 행동에 대한 판단 및 사물에 대한 평가와 관련되어 있다. '개입'은 담화에서 존재하는 의견에 대해 저자 또는 화자의 입장을 수립(positioning)과 연관 지은 평가어 범주이고, 마지막으로 '강도'는 감정이 증폭되거나 범주가 명확 또는 불명확한 '강도의 조절'과 관련된다(Martin & White, 2005: 35).

요컨대 '개입' 양상을 살핀다는 것은 필자가 어떠한 관점에서 메시지를 전달하는지 등을 볼 수 있다는 점에서 의의를 지닌다. '3.2. 나가며: 연구 결과'의 〈그림 1〉에서 볼 수 있듯이 '개입' 범주는 가장 먼저 텍스트 내(대화적 공간)에서 필자가 다른 의견을 인정하느냐 하지 않느냐에 따라 '단성성(monogloss)'과 '다성성(heterogloss)'으로 나뉜다. '단성성'은 화자가 명제에 대하여 이미 정해져 있기 때문에 기정사실로 볼 수 있다고 보거나 단언적으로 확신하는 화자의 태도를 드러낸다. 반면 '다성성'의 경우 외부 목소리를 허용하는데, 이는 허용의 속성에 따라 '대화 공간의 확장(dialogic expansion)'과 '대화 공간의 축소(dialogic contraction)'로 구분된다. 즉 외부 목소리를 일부 인정하는 것은 '확장'에 속하게 되고 외부 목소리를 언급하지만 이를 인정하지 않는 입장을 취하는 것은 '축소'에 해당한다. 이처럼 '개입'의 양상을 살펴본다는 것은 필자가 동의하거나 동의하지 않는 관계에 대하여 필자가 독자를 염두에 두고 어떠한 협상의 전략을 취하는지, 어떠한 의도가 전달되는지를 보는 것(공나형·조태린, 2021: 141)이라 할 수 있겠다(공나형, 2022 참고).

그러나 Martin & White(2005)에서 제시한 '개입' 범주는 한국어 작문에 그대로 적용하기 어려운 지점들이 있고 한국으로 들여오면서 번역어 또한 직관적이지 못해 공나형·조태린(2021)에서는 기존 논의를 비판적으로 검토, 범장르적으로 적용할 수 있는 개입 범주를 구체화하여 재설정한 바 있다. 본 연구 역시 공나형·조태린(2021)의 '개입' 범주를 받아들여 연구에 적용하고자 한다.

3. 학술적 글쓰기의 결론 부분에 드러나는 '개입' 양상

3.1. 연구 대상

본고의 연구 대상은 학문 목적 중국인 한국어 학습자이며 구체적으로는 Y대학 인문·사회 계열 석사 과정 재학생들 및 동일 계열 모어 화자의 작문이다. 본고는 연구를 위하여 모어 화자 및 학습자들의 작문 각각 8편, 19편을 수집하였다. 그러나 경우에 따라 결론 부분이 생략된 작문들도 있었는데, 이는 분석 자료로서 제외하였으며 그 결과 모어 화자 5편, 학습자 16편을 분석할 수 있었다.

본 연구는 다음의 절차를 따랐다. 먼저 결론의 구조를 분석하는 데 있어 이동마디와 단계들을 구분한 다음 문장 단위를 기준으로 '개입'의 양상을 살폈다. 이러한 절차를 거쳐 모어 화자와의 비교를 통하여 특정 이동마디 및 단계에서 개입의 사용 양상이 어떻게 다른지, 또 특정 개입 범주를 실현하는 데 사용된 언어적 자원이 어떻게 다른지 등을 살펴보고자 한다.

학습자의 작문에서 보이는 여러 문법적 오류는 어절 단위로 오류를 교정하여 분석하였으며 이때 오류 판단은 연구자의 직관에 근거하여 최소한으로 판단하였다. 상기하였듯이 분석의 단위는 문장 단위로 진행하였는데, 절 단위의 분석이 텍스트의 의미를 해석하는 데 혼란을 야기할 수 있기 때문이다. 마지막으로 태깅은 복수 태깅을 허용하였다.

3.2. 나가며: 연구 결과

3.2.1. 모어 화자와 학습자의 '단성성' 실현 양상

먼저 '단성성'과 '다성성'의 사용 양상을 나타내면 아래와 같다. 〈그림 3〉에서 알 수 있듯이 '단성성'의 경우 모어 화자가, '다성성'의 경우 한국어 학습자가 좀 더 많이 사용하고 있는 것을 알 수 있다. 이를 나타내면 아래와 같다.

〈그림 1〉 모어 화자와 학습자의 결론 부분에 사용된 '단성성'과 '다성성'의 사용 비율

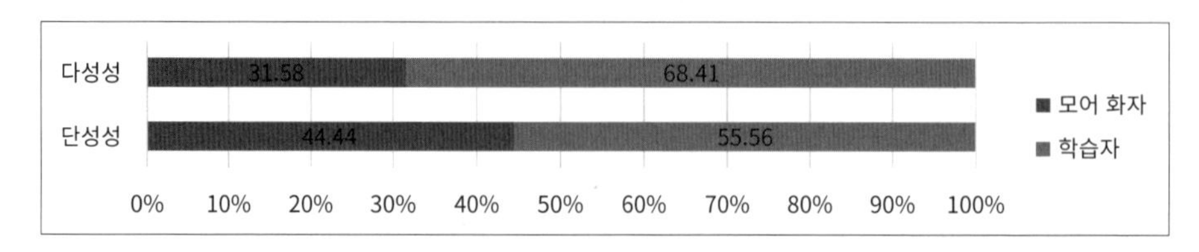

다음으로 '단성성'의 하위 범주에 따른 학습자와 모어 화자의 실현 양상을 제시하면 아래와 같다.

〈그림 2〉 모어 화자와 학습자의 결론 부분에 사용된 '단성성'의 사용 양상

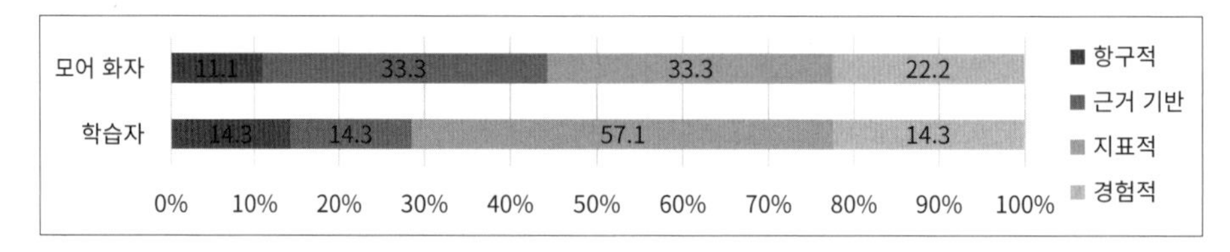

학습자의 경우 '단성성' 범주에서 모어 화자에 비하여 유표적으로 드러나는 차이는 '지표적 단언'의 사용 양상인데, 모어 화자에 비해 현저히 많은 부분을 차지하고 있음을 알 수 있다. 그에 비해 모어 화자의 경우 주장하는 데 판단의 여지가 존재하는 '근거 기반 단언'이나 '경험적 단언'의 사용이 좀 더 두드러지는 것을 알 수 있다. 이동마디에 따른 학습자 및 모어 화자의 '단성성' 하위 요소의 사용 양상을 나타내면 각각 아래의 〈그림 3〉, 〈그림 4〉와 같다.

〈그림 3〉 학습자의 결론 부분에서 이동마디에 따른 '단성성' 범주의 사용 양상

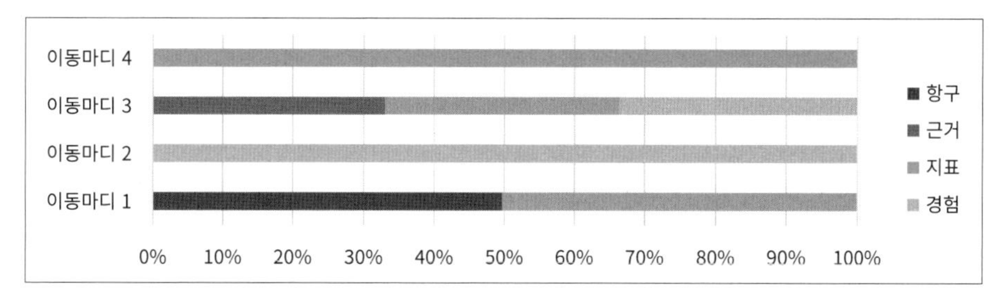

〈그림 4〉 모어 화자의 결론 부분에서 이동마디에 따른 '단성성' 범주의 사용 양상

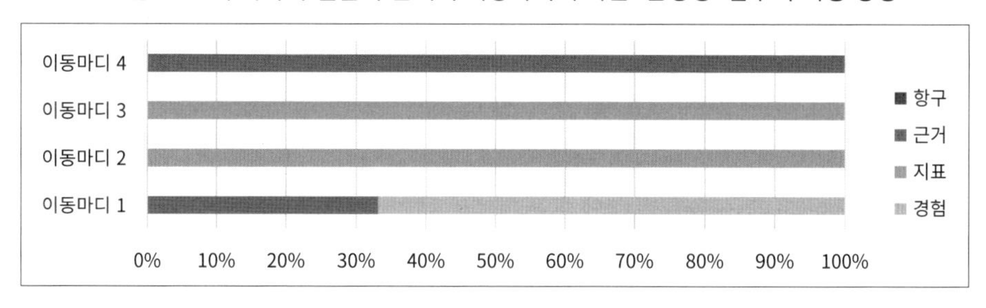

모어 화자에 비해 학습자의 글에는 항구적 단언이 쓰인 바 있는데 이는 이동마디 1에서 주로 드러나는 것으로 보인다. 이를 제시하면 다음과 같다.

a. 한국(√한국에서) 국내 유치 정책(√정책을) 실행한 이후 중국인 유학생은 급증하고 해마다 유학생 수가 늘어나고 있다. 외국 유학생 중에 가장 큰 비중을 차지하고 있는 중국 유학생들을 대상으로 한 연구는 시급한 상황이다. (학습자_근거 기반적 단언)

b. 해방 후에 중국 연초업의 문제점을 해결하고 또한 향후의 발전을 모색하기 위하여 중앙인민정부 식품공업부의 주최로 1950년 7월 18일~7월 29일에 제1차 全國卷煙工業會議가 열리게 되었다. (학습자_항구적 단언)

상기의 예시는 모두 학습자의 글쓰기의 이동마디 1에서 사용된 예들인데, 항구적 단언은 대체로 다툼의 여지가 없는 사실에 대한 기술이라는 점에서 연구 주제의 필요성을 강조하기 위한 서론에서 주로 사용된다. 김재봉(2019: 178)에서 언급되었듯 결론은 '생각의 정리, 사고의 심화와 확장, 환기, 강조, 제언, 새로운 시작'에서 의의를 찾을 수 있다. 따라서 결론은 필자가 자신이 객관적 근거에 기반하여 논증한 주관적 주장을 다시 한번 강조하는 데 의미가 있으므로 항구적 단언에 근거한 불변의 사실을 굳이 기술할 필요성은 낮아 보인다. 위의 예시에서 보았듯이 항구적 단언의 기술은 필자의 주장이 후행한다는 묵시적인 장르적 함의 또한 지니고 있기 때문이다.

이동마디 1의 경우 학술적 글쓰기의 목적과 문제의식을 간략히 제시한다는 의미를 지니고 있는데, 모어 화자의 경우 항구적 단언 대신 근거 기반적 단언이나 특히 경험적 단언으로 이를 구성하고 있다. 특히 경험적 단언으로 이동마디 1을 구성하는 데에서는 대체로 자신의 논지를 다시 한번 정리하는 동시에 강조하고 있었으며 이 과정에서 항구적 단언 등이 사용되지 않은 것은 이미 서론과 본론에서 해당 논지의 필요성을 선행 연구에 기대어 충분히 논의하였기 때문으로 보인다. 모어 화자의 이동마디 1 부분은 대체로 아래와 같이 기술되는 것이 일반적이다.

a. 본고에서는 먼저 한국어의 기본 문형에 대한 논의를 살펴보고 다음으로 한국어 교육에서의 기본 문형에 대한 중요성을 강조하고자 했다. (모어 화자_근거 기반적 단언)
b. 본 보고서에서는 ○○대학교 ○○○○○에서 나온 〈○○○ ○○○ 2〉를 통해 현재 초급 한국어 학습자를 대상으로 한 {-겠-}의 기술이 상위범주화되어 있지 않고 산재되어 이들의 다양한 의미들이 어떠한 관계를 맺고 있는지 이해하기 어려움을 지적하였다. (모어 화자_근거 기반적 단언)

다음으로 이동마디 2와 이동마디 3에서는 모어 화자의 경우 대체로 지표적 단언으로 기술되어 있는 반면, 학습자의 경우는 경험적 단언과 근거 기반적 기반이 일부 포함되어 있는 것으로 보인다. 이동마디 2는 논의의 결과를 요약 정리하는 데, 이동마디 3은 논의가 지닌 의의를 강조하는 데 초점이 맞추어져 있다. 모어 화자의 경우 근거 기반적 단언이나 항구적 단언을 통해 이를 간략히 요약 정리하는 데 초점을 두고 있는 반면, 학습자의 경우에는 연구의 결과를 지표적 단언으로써 자신의 생각을 기술하고 있다. 그러나 연구의 결과를 이처럼 지표적 단언이나 경험적 단언으로 기술하는 것은 독자들에게 신뢰를 주지 못하는데, 그 이유는 자신이 수행한 연구 결과를 판단이 가능한 영역으로 제시한다는 것은 자신의 결과에 대한 확신이 부족한 것으로 비칠 수 있기 때문이다. 또한 근거 기반적 단언으로 서술되어 있는 경우에도 진행형으로 기술되어 있거나 현재형으로 묘사하는 데 그치고 있어 논의에 대한 결론이 나지 않았다는 인상을 주기도 한다.

a. 아이섀도가 탐색재인 의자와의 무게 차이가 너무 많이 난다. (학습자_근거 기반적 단언) 해당 기술은 근거 기반적 단언임에도 불구하고 이를 뒷받침해 주는 근거가 드러나 있지 않다.
b. 대학원의 특성은 연구를 위주로 하고(√하는 것과) 학생들이 학업에서 얻은 스트레스라고 생각한다. (학습자_경험적 단언)

c. 이러한 문제점을 개선하기 위하여 본 보고서에서는 각 부처에서 시행하는 거시적 인 부분을 제외한 나머지 정책 수립은 지역마다 자신의 지역 특성에 걸맞은 네트워크를 확립해야 함을 주장하였다. (모어 화자_근거 기반적 단언)
d. 이러한 논의에 근거하여 구어의 특징을 고려해 오류를 식별하는 기준으로 '유창성'의 개념을 적용해야 한다고 주장하였다. (모어 화자_근거 기반적 단언)

마지막으로 후속 연구를 제안하는 부분에서도 모어 화자와 학습자는 그 양상이 이질적인데, 모어 화자의 경우 근거 기반적 단언으로 기술하는 데 반해 학습자의 경우는 지표적 단언으로 기술하고 있는 경우가 상대적으로 높았다. 이러한 결과를 통해 모어 화자의 경우 후속 연구의 필요성을 외부적 근거에 의해 증명될 수 있는 것으로 기술한 반면, 학습자의 경우는 이를 자신의 주관적 생각으로 표현하고 있다고 정리할 수 있을 것이다.

a. 그리고 두 제품의 가격 수준도 비슷하게 맞추면 좋다. (학습자_지표적 단언)
b. 그래서 문장 부호에 대해 보다 더 깊고 처절한(√철저한) 연구를 통해서 학생들이 중국어에 대해 이해와 실력이 상승할 수 있길 바란다. (학습자_지표적 단언)

이상으로 학술적 글쓰기의 결론 구조에 드러난 '단성성'과 관련하여 모어 화자와 학습자를 비교하면 다음과 같다. 먼저 결론의 가장 큰 목적은 연구 결과의 정리 및 함의 기술이라는 점에서 서론이나 본론에 비하여 본인의 주관성이 가장 높은 정도로 드러난다고 할 수 있다. 또한 이미 서론이나 본론에서 연구의 필요성으로 언급되는 상황에 대한 불변의 진리 등은 이미 기술하였기 때문에 결론에서는 이러한 연구의 필요성을 장황하게 기술하기보다는 연구의 목적이나 연구 문제 등을 간략하게 제시하는 것이 요구된다. 그러나 학습자의 경우 이동마디 1에서 볼 수 있듯이 항구적 단언을 주로 사용함으로써 독자들로 하여금 새로운 화두가 제시되는 것 같다고 느끼게 하고 서론의 내용이 그대로 반복되고 있다는 인상을 주었다. 이에 반해 모어 화자는 근거 기반적 단언과 경험적 단언으로 자신의 논지를 주장하고 있다.

한편 이동마디 2와 3은 연구의 결과를 기술하는 데 목적을 두고 있는 단락이라 할 수 있는데, 모어 화자는 주로 지표적 단언을 통해 자신이 이 글을 통해 무엇을 주장하였는지 사실을 나열하는 데 치중하고 있다. 이에 반해 학습자는 경험적 단언이나 근거 기반적 단언으로 이를 기술하고 있는데, 두 범주 모두 화자의 판단을 필요로 한다는 점에서 독자의 인지적 부담을 더하고 있다. 대체로 독자들은 필자의 논지를 속독하고 싶을 때 초록이나 결론을 보는 것이 일반적이라는 점을 고려하였을 때 결론 부분은 해당 글의 결과에 대한 사실 기반의 내용이 나열되어 있는 것이 일반적이다. 그러나 학습자의 글은 판단이 필요한 기술로써 제시하고 있는데, 이는 독자들에게 기술에 대한 사실 판단을 되묻고 있는 것이기 때문에 비효율성을 가중시킨다고 볼 수 있다.

마지막으로 이동마디 4는 후속 논의를 제안하는 부분인데 대체로 본고가 분석한 모어 화자의 글에서는 후속 논의와 관련한 부분은 많지 않았다. 이들은 대체로 자신의 결론에서 논의한 바를 토대로 주장하는 것이 일반적이었는데, 이는 근거 기반적 단언으로 볼 수 있다. 그러나 학습자 글의 경우 '좋다', '바란다' 등의 감정 형용사를 사용하고 있는 것을 볼 수 있다.

3.2.2. 모어 화자와 학습자의 '다성성' 실현 양상

본 절에서는 모어 화자와 학습자의 서론에서 드러난 '다성성' 실현 요소를 살펴보고자 한다. 먼저 '다성성'의 하위 범주에 따른 학습자와 모어 화자의 실현 양상을 나타내면 아래와 같다.

〈그림 5〉 모어 화자와 학습자의 결론 부분에 사용된 '다성성'의 사용 양상

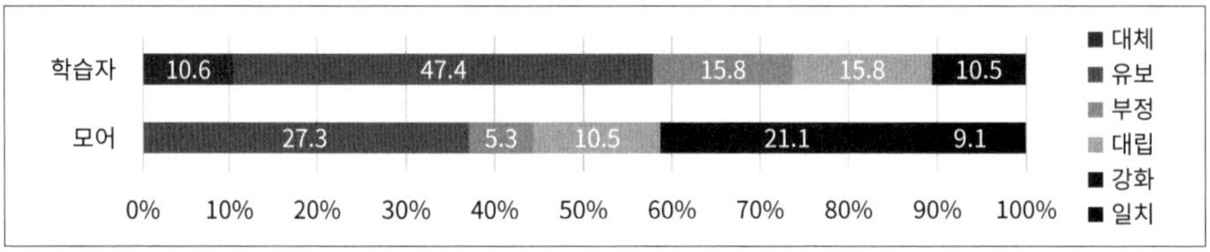

학습자 10.6 47.4 15.8 15.8 10.5
모어 27.3 5.3 10.5 21.1 9.1
0% 10% 20% 30% 40% 50% 60% 70% 80% 90% 100%
■ 대체 ■ 유보 ■ 부정 ■ 대립 ■ 강화 ■ 일치

학습자의 경우 '다성성'의 하위 요소 측면에서 모어 화자와 상당 부분 이질적인 면이 존재하는 것을 알 수 있다.

이동마디에 따른 '다성성' 하위 요소의 사용 양상을 나타내면 아래와 같다. 학습자 작문에서 사용된 '다성성'의 경우 '단성성'과는 달리 다양한 하위 요소 측면에서 이질적인 점을 발견할 수 있다. 이동마디에 따른 '다성성' 하위 요소의 사용 양상을 나타내면 아래의 〈그림 6〉, 〈그림 7〉과 같다.

〈그림 6〉 학습자의 결론 부분에서 이동마디에 따른 '다성성' 범주의 사용 양상

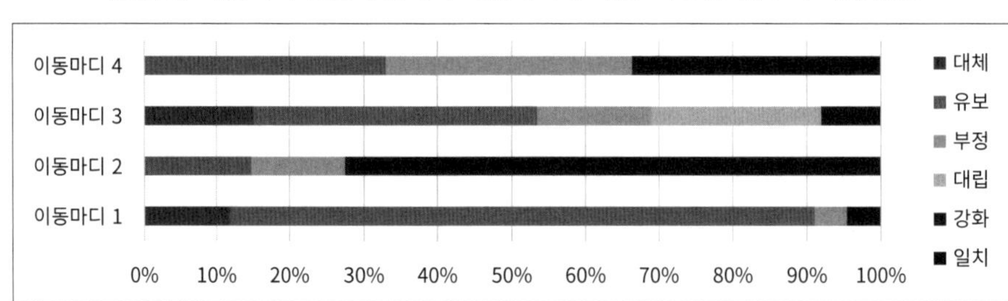

〈그림 7〉 모어 화자의 결론 부분에서 이동마디에 따른 '단성성' 범주의 사용 양상

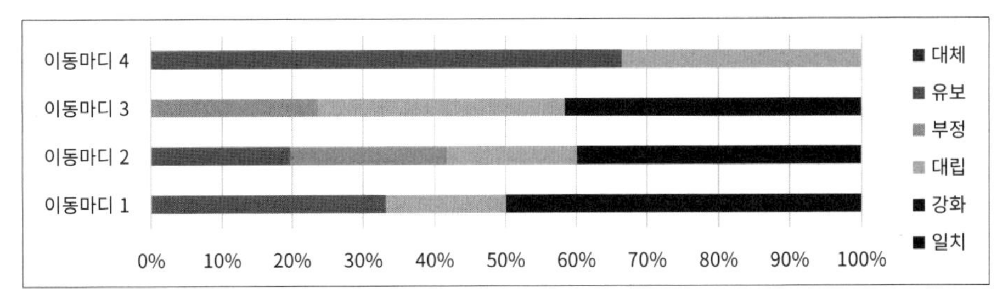

다성성의 경우 역시 이동마디에 따라 학습자와 모어 화자 간 이질적으로 드러나는 점을 살펴보고자 한다. 이동마디 1에서 드러나는 가장 큰 특징은 모어 화자에 비해 한국어 학습자들이 '유보'의 자원을 주로 사용했다는 점이다. 이에 비해 모어 화자는 '유보'의 자원도 사용하기는 하지만 '강화'의 자원을 좀 더 고빈도로 사용하였는데, 특히 대립의 자원과 병치함으로써 '강화'의 정도성이 유표적으로 드러나는 효과를 내고 있다. 이를 정리하면 아래와 같다.

a. 언어적 문제는 크게 없지만(학습자_부정, 유보) 학교 구조에 적응하는 것이 처음 단계에서 어렵다고 보인다. (학습자_유보)
b. 이미 산업화 및 도시화가 진행이 마무리되어 사회가 안정적인 선진국의 경우, 이를 위해 친환경적인 제도 및 산업 구조로 전환시키는 것이 어쩌면(학습자_유보) 발전 단계에서 당연한(학습자_강화) 것이지도(√ 것인지도) 모른다. (학습자_유보)
c. 시적 화자를 선택하는 일은 "전통과 같은 제도에 영향을 받은 것"(학습자_대체)인 듯이 〈사미인곡〉의 시적 특징은 '1인칭 여성 화자를 내세워 님에 대한 그리움과 슬픔을 표현하는 악부시'의 전통에서 큰 영향을 받았다고 할 수 있다. (학습자_유보)
d. 교재 개작하는 과정을 통해 피부로 느껴 본 것은 바로 한 교재를 개발하는 것이 정말 여간 어려운 일이 아니며(학습자_강화, 부정) 교재 개작도 혼자 완성할 수 있는 것이 아니라는 감탄이 그지없다. (학습자_강화, 부정)
e. 최근 결혼이주여성을 지원하는 각종 센터, 시민단체, 공동체가 수적으로 급증하고 있음에 반해(모어 화자_대립), 지역별 이민자 지원 단체들 간의 협의체 및 연대의 부재와 부처별 각기 다른 입법과 지원 전달체계 등은 정책의 운용에 있어 많은 혼란함을 야기하고 있었다.

참고문헌

공나형. 2022. 대통령의 공적 사과 담화에서 드러나는 '개입' 양상-귀속적·대응적 위기에 대한 대국민 사과문을 대상으로. **한국어 의미학**. (76). pp. 165-200.

공나형, 조태린. 2021. 학문 목적 한국어 학습자의 작문에서 드러나는 개입 양상-인문·사회 계열 중국인 학습자의 학술적 보고서 서론을 중심으로. **어문학**. (152). pp. 139-174.

김재봉. 2019. 결론 문장 진술의 이유와 양상. **리터러시 연구**. 10(6). pp. 171-202.

김해연. 2016. 서평, J. R. Martin and P. R. R. White. 2005. The Language of Evaluation: Appraisal in English. New York: Palgrave Macmillan. 278 pages. **담화와 인지**. 23(2). pp. 171-178.

맹강. 2018. 중국인 한국어 학습자의 논증적 글쓰기 교육 연구: '개입'을 중심으로. 서울대학교 박사학위 논문.

박지희. 2016. 학문 목적 한국어 쓰기 교육을 위한 경영학 학위 논문의 장르 분석: 결론 부분을 중심으로. 이화여자대학교 교육대학원 석사 학위 논문.

박진희, 주세형. 2020. '건의하는 글'에 나타난 필자와 독자의 의사소통 방식 연구 -필자의 스탠스 조정과 평가어 선택의 양상을 중심으로. **청람어문교육**. (77). pp. 187-231.

이관규. 2018. 체계기능언어학의 특성과 텍스트 평가. **문법 교육**. 34. pp. 195-222.

이관규 외. 2020. **체계기능언어학 개관**. 사회평론아카데미.

이창수. 2009. 영어 관광안내서의 평가어 비교 분석 연구. **영미연구**. 20. pp. 187-205.

이해영. 2004. 학문 목적 한국어 교과 과정 설계 연구. **한국어 교육**. 15. pp. 137-164.

Bitchener, J. 2010. *Writing an applied linguistics thesis or dissertation: A guide to presenting empirical research*. Palgrave Macmillan.

Dudley-Evans. 1994. Genre analysis: An approach for text analysis for ESP. In M. Coulthard (Ed.). *Advances in written text analysis*. pp. 219-228. London: Routledge.

Eggins, S. 2004. *An Introduction to Systemic Functional Linguistics* (2nd ed.). London: Continuum.

Halliday, M.A.K. and Hasan, R. 1985. Language, *Context and Text: Aspects of Language in a Social-Semiotic Perspective*. Deakin University Press, Geelong.

Halliday, M. A. K. 1994. *An Introduction to Functional Grammar*. London: Edward Arnold.

Knapp, P. and Watkins, M. 2005. *Genre, Text, Grammar Technologies for Teaching and Assessing Writing*. New South Wales: UNSW Press.

Martin, J. R. and White, P. R. R. 2005. *The Language of Evaluation: Appraisal in English*. Palgrave Macmillan.

Swales, J. 1990. *Genre Analysis: English in Academic and Research Settings*. Cambridge, UK: Cambridge University Press.

Thompson, G., & Hunston, S. 2000. Evaluation: An Introduction. In G. Thompson, & S. Hunston (Eds.), *Evaluation in Text: Authorial Stance and the Construction of Discourse*. pp. 1-27. Oxford: Oxford University Press.

제2장

한국어 교육용 용언 활용형 웹 사전 모형 개발
(Developing a Korean Conjugation Web Dictionary for Korean Language Learners)

박나래
한국 연세대학교
Yonsei University

1. 들어가며

이제까지 Park(2009), 김종록(2009), 신현정·이은정(2012) 등에서 용언 활용형 사전을 편찬하여 제시한 바 있다. 그러나 이들 사전은 모두 종이 사전을 기반으로 하였기 때문에 수록된 표제어의 양이 상당히 적고, 활용표를 압축적으로 제시하는 데 집중하여 학습자가 보기에 편리하지 않다는 문제점이 있다. 온라인 사전이 이미 종이 사전 사용률을 뛰어넘어 보편적인 매체가 된 지금, 이러한 디지털 환경 속에서 기존의 종이 사전과는 달리 활용형 사전이 온라인상에서 어떻게 구성되어야 하는지 논의할 필요성이 있다.

본 연구에서는 한국어의 특징인 교착어적인 성격을 드러내는 용언 활용형 웹 사전 모형을 제시한다. 특히 국립국어원에서 발표한 한국어 학습용 어휘 목록을 바탕으로 웹 사전에 실을 동사와 형용사의 양과 용언의 활용형을 어떻게 제시할 것인지 논의를 진행하고자 한다. 또한 본 연구를 통해 개발된 웹 사전 모형을 활용하여 학습자가 어떻게 효과적으로 용언의 활용을 학습할 수 있을지도 논의해 본다.

웹 사전의 경우 종이 사전과 달리 지면의 제한이 없다는 점에서 표제어의 수를 제한할 필요가 없고, 최대한 많은 용언을 표제어로 삼아 활용 정보를 제공할 수 있다는 장점이 있다. 웹을 통한 검색 기능이 사전의 기능을 일부 담당하고 있는 현시대에, 이제는 사전 편찬자의 입장보다는 한국어 학습자 및 사전 사용자의 효용에 집중해야 할 필요가 있다. 이에 이 절에서는 구체적으로 어떻게 표제어를 구성하고 배열할 것인지, 용언 활용형 사전의 거시 구조와 미시 구조 정보 및 구성을 어떻게 고려할 것인지 살펴보고자 한다.

2. 기존의 용언 활용형 사전

기존에 편찬된 용언 활용형 종이 사전은 남지순(2007), 김종록(2009), 신현정·이은정(2012), Park(2009 a, b)이 대표적이다. 먼저 남지순(2007)의 경우, 용언의 활용 형태를 클라스별로 분류하여 테이블 형식으로 구성하였다. 남지순(2007)은 자모순 배열이 아니라 각 유형에 대해 동사는 'V01', 형용사는 'A01'이라고 분류하였으며 이를 클라스라고 명명하였다. 자음으로 끝나는 동사 활용은 10가지, 모음으로 끝나는 동사 활용은 15가지로 나누어 총 25가지 유형을 제시하였다. 형용사의 활용 클라스는 총 24개로 전체 49개의 용언으로 구성하였다.

활용 클라스의 어미는 먼저 종결형과 비종결형으로 분류한 후, 종결형은 서술·감탄형, 명령형, 약속·청유형, 의문형으로 분류하였고, 비종결형은 관형형, 명사형, 연결형(부사형)으로 분류한 후 화자와 청자의 사회적 관계에 따라 반말과 존댓말 형태로 다시 분류하였다. 책의 부록인 색인 목록에서는 각각의 동사나 형용사가 어떤 유형에 속하는지 테이블 번호를 통해 활용형을 확인할 수 있게 하였다.

김종록(2009)은 1부에는 한국어의 어미 활용에 대한 문법적 설명을 제시하였고, 2부에는 한국어 활용표 220개를 제시하여 어미 활용 양상을 학습할 수 있게 하였으며, 3부에서는 2,020개 단어의 규칙 및 불규칙 활용의 유형을 제시하였다. 이 사전의 용언 활용형에 대한 내용은 2부에 실려 있는데, 용언의 발음 정보와 대역어를 제시한 후 활용 형태를 매우 압축적인 표의 형태로 제시하였다.

신현정·이은정(2012)은 표제어·발음·용언의 종류를 사전 안에 표기하였으며, 동사는 AV(Action Verb)로, 형용사는 DV(Descriptive Verb)로 표기하였다. 표제어 선정은 국내 주요 대학에서 출판된 초중급 한국어 교재들에서 자주 다루는 어휘와 실생활에서 자주 사용되는 어휘를 대상으로 진행하였다. 또한 불규칙 용언은 용언의 종류 옆에 'ㅂ불규칙, ㅅ불규칙, ㄹ불규칙, 르불규칙, ㄷ불규칙, ㅎ불규칙'과 같이 표기하였으며 표제어의 발음 정보는 로마자로 표기하였다. 그 외에 문형 정보, 용언 활용표를 제시하였고, 유의어와 반의어, 예문, 외래어 표기, 참고란을 제시하였다.

마지막으로 Park(2009 a, b)은 동사, 형용사 각각 500개의 표제어를 선정해서 이 용언들의 활용표를 자모순으로 정리하였다. 평서문·의문문·명사형·부정형·시제와 공손의 정도에 따라서 유형별 활용표를 제시한 것이 특징이며, 유의어·반의어와 더불어 예문을 포함하였다. 이 사전은 용언을 자모순으로 배열하고 있기 때문에 학습자 입장에서 표제어를 찾기에 편리하다는 장점이 있다. 그러나 한 표제어에 대한 활용표와 문형 및 예문까지 많은 내용을 한 페이지 안에 담고 있기 때문에 이 사전만으로는 용언 활용형에 대한 설명이 부족하다고 볼 수 있다.

Park(2009 a, b)은 각 표제어를 대표하는 용언에서 좀 더 자세한 활용 양상을 제시하고 페이지 상단에 'see 가다'와 같이 제시하였다. 예를 들어 '가져오다'가 표제어로 등재된 페이지 오른쪽 상단에 'see 가다'라는 문구가 있는데 이는 '가져오다'의 활용에 대한 좀 더 구체적인 활용 정보가 '가다'에 포함되어 있으니 '가다'를 참조하라는 뜻이다.

3. 용언 활용형 사전 개발에 대한 연구

용언 활용형 사전 개발에 대해 논의를 진행한 연구는 이홍식(2019)과 조지연 외(2018)가 있다. 우선 이홍식(2019)은 기존 용언 활용형 사전에 대해 간략하게 살펴본 후 활용 사전에 실을 용언의 양과 용언 활용의 다양성을 어떻게 조화시킬 것인지에 대한 논의를 진행하였다. 또한 표제어의 배열 순서에 대해 자모순으로 할 것인지, 활용 유형의 순서를 따를 것인지 논의 후 거시 구조와 미시 구조를 제시하였다. 이홍식(2019)은 남지순(2007)과는 달리 말뭉치 빈도보다는 용언의 어간과 어미의 결합을 유형화하는 데 관심을 두었다.

특히 어간과 어미를 음운론적 기준으로 분류하고, 동일한 유형에 속하는 어간의 목록을 제시, 이들 어간의 대표로 하나의 어간을 선정하여 제시하였다. 거시 구조는 각각 다른 유형의 활용을 보이는 자음 동사 어간 46종, 자음 형용사 어간 32종, 모음 동사 어간 18종, 모음 형용사 어간 11종으로 총 107종류의 어간에, 활용에 제약이 있는 8개의 어간을 추가하여 총 115개의 표제어를 제시하였다. 어미의 경우에는 김호정(2012), 양명희(2013) 등의 선행 연구를 참조하여 한국어 교육 분야에서 제시하고 있는 등급별 교육용 어미를 활용하였다. 구체적으로 선어말어미, 전성어미, 연결어미, 종결어미로 분류하여 제시하였으며, 배주채(2013)의 기준을 바탕으로 이들 어미 각각을 음운론적인 기준으로 나누어 자음어미, 모음어미, 매개모음어미로 분류하였다. 그 후 용언의 활용을 어간과 어미의 결합 양상과 함께 표로 나타내었다.

조지연 외(2018)에서는 사전 이용자를 위해 용언의 활용형을 표제어로 제시할 필요성이 있다는 주장을 바탕으로 《고려대 한국어대사전》(2018, 이하 《고려대》)에서 새롭게 추가한 활용형 표제어의 선정 기준과 거시 구조와 미시 구조의 내용을 다루었다. 조지연 외(2018)는 《고려대》(2009) 부록 면의 '용언의 활용'에 실린 고유어 동사 929개, 형용사 221개를 포함한 1,150개 표제어를 선정하였다.

선정 기준은 어간과 어미의 결합에서 불규칙 변형, 탈락, 생략, 축약 등의 변화가 나타나는 활용형과 고빈도로 사용되는 단일어를 기준으로 하였으며, 용언의 활용 어미는 총 31개를 채택하였다. 어미의 선정 기준 역시 문법적 기능을 고려하여 어간과의 결합에서 형태 변화가 있는 어미를 주로 선정하였다. 미시 구조의 경우, 표제어를 제시한 후 발음, 품사 정보, 뜻풀이, 용례, 관련어 정보를 수록하였다.

지금까지 기 출판된 용언 활용형 사전과 활용형 사전 개발에 대한 선행 연구를 살펴보았다. 그러나 이들 연구 모두 종이 사전을 바탕으로 하였기 때문에 모든 용언의 활용 정보를 제공할 수 없고, 학습자 입장에서 활용형을 통해 기본형을 파악할 때마다 종이 사전을 일일이 참고할 수 없기 때문에 활용도가 높지 않다는 한계가 있다. 그리고 이들 사전에는 표제어가 기본형만 등재되어 있고, 지면의 제약 때문에 활용 형태는 압축적으로 표로 제시하거나, 각각의 활용 형태에 대한 설명이 부족해 아쉬운 부분이 있다. 다음 절에서는 본고에서 다루는 활용형 웹 사전의 특징과 거시 구조와 미시 구조에 대해 살펴보도록 하겠다.

4. 해당 사전의 거시 구조와 미시 구조

4.1. 새 사전의 특징

본고에서 제시하는 용언 활용형 웹 사전 이용자는 용언의 활용형 학습을 필요로 하는 한국어 초급 학습자로 설정하였다. 또한 해당 사전은 온라인 사전으로 개발을 염두에 두었기 때문에 종이 사전과 달리 지면의 제약이 없다는 점에서 표제어의 수를 제한할 필요가 없고, 최대한 많은 용언을 표제어로 채택하여 활용 정보를 제공할 수 있다는 장점이 있다.

종이 사전에서 표제항은 표제어라는 테마 아래 구조적으로 종속된 하위 텍스트로 존재하였으나, 온라인 및 디지털 환경에서 표제항의 정보는 그 자체적으로 독립적인 정보 단위가 된다는 특징이 있다. 이 점에서 표제항들은 상호적으로 표제어와 연결되는 구조를 취할 수 있고, 사전의 거시 구조와 미시 구조의 경계 또한 희미해진다고 볼 수 있다.

기존 사전 중 온라인으로 서비스되는 사전의 하나인 《표준국어대사전》 웹사이트에서 동사 '가다'를 검색하면, 활용 정보로 아래와 같이 '가, 가니'가 제시된 것을 알 수 있다. '우리말샘' 역시 《표준국어대사전》을 기반으로 하였기 때문에 같은 검색 결과가 나온다는 것을 확인할 수 있다. 반면, 《연세 한국어사전》에서 '가다'를 검색하면 격틀 정보가 제시되지만 활용 정보는 따로 주어진 것이 없고 용언 활용의 예는 용례 안에서만 확인할 수 있을 뿐이다.

〈표 1〉《표준국어대사전》에서 '가다'의 활용 정보

가다 [가, 가니]

▶ 출처: 국립국어원《표준국어대사전》

또한 '우리말샘'에서는 '가다'의 활용형 중 하나인 '가려고 해요'를 검색하였을 때 검색 결과가 확인되지 않는다. 이에 본 연구에서 제시하는 사전에서는 활용형을 표제어로 검색해도 학습자가 검색 결과를 바로 확인할 수 있게 설계하였다.

4.2. 표제어 선정 기준

용언 활용형 사전의 표제어 선정은 국립국어원에서 2003년 5월에 발표한 '한국어 학습용 어휘 목록'을 바탕으로 하였다. 한국어 학습용 어휘 목록은 1단계 982개, 2단계 2,111개, 3단계 2,872개, 총 5,965개 어휘로 구성되어 있다. 본 사전에서는 동사 1,345개, 형용사 376개로 총 1,721개의 용언을 표제어로 선정한다.

〈표 2〉 사전의 동사 어간 목록

가까워지다, 가꾸다, 가능해지다, 가다, 가라앉다, 가려지다, 가로막다, 가르다, 가르치다, 가리다, 가리키다, 가만있다, 가입하다, 가져가다, 가져다주다 포함 총 1,345개

▶ 출처: 국립국어원 '한국어 학습용 어휘 목록'

〈표 3〉 사전의 형용사 어간 목록

가깝다, 가난하다, 가늘다, 가능하다, 가득하다, 가볍다, 간단하다, 간편하다, 감사하다, 갑작스럽다, 값싸다, 강력하다, 강렬하다, 강하다, 같다, 거대하다 포함 총 376개

▶ 출처: 국립국어원 '한국어 학습용 어휘 목록'

어미 목록의 경우 대표성과 빈도에 따라 57개의 어미를 추출한 김종덕·이종희(2005)와, 남지순(2007)을 참조하여, 종결어미는 서술·감탄형, 명령형, 약속·청유형, 의문형으로 구성하였고, 연결어미는 관형형, 명사형, 연결형으로 구성하였다. 본고에서 제시하는 사전 모형은 웹 사전이기 때문에 어미 목록을 제한할 필요가 없다. 다만 사전 사용자가 활용형을 검색하였을 때 어떠한 표제어가 먼저 등장하는지의 순서를 정하기 위해서 선행 연구를 바탕으로 대표형 어미를 선정하였다.

남지순(2007)은 현대 한국어 말뭉치에서 발견된 활용 형태 정보를 반영하였고, 말뭉치에 나타나지 않았지만 일반적으로 자주 사용되는 활용 형태들에 대해서도 한국어 모어 화자의 직관을 활용하여 목록을 선정하였다. 김종덕·이종희(2005)의 경우, 일상 언어에서 대표적으로 사용되는 어미의 사용 빈도와 그 뜻의 명확성과 평이성을 기준으로 어미를 선정하였다. 이 두 선행 연구는 말뭉치와 사용 빈도를 중점으로 하여 어미 목록을 추출하였기 때문에 모어 화자의 직관에만 의존하거나 주관적인 기준에 따라 정하는 것보다 객관적이다. 이 기준을 바탕으로 선정한 어미 목록은 다음과 같다.

〈표 4〉 종결어미 목록

는다, 거든, 걸랑, 기는(긴), 네, 는, 는구나, 는군, 는단다, 는대, 는데, 자, 자꾸나, 잖아, 지, 습니다, 습니까, 는지, 다마다, 더구나, 더군, 더리, 던걸, 던데, 데, 어, 어야지, 으래, 을거다, 을거야, 거라, 게, 게나, 어라, 어, 으렴, 으세, 겠다, 겠어, 을거다, 을거야, 으려나, 을게, 을래, 읍시다, 고, 나, 냐, 느냐고, 는가, 는다고, 는대, 는데, 는지, 니, 더라고, 던데 등.

▸ 출처: 김종덕·이종희(2005), 남지순(2007)을 바탕으로 재구성

〈표 5〉 연결어미 목록

는, 음, 기, 거나, 거든, 건만, 게, 거니, 건, 걸랑, 고, 고서, 고자, 길래, 느니, 는다면, 는데, 는지, 다, 다가, 더니, 더라도, 더라면, 던데, 도록, 되, 든, 든가, 든지, 듯이, 어, 어도, 어서, 어야, 어야지, 으나, 으나마나, 으니, 으니까, 으러, 으려, 으려고, 으려면, 으련만, 으며, 으면, 으면서, ―므로, 은들, 을래도, 을망정, 을뿐더러, 을수록, 을지라도, 을지언정, 자, 자마자, 지, 지만 등.

▸ 출처: 김종덕·이종희(2005), 남지순(2007)을 바탕으로 재구성

4.3. 미시 구조 모형

미시 구조에는 표제어, 발음 정보, 품사, 뜻풀이, 활용 정보, 문형 정보, 문법 정보, 관용구와 속담, 용례 및 관련 어휘 정보를 싣는다. 이 중 원어 정보, 발음 정보, 뜻풀이, 용례 등은 '우리말샘'의 콘텐츠에서 가져오도록 한다. '우리말샘'은 국립국어원이 직접 구축한 것에 대해서도 따로 저작권을 설정하지 않으므로 누구나 마음대로 가공하여 다른 콘텐츠로 엮어 낼 수 있다는 장점을 갖는다.

5. 사전 원고 샘플

한국어 교육용 용언 활용형 웹 사전의 검색 초기 화면은 다음 〈그림 1〉과 같이 구성하였다. 학습자는 'Example searches(검색 예시)'를 통해 어떻게 검색을 진행해야 할지 알 수 있다. 먼저 검색 초기 화면에는 '잡다'의 활용형인 '잡았겠거니'를 예시로 보여 주었

다. '잡았겠거니' 자체를 검색하면 해당 활용형의 뜻풀이를 포함한 미시 항목을 확인할 수 있고, '*거니*'를 검색하면 어미 '거니'를 포함한 모든 활용형을 볼 수 있다. 또한 '잡다*'를 입력하면 어간 '잡다'가 포함된 웹 사전에 등재된 모든 활용형을 찾을 수 있다.

〈그림 1〉 활용형 웹 사전 검색 초기 화면

Korean Conjugation

Dictionary Search

Definitions

Related words

Example searches

잡았겠거니	Definition of *잡았겠거니*
거니	Words and phrases that including *거니*
잡다*	Words and phrases that start with *잡다*
	...

아래 〈그림 2〉는 검색 결과 화면의 예시이다. 학습자가 '거두다'의 활용형 중 하나인 '거두려고 해요'를 검색하면 해당 활용형의 활용 형태가 나오고 어간인 '거두다'의 정보 및 뜻풀이, 문형 정보, 활용 정보, 문법 정보와 용례가 검색된다. 특히 어간과 어미 및 문법 정보는 하이퍼링크로 처리되어 있어 학습자는 관련 세부 정보를 검색하며 확장 학습을 이어 나갈 수 있다.

〈그림 2〉 검색 결과 화면 예시

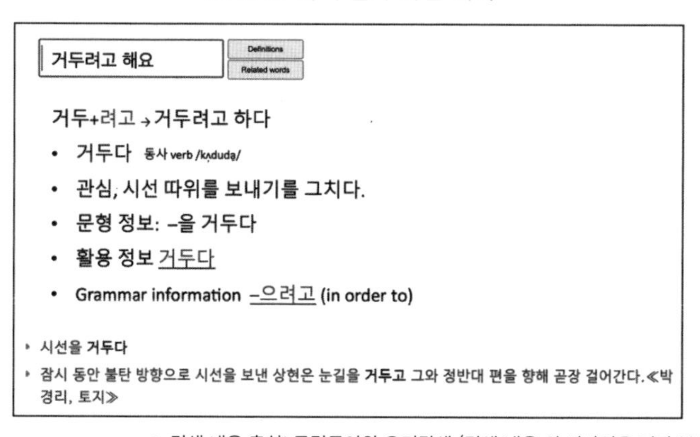

▶ 검색 내용 출처: 국립국어원 우리말샘 (검색 내용 외 디자인은 저자 본인이 직접 작성)

6. 나가며

기존의 용언 활용형 사전들과 이와 관련된 연구들은 외국인 학습자가 한국어 텍스트에서 접한 활용형을 학습하는 데 도움을 준다는 점에서 의의가 있지만, 종이 사전의 지면상 한계로 한국어 학습자가 실질적으로 해당 사전과 연구 내용을 활용하기는 어렵다. 따라서 본고는 온라인 사전 개발을 위한 거시 항목과 뜻풀이, 발음, 품사, 용례, 관련어 등의 미시 구조 항목을 소개하고 샘플 원고 역시 제시하였다.

본고에서의 표제어 선정은 어간의 경우 국립국어원에서 발표한 한국어 학습용 어휘 목록을 바탕으로 이루어졌고, 어미 목록은 선행 연구를 참조하여 추출하였다. 그러나 웹 사전의 특징상 지면의 제약이 없기 때문에 어간과 결합하는 어미의 종류를 제한할 필요가 없고, 모든 용언의 활용 정보를 제공하는 것도 가능하다.

한국어 학습자들은 기본형을 파악하기 어려운 활용형을 디지털 환경에서 검색할 때 포털사이트의 국어사전이나 '우리말샘' 등의 온라인 사전을 참고할 수 있겠지만 앞에서 언급하였듯이 이들 사전에는 활용형이 표제어로 등재되어 있지 않기 때문에 활용형 검색에 어려움을 겪을 수 있다. 이에 본 연구가 기초가 되어 실제로 용언 활용형 웹 사전 개발이 실현된다면 용언 활용형 학습에 어려움을 겪는 한국어 학습자들에게 큰 도움이 될 것이라 기대한다.

참고문헌

고려대학교 민족문화연구원. 2009. **고려대 한국어대사전**. 고려대학교 민족문화연구원.
고려대학교 민족문화연구원. 2009. **고려대 한국어대사전**. URL: http://ko.dict.naver.com
국립국어원 편. 2017. **표준국어대사전**. URL: http://stdweb2.korean.go.kr/main.jsp).
김종덕, 이종희. 2005. 용언의 활용형 일람표 연구. **한국 사전학**. 5. pp. 185-207.
김종록. 2009. **외국인을 위한 표준 한국어 동사 활용 사전**. 박이정.
김호정. 2012. **한국어교육 문법·표현 내용 개발 연구(1단계)**. 국립국어원.
남지순. 2007. **한국어 동사·형용사 활용 마법사**. 박이정.
배주채. 2013. **한국어의 발음(개정판)**. 삼경문화사.
신현정, 이은정. 2012. **한국어 동사, 형용사로 문장 만들기: 한국어 동사 형용사 활용사전**. 소통.
양명희. 2013. **한국어 교육 문법·표현 내용 개발 연구(2단계)**. 국립국어원.
유현경, 남길임. 2009. **한국어 사전 편찬학 개론: 사전 편찬의 이론과 실제**. 역락.
이홍식. 2019. 한국어 활용 사전 편찬을 위하여. **한국어와 문화**. 25(-). pp. 121-146.
Park, Bryan. 2009. **한국어 형용사 500 활용 사전**. 소통.
Park, Bryan. 2009. **한국어 동사 500 활용 사전**. 소통.

제3장

한국어 학습 동기와 학업 성취도 관계 연구를 통한 한국학 발전 방향 모색
– 이탈리아 시에나외국인대학교 한국어 학습자를 대상으로

정임숙, 문희선
이탈리아 시에나외국인대학교
Università per Stranieri di Siena

1. 들어가며

본 연구는 제2외국어 학습 동기 이론(Gardner·Lambert, 1985[1]; Gardner·MacIntyre, 1991[2])을 바탕으로 동기가 학업 성취도로 이어지는 중요한 요인 중 하나라는 전제하에 최근 동기 유발 요인으로 드러나고 있는 한류와 한류 콘텐츠가 실제 한국어 학습자에게 미치는 영향력(김정하, 2018[3])을 분석했으며, 제2언어로 나타나는 동기가 문화적 관심과 연관성을 가졌음을 제시하기 위해 시도되었다.

문화 강국 이탈리아는 유럽 내에서도 자국 문화에 대한 긍지와 자부심이 강한 나라로 타 문화에 대한 이해와 접근이 다소 소극적인 편이다. 게다가 얼마 전까지만 해도 이탈리아인에게 한국이라는 나라의 이미지와 한국 관련 정보는 극히 제한적이었다. 이탈리아 중고등 과정에 사용되는 교과서에서도[4] 찾아볼 수 있듯이, 한국은 일본 제국주의 개혁 정책에서 잠깐 언급되는 식민지국, 세계 냉전 양극 체제가 야기한 한국전쟁으로 분단의 비극을 살아야 했던 동양의 작은 국가로 알려진 것이 고작이었다. 하지만 2002년 한국에서 개최된 FIFA 월드컵에서 대한민국이라는 나라는 이탈리아인들에게 다시 한번 새롭게 알려질 수 있었다. 2019년 칸 영화제 황금종려상과 2020년 아카데미 영화제에서 최고 작품상을 수상한 봉준호 감독의 영화 〈기생충〉을 비롯해, 2022년에는 칸 영화제에서 박찬욱 감독과 배우 송강호가 감독상과 남우주연상을 나란히 수상하였다.

[1] Gardner R.C., Lambert W.E. 1985. *Social psychology and second language learning: The role of attitude and motivation*. Edward Arnold, London.

[2] Gardner R.C., McIntyre P.D. An instrumental motivation in language study. *Studies in second language acquisition*. 13 (1). pp. 52-72.

[3] 김정하. 2018. 한국어 학습 동기 유발 요인으로서 한류 콘텐츠의 영향력에 관한 연구. 경인교육대학교 교육전문대학원 교육학 석사 학위 논문.

[4] 2016년 한국학중앙연구원 한국 바로 알리기 사업(*The Understanding Korea*) 중 '외국어 교과서 분석'에서도 이를 확인할 수 있다. http://cefia.aks.ac.kr:84/index.php?title=%EC%A2%85%ED%95%A9%EB%B6%84%EC%84%9D:%EC%9D%B4%ED%83%88%EB%A6%AC%EC%95%84:2016.

이는 세계적으로 한국의 위상을 높이고 소프트 파워 국가로서의 이미지를 부각시킨 좋은 예로 한국에 대한 이탈리아인들의 인식 변화에 긍정적인 영향을 끼치고 있다. 뿐만 아니라 다국적 대기업들을 통해 IT 강국으로, 글로벌 시대 경제 강대국 중 하나로 부상하고 있는 것이 사실이다. 이처럼 전 세계적으로 한류에 힘입어 한국에 대한 관심은 커졌으며 한국 문화에 대한 막연하고 피상적인 호기심을 지니고 한국어 학습에 접근하는 학생 수 역시 급증하고 있다. 최근 SNS를 통해 퍼져 나간 한국의 웹툰, 노래, 드라마 등의 문화 콘텐츠가 현재 대학가에 한국어 학습자들을 몰리게 하는 주요한 이유가 되며 학계에서도 한국 문화에 대한 중요성을 인지하기 시작했다(정임숙·김참이, 2019: 37).

2019년 12월 기준 한국국제교류재단이 공개한 세계 한국학현황 지도에[5] 따르면 이탈리아는 다른 유럽 국가와 비교했을 때 상대적으로 한국학 발전이 더딘 것으로 나타나지만 2020년 기준으로 이탈리아에는 시에나외국인대학교를 비롯해 총 6개 대학에[6] 한국학 강좌가 설치되어 있으며 학생들의 수요는 꾸준히 증가하고 있는 것으로 나타난다. 2017년 10월 시에나외국인대학교에 한국어 강좌가 신설되었고, 2020년 9월부터 대학원 졸업 과정에 한국학이 도입되었다. 한국어 과정이 처음 소개되고 5년이 지난 지금 한국어 강좌 외에도 한국학 관련 강좌를 수강하고자 하는 학생들의 수가 눈에 띄게 급증했다. 재학생들은 정규 강좌 외에도 시에나외국인대학교에서 진행한 '한국문화의 날', '국제 여름학교 한국학 서머스쿨', '사물놀이 강좌', '한국 만화 워크숍', '한국 문학 독후감 대회', '한국 문학 번역 워크숍', '한국 역사 세미나', '한국 문화원 방문', '고등학생 대상 한글 쓰기 워크숍', 'Bright 이벤트에서 시민 대상 한국 알리기', 'Sayul 공공외교단 활동', '유니링크 샤우터 한반도 평화 활동' 같은 다양한 문화 행사에 적극적으로 참여하였다.

본 연구 시도의 주목적은 한국어를 학습하는 학생들의 학습 동기와 목적이 학업 성취도와 어떤 밀접한 관계를 맺고 있는지 실증적으로 검증하는 것이며, 그들의 초기 동기를 유지하기 위해 제시되어야 하는 학습 방안은 무엇인지 예측해 보는 것이다. 한국어 학습자의 학습 동기에 중요한 영향력을 끼치는 한류 콘텐츠는 한국어 보급 확대를 위한 유용한 도구로 연결되어야 하며, 더 나아가 지속적인 한국어 학습을 유도하는 주요 동기에 대한 분석과 연구는 장기적인 한국학 발전에 기여할 수 있을 것이다.

2. 학습 동기 연구의 필요성: 선행 연구 검토

학습 동기가 학습의 효과를 높이는 주요인 중 하나라는 것은 이미 여러 연구 자료들(권재현·권기환, 2012[7]; Dörnyei, 2013[8]; 장아남·김영주, 2014[9]; 박종후·오대환, 2015[10])을 통해 잘 알려진 사실이다. 학습 성취도와 학습 동기가 불가분의 관계에 있다는 것

[5] http://www.kf.or.kr/koreanstudies/koreaStudiesMap.do.

[6] 로마 라사피엔차대학, 나폴리 동양학대학, 카포스카리 베네치아대학교, 볼로냐대학, 밀라노대학.

[7] 권재현, 권기환. 2012. 외국인에 대한 한국어 교육은 한류 관광 동기에 영향을 미치는가?. **한국항공경영학회지**. 10(4). pp. 207-226.

[8] Dörnyei Z. 2013. *Motivational strategies in the language classroom*. Cambridge University Press.

[9] 장아남, 김영주. 2014. 한국어 학습자의 L2 학습 동기. 불안 및 자아 간의 상관관계 연구. **외국어로서의 한국어 교육**. 40. pp. 310-227.

[10] 박종후, 오대환. 2015. 일본 대학의 비 전공 한국어 이수자들의 학습 동기를 중심으로 한 관련 항목 분석-한국 관련 경험을 변인으로 고려한 분석. **언어와 문화**. 11(2). pp. 193-219.

[11] Wlodkowski R.J., 2008. *Enhancing adult motivation to learn: A comprehensive guide for teaching all adults*. Jossey-Bass. San Francisco.

(Wlodkowski, 2008[11]) 또한 확인된 바 있으며, 학업 성취도의 극대화와 학습 목표의 도달을 위해 동기 부여가 중요하다는 연구 내용들은 학계뿐 아니라 다양한 사회 분야에서도 적용되고 있다.

Dörnyei(2005, 2013)는 동기 연구의 중요성과 필요성을 강조했고, 과정중심적 접근 방법(process-oriented approach)에 의거해 동기는 고정되어 있는 것이 아니라 시간이 흐르며 변화한다고 보았다. 또 동기화 단계를 동기 선택 단계, 동기 수행 단계, 동기 회상 단계, 총 3단계로 구분했다. 되르네이에 의하면 외국어 학습에 있어 초기 동기가 필수적으로 발생되어야 하고, 목표나 과제 수행을 위해서 초기 동기가 유지·보호되어야 한다. 그리고 마지막 단계인 동기 회상 단계에서 학습자는 스스로 학습이 어떻게 진행되었는지 평가한다. 이는 스스로 과제 수행 결과를 평가하고 초기 동기를 회상하며 학습의 전략적 방법과 후속 계획으로 이끄는 단계이며, 동기를 학업 성취도로 이끄는 동기화 전략(motivational strategy)이다. 되르네이의 제2언어 학습 체계는 학습 경험의 중요성을 강조하고 동기의 발전 과정을 중시하며 자아 이미지의 동기화된 행동에 대한 영향을 강조한다(장아남·김영주, 2014: 310).

많은 학자들이 초기의 동기 이론 연구에서 동기가 외국어 학습 성공에 크게 기여한다고 주장했다. 최근 한국어 학습자들의 초기 동기로 '한류', '한국 문화에 대한 관심'이 주를 이룬다. 조항록(2007)은 국외 한국어 교육의 변화 요인 중 하나로 '한류'를 언급했고 한류가 한국어 교육의 확대에 기여한 것은 분명하나 한류로 유발된 한국어 학습자는 '실제 학습자'라기보다 '잠재적 학습자'라고 보았다. 그래서 이들을 실제적 학습자로 전환시키는 노력이 필요하다고 주장하였다. 오문경(2013)은 한류 기반 잠재적 학습자를 '한류 문화에 대한 호감은 있으나 아직 한국어를 배우지 않는 자', '스스로 학습 동기를 부여할 수 있는 콘텐츠가 주어진다면 실질적인 학습자로 전환될 가능성이 높은 한류 문화 향유자', '스마트 기기를 활용하여 일상생활에서 한류 콘텐츠를 즐기되 아직 한국어 학습을 하지 않는 자'라고 하였다. 즉 잠재적 학습자도 동기의 강화나 목적에 따라 실제 한국어 학습자로 전환될 수 있다고 보았다.

본 논문은 한국어 학습에 중요한 요소인 동기 조사에 목적을 두며 시에나외국인대학의 한국어 학습자를 대상으로 조사를 진행했다. 시에나외국인대학은 외국어 교육으로 특수화된 정식 대학 기관으로 2017년 한국어 및 한국 문학 과정을 통번역 학위 과정 내에 신설했다. 이탈리아 북부와 남부에만 치우쳐 있었던 한국 학부 과정이 중부 지역에 설치되면서 다양한 지역의 학생들에게 한국학을 접할 수 있는 기회가 주어졌다. 한국어 과정이 신설된 2017년 첫해의 신입생 수는 불과 25명이었으나 5년 차인 2022년 한국어 과정에 등록한 신입생 수가 80여 명으로 현저히 급증했다.[12] 또한 2020/2021년 학기에는 한국학 전공 석사 과정이 개설되어 20명의 학생이 입학하였고, 2021/2022년

[12] 시에나외국인대학 내 11개 언어 수강생 중 영어, 스페인어에 이어 3번째로 가장 많은 수의 학생들이 한국어 과정을 선택했다는 것은 시사하는 바가 크다.

학기에도 동 대학 학부 졸업생과 타 대학 입학생들을 포함해 총 18명의 학생들이 한국학 과정에 입학해 이수 중이다. 2020/2021년 한국학 전공 석사 과정에서 우수한 학생에 한해 부산외국어대학교에서 복수 학위를 수여할 수 있는 기회가 제공되었다. 이에 따라 한국학의 오랜 역사를 자랑하는 나폴리 동양학대학교, 로마 라사피엔차대학교, 카포스카리 베네치아대학교에 발맞추어 시에나외국인대학도 이탈리아 대학계 한국학의 성장에 부응하고 있다.

급증하는 학생 수에 대응하는 양질의 교육에 대한 필요성 역시 중요하게 부각되고 있는 시점이다. 이러한 이유로 학업 성취도의 향상과 연관성이 있어 보이는 학습자들의 동기를 조사·분석하고자 했으며, 한국학 전공 학사 학생들을 대상으로 2020년 1월 그리고 2022년 5월 두 차례에 걸쳐 설문조사를 실시하였다.

이탈리아 교육 시스템 특성상 학부, 학과와 관련된 전공과목의 선택은 학생 개인의 자유 의지에 따라 자율적으로 결정된다. 자율적으로 전공과목을 선택한 학생들의 대부분은 학습 동기가 분명하며, 학습 참여율이 높고, 정규 과정 외 학계 행사들에도 능동적으로 참여하는 모습을 보인다. 이는 본 연구의 설문조사에 응한 학생들에게도 해당되며 이탈리아 대학에서 한국학을 선택하는 학생들의 자율 학습 지향적 자세를 고려해, 학습자들의 한국어 선택에 가장 큰 비중을 두었을 학습 동기를 연구 과제의 핵심으로 삼기로 한다. 본 연구에 사용된 설문조사에서 드러난 내용과 결론 분석은 제3절에서 다루기로 한다.

3. 동기 양상 설문지 조사 결과 및 실증 분석

동기 유형 측정 도구로 시도된 Ryan & Deci(2000)의 '자기 조절 질문지'와 같이 한국어 학습자들의 학습 동기 유형을 수치화하고자 시에나외국인대학의 한국어 학습자들을 대상으로 설문지를 제작해 전달했다. 본 조사에 사용된 설문지는 타 기관 및 대학의 한국어 학습자에게도 용이하고 동일하게 사용될 수 있게 일반적인 질문을 포함하여 학습 동기에 관한 구체적인 질문으로 구성되었다.

본 설문조사에 참여한 총 학생 수는 83명으로 남자 6명, 여자 77명, 이 중 77명의 응답자가 이탈리아어를 모국어로 하는 학습자들로 집계되었다. 응답자의 평균 연령은 20세이며 설문지에 응한 모든 학생이 실명을 밝혀 설문조사의 투명성을 더했다. 설문지는 단답형, 서술형, 사지선다형으로 구분되어 있으며 학생들의 인적 사항을 묻는 일반적 내용부터 학습 동기 관련 구체적 질문들까지 총 15개의 질문으로 구성되었다. 수집된 설문지 조사 결과는 다음과 같다.

한국어 과정을 선택하게 된 동기에 대한 질문(6번 문항)에 총 59명(약 70%)에 해당하는 학생이 K-POP, 한국 드라마, 애니메이션, 한국 음식 등을 포함한 한국 문화라고 답변했다. 또한 한국어 자체와 한국어 소리 및 발음에 매료되어 한국어를 선택했다는 학생이 16명, 한국의 경제적 파급력과 IT 기술력 향상으로 인해 미래 언어로서의 잠재성을 고려해 한국어를 선택한 학생이 4명으로 집계되었다. 이는 한때 중국의 급속한 경제 성장과 더불어 유럽 내에 중국어 학습자들의 수요가 증가했던 현상과 비슷한 맥락으로 해석할 수 있겠다. 최근 자동차, 가전제품, 스마트폰과 같은 기기들이 이탈리아 소비자들에게 인기를 얻으면서 과거와는 달리 한국은 이제 최첨단 기술을 보유하고 개발하는 선진 국가라는 새로운 이미지를 얻게 되었음을 시사한다. 최근 출간된 중고등학교 교과서(Larrera·Pilotti, 2008[13]; Sofri, 2014[14])에서도 이 같은 다양한 정보가 그래픽으로 제공된다.[15] 그리고 한류에 힘입어 한국이라는 나라의 이미지는 변화하고 있다. 한국전쟁, 분단국가의 한국이 아닌 글로벌 경제 세계의 강대국으로, 다양한 문화와 전통을 자랑하는 한국으로 재해석되고 있다. 한국어를 선택하는 학생들은 다양한 동기로 한국이라는 나라에 접근을 시작한다. 한국어가 아름다워서, 한국 문화에 매료되어서, 한국 대기업에 취직하고 싶어서, 한식과 한국 음악이 좋아서 등, 젊은 학습자들은 다양한 목표 의식을 지니고 있다. 이와 같은 한국어 학습자들의 동기를 크게 '한국 문화에 매료'와 '언어 자체에 호기심'으로 구분 짓기로 한다.

타 외국어 학습의 기회가 있었던 학생들에게 한국어 학습과의 연관성을 묻는 질문(3번 문항)이 이어졌고, 50%에 해당하는 응답자가 한국어 학습에 앞서 일본어, 중국어, 태국어를 학습한 경험이 있다고 답했다. 이 중 반 이상의 학생이 이들 언어가 한국어 학습에 언어적·문화적인 면에서 연관성을 가지며 한국어를 배우는 데 도움을 준다고 답했다.

설문조사에 참여한 대부분의 학생들이 본인의 한국어 수준(4번 문항)을 초급 또는 그 이하로 다소 낮게 평가하였다. 한국어를 공부한 기간을 묻는 질문(5번 문항)에 대부분은 대학에서 학습을 시작한 학생들로 1년 이하라고 답했으며, 길게는 4년 이상이라고 응답한 학생도 있었다. 문항 7번에서 독학으로 공부한다고 답변한 7%의 학생을 제외한 전 학생이 한국어를 대학 과정에서 공부하는 것으로 드러났다.

한국어의 주 특성을 묻는 8번 질문에 32명(약 38%)의 응답자들은 쓰고 읽기 쉬운 한글의 장점을 내세워 과학적으로 고안된 한글의 체계성과 우수성을 인식하고 있음을 알 수 있었다. 그리고 30명(약 36%)의 학생이 듣기 좋은 한국어 소리가 한국어의 주 특징이라고 서술해 한국어의 음성학에도 관심을 보였다. 다수 응답자들의 모국어인 이탈리아어와는 달리 주어, 목적어, 동사로 구성된 한국어의 어순을 언어적 특성으로 뽑은 학생들이 15명(약 21%), 한국어의 존칭체계가 한국어가 지닌 특성이라고 선택한 응답자가 7명(약 8%)으로 집계됐다.

한국어 학습 시 가장 중요하게 생각한 요소가 무엇인지를 묻는 사지선다형 질문(9

[13] Larrera F., Pilotti G. 2008. *Geografia del mondo d'oggi* (오늘 세계의 지리). Zanichelli.

[14] Sofri G., Sofri F. 2014. *Conoscere il mondo* (세계 이해). Zanichelli.

[15] Larrera F., Pilotti G. 2008; Sofri G., Sofri F. 2014. 중고등학교 지리 교과서에서 경제와 관련해 다양한 그래픽과 정보가 소개되고 있는데 대한민국은 거의 상위권을 차지하고 있다: 세계 10대 수출국(8위), 세계 최대 관광 도시(서울 10위), 아시아 태평양에서 가장 방문객이 많은 국가(6위), 아연 소비 국가(5위), 석유 소비 국가(9위), 무역 교류(25위), 산업 제조업 국가(10위), 철강 제조업 국가(5위), 자동차 제조업 국가(5위), 인구수(24위), 전 세계 높은 생산 이윤을 기록하는 기업(삼성 89위/삼성 휴대폰 제작 공장 사진과 관련 설명 3.1.7. P. 159), 원자력 에너지 소비(4위), 국내총생산 기준 교육비 비율(3위), 15세 학생을 대상으로 기술과 지식 평가하는 OECD 국제학생평가프로그램 시험에서 수학 부분(2위), 고등교육자 비율(4위), 인구 밀집(서울 5위), 전 세계 인간개발지수 상위권 12개국(12위), 자동차 제조업체(현대 4위), 전 세계 10대 항구(부산 5위), 조선업(1위), 교실당 학생 수가 많은 국가(1위), 고등학생 학업 성취도(5위/한국인의 97%는 고등교육 이수자 3.1.5. P. 116), 대학 졸업생 배출(2위). 이렇게 대부분의 교과서는 역사와 지리, 경제를 중심으로 대한민국을 기술하고 있다.

번 문항)에 52명(약 62%)은 1, 2순위로 교사의 역할과 모국어 화자와의 접촉을 선택했으며, 23명은 교재와 시청각 자료 사용 역시 중요하다고 대답했다. 한국어 학습 시 가장 어려움을 느끼는 부분(10번 문항)에 대해서는 90% 이상의 학생들이 듣기와 말하기라고 답변하였으며, 소수의 학생들만이 읽기에 어려움을 느낀다고 응답했다.

한국어 습득 시 학습자의 모국어 문화에서 오는 차이가 어떤 영향을 미치는가에 대한 질문(11번 문항)에 47명(약 56%)의 학생들이 크고 작은 영향을 끼친다고 응답했고, 이것은 문화 차이로 느낄 수 있는 장벽이 아닌 학습자의 지식과 견문을 넓힐 수 있는 긍정적인 요소로 작용한다는 답변이 다수였다. 이는 새로운 언어를 학습하고 다른 문화에 포용력을 지닌 이탈리아 학생들의 개방적 태도를 보여 주고, 이런 학습 태도는 언어 학습의 성취도와 지속성 및 가능성을 보여 주는 부분으로 해석할 수 있다.

한국어 학습 향상에 영향을 끼치는 요인을 파악하기 위한 질문(12번 문항)에 팬데믹 이전 대면 수업을 주로 받던 학생들의 90% 이상이 압도적으로 원어민 교사의 교육 내용과 모국어 화자와의 지속적인 접촉이 한국어 실력 향상에 가장 중요한 요인이라고 응답한 반면, 팬데믹 이후 비대면으로 한국어 학사 과정을 시작한 학생의 70%에 달하는 응답자는 영화·음악·드라마와 같은 자료가 언어 실력 향상에 중요한 작용을 한다고 응답했다. 팬데믹 이전 학습자와 팬데믹 이후 학습자의 대조적인 의견 차이는 2020년 3월부터 2022년까지 이탈리아에서 대대적으로 실시된 비대면 교육 과정이 끼친 영향으로 해석될 수 있다. 또한 온라인 언어 교육과 관련해 비대면으로 한국어를 학습한 학생들의 의견이 간접적으로 드러나 눈길을 끈다.

학습자와 원어민과의 접촉 현황 파악을 위한 질문(14번 문항)에 응답자 중 반 이상의 학생이 한국인 친구가 있다고 답했고, 이들은 원어민 친구들과의 언어 교환을[16] 통해 한국어 대화를 향상시키는 것이 학습 성취도에 긍정적인 요소로 작용한다고 밝혔다.

한국 방문 목적에 대한 13번 문항에서는 대부분의 학생들이 아직 방문의 경험은 없지만 유학이나[17] 여행으로 한국에 가고 싶다고 답했다. 그리고 구체적으로 방문하고 싶은 곳들로 서울뿐만 아니라 부산, 제주도, 대구, 역사 유적지가 있는 도시들을 선택했다.

한국어 학사 과정을 마친 후 진로에 대해서 묻는 마지막 질문(15번 문항)에 다수의 응답자들이 전공을 살려 한국어와 관련된 업종에 취업할 의향이 있음을 밝혔고, 이 중에서도 한국에서 교사, 번역가 등 다양한 분야에서 근무하고 싶다는 의사를 보였다. 그 외에 12명의 응답자는 석사 과정을 등록하거나 유학을 목적으로 한국어능력시험을 준비 중에 있다고 답했다. 관심 희망 직업 중 통번역이 1순위, 한국인 대상 이탈리아어 교사 2위, 출판계 3위, 문화 교류가 4위를 차지했다. 이 중 한국어 능력을 향상해 음악계에서 일하며 한국어로 작곡, 작사를 하는 것이 꿈이라고 서술한 학생도 있을 정도로 한국 음악에 대한 관심과 기대가 높았다.

[16] 시에나외국인대학교는 외국인 대상 이탈리아어 교육으로 특화된 대학으로 언어 교환 탄뎀(Tandem) 활동이 활발히 이루어지고 있다. 학생들은 한국어 과정이 신설된 2017년부터 시에나에 체류하며 이탈리아어를 학습하는 한국외대 및 부산외대 한국 학생들과 현지에서 언어 및 문화 교환 활동에 적극 참여하고 있다. 2020년에는 팬데믹으로 인해 온라인으로 첫 탄뎀을 진행했으며 총 170명의 학생들이 참여했다. 그룹 활동으로 이어졌으며 SNS를 통해 결과물도 게시되었다.

[17] 한국 유학을 목적으로 한국어 학습에 접근하는 많은 학생들의 요구를 충족시킬 수 있는 것은 대학에서 제공하는 교환 학생 프로그램이다. 시에나외국인대학교는 2017년부터 현재 한국외대, 부산외대, 경희대, 이화여대, 국민대, 순천향대, 충북대, 신한대와 MOU 협정을 체결하고 매년 약 40명의 학생들을 선발해 학생 교류를 진행하고 있으며, 현재 서울대, 한양대, 선문대, 부산대와도 공동 협력을 시작할 계획이다. 게다가 2021년 부산외대 일반대학원 한국학부와 한국어교육학부와는 복수학위를 체결했으며 매년 선정된 우수 학생 5명에게 1년간 한국에서 대학원 과정을 이수하고 이중학위를 수료할 수 있는 기회가 주어진다.

4. 동기가 학업 성취도에 미치는 영향

대학 졸업 후 유학 또는 취업 목적으로 한국을 방문하고 싶어 한다는 점, 역사 유적지가 중심이 되는 관광 도시들을 방문하고 싶어 한다는 점을 고려했을 때, 졸업 후 한국 관련 분야를 지속적으로 공부하거나 취업으로 이어 나갈 가능성이 높음을 살펴볼 수 있다.

설문지 조사 결과에 따르면 학습자들의 외국어 선택에 있어 가장 큰 영향을 끼쳤던 문화적인 요소들은 한국어 학습 과정에 가장 긍정적인 요인으로 작용하고 있으며, 학습 성취도와 연관성을 지닌다. 설문에 응한 대부분은 학습 성취도 향상을 목적으로 한국 음악이나 드라마, 영화 등 시청각 자료의 도움을 받고 있다고 답했다. 젊은 학습자들은 음악, 드라마, 영화를 통해 한국 문화(K-culture)에 전반적으로 관심을 갖게 되었고, 이는 한국어 학습에 긍정적으로 작용하고 있다. 따라서 한국어 교사는 학생들의 호기심과 이들의 자율적이고 적극적인 태도를 장점으로 끌어 올려 학문의 영역으로 성장, 발전할 수 있도록 하는 것이 중요하다.

하지만 학년이 오를수록 많은 학습자들의 초기 동기가 저하되고 이에 따라 한국어를 학습하려는 학생 수가 줄어드는 현상을 살펴볼 수 있다. 이는 단순한 호기심으로 한국어 학습을 선택하였으나 학습 열정이 오랫동안 유지되지 못한 탓일 수도 있고 반대로 학교에서 학습자의 지적 호기심을 충족시킬 수 있는 교육 과정을 제공하지 못한 것일 수도 있다. 비록 학생들의 동기가 다소 막연하고 피상적이었다 하더라도 다양하고 질 좋은 교과목을 통해 한국의 역사, 정치, 문화, 예술 등으로 관심 분야를 확대시킬 수 있을 것이다(정임숙·김참이, 2019: 353).

미국 대학에서 초급 한국어 수강자의 동기 및 태도를 연구한 남애리(2012)는 한국어 학습의 동기와 태도뿐 아니라 지속성 여부에도 관심을 두었으며, 한국어 학습을 지속하는 경우가 중단하는 경우에 비해 한국 문화와 언어 자체에 더 깊이 있는 관심과 흥미를 보인다고 하였다. 이렇게 학습자들의 단순한 동기를 지속·발전시켜 학업 성취도를 향상시키고 한국학 성장에도 기여한다는 장기적인 측면에서 바라볼 필요가 있겠다. 시에나외국인대학교는 이러한 시도의 일환으로 한국어 강좌 도입 후 2년 차인 2018년 한국 문학 강좌를 도입했고 2019년 가을 학기부터는 '동양사 속의 한국사' 강좌를 신설했다. 2020년 가을 학기에는 석사 1학년 과정에 한국학이 도입되었고, 이어 한국 문화, 한국 문학 번역 강좌도 추가되었다. 이렇듯 한국어 붐을 지속·발전시키기 위해 한국학이 설치된 대학들은 또 하나의 중요한 과제를 안게 되었다.

5. 나가며

Riotto(2012: 519)는 2012년 8월 11일에서 8월 12일까지 고려대학교에서 개최되었던 국제학술대회에서 "한국학을 선택하는 학생들은 입학할 때부터 한국의 역사, 정치, 철학, 미술에 대해서 전혀 모른다. 오늘날 한반도는 세계적으로 가장 날카로운 이념적 갈등의 무대이지만, 그들은 그것에 관심도 없다. 다만 K-POP이다. 그 학생들의 눈으로 보면 대한민국은 춤추고 노래 부르는 나라"라고 언급했다. 이는 기정사실이며 이 때문에 한국학을 선택하는 많은 학생들의 단순한 입학 동기에 대해서 다소 부정적인 견해를 가진 교사들도 많을 것이다. 최근 이탈리아뿐 아니라 한국이라는 나라에 관심을 갖기 시작한 전 세계 대부분의 외국인 학생들은 K-POP을 통해서 한국을 알게 되었고 이에 끌려 한국어 학습에 접근하고 있음이 설문조사를 통해 확인되었다. 그럼에도 불구하고 이는 장기적인 학습 동기로도 이어져 학습자의 적극적인 학업 활동에 긍정적인 영향을 끼칠 것으로 예측된다. 이들의 피상적인 관심이 역사, 문학, 문화, 문헌학, 예술 등의 한국학으로 발전될 수 있다는 전제를 놓쳐서는 안 될 것이며, 이들의 단순한 동기가 한국학의 지속적인 발전으로 나아가는 디딤돌이 될 수 있다.

한류의 가장 큰 위협은 한류 현상의 불확실성과 일시성이며, 이 때문에 한국어 학습 확산을 위한 당면 과제는 한류에 매료된 잠재적 학습자들의 단순한 호기심을 한국어와 한국학에 대한 깊은 관심으로 유도하여 실질적인 한국어 학습자로 전환시키는 것이다. 이들은 장기적으로 한국학에 관여를 하게 될 것이고 이때 비로소 한류로 유발된 그들의 단순 초기 동기가 일시적인 현상이 아닌 지속적이고 긍정적인 학업·연구로 발전할 수 있을 것이다. 한류를 단순히 하위문화로 여길 것이 아니라 다른 국가와는 차별화된 한국만의 소중한 대중문화로 여겨 향후 한국어 학습자들을 확대하기 위한 중요 요소로 작용할 수 있는 가능성을 인지해야 할 것이다.

이를 위해서는 단순히 문화적 콘텐츠 개발에만 심혈을 기울일 것이 아니라 학술 분야의 집중적인 개발과 학술 연구 교류에도 힘써야 할 것이다. 이탈리아와 한국 간의 지속적이고 질 높은, 끊임없는 관계 개선과 교류는 국제적인 한국학 성장에 인프라가 될 것이고 이는 미래 한국학자들의 성장에 발판을 마련해 주는 계기가 될 것이다. 따라서 한류 붐의 일시성과 한국 문화 콘텐츠 파급력의 한계성에 대비해 새로운 학습 동기를 개발하고 유발하는 것이 무엇보다 중요하다. 나아가 학습자들의 다양한 문화적 취향과 관심 분야를 관찰하여 학습 영역 확대의 필요성을 인지하고 이에 상응하는 대안을 마련해야 할 것이다.

참고문헌

권재현, 권기환. 2012. 외국인에 대한 한국어 교육은 한류 관광 동기에 영향을 미치는가?. **한국항공경영학회지**. 10(4). pp. 207-226.

김정하. 2018. 한국어 학습 동기 유발 요인으로서 한류 콘텐츠의 영향력에 관한 연구. 경인교육대학교 교육전문대학원 교육학 석사 학위 논문.

남애리. 2012. 미국 대학 한국어 학습자의 동기 및 태도 연구-중서부 주립대 초급 학습자의 학습 지속 여부를 중심으로. **한국언어문화학**. 9(2). pp. 119-143.

박종후, 오대환. 2015. 일본 대학의 비전공 한국어 이수자들의 학습 동기를 중심으로 한 관련 항목 분석-한국 관련 경험을 변인으로 고려한 분석. **언어와 문화**. 11(2). pp. 193-219.

오문경. 2013. 한류 콘텐츠를 활용한 한국어 국외 보급 정책 연구-한류 기반 잠재적 학습자를 대상으로. 박사학위논문. 한국외국어대학교.

장아남, 김영주. 2014. 한국어 학습자의 L2 학습 동기, 불안 및 자아 간의 상관관계 연구. **외국어로서의 한국어 교육**. 40. pp. 310-227.

정임숙, 김참이. 2019. 이탈리아에서의 한국학 동향과 전망-시에나외국인대학을 중심으로. **한국문화연구**. 37. 이화여자대학교 한국문화연구원. pp. 343-364.

조항록. 2007. 국어기본법과 한국어 교육-제정의 의의와 시행 이후 한국어 교육의 변화를 중심으로. **한국어교육**. 18(2). pp. 401-422.

Dörnyei, Z. 2005. *The psychology of the language learner: individual differences in second language acquisition*. Lawrence Erlbaum Associates Inc.

Dörnyei, Z. 2013. *Motivational strategies in the language classroom*. Cambridge University Press.

Gardner, R.C. and Lambert, W.E. 1985. *Social psychology and second language learning: The role of attitude and motivation*. Edward Arnold. London.

Gardner, R.C. and MacIntyre, P.D. 1991. An instrumental motivation in language study. Studies in second language acquisition. 13 (1). pp. 52-72.

Jung, Imsuk. 2018. *Manuale di Lingua e linguistica coreana*. Mimesis Edizioni. Milano.

Larrera, F. and Pilotti, G. 2008. *Geografia del mondo d'oggi*. Zanichelli.

Riotto, M. 2012. 이탈리아에서의 한국학 교육의 몇 가지 문제. **제22차 국제한국어교육학회 국제학술대회 제8분과 자료집**. pp. 513-523.
Ryan, R.M. and Deci, E.L. 2000. Self-determination theory and the facilitation of intrinsic motivation, social development, and well-being. **American Psychologist**. 55. pp. 68-78.
Sofri, G. and Sofri, F. 2014. *Conoscere il mondo*. Zanichelli.
Wlodkowski, R.J. 2008. *Enhancing adult motivation to learn: A comprehensive guide for teaching all adults*. Jossey-Bass. San Francisco.

제4장

해외 대학 한국어 학습자의 학습 동기 및 태도 연구
- 교육 과정 내 국내 교환 학생 프로그램의 영향을 중심으로

김수은
한국 숭실대학교
Soongsil University

곽새롬
영국 셰필드대학교
University of Sheffield

1. 들어가며

본 연구는 해외 대학에서 한국어를 배우는 한국어 학습자가 국내 교환 학생 프로그램을 경험한 후 자신의 한국어 학습에 대한 동기나 태도 등을 인식하는 것에 변화가 나타나는지를 알아보는 데 목적이 있다. 교환 학생 프로그램은 제한적 목표 언어에 노출되어 있던 해외 대학 학습자들이 교환 학생 프로그램을 경험하며 목표어 화자와 몰입 환경에서 사회 문화적 의사소통 및 상호 작용을 할 수 있다는 장점이 있다(이인혜, 2020). 김수은(2016)의 연구 결과에서는 교환 학생 프로그램을 통해 새로운 학습 맥락 및 생활 환경을 경험한 일이 해외 한국어 학습자들의 학습 지속 여부와 한국어 학습의 목표점을 재설정하는 데 관여하고 있었는데, 이는 구체적인 목표를 설정하는 데 긍정적인 도움을 주기도 하지만 반대로 한국어 학습을 포기하는 부정적인 결과로 나아가기도 하였다. 즉, 교환 학생 프로그램은 한국어 학습자에게 실제적인 학습 맥락을 경험하게 하고 의사소통의 기회를 제공한다는 점에서 한국어 학습에 효과적이나 학습 환경 및 사회 문화적 맥락의 변화하에서 이루어진다는 점에서 세심한 교육적 관리가 필요하다.

따라서 이번 연구에서는 교육 과정 중 1년을 한국 교환 학생 제도를 포함하고 있는 영국 셰필드대학교의 한국어 교육 사례를 통해 한국어 학습자의 학습 동기 및 태도를 교환 학생 경험 전후를 중심으로 도식화하고자 한다. 즉, 대학 내 1~4학년의 학습 동기 및 목표에 대한 설문을 실시하고, 그 결과를 군집에 따라 분석함으로써 어떤 변화가 나타나는지를 살펴볼 것이다. 구체적으로는, 교환 학생 프로그램을 포함한 교육 과정에서 학생들의 한국어 학습 동기가 변화하는지, 한국어 학습이나 한국, 또는 한국 문화에 대한 태도나 인식에 변화가 생기는지를 확인해 보려고 한다. 또한 추가적으로 해외에서의 한국어 학습과 국내 교환 학생의 경험을 모두 가지고 있는 4학년 학생에게 보충 인터뷰를 실시하여 통계에 대한 질적 해석의 타당성을 높일 것이다. 이러한 과정을 통해 교환 학생 프로그램을 경험하는 해외 한국어 학습자에 대한 이해를 높이고, 해외 대학 내 한국어 교육 프로그램과 국내 교환 학생 프로그램의 연계성을 확보하는 방안에 대한 아이디어를 제공할 수 있을 것으로 기대한다. 이는 나아가 해외 대학의 교육 과정을 효과적으로 수립하는 데에 도움을 줄 수 있을 것이다.

2. 연구의 배경

2.1. 영국 셰필드대학교 교육 과정 및 학습자 맥락

본 연구에서는 영국 셰필드대학교에서 한국학을 전공하는 학생들의 국내 교환 학생 경험이 어떻게 한국어 학습 동기, 한국어 학습 및 문화에 대한 태도 등에 영향을 미치는지에 대해 고찰하는 데 목적이 있다. 본격적인 논의에 앞서 이번 절에서는 셰필드대학교의 교육 과정 체계와 학습자 맥락에 대해 정리함으로써 연구의 토대를 마련하고자 한다.

셰필드대학교(The University of Sheffield)는 영국 사우스요크셔(South Yorkshire) 지역에 있는 셰필드(Sheffield)라는 도시에 위치한 대학이다. 셰필드대학교의 한국학과는 동아시아학과, 중국학과, 일본학과와 함께 동아시아학부에 속해 있다.

동아시아학부 내 한국학과 관련된 전공 과정은 한국학 단일 전공 과정(Korean Studies BA), 한국학 주전공, 일본어 부전공 과정(Korean Studies with Japanese BA), 음악과 한국학 복수 전공 과정(Music and Korean Studies BA)이 있다. 모든 과정은 4년(8학기)으로 이루어져 있으며 그중 1년 동안은 한국에서 자매결연으로 맺어진 대학에서 교환 학생으로 한국어 과정(Year Abroad)을 이수하게 되어 있다.

셰필드대학교 한국학과의 한국어 교육 과정은 다음 〈표 1〉과 같다.

〈표 1〉 셰필드대학교 한국학과의 한국어 교육 과정

<table>
<tr><th>Year</th><th>Module</th><th>Credits</th><th>[1]Level</th><th>Contents (hours per week)</th></tr>
<tr><td rowspan="4">1</td><td>Korean Language 1A</td><td>20 credits</td><td rowspan="2">Level 1</td><td rowspan="4">Grammar (2)
Speaking (2)
Reading (1)
Listening & Vocabulary (1)</td></tr>
<tr><td>Korean Language 1B</td><td>10 credits</td></tr>
<tr><td>Korean Language 2A</td><td>20 credits</td><td rowspan="2">Level 2</td></tr>
<tr><td>Korean Language 2B</td><td>10 credits</td></tr>
<tr><td rowspan="4">2</td><td>Korean Language 3A</td><td>20 credits</td><td rowspan="2">Level 3</td><td rowspan="4">Grammar (2)
Speaking & Listening (2)
Reading (1)
Hanja & Vocabulary (1)</td></tr>
<tr><td>Korean Language 3B</td><td>10 credits</td></tr>
<tr><td>Korean Language 4A</td><td>20 credits</td><td rowspan="2">Level 4</td></tr>
<tr><td>Korean Language 4B</td><td>10 credits</td></tr>
<tr><td>3</td><td colspan="4">Year Abroad</td></tr>
<tr><td rowspan="2">4</td><td>Korean Language 5</td><td>20 credits</td><td rowspan="2">Level 6</td><td rowspan="2">Reading & Discussion (2)
Audio-Visual (1)
Translation (1)</td></tr>
<tr><td>Korean Language 6</td><td>20 credits</td></tr>
</table>

셰필드대학교 한국학 전공 과정은 총 8학기(4년)이고 한 학기는 12주로 구성되어 있다. 한국어 수업 시간은 1학년, 2학년의 경우 일주일에 총 6시간, 한 학기에 60시간 정도, 4학년의 경우 일주일에 총 4시간, 한 학기에 40시간 정도로 편성되어 있다. 한 학기에 한 급씩 학습하여 2학년 과정에서 4급까지 학습한 후 보통 3학년 때 교환 학생 프로그램 이수를 위해 한국으로 떠난다.[1] 4학년에서는 번역 수업, 읽고 토론하기 수업, 방송 매체 등을 이용한 수업을 통해 배운 지식을 확장하고 한국학 관련 주제로 학사 논문을 완성한다.

교환 학생 과정은 한국 대학 부설 어학교육원이나 학부에서 운영하는 교환 학생 대상의 수업을 수학하는 과정으로 1년 동안 최대 4학기까지[2] 수학할 수 있으므로 국내 교환 학생 과정 중 최대 6급까지 모두 수학하고 오는 학생들도 적지 않다. 어학교육원에서는 일반적으로 주 20시간씩 10주 과정을 총 200시간에 걸쳐 이수한다. 2022년 기준 셰필드대학교와 자매결연으로 맺어져 교환 학생 프로그램을 운영하는 국내 대학은 총 6곳이나, 신입생 증가로 인해 2023년부터는 8개 대학의 어학교육원에서 한국어를 이수할 예정이다.

한국어 수업에서는 교사 제작 자료를 주로 사용한다. 교사는 다양한 방송 매체, 신문, 소설책, 국내 대학에서 사용되는 교재 등을 활용하여 학습자의 특성과 환경에 맞게 자료 및 교재를 제작, 재구성하여 제공한다.

[1] 한국학 전공자들은 2학년 때 한국에 가서 교환 학생 연수 과정을 이수하였으나, 코로나19 팬데믹 상황으로 인해 2020년부터 3학년 과정에서 이수하는 것으로 변경되었다. 3학년 때 교환 학생으로 가는 것이 오히려 학습 효과를 높였다는 사례들을 확인하고 그 이후부터 3학년 때 교환 학생 과정을 수학하는 것으로 교육 과정이 변경되었다. 그러나 현재 연구에 참여한 4학년 학습자들은 2학년 때 교환 학생 연수 과정을 이수한 상태이다.

[2] 1년 동안 4학기를 이수하는 교육 체계로 운영하는 어학교육원들이 많다.

셰필드대학교 한국학 전공 과정에 입학하는 신입생들은 대부분 한글만 익히고 들어오는 수준이므로 진학 후 기초 과정부터 한국어 학습을 시작한다. 또한 한국어 사용의 생활화를 위해 학생들에게 언어 교환 파트너를 연결해 줌으로써 서로 다른 언어를 가진 학습자가 협동 학습을 할 수 있도록 돕는 탄뎀(tandem) 학습이 이루어지도록 하고 있다. 그 외에도 학습자들에게 한국 문화 체험 및 한국학 학습의 동기를 부여하기 위한 행사 및 활동을 주관, 지원하고 있다.[3]

[3] 셰필드대학교에서는 매해 한국어 시화전 대회, 한국 관련 영상 제작 대회 등을 개최하고 있다. 또한 셰필드대학교 학생회에서는 K-POP 동아리, 태권도 동아리 등을 운영하고 있다. 매해 셰필드대학교에서 한국의 날(Korea Day) 행사가 열리는데 이때 앞서 언급한 K-POP 동아리 공연, 시화전 대회 등이 진행된다.

2.2. 교환 학생 프로그램과 학습자의 동기

교환 학생의 사전적 정의는 "친선과 문화의 교류를 도모하기 위해 두 나라 대학 사이에 서로 학생을 보내어 유학시키는 일"을 나타낸다. 즉, 상호 교류 협정을 바탕으로 자매 대학 간 학점을 교류하는 일로, 보통 국내 체류 기간 동안에는 한국어 학습을 주로 수행하면서 본 전공을 이수하기도 한다. 교환 학생 프로그램은 본국에서 외국어를 학습하고 있는 학습자가 1년 정도의 체류 기간 동안 목표어 환경에서 수학한 후 다시 본국에서의 학습을 이어 가는 특징을 가진다. KFL(Korean as a Foreign Language)과 KSL(Korean as a Second Language)을 환경적 요인으로만 기준하여 학습 환경이 외국어 배경일 경우 KFL, 일상생활에서 한국어를 사용하면서 한국어를 제2언어로 배우는 경우 KSL로 분류해 본다면, 셰필드대학교와 같이 해외에서 한국어를 공부하면서 국내 교환 학생 프로그램을 경험하는 한국어 학습자는 KFL → KSL → KFL로의 다면적인 학습 맥락을 갖게 된다.

이인혜(2020)에서도 학부 유학생은 비교적 오랜 시간 체류하며 단계적 유학 기간을 거치는 반면, 교환 학생은 상대적으로 단기간(보통 한두 학기) 한국 대학 생활을 경험하며 대학 시스템과 문화 공동체에 속하는 낯섦 속에 놓이게 된다고 설명하였다. 또한 교환 학생의 경험이 다른 유학생에 비해 짧고 한국의 대학을 '거쳐 가는' 것일 수 있으나 이 짧은 시간의 경험이 인생에 매우 큰 영향을 주기도 하고, 교환 학생 경험 이후 한국 및 한국어와 관련하여 자신의 삶을 계속해 나갈 수도 있다고 지적했다. 특히 이인혜(2020)는 한국 교환 학생 경험이 미국 대학생들의 정체성에 미치는 영향을 질적으로 탐구한 연구로, 참여자들 중 한국어 및 한국 문화에 대해 어느 정도 준비를 한 학습자들이 교환 학생 생활에 더 잘 적응하였다는 사례를 바탕으로, 교환 학생 프로그램을 통해 자신의 정체성을 긍정적으로 변화시키는 경험을 할 수 있도록 언어 및 문화적 측면에서의 준비 프로그램을 마련할 필요성을 제기하고 있다.

비슷한 맥락에서 김수은(2016)은 독일 튀빙겐대학교 한국학과 전공생들이 국내 교환 학생 프로그램에 참여한 후 자신의 학습 환경 변화 및 각국의 학습 환경 차이에 대해 어떻게 인식하고 있는지 면담을 통해 사례를 분석하였다. 이 연구에서는 한 학습자의 성장 과정에서 학습 환경의 맥락이 전환되었을 때 그 변화를 어떻게 인식하는지와 그 태도가 학습의 지속과 성취에 영향을 미친다고 주장하였는데, 이 연구의 참여자들은 학습 환경의 변화에 직면했을 때 내재화된 기존 학습 방식을 유지하면서 새로운 학습에 점차 적응해 가는 모습을 보였다. 특히 적극적 학습자와 소극적 학습자의 차이가 드러났는데, 이는 학습 동기에도 영향을 주어 학습을 지속하거나 목표점을 재설정하는 데에도 관여하는 것으로 나타났다.

홍유니·안정민(2020)은 교환 학생의 학습 동기 요인을 분석한 연구이다. 이 연구에서는 서울 소재의 대학 내 교환 학생을 대상으로 '이상적 제2언어 자아, 필연적 제2언어 자아, 제2언어 학습 태도, 문화적 관심, 외국어 학습의 중요성'에 대한 동기 요인을 설문 조사하였다. 그 결과 국내 체류 교환 학생의 주요 학습 동기 요인은 외국어 학습의 중요성 요인과 문화적 관심 요인이었다. 이 연구에서 특징적으로 나타난 결과 중 하나는, 일반적인 동기 이론의 경우 학습 초기의 동기가 학습 기간의 지속에 따라 점차 낮아지는 형태를 보인다면, 교환 학생의 경우 한국어 학습 경험이 없거나 입문 학습자의 학습 동기가 가장 낮았다는 것이다. 따라서 이 연구에서는 학습 초반의 긍정적인 학습 경험을 제공하는 것에 대한 필요성을 제기하고 있는데, 이는 곧 교환 학생 파견 이전, 즉 본국에서 교환 학생 프로그램에 대한 준비를 하는 것이 필요하다는 증거이기도 하다.

반면, 해외 교환 학생 프로그램의 참여 효과를 진로 결정의 관점에서 분석한 신현석 외(2017)의 결과에서도 교환 학생 프로그램에 참여한 대학생의 진로 결정 자기효능감이 상승하는 경향을 보였다. 즉 진로 계획을 구체화하거나 진로 방향 및 직업관 변화에 영향을 주었는데, 교환 학생 경험이 해외 취업을 고려하거나 포기하는 계기로 작용했다. 또한 회귀 분석 결과에서는 현지 학생과 교류가 빈번할수록 구체적인 진로에 관심을 가지게 되었고, 그러한 상황에서 해외 교환 학생 프로그램을 수행한 경우 긍정적인 학습 체험을 하는 것으로 나타났다. 따라서 이 연구에서는 해외 교환 학생 프로그램 파견 전 성취 목표의 분명한 설정이 중요하며, 귀국 후 참여 효과가 지속될 수 있도록 사후 프로그램이 마련되어야 함을 주장하였다. 또한 해외 대학에서 수학할 때 현지 학생을 포함한 다양한 교류의 장을 마련할 수 있도록 의도적인 개입이 필요하다고 보았다.

정리하면 교환 학생 프로그램은 하나의 독립된 프로그램으로 기능하기보다는 모 대학의 교육 과정 내 적극적인 배려가 요구되는 것이라고 할 수 있다. 따라서 한국어를 배우는 학습자들의 학습 동기와 학습 및 한국 문화에 대한 태도가 긍정적으로 지속되고 구체적인 진로를 마련하는 데까지 나아갈 수 있도록 하기 위해서 해외 대학에서의 한국어 교육이 어떤 방향으로 운영되어야 하는지에 대해 고찰할 필요가 있다. 이에 본 연구에서는 앞서 맥락으로 제시한 영국 셰필드대학교의 사례를 하나의 예시로 하여, 학습자들의 학습 동기와 학습 및 한국 문화 관련 태도, 교육 프로그램에 대한 인식 등에 대해 고찰해 보고자 한다.

3. 조사 대상 및 방법

본 연구에서는 국내 교환 학생 과정을 포함하고 있는 영국 셰필드대학교 한국학과 내 한국어 프로그램에 소속된 1~4학년 대상으로 온라인 설문조사를 시행하였다. 본 조사는 영국 셰필드대학교 한국학과 내 한국어 프로그램을 이수하고 있는 학생들의 한국어 학습 동기, 한국어 및 한국 문화에 대한 태도, 한국어 수업의 만족도 및 요구 등을 수집하여 교육 과정의 개선 방안을 모색해 보는 데 목적이 있다. 특히 교환 학생 프로그램을 경험하는 과정에서 그 동기와 태도에 어떠한 변화가 나타나는지에 주목해 보고자 했다.

본 온라인 설문조사에는 재학생 총 65명이 응답하였으며, 이를 학년별로 분류하면 아래와 같다. 응답자 65명 중 국내 교환 학생 프로그램을 하고 있거나 경험한 학생은 총 20명이다.[4]

[4] 다만 교환 학생 프로그램을 경험한 응답자 20명 중 출석 및 성적 미달, 개인적 사유(변화된 학습 환경, 교육 시스템 및 새로운 문화에 대한 부적응) 등으로 교환 학생 프로그램 이수를 완료하지 못한 경우가 포함되어 있을 수 있음을 밝힌다.

〈표 2〉 연구 참여자 수

학년	응답 수(명)	비율(%)
1st year	39	60.0
2nd year	6	9.2
3rd year	7	10.8
4th year	13	20.0
계	65	100.0

본 연구에서는 학습자의 기초 인적 사항, 학습 목표, 학습 동기, 학습 및 문화에 대한 태도, 교육 과정의 만족도 및 요구 사항 등을 묻는 질문을 〈표 3〉과 같이 설계하였다. 특히 학습 동기, 학습 및 문화에 대한 태도는 학습자 언어인 영어로 기술된 19개의 진술형 문항을 읽고 동의 정도에 따라 0~10점의 리커트 척도(Likert-scale)에 응답하도록 구성하였다.

〈표 3〉 진술형 리커트 척도 문항의 예

척도		Totally so	It really is		Yes		So so	Not like that		Very not		Not at all
		←--------										--------→
분류	예시 문항	10	9	8	7	6	5	4	3	2	1	0
한국어 학습 동기 (1~10)	1) I think that studying Korean will help me in my career and future career. …											
한국어 학습 및 문화에 대한 태도 (11~19)	11) Talking in Korean with my teachers and friends is not stressful. …											

설문 문항은 최재수·김중섭(2021: 296-297), 이다슴(2021: 101), 한하림(2021: 301), 강귀종·조위수(2018: 237-239), Gardner(2004)의 International AMTB (Attitude/Motivation Test Battery) Research Project 등을 참고하여 셰필드대학교 학습 맥락에서 활용할 수 있는 문항을 수정, 보완하여 제작하였다. 1~10번 문항은 한국어의 학습 동기에 관한 것이고, 11~19번 문항은 한국어 학습 및 문화에 대한 태도와 관련한 진술이다. 여기에는 한국어 학습의 통합적·도구적 동기, 한국어 학습에 대한 욕구, 한국어 학습에 대한 자신감 및 자기 조절 효능감 정도, 한국 문화에 대한 태도의 긍정성, 학습 지속 의향 및 성취에 대한 인식, 한국어 수업의 만족 정도 등이 포함되어 있다.

본 설문조사는 Microsoft Excel 및 IBM SPSS 프로그램을 사용하여 통계 처리 후 분석하였으며, 특히 설문의 결과를 해석하는 데 있어 연구자의 주관을 배제하고 구체적인 사유를 파악하기 위해 교환 학생 프로그램을 포함한 본 교육 과정을 성실히 수행한 4학년 학생의 인터뷰를 보충 자료로 참고하였다. 본 연구에서는 셰필드대학교 4학년 학생 2명이 인터뷰에 참여하였으며, 실시간 화상 회의(Google Meet)를 통해 각각 한 시간가량씩 자신의 응답과 교환 학생 프로그램 전후에 대한 자신의 경험담을 진술하였다.

본 연구에 참여한 학습자들은 각각 2017년, 2018년부터 셰필드대학교에서 한국어 학습을 시작했고, 인터뷰 당시 4학년 재학생인 동일 집단 학습자이다. 두 학습자 모두 2019년 9월에 국내 교환 학생 과정을 시작했으나 COVID-19 팬데믹 상황으로 1년 과정을 끝까지 채우지 못하고 영국으로 돌아가 온라인 수업으로 남은 과정을 수학했다.[5] 두 학습자의 한국어 숙달도는 각각 5급, 6급이다.

[5] 2020년 당시 COVID-19 팬데믹 상황이 악화되어 셰필드대학교 한국학과 3학년 학생 전원이 영국으로 돌아갔으며, 셰필드대학교 소속 연구자와 고려대학교 강사 1명이 학생들을 각각 4급, 5급으로 나누어 이수하지 못한 한 학기 수업을 시행했다. 이 수업은 한국에서 실시간 온라인 수업을 통해 진행되었으며 국내 어학 교육원의 교육 내용을 토대로 셰필드대학교 학생들의 특성에 맞게 재구성하여 교수하였다.

4. 연구의 결과 및 함의

이번 절에서는 응답자들의 한국어 학습 동기, 한국어 학습 및 한국 문화에 대한 태도와 관련된 조사 결과를 간략하게 살펴본 후, 한국어 프로그램에 대한 만족도와 요구 조사 결과에 대해 논의하고자 한다. 특히 교환 학생 프로그램 전후로 구분되는 설문 참여자들의 학년별 변인에 따른 결과를 살펴봄으로써 교환 학생 프로그램이 학습자의 동기 및 태도에 미치는 영향에 대해 고찰해 보고 향후 교육 과정을 개선해 나가는 데 시사점을 얻고자 한다.

먼저, 본 설문에서는 본격적인 문항에 앞서 기본 정보 문항을 제시하여 응답자의 한국어 학습 및 한국 체류 경험 정도와 한국어 숙달도를 파악하고자 했다. 응답자들은 〈표 4〉와 같이 과반수(55.4%)가 대학 입학 전에 한국어를 배운 적이 없거나 3개월 이하의 짧은 학습 경험만을 가지고 있다. 즉, 대부분 대학 진학 후 본 교육 과정을 통해 한국어를 기초 단계부터 학습하는 것으로 파악된다. 그러나 대학 입학 전 24개월 이상 학습한 경우도(5명, 7.7%) 발견되었다.

〈표 4〉 대학 입학 전 한국어 학습 경험

항목	응답 수(명)	비율(%)
none	17	26.2
~ 3 months	19	29.2
4 months ~ 6 months	9	13.8
7 months ~ 12 months	7	10.8
13 months ~ 18 months	5	7.7
19 months ~ 24 months	2	3.1
more than 24 months	5	7.7
기타	1[6]	1.5
계	65	100.0

또한 응답자들이 한국에 거주한 경험이 있는지를 묻는 질문을 통해 본 학습자들이 셰필드대학교와 교환 학생 프로그램을 통해 한국어뿐 아니라 한국 체류를 처음 경험해 보았다는 것을 알 수 있다.

〈표 5〉 학습자의 한국 체류 경험

항목	1학년		2학년		3학년		4학년		계	
	응답 수 (명)	비율(%)	응답 수 (명)	비율(%)	응답 수 (명)	비율(%)	응답 수 (명)	비율(%)	응답 수 (명)	비율(%)
no	38	97.4	6	100	1	14.3	3	23.1	48	73.8
~3 months					1	14.3			1	1.5
4 months~6 months					1	14.3	1	7.7	2	3.1
7 months~12 months					4	57.1	8	61.5	12	17.4
13 months~18 months										
19 months~24 months	1	2.6							1	1.5
24 months~36 months							1	7.7	1	1.5
more than 36 months										
기타										
계	39	100	6	100			13	100	65	100.0

〈표 5〉의 결과를 학년별로 자세히 검토해 보면, 1학년 97.4%(38명), 2학년 100%(6명)가 한국에 거주한 경험이 없다고 응답하였다. 이와 같은 결과를 토대로 대부분의 학생들이 교환 학생 경험을 통해 처음으로 한국에서의 생활 및 학습 경험을 하게 되는 것을 알 수 있다. 이는 또한 매체 등의 방법을 제외하고는 셰필드대학교의 한국어 학습과 교환 학생 프로그램을 통해 한국 문화를 구체적·실제적으로는 처음 접하게 될 가능성이 높다는 것을 시사한다.

〈표 6〉 학습자의 숙달도

항목	1학년		2학년		3학년		4학년		계	
	응답 수 (명)	비율(%)	응답 수 (명)	비율(%)	응답 수 (명)	비율(%)	응답 수 (명)	비율(%)	응답 수 (명)	비율(%)
Level 1	15	38.5							15	23.1
Level 2	21	53.8	1	16.7					22	33.8
Level 3	1	2.6	4	66.7					5	7.7
Level 4	1	2.6	1	16.7			2	15.4	4	6.2
Level 5	1	2.6			4	57.1	6	46.2	11	16.9
Level 6					3	42.9	5	38.5	8	12.3
Native Korean speaker level										
계	39	100.0	6	100.0	7	100.0	13	100.0	65	100.0

학습자의 숙달도는 〈표 6〉의 질문에서도 확인할 수 있다. 응답자들은 학년이 높아지면서 자신의 한국어 숙달도가 높아지고 있다고 인식하고 있다. 학기 말에 본 조사가 이루어진 것을 감안한다면 〈표 5〉과 〈표 6〉의 결과를 종합해 볼 때, 셰필드대학교에서 한국어를 배우는 학습자들은 대학 입학 후 한국어를 처음 배우기 시작하여 한국 교환 학생 경험 후 졸업 시에는 고급 수준까지 나아가는 것으로 파악된다.

〈표 7〉 한국학 전공 선택 이유(최대 3개까지 복수 응답 허용)

항목	응답 수(명)	비율(%)
한국 사회 및 문화를 이해하고 싶어서	45	25.7
졸업 후에 한국 및 한국어와 관련된 일을 하고 싶어서	40	22.9
음악, 영화, TV 등 한국 매스미디어에 관심이 있어서	37	21.1
한국인과 의사소통하고 싶어서	31	17.7
자기 계발을 위해서	19	10.9
기타	3	1.7
계	175	100.0

〈표 7〉은 한국학을 전공하고 있는 이유에 대해 묻고 있다. 한국학을 전공하게 된 계기에 대해서는 한국 사회와 문화를 이해하고 싶어서, 졸업 후에 한국 및 한국어와 관련된 일을 하고 싶어서, 한국 매스미디어에 관심이 있어서, 한국인과 의사소통하고 싶어서, 자기 계발을 위해서 등의 순으로 고루 응답하였다. 이는 학년별로 분류해 보았을 때에도 특별한 경향성을 보이지는 않았다.

4.1. 학습 동기, 학습 및 문화에 대한 태도

본 연구에서는 셰필드대학교 한국학 전공 학습자의 학습 동기, 학습 및 문화에 대한 태도에 대해 진술형 문항을 통한 리커트 척도를 산출함으로써 구체적으로 분석하였다. 이에 대한 종합적인 결과는 〈표 8〉을 통해 확인할 수 있다.

〈표 8〉 학습 동기, 학습 및 문화에 대한 태도와 관련한 종합 결과

분류	문항 번호	전적으로 그렇다 10		매우 그렇다 9-8		조금 그렇다 7-6		그저 그렇다 5		조금 그렇지 않다 4-3		매우 그렇지 않다 2-1		전혀 그렇지 않다 0		평균	분산	표준편차	평균계
		응답수(명)	비율(%)	응답수(명)	비율(%)	응답수(명)	비율(%)	응답수(명)	비율(%)	응답수(명)	비율(%)	응답수(명)	비율(%)	응답수(명)	비율(%)				
학습 동기	6	44	67.7	20	30.8	1	1.5									9.6	0.40	0.63	8.3
	4	36	55.4	23	35.4	6	9.2									9.1	1.44	1.20	
	10	31	47.7	24	36.9	7	10.8	3	4.6							8.9	1.88	1.37	
	3	32	49.2	21	32.3	10	15.4	1	1.5	1	1.5					8.9	2.25	1.50	
	5	25	38.5	29	44.6	8	12.3	1	1.5	2	3.1					8.7	2.57	1.60	
	9	25	38.5	31	47.7	5	7.7	1	1.5	2	3.1	1	1.5			8.7	2.84	1.69	
	1	20	30.5	25	38.5	18	27.7	2	3.1							8.4	2.04	1.43	
	2	7	10.8	20	30.8	25	38.5	7	10.8	4	6.2	1	1.5	1	1.5	7.1	4.12	2.03	
	8	10	15.4	21	32.3	16	24.6	10	15.4	7	10.8	1	1.5			6.9	4.63	2.15	
	7	11	16.9	12	18.5	21	32.3	5	7.7	10	15.4	2	3.1	4	6.2	6.3	7.93	2.85	
학습 및 문화에 대한 태도	17	34	52.3	22	33.8	7	10.8	1	1.5	1	1.5					9.0	2.05	1.43	7.5
	16	29	44.6	26	40	8	12.3	1	1.5			1	1.5			8.8	2.41	1.55	
	18	27	41.5	22	33.8	12	18.5	3	4.6			1	1.5			8.6	2.81	1.37	
	19	24	36.9	23	35.4	14	21.5	2	3.1	1	1.5	1	1.5			8.4	3.02	1.74	
	15	11	16.9	31	47.7	16	24.6	6	9.2	1	1.5					7.9	2.52	1.59	
	13	14	21.5	30	46.2	15	23.1	4	6.2			2	3.1			7.9	3.24	1.80	
	12	1	1.5	27	41.5	21	32.3	5	7.7	10	15.4	1	1.5			6.7	3.49	1.87	
	11	1	1.5	12	18.5	17	26.2	9	13.8	20	30.8	6	9.2			5.3	4.37	2.17	
	14	3	4.6	8	12.3	12	18.5	9	13.8	21	32.3	10	15.4	2	3.1	4.8	6.67	2.58	
평균 계																			7.9

19개의 진술에 대해 응답한 결과를 살펴보면, 전체 평균은 7.9로 긍정적임을 알 수 있다. 평균을 초과한 '매우 그렇다' 이상의 결과는 총 11개 문항으로, 이 중 평균 9점 이상인 응답은 4, 6, 17번 문항[6]이다. 또한 평균 미만의 '그저 그렇다' 이하의 응답은 11,

[6] 나는 한국어를 배우는 것을 좋아하는 편이다, 한국어는 재미있는 언어라고 생각한다, 나는 우리 수업을 통해 전반적으로 한국어 능력이 늘었다고 생각한다.

14번 문항[7]이다. 또한 추가적으로 분산 및 표준편차의 크기가 커 자료값들이 널리 퍼져 있는 것으로 파악되는 대표적인 2, 7, 14번 문항에[8] 대해서도 학년 간 경향성이 보이는지를 확인해 볼 것이다.

4.1.1. 한국어 학습 동기

언어 학습을 유지·심화하는 데에 동기는 큰 비중을 차지하는데, 〈표 8〉의 결과와 같이 본 연구 참여자들은 '매우 그렇다'(8.3)의 수준으로 한국어 학습 동기가 매우 높은 편임을 알 수 있었다. 학습자들은 〈표 9〉에서와 같이 한국어 학습에 흥미를 느낀다고(9.11) 인식하고 있으며, 〈표 10〉과 같이 한국어는 재미있는 언어(9.62)라고 응답하는 등 학습 동기와 관련된 질문에서 전반적으로 매우 긍정적인 평가를 내렸다. 또한 이 응답에서 학년 간 유의미한 차이는 나타나지 않았다.

〈표 9〉 문항 4. '나는 한국어를 배우는 것을 좋아하는 편이다'의 결과

점수 / 응답		전적으로 그렇다	매우 그렇다		조금 그렇다		그저 그렇다	조금 그렇지 않다		매우 그렇지 않다		전혀 그렇지 않다	평균	분산	표준편차
		10	9	8	7	6	5	4	3	2	1	0			
1-2 학년	응답 수 (명)	25	7	9	1	3	0	0	0	0	0	0	9.11	1.46	1.21
	비율 (%)	55.56	35.56		8.89		0.00	0.00		0.00		0.00			
3-4 학년	응답 수 (명)	11	3	4	1	1	0	0	0	0	0	0	9.10	1.46	1.21
	비율 (%)	55.00	35.00		10.00		0.00	0.00		0.00		0.00			
계	응답 수 (명)	36	10	13	2	4	0	0	0	0	0	0	9.11	1.44	1.20
	비율 (%)	55.38	35.38		9.23		0.00	0.00		0.00		0.00			

[7] 선생님과 친구들 앞에서 한국어로 이야기하는 것이 내게 그다지 스트레스를 주지는 않는다, 한국 사람과 이야기하는 것에 자신감이 있다.

[8] 나는 하고 있는 다른 일들보다 한국어가 중요하다, 예전부터 한국어를 배우고 싶었다, 외국어를 잘 구사하면 다른 사람들이 나를 더욱 높게 평가할 것이기 때문에 한국어를 배우는 것이 중요하다.

〈표 10〉 문항 6. '한국어는 재미있는 언어라고 생각한다'의 결과

응답 \ 점수		전적으로 그렇다	매우 그렇다		조금 그렇다		그저 그렇다	조금 그렇지 않다		매우 그렇지 않다		전혀 그렇지 않다	평균	분산	표준편차
		10	9	8	7	6	5	4	3	2	1	0			
1-2 학년	응답 수 (명)	30	12	2	1	0	0	0	0	0	0	0	9.58	0.48	0.69
	비율 (%)	66.67	31.11		2.22		0.00	0.00		0.00		0.00			
3-4 학년	응답 수 (명)	14	6	0	0	0	0	0	0	0	0	0	9.70	0.22	0.47
	비율 (%)	70.00	30.00		0.00		0.00	0.00		0.00		0.00			
계	응답 수 (명)	44	18	2	1	0	0	0	0	0	0	0	9.62	0.40	0.63
	비율 (%)	67.69	30.77		1.54		0.00	0.00		0.00		0.00			

본 연구에서 양적 연구 결과의 질적 해석 보완을 위해 수행하였던 인터뷰에서도 학습 동기에 대한 구체적인 진술을 들을 수 있었다. 인터뷰에 응한 학습자들도 모두 한국어를 배우기 전부터 한국어에 많은 관심이 있었다고 밝혔다.

① A: 불가리아에서 고등학교 때 그냥 그때 한국어에 관심이 생겼어요. 왜냐하면 **제가 영화를 조금 보고 그 다음에 K-POP도 조금 듣고 아 재미있다고 생각해서 그래서 아마 제가 동아시아에 관심이 있어요. 아까 말했던 것처럼 애니메이션, 일본 애니메이션을 많이 보고 있어요**. 그 다음에 언어에 관심이 또 생겼고 그 다음에 문화에도 관심이 생겼어요. **그 다음에 반 친구는 K-드라마 아마 많이 많이 보고 있었어요. 다음에도 그 친구 저에게 그 BTS 노래도 보냈어요.** 저는 궁금했어요. 그래서 그것도 들었어요. 그리고 그냥 우와 너무 좋다고 생각했어요. 그리고 한국어과에도 왔어요.

② B: 저는 **중학교 때 고등학교 때 언어에 관심이 많았어요**. 그때는 프랑스어, 독일어, 러시아어, 영어 다양한 언어를 많이 공부했고 그때도 한국에 대해 더 많이 배우게 됐어요. **음악과 영화, 한국 드라마 같은 거 보면서 한국에 대해 조금 더 배우고 한국어에 관심도 생겼어요.** 한국어를 공부하고 싶었다고.

A의 모국어는 불가리아어로, 독일어·일본어·한국어를 구사할 수 있으며 특히 동아시아어에 관심이 많다고 했다. 또한 ①에서 알 수 있듯이 한국어를 학습하기 전부터 또래 집단에서 BTS를 포함한 K-POP이나 한국 영화 등을 접할 수 있었고, 이로 인해 한국어와 한국 문화에 많은 관심이 생겼다고 한다. B의 학습 계기 역시 A와 유사한데, 불가리아어·영어·프랑스어·한국어 등 다양한 언어 학습을 해 본 경험이 있으며, 한국 음악·한국 영화·한국어 등을 배우며 한국어에 대한 관심이 더 커졌다고 한다.

〈표 11〉 문항 2. '내가 하고 있는 다른 일들보다 한국어 공부가 중요하다'의 결과

점수 / 응답		전적으로 그렇다	매우 그렇다		조금 그렇다		그저 그렇다	조금 그렇지 않다		매우 그렇지 않다		전혀 그렇지 않다	평균	분산	표준편차
		10	9	8	7	6	5	4	3	2	1	0			
1-2 학년	응답 수 (명)	6	8	7	13	6	4	1	0	0	0	0	7.53	2.53	1.59
	비율 (%)	13.33	33.33		42.22		8.89	2.22		0.00		0.00			
3-4 학년	응답 수 (명)	1	2	3	6	0	3	2	1	1	0	1	6.10	6.52	2.55
	비율 (%)	5.00	25.00		30.00		15.00	15.00		5.00		5.00			
계	응답 수 (명)	7	10	10	19	6	7	3	1	1	0	1	7.09	4.12	2.03
	비율 (%)	10.77	30.77		38.46		10.77	6.15		1.54		1.54			

한국어 학습의 중요성 인식 정도를 묻는 질문에 대한 응답은 '조금 그렇다'의 수준(7.09)에서 집계되었다. 특히 이 문항은 3~4학년의 평균이 1~2학년에 비해 낮고 평가도 분산되어 나타난 것을 볼 수 있다. 이는 교환 학생의 경험이 학습자의 동기나 목표 설정에 긍정적 혹은 부정적 변화를 가져다줄 수 있음을 확인할 수 있는 결과라 할 수 있다.

인터뷰에 참여한 두 학생은 교환 학생 경험이 긍정적 동기 강화와 구체적인 목표 설정에 영향을 미친 사례로 확인된다. A는 처음에는 한국어를 조금 구사할 수 있게 되는 것이 목표였으나, 한국에서 한국 사람과 또는 다른 나라 사람과 한국어로 의사소통을 하며 생각의 폭을 넓힐 수 있는 계기가 되었고 한국 문화를 이해하고 더 원활하게 소통

하고 싶다는 새로운 목표가 생겼음을 언급했다. 그러나 아직 한국어에 자신감이 없고 문화적 낯섦을 이유로 진로와 관련된 구체적인 목표는 세우지 못했다고 밝혔다.

③ 연구자: 그럼 혹시 처음에 공부할 때 목표가 있었어요?

A: **아마 처음에 그냥 조금 더 할 수 있다면 좋겠다고 생각했어요.** 그 다음에 조금 더 조금 더. 조금 더 많이 배우면, 물론 유창하고 싶어요. 그런데 연습을 많이 안 하면 그리고 한국 사람도 이야기 많이 안 하면 어려워요. 그런데 처음에 한국 사람을 이야기하고 싶었어요. 그리고 모든 것을 알 수 있으면 좋겠다고 생각했어요.

④ A: 음… **사실 한국에 가보니까 너무 너무 좋았어요.** 왜냐하면 여기는 유럽보다 음… 너무 달라요. 물론 비슷한 것도 있지만 너무 달라요. 문화도, 건물도, 언어도. 너무 너무 좋았어요. 그리고 서울은 너무 큰 도시이잖아요. 제 고향은 너무 작은 도시예요. 그래서 너무 좋았어요. 그냥 사람들도 물론 다 좋은 사람 아니었지만. 제 경험에 너무 좋은 친구들이 많았어요, 그리고 선생님도. 그리고 생각하는 어떻게 생각하는지 조금 바꼈었어요. 아마 음… 잠깐만요 단어 잊어버렸어요. Matured?

연구자: 성숙했어요? 아, 생각이?

⑤ A: **아마 한국에 가기 전에 한국어를 조금 할 수 있으면 좋겠다고 생각했지만 한국에 간 후에 아마 더 유창하게 유창할 수 있으면 더 좋을 거예요.**

연구자: 그럼 진로에는 변화가 없어요?

A: **아직은 잘 모르겠어요. 아마 한국에서 오래 살고 싶지 않을 것 같아요? 아직 잘 모르겠어요. 일단은 유럽에서 일하고 싶어요. 그리고 제가 자신감이 잘 음 없어요. 아.**

연구자: 아, 왜요?

A: **일단 유럽에서 아마 더 편안할 거예요. 유럽에서 영어도 한국어도 계속 배우고 아마 그 다음에 자신감이 생긴다면 그 다음에 한국에서 일할 수 있으면 좋겠다고 생각해요. 아직 모르겠어요.**

나아가 B는 처음에는 자연스럽게 이야기할 수 있을 정도의 수준까지 말하는 것이 목표였으나 교환 학생 경험 후에는 5급, 6급 수준의 한국어를 구사하고 싶다는 구체적인 목표가 생겼다고 말했다. 또한 처음에는 단지 한국어 학습을 잘하는 것이 목표였으나 교환 학생 과정 중 언어학 관련 수업을 통해 한국어 또는 언어학과와 관련된 진로를 선택하고 싶다는 새로운 목표가 생겼음을 밝혔다.

⑥ 연구자: 그럼, 혹시 한국어를 처음 배울 때 얼만큼 한국어를 하고 싶었어요? 아니면 한국에 대해 얼만큼 배우고 싶은 목표가 있었어요? 처음에는?

B: **음, 처음에는 지금처럼 한국어를 자연스럽게 높은 수준으로 이야기하고 싶었어요. 저는 언어에 관해서라면 완벽주의자라고 생각해서 한국어 문법, 5급이나 6급까지 자연스럽게 이야기하고 싶어요. 특히 한국에 갔을 때 언어학과 관련이 있는 과목? 수업을 들었어요. ××대학교에서 언어학 들었는데 관심이 생겼어요. 셰필드에 돌아왔을 때도 그런 같은 수업을 들었어요. 그래서 아마 미래에도 음 한국어 아니면 언어학에 대한 직업을 가질 수 있으면 좋겠다고 생각해요.**

연구자: 한국에서 들었던 수업 제목 혹시 기억나요?

B: 이름은 English Pronunciation 같은 거였어요. 영어 발음을 어떻게 다른 사람에게 가르치는 법이었어요.

⑦ 연구자: 한국어가 삶에서 더 중요해진 것 같아요?

B: **제가 미래에 한국어와 관련된 직업을 찾고 싶으니까 그 한국어 잘하는 것이 중요해요.**

B는 교환 학생 과정 후에 한국어와 관련된 직업을 갖고 싶다는 목표가 생겨 한국어가 삶에서 더 중요해졌음을 언급했다. 이를 통해 교환 학생 프로그램이 학습의 목표점 변화에 긍정적인 영향을 미쳤음을 알 수 있다.

〈표 12〉 문항 7. '예전부터 한국어를 배우고 싶었다'의 결과

응답 \ 점수		전적으로 그렇다	매우 그렇다		조금 그렇다		그저 그렇다	조금 그렇지 않다		매우 그렇지 않다		전혀 그렇지 않다	평균	분산	표준편차
		10	9	8	7	6	5	4	3	2	1	0			
1-2 학년	응답 수 (명)	9	2	6	5	10	3	4	4	0	1	1	6.56	6.66	2.58
	비율 (%)	20.00	17.78		33.33		6.67	17.78		2.22		2.22			
3-4 학년	응답 수 (명)	2	3	1	4	2	2	1	1	1	0	3	5.70	10.75	3.28
	비율 (%)	10.00	20.00		30.00		10.00	10.00		5.00		15.00			
계	응답 수 (명)	11	5	7	9	12	5	5	5	1	1	4	6.29	7.93	2.82
	비율 (%)	16.92	18.46		32.31		7.69	15.38		3.08		6.15			

7번 문항은 한국어 학습의 지속적 동기에 대한 질문으로, 통합적 동기에 해당한다. 문항 분석 결과, 전체 평균 6.29로 '조금 그렇다'의 수준을 나타내고 있으나, 3~4학년의 평균은 5.70으로 '그저 그렇다'의 수준이며 평가도 분산되어 나타났다. 이에 대해 인터뷰를 통해 확인해 본 결과 문항의 해석에 학습자 간 차이가 있었을 것으로 짐작된다.

⑧ 연구자: 7번도 조금 낮게 응답한 것 같아요.
B: 아, **Always가 아니었어요**. 한국에 관심이 있었을 때는 고등학생 때였어요. 고등학생 전에 한국에 대해 많이 모르고 한국어 배우기에 관심이 없었어요.

B는 한국어를 고등학교 때부터 좋아한 것이지 예전부터 좋아한 것은 아니라 낮은 점수에 표시했다고 대답했다. 학습자의 대답을 토대로 짐작하였을 때, '예전'의 정도에 대한 인식이나 문장의 의미에 대한 해석이 개인적으로 달라서 분산도가 크게 나왔을 가능성도 배제할 수 없다.

〈표 13〉 문항 8. '외국어를 잘 구사하면 다른 사람들이 나를 더욱 높게 평가할 것이기 때문에 한국어를 배우는 것이 중요하다'의 결과

응답 \ 점수		전적으로 그렇다	매우 그렇다		조금 그렇다		그저 그렇다	조금 그렇지 않다		매우 그렇지 않다		전혀 그렇지 않다	평균	분산	표준편차
		10	9	8	7	6	5	4	3	2	1	0			
1-2 학년	응답 수 (명)	6	2	14	6	9	5	1	1	0	1	0	7.09	3.76	1.94
	비율 (%)	13.33	35.56		33.33		11.11	4.44		2.22		0.00			
3-4 학년	응답 수 (명)	4	1	4	0	1	5	2	3	0	0	0	6.45	6.58	2.56
	비율 (%)	20.00	25.00		5.00		25.00	25.00		0.00		0.00			
계	응답 수 (명)	10	3	18	6	10	10	3	4	0	1	0	6.89	4.63	2.15
	비율 (%)	15.38	32.31		24.62		15.38	10.77		1.54		0.00			

8번 문항은 한국어 학습의 도구적 동기에 대한 사례이다. 한국어를 잘 구사하면 나의 가치가 높아진다고 생각하는지에 관한 문항에도 3~4학년의 평균이 더 낮고 평가도 분산되어 나타났다. 구체적인 응답 사례로, A는 언어 자체가 자신을 규정지을 수 없다고 언급하며 이러한 이유로 높지 않은 점수에 표시했다고 대답했다. A 학생과 같이 '한국어를 배우는 것이 중요하다'에 대해서는 동의하나 언어가 사람의 평가 기준이 될 수 없다는 응답자의 가치관이 반영되어 분산도가 크게 나왔을 가능성도 배제할 수 없다.

⑨ A: **I don't think that the language defines what person I am. Even if I know another language I am still me.** 그래서 다른 언어를 알아도 제가 저예요. 그래서 다른 사람은 제가 판단? 잠시만요. 판단. 제가 어떻게 판단하는지 언어만 보기 안 된다고 생각해요. 제가 어떻게 생각하는지 어떻게 행동하는지 이런 것도 중요하다고 생각해요. 물론 다른 언어를 알면 그것도 아주 좋아요. 많은 언어를 알고 싶어요. 그런데 제가 그냥 저예요.

4.1.2. 한국어 학습 및 문화에 대한 태도

한국어 학습과 한국 문화에 대한 태도와 관련한 문장들을 읽고 얼마나 동의하는지를 묻는 질문에서는 평균 7.5 수준에서의 긍정적 응답을 도출할 수 있었다. 특히 17번 문항인 한국어 수업에 대한 태도를 묻는 질문의 결과를 통해서 한국어 수업이 학습자들에게 긍정적인 영향을 미치고 있음을 확인할 수 있다. 우리 수업을 통해 전반적으로 한국어 능력이 향상되었다고 생각하는지를 묻는 질문에는 '매우 그렇다'의 수준에서 비슷한 긍정 평가를 내렸다.

〈표 14〉 문항 17. '우리 수업을 통해 전반적으로 한국어 능력이 향상되었다고 생각한다'의 결과

응답 \ 점수		전적으로 그렇다	매우 그렇다		조금 그렇다		그저 그렇다	조금 그렇지 않다		매우 그렇지 않다		전혀 그렇지 않다	평균	분산	표준편차
		10	9	8	7	6	5	4	3	2	1	0			
1-2 학년	응답 수 (명)	27	10	3	3	1	1	0	0	0	0	0	9.24	1.46	1.21
	비율 (%)	60.00	28.89		8.89		2.22	0.00		0.00		0.00			
3-4 학년	응답 수 (명)	7	5	4	2	1	0	0	1	0	0	0	8.50	3.11	1.76
	비율 (%)	35.00	45.00		15.00		0.00	5.00		0.00		0.00			
계	응답 수 (명)	34	15	7	5	2	1	0	1	0	0	0	9.02	2.05	1.43
	비율 (%)	52.31	33.85		10.77		1.54	1.54		0.00		0.00			

⑩ 연구자: 네, 그럼 어떻게 한국어를 공부하면 훨씬 더 잘 공부할 수 있을지에 대해서도 예전보다 더 알게 된 것 같아요?

B: **네, 잘 알게 된 것 같아요.** 그중에서 제일 도움이 된 것은 아마도 수업에만 공부하는 것이 아니라 시간이 있을 때 드라마도 보고 음악을 듣고 다른 방법으로 공부하는 것이 도움이 되는 것 같아요.

⑪ B: 한국어를 배우기 전에 한국에 대해 전혀 몰랐어요. 그런데 수업을 듣다가 선생님한테 많은 것을 셰필드 선생님도 그렇고 어학당 선생님도 그렇고 **선생님한테서 많이 문화에 대해 배웠어요. 한국 친구한테도 많이 문화에 대해서 알게 되었 배운 것 같아요.**

⑩, ⑪에서도 볼 수 있듯이, 셰필드대학교 및 국내 교환 학생 수업, 한국 친구와의 교류 등을 통해 한국어를 공부하는 방법이나 한국 문화에 대해 익숙해지고 있음을 확인할 수 있다.

한국어 학습과 문화에 대한 태도가 한국어 수업을 통해 긍정적으로 변화하고 있는 것은 사실이나, 여기에서는 특별히 학습자의 자신감 및 자기 효능감에 대한 질문에서 상대적으로 부정적인 결과가 나온 것에 주목해 볼 필요가 있다.

〈표 15〉 문항 11. '선생님과 친구들 앞에서 한국어로 이야기하는 것이 내게 그다지 스트레스를 주지 않는다'의 결과

응답 \ 점수		전적으로 그렇다	매우 그렇다		조금 그렇다		그저 그렇다	조금 그렇지 않다		매우 그렇지 않다		전혀 그렇지 않다	평균	분산	표준편차
		10	9	8	7	6	5	4	3	2	1	0			
1-2 학년	응답 수 (명)	1	3	3	7	4	6	8	8	4	1	0	5.09	5.08	2.25
	비율 (%)	2.22	13.33		24.44		13.33	35.56		11.11		0.00			
3-4 학년	응답 수 (명)	0	1	5	1	5	3	3	1	1	0	0	5.90	3.67	1.92
	비율 (%)	0.00	30.00		30.00		15.00	20.00		5.00		0.00			
계	응답 수 (명)	1	4	8	8	9	9	11	9	5	1	0	5.34	4.73	2.17
	비율 (%)	1.54	18.46		26.15		13.85	30.77		9.23		0.00			

'선생님과 친구들 앞에서 한국어로 이야기하는 것이 내게 그다지 스트레스를 주지 않는다'는 질문에서는 평균 5.34%의 결과를 보여 주어 '보통' 수준의 인식을 가지고 있음을 알 수 있다. 즉, 학습자들이 타인 앞에서 한국어로 이야기하는 것에 대한 불안을 가지고 있음을 확인할 수 있는데, 3~4학년의 응답이 같은 수준에서도 다소 높은 수치를

나타내었다. 관련하여, 인터뷰에서도 두 학습자 모두 어학연수 과정에서 다양한 학습자들과 연습한 경험으로 인해 한국에 다녀온 후 스트레스를 덜 받게 되었다고 말했다. 이는 국내 교환 학생 경험이 한국어 발화 시 정의적 요인에 해당하는 불안, 스트레스 등을 감소시키는 데 영향을 미쳐 한국어 말하기 수행에 긍정적 효과를 주었음을 의미한다.

⑫ A: 네, 아마 처음에 한국어를 한국어 배우기 배우기 시작했거든요. 왜냐하면 다 모르는 것이었거든요. 그래서 **너무 무섭고 부끄럽고 그리고 아직은 익숙하지 않았어요. 그래서 조금 안 하고 싶다고 생각했어요. 그런데 한국이 그… 갈 때 처음에 계속 생각하고 있었어요. 그런데 3개월 후에 그냥 하자 이렇게 생각했어요. 왜냐하면 실수 물론 할 거예요. 아직은 배우는 중에 있으니까.**

⑬ 연구자: 그럼 혹시 한국에 갔다 온 경험 덕분에 한국어로 이야기하는 데 스트레스를 덜 받게 되었어요? 한국에 다녀오고 셰필드대학교에서 공부했더니 스트레스를 덜 받는 것 같아요?

B: **네, 조금 그래요. 그런 것 같아요.**

〈표 16〉 문항 14. '한국 사람과 이야기하는 것에 자신감이 있다'의 결과

점수 / 응답		전적으로 그렇다	매우 그렇다		조금 그렇다		그저 그렇다	조금 그렇지 않다		매우 그렇지 않다		전혀 그렇지 않다	평균	분산	표준편차
		10	9	8	7	6	5	4	3	2	1	0			
1-2 학년	응답 수 (명)	1	2	0	4	3	7	9	9	6	3	1	4.16	4.91	2.22
	비율 (%)	2.22	4.44		15.56		15.56	40.00		20.00		2.22			
3-4 학년	응답 수 (명)	2	2	4	3	2	2	1	2	0	1	1	6.20	8.06	2.84
	비율 (%)	10.00	30.00		25.00		10.00	15.00		5.00		5.00			
계	응답 수 (명)	3	4	4	7	5	9	10	11	6	4	2	4.78	6.67	2.58
	비율 (%)	4.62	12.31		18.46		13.85	32.31		15.38		3.08			

한국 사람과 이야기하는 것에 자신감이 있는지를 묻는 질문에 1~2학년은 평균 4.16%로 다소 부정적인 입장을 보였고, 3~4학년에서는 긍정의 수준(6.20%)에서 평균의 차이를 확인할 수 있다. 이 역시 분산의 정도가 매우 높은 편인데, 특히 3~4학년의 응답에서 평가가 분산됨을 알 수 있다. A 학생은 ⑭와 같이 인터뷰에서, 자신감이 더 높아진 것은 사실이나 여전히 자신감이 높은 편은 아니라서 비교적 낮은 점수에 표시했음을 밝혔다.

⑭ A: 친구들하고, 음 **일단은 한국에 처음 갔을 때 아마 너무 부끄러웠어요. 아마 3개월 후에 그냥 해야 했으니까 하자, 이렇게 생각했어요. 친구들도 한국어로 이야기 시작했어요.** 어학당만 아니고 우리 자유 시간도 그랬어요. 그래서 **아마 자신감이 조금 생겼어요. 실수도 하면 괜찮아요. 그런 생각이 생겼어요.**
연구자: 아, 한국에서 교환 학생 후에.
A: 그런데 **저는 원래 자신감이 별로 없어서 지금도 별로 없어요.**

B는 교환 학생 과정 후에 걱정을 덜 하게 되었으나 완벽주의자 성향으로 인해 완벽한 문장을 발화하지 않으면 실수할까 봐 걱정이 되어 마찬가지로 비교적 낮은 점수에 표시했다고 이야기했다.

⑮ B: 14번, 제가 설문조사에 자신이 좀 없다고 대답했어요. 그 이유는 한국어 할 때 한국어뿐만 아니라 외국어 할 때 좀 실수할까 봐 걱정이에요. 그거는 나쁜 것 같아요. 그러지 않아야 해요. **그런데 언어에 대해 완벽주의자라서 그거 제일 큰 문제인 것 같아요.**
연구자: 그럼 혹시 한국에 다녀온 후에 이 부분도 조금 좋아졌어요?
B: 네, **이렇게 완벽하지 않아도 해야 해요 하는 마인드셋하려고 노력하고 있어요. 저보다 아주 잘하는 사람들이 있어서 불안해요. 제가 그 사람들처럼 자연스럽게 한국어 하고 싶어요. 아주 잘하고 싶어요.**

자신감, 스트레스 등의 정의적 요인은 이렇게 주관적 척도에 의해 결정되므로 교환 학생 과정으로 인해 향상된 상대적 척도가 아닌 자신이 원래부터 생각하는 절대적 척도로 판단하여 설문에 응했을 가능성도 배제할 수 없다. 따라서 설문 결과의 수치가 결과를 객관적으로 보여 준다고 보기 어려운 측면이 있으며, 이러한 이유로 큰 분산도를 나타낸 것으로 해석해 볼 수 있다.

즉, 문항 11과 14의 결과를 종합해 보면, 한국인과 의사소통할 기회가 적은 KFL 환경에서 한국어로 이야기하는 것에 대한 부담이 있으며, 이것이 국내 교환 학생 경험을 통해 다소 해소되기는 하나 여전히 매우 긍정적인 차원까지 나아가지는 못하고 있는 것으로 파악된다. 따라서 국내 교환 학생 파견 전 한국어로 표현하는 것에 대한 불안과 부담을 줄이기 위한 노력이 필요하며, 특히 말하기에 대한 자신감을 높이기 위한 지원이 요구된다.

4.2. 교육 과정의 만족도 및 요구

나아가 본 연구에서는 지금 운영되고 있는 한국어 교육 과정의 개선 방안을 마련하기 위해 현재 교육 과정의 만족도와 요구 조사를 시행하였다. 먼저, 셰필드대학교 한국학과 내 한국어 수업 중 어떤 것이 가장 도움이 되었는지를 묻는 질문에서는 〈표 17〉과 같이 어휘 및 문법 수업에 대한 만족도가 가장 높았으며(31.6%), 듣고 말하기(28.0%), 읽고 쓰기(26.3%)의 순으로 집계되었다. 즉, 교육 과정 내 한국어 의사소통을 위한 지식 및 기능에 대해 도움을 가장 많이 받고 있는 것을 알 수 있다.

〈표 17〉 가장 도움이 되는 수업(최대 3개까지 복수 응답 허용)

항목	응답 수(명)	비율(%)
어휘 및 문법	54	31.6
듣고 말하기	48	28.0
읽고 쓰기	45	26.3
한국 사회 및 문화	12	7.0
매체 한국어	1	0.6
한자	3	1.8
취업 인터뷰	6	3.5
논문 준비	1	0.6
기타	1	0.6
계	171	100.0

⑯의 인터뷰에서도 B는 셰필드대학교에서 학습한 문법 수업이 교환 학생 과정에 도움이 되었고 특히 동사, 형용사 등 문법 학습에 필요한 메타언어를 배운 것이 유용했다고 밝혔다.

⑯ B: 2학년 때 2학기였을 것 같은데 그때 그 **형용사, 동사, 명사라는 단어를 공부했던 것이 도움이 되었던 것 같아요**. 어학당에 다녔을 때 선생님이 그 단어를 많이 사용했어요. 아마 그 단어를 몰랐다면 어려움이 있었을 것 같아요.

학습 만족도에서 어휘 및 문법의 응답이 가장 많았던 반면, 어떤 한국어 수업이 더 필요한지를 묻는 질문에서는 듣고 말하기의 응답 비율이 30.8%로 가장 높았다. 또한 읽고 쓰기의 비율이 14.6%로 집계되어, 의사소통에 대한 요구가 높으며 특히 현재 교육과정에서 구어 의사소통에 대한 필요가 더욱 요구됨을 알 수 있었다.

〈표 18〉 더 필요한 수업(최대 3개까지 복수 응답 허용)

항목	응답 수(명)	비율(%)
듣고 말하기	40	30.8
읽고 쓰기	19	14.6
어휘 및 문법	18	13.8
한국 사회 및 문화	17	13.0
취업 인터뷰	11	8.5
한자	10	7.7
매체 한국어	8	6.2
논문 준비	7	5.4
기타	0	0.0
계	130	100.0

또한 한국 사회 및 문화에 대한 요구(13.0%)도 어휘 및 문법(13.8%)과 비슷한 수준으로 집계되어, 이에 대한 필요성도 간과할 수 없음을 확인할 수 있었다.

인터뷰 내에서도 두 학습자 모두 말하기 수업의 중요성을 강조하며 더 많은 말하기 수업 시수와 말하기 연습 강화의 필요성에 대해 언급했다. 특히 말하기를 잘 못하는 것이 부끄러움과 연관되어 있다고 공통적으로 인식하고 있는 것을 보았을 때, 말하기의 숙달도뿐 아니라 말하기의 자연스러움과 자신감 고취에 수업의 지향점을 두어야 함을 도출할 수 있다.

⑰ A: **영국에서 한국보다 수업이 많이 없었어요.** 그것이 제일 부족하다고 생각해요. 그리고 **말하기 많이 안 했어요**. 부끄러웠어요. 그리고 선생님도 괜찮다고 말했어요. 그런데 조금… 한국에서 너무 좋았어요. 자주 공부하고 수업도 자주 있고 저에게 너무 맞았어요. 왜냐하면 제가 집중하기 어렵잖아요. (중략) **이야기도 연습 연습해야 해요. 그건 1학년 때 조금 어려워요. 왜냐하면 지금 시작하고 있으니까. 그런데 2학년 학생들이 이야기 조금 많이 하면 좋을 것 같아요. 제가 부끄럽다고 했잖아요.** 그런데 이야기 많이 해야 하면 부끄러워도 해야 해요. 그래서 도움이 많이 될 수 있어요. 이렇게 하면.

⑱ B: **말하기 기회를 더 주는 것은 도움이 될 것 같아요.** 한국에 갔을 때 자연스럽게 한국말로 이야기하는 것이 몇 달 지난 후에인 것 같아요. **처음에는 부끄럽고 자신이 없었어요.** 그런데 시간이 지나면서 조금 더 자연스럽게 되었어요. 그래서 아마도 1학년과 2학년 학생들이 말하기 기회가 더 많았으며, 기회가 더 많아야 자신감이 더 생기고 자연스러워질 것 같아요.

한국에서 학습할 때와 영국에서 학습할 때의 차이점을 묻는 질문에 대해 ⑰과 같이 한국 어학교육원이 셰필드대학교보다 수업이 많아서 좋았다고 공통적으로 언급했고, 특히 B는 수업 시간에 한국어로만 이야기한 점, 다른 문화를 느낄 수 있었던 점을 장점으로 꼽았다. 이에 덧붙여 어휘를 주제별로 공부한 점, 책에서 배운 내용만 시험에 나오는 성취도 평가라는 점을 한국에서 학습할 때의 장점으로 언급했다.

4.3. 연구 결과의 해석 및 함의

이번 절에서는 지금까지 살펴본 온라인 설문조사 및 인터뷰를 통해 수집된 연구 결과를 정리하고 그 함의를 찾아보고자 한다. 먼저, 셰필드대학교에서 한국어를 학습하는 학생들은 입학 후 기초 단계의 과정부터 한국어 학습을 시작하여 교환 학생 과정을 거쳐 고급 단계로 졸업하는 것을 알 수 있었다. 또한 대부분 교환 학생 경험을 통해 한국 체류를 처음 경험하였다. 이렇게 해외 대학에서 한국어를 처음 배우게 되는 학습자들의 학습 동기와 학습 및 학습 태도를 교환 학생 경험 전후로 알아본 결과, 1~2학년에 비해 3~4학년의 평균이 높거나 낮은 항목들이 나타났고, 연구자들은 그와 관련된 내용에 대한 추가 인터뷰를 통해 이를 뒷받침하는 사례 및 과정을 구체적으로 확인하였다. 이러한 양적, 질적 분석을 통합하여 나타난 결과는 다음과 같다.

첫째, 모든 학년의 학습자들이 한국어에 큰 흥미를 지니고 있고, 전반적으로 한국어 수업을 통해 자신의 한국어 실력이 향상되었다고 느꼈다. 또한 교환 학생 경험 후 한국어를 더욱 재미있는 언어로 인식하며 한국어에 대한 학습 목표가 구체적으로 심화되거나 한국 문화 및 타 문화에 대한 생각이 확장되어 한국 문화에 대한 학습 목표가 긍정적으로 변화된 사례를 확인하였다. 국내 교환 학생 과정에서 폭넓은 사회 문화적 의사소통을 좀 더 원활하게 할 수 있었고, 이를 통해 한국어 학습에 대한 목표 및 동기가 더욱 강화되었다.

둘째, 셰필드대학교 학생들의 경우 한국어로 이야기하는 것에 대한 불안과 함께 자신감이 많이 결여되어 있었으나 교환 학생 경험 후 동료 학습자, 한국인 등과 한국어로 의사소통하는 것에 대한 스트레스가 감소하고 자신감이 다소 상승한 사례를 확인하였다. 이는 영어를 매개 언어로 사용하던 KFL 환경에서 한국어를 생활 언어로 사용하는 환경으로 변화하면서 이에 적응하는 과정을 통해 학습의 대상으로서의 한국어에서 의사소통을 할 수 있는 매개 언어로서의 한국어로 인식이 확장되었으며 이러한 경험이 학습자들의 정의적 측면에도 긍정적인 변화를 일으켰다고 설명할 수 있다. 이는 결과적으로 국내 교환 학생 경험이 학습자들의 동기와 자기 효능감을 높이고 학습의 목표점을 재설계하는 데 유의미한 영향을 미쳤다는 것을 시사한다. 그러나 교환 학생 경험 후에도 여전히 한국어 말하기, 한국어 학습에 자신감이 결여된 학습자가 발견되고 있으므로 이러한 학습자들을 위해 학과 차원에서의 지원과 교육적 대안을 마련할 필요가 있다.

한편, 학습 만족도와 관련하여 셰필드대학교에서 배운 문법 학습이 교환 학생 과정에서 도움이 되었다는 점, 교환 학생 프로그램에 수업 시수가 많고 한국어에 말하기 연습 기회가 많았던 점 등을 통해 셰필드대학교 한국어 수업에서 말하기 수업 시간 시수를 확장하고 말하기 연습을 강화시키는 방안에 대한 연구가 필요함을 확인할 수 있다. 이에 더하여 국내 한국어 교육 체계와 셰필드대학교의 교육 체계의 연계성을 고려한 교육 과정 연구, 학습자들의 적응을 위한 지원 방안 연구 등을 통해 교육 과정을 보완해 나가는 것이 필요하겠다.

5. 나가며

본 연구에서는 해외 대학의 한국어 교육 과정의 발전적 방향을 모색하기 위해 셰필드대학교의 운영 사례를 예시로 삼아 한국어 교육 과정 전반을 고찰하고 학습자 설문 및 질적 면담을 통한 다각적 분석을 시도하였다. 이를 토대로 국내 교환 학생 프로그램을 포함하고 있는 해외 대학 내 한국어 교육 과정의 개발 방향과 내용에 대해 제안하고자 한다.

첫째, 학습자가 기초 단계에서 한국어를 배우고 한국의 문화를 접하기 시작하므로 기초 한국어에 대한 이해를 높이고 긍정적인 학습 경험을 도모할 수 있도록 유도하는 것이 필요하다. 특히, 한국 체류가 교환 학생 프로그램을 통해 처음 이루어지는 것으로 파악되었는데, 따라서 교환 학생 프로그램 이전에 양교 간 교육 과정이 매우 이질적인 인상을 받지 않고 자연스럽게 학습 맥락이 옮겨 갈 수 있도록 교육 과정 및 학습 환경을 조성해 나가는 노력이 요구된다. 국내 교육 과정과의 연계성을 높이기 위한 방안 중 하나로 국내 한국어 교육에서 일반적으로 널리 시행되는 역할극(Role-Play), 그룹별로 정해진 주제에 대해 토론 및 개인적 의견 이야기하기 등의 다양한 평가 방법을 활용할 수 있다. 이에 더하여, 평가 종류 및 방법을 강의 계획서에 구체적으로 명시하고 평가 기준 등을 사전에 안내하여 학습자들이 교육 평가 수행을 통해 교육 목적을 달성할 수 있도록 하면 보다 나은 교육 효과를 기대할 수 있을 것이다. 실제로 셰필드대학교의 2021/2022년도 1학년 2학기 한국어 과정에 연구자는 역할극 말하기 평가 방안을 새로 도입하고 사전에 학생들에게 평가의 유형과 방법 등을 상세히 공지하여 같은 반 학습자들과 연습하며 미리 시험을 준비할 수 있도록 했다. 그 결과 학생들의 말하기 실력이 1학기에 비해 월등하게 향상되었으며, 학생들에게 "한국어 말하기에 이제 자신감이 생겼다, 한국어 말하기 실력이 좋아졌다, 미리 친구와 연습할 수 있어서 도움이 많이 되었다" 등의 긍정적인 의견을 들을 수 있었다. 이렇게 새로 고안한 평가가 말하기 실력 향상에도 효과적인 것으로 입증되어 이후에도 계속 시행될 예정이다.

나아가, 학습 초기에서부터 한국인과의 접촉을 늘릴 수 있도록 탄뎀 프로그램 등을 적극적으로 활용하는 것도 좋겠다. 특히 최근에는 온라인상에서 시공간을 초월한 의사소통 도구가 다양하게 개발되고 있으므로, 국내 자매 학교 재학생들과 국내 교환 학생 프로그램 전후에도 지속적으로 의사소통할 수 있는 방안을 모색해 보면 좋을 것이다.

둘째, 본 연구 참여자들은 한국어를 배우는 데 대한 긍정적인 동기와 태도를 가지고 있었던 것과 별개로 한국어 학습 또는 한국인과의 의사소통에 대한 자신감이 낮은 수준으로 파악되었다. 학습자들의 의사소통 기회를 높이고 자신감 고취를 도모하기 위한 다양한 방안을 고민해 보아야 한다. 특히 학습자들의 만족도 및 요구 조사에서 도움을 가장 많이 받고 있는 수업은 문법 및 어휘 영역이지만 학습자들의 요구가 높았던 것은 구어 의사소통이었다. 또한 인터뷰에 참여한 학습자들을 비롯하여 설문에 참여한 많은 학습자들이 교환 학생 과정 이후 한국어 말하기 연습의 필요성을 느끼며, 1학년, 2학년, 4학년의 셰필드대학교 한국어 수업에서 말하기 수업 시수 및 시간을 늘리고 말하기 연습을 강화해 줄 것을 바라고 있었다. 그러나 수업 시수를 늘리는 것은 현실적인 제약이 있으므로, 이에 대한 대안으로 수업 시간 중에 말하기 연습 및 활동을 늘리고 강화할 필요성이 제기된다. 예를 들어, 문법 수업 등에서 연습지로 확인하는 연습 외에도 간단하게 말하기 활동으로 배운 문법을 활용하는 연습 방안을 추가하여 학습자들이 배운 것을 응용하고 생활 속에서 활용할 수 있도록 장려하는 것도 가능하다. 듣기 수업, 읽기 수업 중에도 말하기 활동을 강화하면 더 효율적인 학습이 이루어질 것이다. 이와 더불어 평가에서도, 학습자들이 특정 주제에 대해 준비한 후 발표하거나 교사의 질문에 대답하는 등의 말하기 평가를 적극적으로 활용하고, 수업 시간에 배우고 짝 활동으로 연습한 말하기 활동을 평가에 도입하면 평가를 준비하는 과정에서 학습자들의 말하기 실력이 향상될 것으로 보인다.

셋째, 본 설문에서는 해외 대학 학습자들이 한국어를 배우는 목적이 하나로 집약되기보다는 다양하게 집계되었다. 따라서 한국어를 배우려는 목적에 대한 구체적인 동기 부여를 위해 노력하는 것과 별개로, 뚜렷하게 특별한 목적이 있는 학생들을 동아리 활동 등으로 교류하고 목표를 발전시켜 나갈 수 있도록 장을 마련하는 것도 가능하다.

본 연구에서는 교환 학생 전후에 어떤 점이 변화하였는지를 확인하기 위해 3~4학년의 응답 중 1~2학년에 비해 평균이 높은 항목들을 집계하여 분석하였으며 이를 보완하기 위해 추가 인터뷰를 통한 질적 분석을 병행하여 타당성을 높였다. 그러나 1~2학년에 비해 한국에 체류하고 있거나 다녀온 3학년과 4학년의 응답자 수가 상대적으로 적어 연구 결과 분석에 제한이 있었다. 셰필드대학교 한국학과 1학년의 학생 수가 다른 학년에 비해 월등하게 많은 특징이 있기는 하나[9] 더 많은 응답자를 확보한다면 통계적으로 더 유의미한 결과를 도출할 수 있을 것이다.

해외에서 한국어 및 한국 문화에 관심을 가지게 된 학습자의 동기가 한국학 전공으로 발전하고, 한국학 전공 및 국내 교환 학생 프로그램을 통해 한국어 및 한국 문화에 대해 긍정적인 태도를 고취하여 구체적인 진로를 발견해 가는 일은 단순히 한국어 가능자의 수를 늘리는 차원을 넘어 해외 각국의 우호 관계 및 협력 증진에 이바지할 수 있는 인력을 양성한다는 큰 의미를 가지고 있다. 따라서 국내외 한국어 교육이 환경적 차이에 따른 이질성을 완화하고 체계적인 프로그램으로 개선해 나가 전공생들을 전문 인력으로 성장시켜 나가는 데 기여할 수 있기를 기대하며, 본 연구의 결과가 해외 대학 내 한국어 교육 과정 및 국내 교환 학생 프로그램을 개발해 나가는 데 두루 활용될 수 있기를 바란다.

[9] 셰필드대학교에서는 1학년 과정의 성적은 졸업에 영향을 미치지 않는다. 이러한 이유로 1학년 때 한국학과 전공 과정을 수학한 후 타 전공으로 전과하는 학습자들이 있는데, 전과 후에도 비전공 과정에서 한국어 수업을 수강할 수 있으므로 보통 한국어 학습 과정에 어려움을 느끼거나 다른 분야에 더 관심이 생긴 학습자들이 전공을 변경하는 것으로 보인다. 전공을 확정하는 기간 이후에도 앞서 언급한 이유로 학년이 올라갈수록 학생 수가 줄어드는 경향성을 보인다.

참고문헌

강귀종, 조위수. 2018. 베트남어권 한국어 학습자의 학습동기와 자기효능감의 관련성 연구. **학습자중심교과교육연구**. 18-6. 학습자중심교과교육학회.

김수은. 2016. 한국어 학습자의 학습 환경 변화에 대한 인식 연구: 해외 대학 한국어 학습자의 국내 대학 교환 프로그램 경험 인식을 중심으로. **언어학 연구**. 38. 한국중원언어학회.

신현석 외. 2017. 해외 교환 학생 프로그램의 참여 효과: 대학생의 진로 결정 자기효능감에 대한 혼합 방법 연구. **한국교육학연구**. 23-3. 안암교육학회.

이다슴. 2021. 온라인 한국어 수업에서의 학습 실재감과 학습 성과에 대한 연구-학습실재감, 만족도, 학습 지속 의향을 중심으로. **한국언어문화학**. 18-1. 국제한국언어문화학회.

이수경. 2018. **홍콩인 한국어 학습자의 학습 경험에 대한 생애사적 연구**. 인제대학교 대학원 박사학위논문.

이인혜. 2020. 미국인 한국어 학습자의 교환 학생 경험과 정체성 연구. **이중언어학**. 81. 이중언어학회. pp. 289-320.

최재수, 김중섭. 2021. 군집 분석을 활용한 중국인 학문 목적 한국어 학습자의 언어 동기 유형 분석. **한국어교육**. 32-2. 국제한국어교육학회.

홍유니, 안정민. 2020. 교환 학생의 한국어 학습 동기 요인 연구. **이중언어학**. 81. 이중언어학회.

한하림. 2021: 301. 외국인 학부생의 자기 조절 학습 능력, 사회적 실재감, 교수 실재감이 온라인 수업 만족도에 미치는 영향 연구. **한국어교육**. 32-3. 국제한국어교육학회.

Gardner, R. C. 2004. *Attitude/motivation test battery: International AMTB research project*. Canada: The University of Western Ontario.

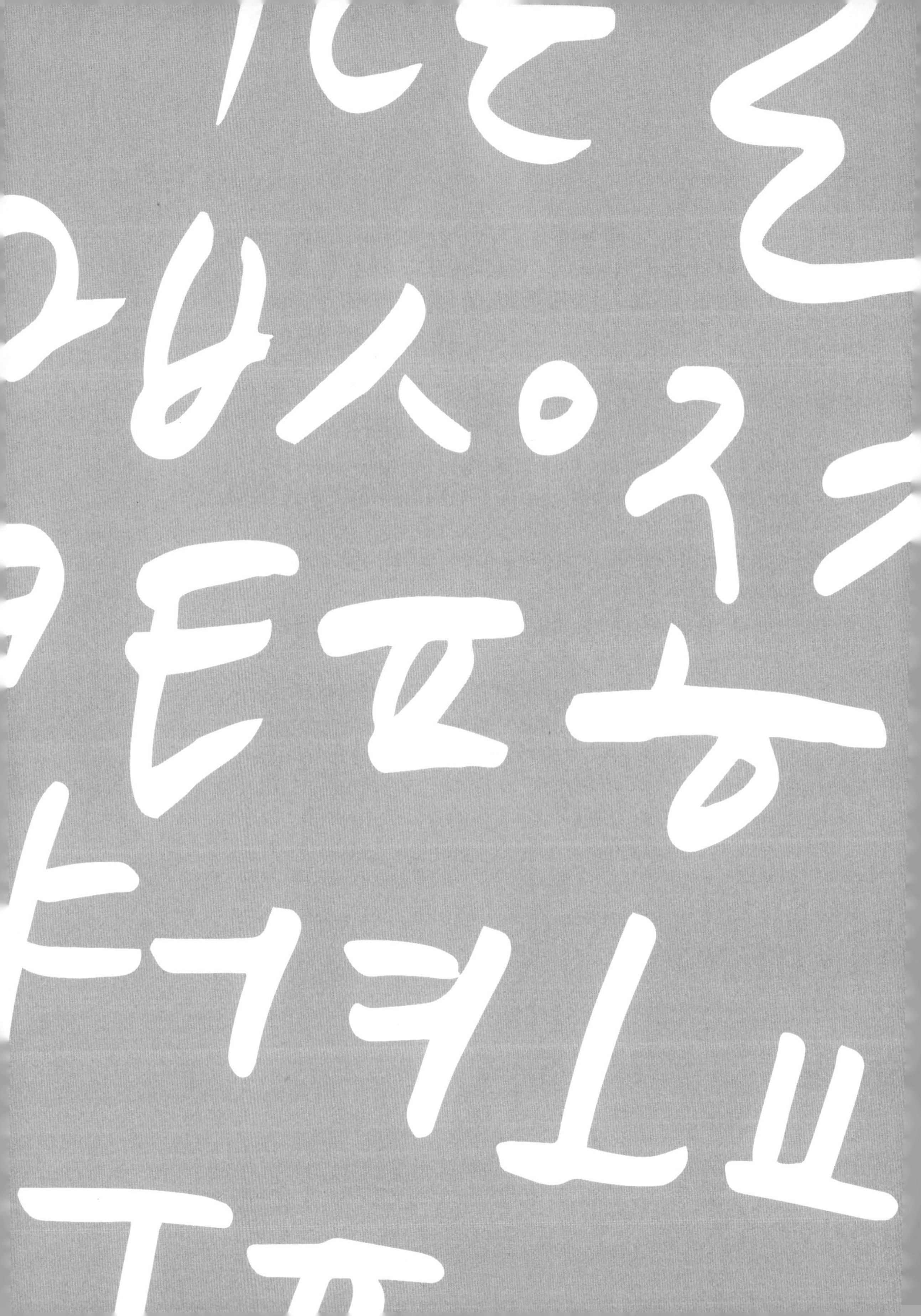

한자와 한국어 교육

제1장

Facilitating the acquisition of Korean intermediate vocabulary using Hanja-o from TOPIK tests

사라 리브레냐크
Sara Librenjak
영국 요크세인트존대학교
York St John University

1. Introduction

In this paper, I will introduce the method for facilitating the acquisition of intermediate vocabulary for learners of Korean as a foreign language, using specifically chosen Sino-Korean characters (or hanja-o) and vocabulary, with the goal of improving their performance in the TOPIK intermediate-advanced test. There are numerous challenges that learners of the Korean language face, but learners of non-Hanja backgrounds have a comparably difficult time acquiring vocabulary, which can be improved with the acquisition of Sino-Korean vocabulary (Jung and Cho, 2006). Song (2005) states that it's estimated that around 54% of Korean vocabulary is of Sino-Korean origin (also called hanja-o), and Whitlock (2003) gives even a higher estimate of 70%. We can conclude that the number is somewhere in between since not all words are used frequently, but this still makes it easier to acquire vocabulary if a learner speaks a language with a similar set of characters, e.g. Mandarin Chinese or Japanese language. Learners from various other backgrounds may not have this advantage, and it may be beneficial for them to learn some hanja. Moon

(2003) and Kim (2003) suggest that hanja education is necessary if learners want to progress to and beyond intermediate levels of proficiency in Korean.

However, it is often unclear which hanja benefits them, and is the right hanja being taught in practice. This paper explores this issue: which hanja is most useful for a learner of Korean as a foreign language, and how to determine the exact list, provided that it exists. I believe that the issue of determining which hanja and hanja-o one should learn does not have a single solution, but rather that it depends on the goal of a learner. Some might progress with only a few dozen characters, while some learners might need hundreds; and it is not irrelevant which characters are included in this list. Word frequency and character frequency in a language generally follow Zipf's law. That means that the most frequent characters are enough to understand a large portion of the text, while infrequent characters represent only small percentages. For example, in the Japanese language 150 most frequent kanji characters cover around 50% of all characters in the text, and reversely 1000 less frequent characters cover only around 5% (Shpika, 2016). Zipf's law is found across languages and writing systems in the world, and it is safe to assume that the Korean hanja and hanja-o follow it. Therefore, we can conclude that the choice of hanja taught is important, and there should be an objective method of finding the most frequent characters. I will introduce a corpus-based method of finding the most frequent hanja-o (vocabulary) and hanja (characters) in the case of an intermediate learner whose goal is to pass the TOPIK exam of intermediate to advanced level - levels 3 to 6.

2. Hanja education for Koreans and Korean language learners

Hanja (한자, 漢字) is a Korean word referring to the Chinese, or Sino-Korean characters. Similar words used in Mandarin Chinese are hanzi, and kanji in Japanese, but using them does not always refer to the same set of characters. They are used differently in different languages, and they are also taught differently. Other terms used in Korean are hanja-o (한자어, 漢字語) or hanja-mal (한자말), referring to the vocabulary of Sino-Korean origin; and hanmun (한문, 漢文), which, perhaps confusingly, refers to Classical Chinese writing.

All these words share a character 漢 (han or kan) which means Han Chinese. However, when talking about hanja and hanja-o, here we are referring to the modern Korean language and characters or words that are Chinese only in origin. Hanja is not used in everyday Korean writing to the extent of hangeul usage, but it is still occasionally displayed in newspapers, books, street signs, and products in Korea. It is also taught in schools, but with the purpose of understanding rather than writing - even though some people may learn that too. In addition to that, it is used in Korean names and last names. Native speakers of the Korean language can learn 900 characters in middle school and additional 900 characters in high school, starting from simple concepts such as numbers and moving on to both common words and some cultural concepts. This list is promulgated in 2000 as Basic Hanja for Educational Use (한문 교육용 기초 한자), and the last edition is from 2014, comprising the list of characters that should be taught in schools. Lee (2004) analyses 8 middle school textbooks aimed at Korean native speakers and authorised by the Korean government. In this study, they group hanja with the same sound and meaning, identifying the characters that are easily confused. They found some characters with unstandardised descriptions throughout the books and found more than 100 characters with subjective interpretations. According to their study, 20 characters had exaggerated or wrongly interpreted meanings, and they conclude that there should be an effort to unify hanja education for Korean speakers.

It is interesting to note how different hanja education is compared to kanji education in Japan. Even though the cumulative number of characters taught is similar (1800 characters in Korean and around 2000 characters in Japan), their choice and order are vastly different. That is due to the difference in the purpose of the study: the Japanese language uses kanji as one of their main scripts, whereas the Korean schools teach hanja to deepen their understanding of their language and culture, similar to learning Latin or Greek in some Western schools. Since kanji (and Chinese hanzi) are considered very challenging to learn for learners of Japanese and Chinese as foreign languages, there are numerous strategies and methods to help learners - apps, mnemonics, books, and workbooks, and more. One might be tempted to apply the same methods to learn hanja in Korean. However, I argue that it is not necessary or even beneficial to do so. Similar to different lists of characters taught to children in Japan and Korea, learners of these languages have different goals. Japanese learners need to both read and write kanji and learn multiple readings. Korean learners only need to know the meaning and the reading of a character. It is not necessary to write hanja to gain benefits as a Korean learner – it is much more useful to learn the pronunciation and the words where it appears; to differentiate hanja with the same reading. Therefore, different methods of study are necessary.

The next issue to address is - is it possible to study hanja the same way that it is taught to the native speakers of Korean? As mentioned in the previous paragraph, the number of characters taught is quite high (up to 1800) and the teaching method is aimed at the native speakers who are mostly familiar with the hanja-o vocabulary. Using the exact same textbooks would defy the purpose since we are teaching them in order to expand the learners' vocabulary and their ability to acquire and infer the meaning of the new words. However, there is still much to learn from the way hanja is taught in Korea. Hanja textbooks are a valuable base of readings and meanings of characters (albeit with some imperfections, as found by Lee, 2004), and they likely inspired the hanja textbooks aimed at learners of Korean. It is interesting to note that the number of dedicated hanja textbooks aimed at English language speaking learners of Korean is quite small. There are few widely available textbooks at the moment of writing this paper, but with the popularisation of hanja teaching, that might change soon. I will mention three textbooks available to English-speaking learners of the Korean language.

Cho, Sohn, and Yang (2002) were one of the pioneers in English language hanja education for Korean learners with their Korean Reader for Chinese Characters, with 40 chapters of 12 characters. Their choice and order are very different from the list of Basic Hanja for Educational Use, as they choose generally characters much simpler in shape, as well as simple concrete concepts. Through the chapters, they increase in complexity and the book covers 480 characters. Secondly, the Talk to Me in Korean collective (TTMIK) with Kong & Park published *Your First Hanja Guide: Learn Essential Chinese*

Characters Used in Korean (2018) where they introduce semantically grouped hanja, then implement it with etymology, mnemonics, and various exercises. The number of characters introduced is significantly lower – 118 –, but they teach it in more detail and with a lot of accompanying vocabulary. Lastly, Whitlock (2003) introduces *Chinese Characters: A Radical Approach,* a book that uses radicals (hanja components) to teach hanja. It is based on traditional 214 Kangxi radicals stemming from the old Chinese lexicographical resources. It teaches contemporary hanja and vocabulary as well. This approach will be particularly useful for learners curious about hanja shape and history, but not for expanding vocabulary, since hanja is not used in most modern writing.

All these books have their intended audience and purpose. They are aimed at learners of hanja and the Korean language in general. While the books are excellent, I will propose a method to determine the characters to learn more precisely, ignoring the popular methodology of sorting hanja by meaning, shape, and simplicity. The argument to support this notion is the fact that the shape of hanja is irrelevant to a learner, and they could focus only on the meaning and the sound of a character. That means that there is no need to delay introducing the visually complex characters if they are useful to the learner, or that there is a need to cover some simple concrete concepts with characters that are not used in hanja-o. In the next section, I will introduce a corpus-based method for extracting the most frequent hanja-o and hanja, on an example of TOPIK test vocabulary.

3. Methodology

3.1. Rationale behind using TOPIK tests

TOPIK (Test of Proficiency in Korean) is a standardised test introduced in 1997 to serve as an international and objective proof of Korean language proficiency. It is aimed at non-native speakers of Korean and it checks proficiency in reading, listening, and writing at six levels. From 2014, test takers can choose between beginner level (TOPIK I, levels 1 and 2) and intermediate-advanced level (TOPIK II, Levels 3-6). Depending on the points achieved, the taker can be awarded a lower or a higher level. TOPIK is used for admission to universities, work in Korea, various visas, and qualifications for certificates. In the last decade, the number of takers rose prominently (Yoon, 2021), with between 250,000 and 350,000 applicants per year. We can conclude that the TOPIK test is an important certification in Korean education and that it may be a valid goal in the Korean learning journey. Of course, it has to be noted that standardised tests are just tools to validate one's efforts and not the end goal. Students should not be taught that succeeding in a test is a goal in itself, but rather a goalpost to motivate them to achieve a working proficiency. However, considering that TOPIK opens many doors to a learner, such as university admission or an opportunity to work in Korea, we will base this research on the goal of improving performance on the TOPIK test, specifically TOPIK II Levels 3-6. I will introduce a method of extracting the most useful hanja characters and hanja-o vocabulary from the TOPIK tests corpus. These characters and vocabulary lists can be used to promote a data-driven approach to learning vocabulary. In the next paragraph, I will explain the method of building a corpus based on a collection of previous TOPIK tests.

3.2. Building a corpus

First, I collected the texts from the new format TOPIK test papers, from the 35th to 64th TOPIK test. All the test data was saved in the text form, stripped of unnecessary text (problems, explanations, introductions), and saved as a text file. Data included both Reading sections and transcripts from the Listening sections in texts. 〈Figure 1〉 is showing an excerpt of the plain text corpus of the TOPIK tests.

〈Figure 1〉 Excerpt from the TOPIK II tests (35th – 64th) corpus in plain text format

2741	2 회전을 이용하면 공을 떠오르게 할 수 있다.
2742	3 회전되어 날아오는 공은 타자가 예측하기 쉽다.
2743	4 투수는 공에 회전을 주어서 다양한 공을 던진다.
2744	현대 사회는 다양한 이익 집단의 관계가 복잡하게 얽혀 있기 때문에 많은
2745	사회적 갈등이 존재한다. 사회 문화적 요소가 포함된 갈등에서부터 경제적
2746	요인이 포함된 갈등, 일상생활과 관련된 갈등까지 사회적 갈등들은 여러

2747	요인에 의해 끊임없이 발생한다. 그런데 이러한 사회적 갈등이 타협을 통해
2748	합리적으로 조정된다면 사회를 통합하는 동력으로 작용할 수 있을 것이다.
2749	따라서 사회적 갈등을 합리적으로 해결하기 위해 사회 구성원 모두가 합의할
2750	수 있는 해결 원칙을 세울 필요가 있다. 먼저 ( ) 해결하는
2751	것이 중요하다. 즉 당사자 간의 자유로운 대화와 협상을 통해 쟁점을 해결
2752	하려는 노력이 우선되어야 한다. 다음으로 갈등의 당사자 모두에게 이익이
2753	되는 방향으로 해결해야 한다. 갈등 해결에 따른 이익이 한쪽에만 돌아가면
2754	쟁점을 둘러싼 갈등이 계속 이어지기 때문이다. 또한 국민 전체의 이익과
2755	부합되는 방향으로 해결되어야 그 해결 방안이 국민의 지지를 받을 수 있다는
2756	점도 잊지 말아야 한다.
2757	48. 필자가 이 글을 쓴 목적을 고르십시오.
2758	1 공통된 갈등 해결의 원칙이 필요함을 주장하기 위해
2759	2 국가의 지지를 받는 갈등 해결 방안을 요청하기 위해
2760	3 현대 사회의 다양한 사회적 갈등에 대해 설명하기 위해
2761	4 갈등 당사자 모두에게 이익이 돌아가도록 촉구하기 위해
2762	1 자율적으로 2 중립적으로
2763	3 독창적으로 4 창의적으로
2764	1 사회적 갈등 발생에 대해 경계하고 있다.
2765	2 타협을 통한 갈등 해결에 대해 회의적이다.
2766	3 사회 통합의 어려움에 대해 공감하고 있다.
2767	4 사회적 갈등의 긍정적인 측면을 인정하고 있다.
2768	여자: 어, 왜 밥이 안 됐지?

Normal text file

After data collection, using AntConc concordancer and corpus builder (see Figure 2), texts were loaded and analysed for the most frequent words. AntConc is a free software for researchers and students which enables easy corpus creation and analysis and works with a variety of languages. It was used in this project to analyse the top 1000 frequent words in TOPIK tests, and later to analyse individual hanja characters. 〈Figure 2〉 is displaying a keyword in context (KWIC) and an example search. This software can also be used to observe contexts and has the potential for application in classes.

〈Figure 2〉 AntConc interface – TOPIK tests corpus, example search for “경제”

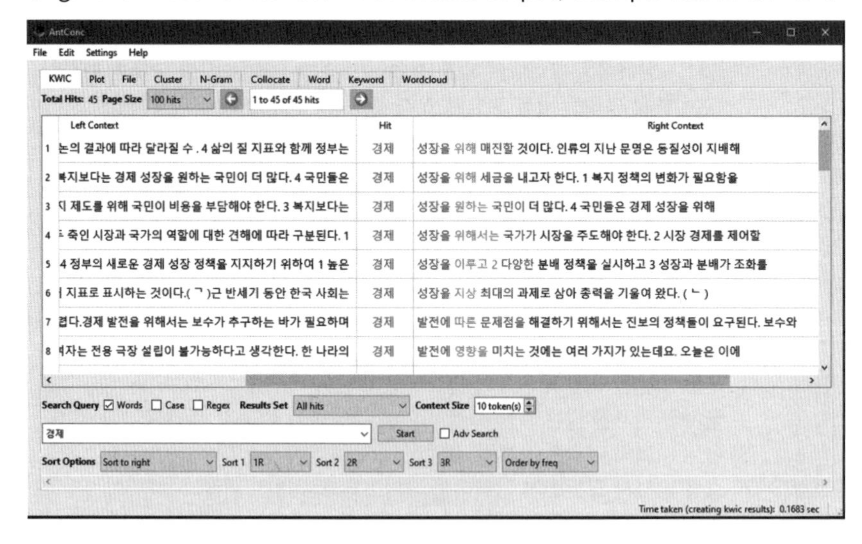

4. Methodology

The list of 1000 most frequent words was manually analysed and the words that had hanja, or hanja-o, were marked by hand, and hanja was added to hangeul. The result was a list of the most frequent hanja-o (vocabulary items) in TOPIK tests. 〈Table 1〉 is showing the 20 most frequent hanja-o in TOPIK tests.

〈Table 1〉 The 20 most frequent hanja vocabulary in TOPIK tests

Rank	Frequency	Word	Hanja	English meaning	Common usage
1	66	중요	重要	important	adjective (DV)
2	58	문제	問題	problem	noun
3	56	필요	必要	necessary	adjective (DV)
4	50	정책	政策	measure, policy	noun
5	46	다양	多樣	various	adjective (DV)
6	45	경제	經濟	economy	noun
7	44	기업	企業	enterprise	noun
8	42	시간	時間	time	noun

8	42	활동	活動	activity	noun, verb (AV)
10	42	환경	環境	environment	noun
11	41	정보	情報	information	noun
11	41	방법	方法	method	noun
13	40	사용	使用	usage	noun, verb (AV)
14	39	가격	價格	price	noun
15	36	개인	個人	individual	adjective (DV)
16	35	경우	境遇	case, situation	noun, grammar
16	35	사회	社會	society	noun
18	34	시대	時代	period	noun
18	34	회사	會社	company	noun
20	33	정부	政府	government	noun

Full data enabled us to find 263 most commonly used vocabulary items in TOPIK tests, using the criterion of frequency 〉 5. That criterion was chosen to avoid terminology and vocabulary that appears in one specialised text and to give precedence to words that appear more. A full list of the most frequent hanja-o is available in the appendix.

The most frequent words can be incorporated into lessons and taught to students, but this is only one application of this research. Using the list of most frequent hanja-o, I extracted individual characters and analysed them independently of the vocabulary. The purpose of this analysis is to find which characters should be taught if a student has a goal of either passing TOPIK II or understanding texts similar to those in TOPIK II. Individual hanja was sorted by frequency and the results differ significantly from the list of most frequent vocabulary. 〈Figure 3〉 is showing top 50 characters displayed as a word cloud, made in AntConc software; and 〈Figure 4〉 is showing top 100 frequent hanja characters. The size of the character in the image corresponds to its frequency.

〈Figure 3〉 Most frequent 50 hanja in TOPIK tests

〈Figure 4〉 Most frequent 100 hanja in TOPIK tests

More details about these characters are shown in 〈Table 2〉. We can see that the most frequent hanja is often that which combines with the most words in various senses, such as suffixes, but some are simply semantically connected to more advanced topics of economy, business, environment, and similar.

〈Table 2〉 Top 20 most frequent individual hanja characters

	Hanja	hangeul	Frequency	English meaning	Example usage
1	的	적	4,558%	-ic, -ical, -like	역사적, 전통적
2	間	간	4,274%	period, relation	시간, 기간
2	會	회	4,274%	society, meeting	사회, 회사
4	業	업	3,989%	work, occupation	사업, 직업
4	方	방	3,989%	direction, way	방법, 지방
6	事	사	3,989%	fact, thing	인사, 사실
7	人	인	3,704%	person, human	인간, 미국인
7	國	국	3,704%	country	한국, 국내
9	要	요	3,419%	important	중요한
10	政	정	3,134%	politics	정치
10	時	시	3,134%	time	시간
10	用	용	3,134%	usage	용법, 사용
10	社	사	3,134%	company	회사
14	動	동	2,849%	to move	운동, 동사
15	經	경	2,564%	economy	경기, 경제
15	境	경	2,564%	border, region	환경

15	代	대	2,564%	generation	세대, 대표
15	化	화	2,564%	change	화학, 변화
15	行	행	2,564%	to go	여행, 행동
20	活	활	2,279%	activity	활기, 생활
20	關	관	2,279%	connection	관련, 관계
20	物	물	2,279%	physical object	물리학, 사물
20	學	학	2,279%	school, learning	학교, 수학
20	市	시	2,279%	city	도시, 시장
20	內	내	2,279%	within	안내, 시내

The list displayed in 〈Table 2〉 contains some characters that are taught at beginner levels anyway, such as school or country, but there are also some complex, abstract characters such as border or connection. As we can see from the table, hanja which is the most frequent and arguably most useful to learn for TOPIK test takers differs from the lists taught in Korean schools or most orders taught in textbooks. It is still useful to know, for instance, numbers or weekdays, but when it comes to improving vocabulary and acquiring intermediate-advanced words with greater efficiency, it might be more useful to learn targeted hanja.

5. Conclusion and further work

In this paper, I analysed TOPIK II intermediate and advanced tests collection using corpus analysis methods, and I extracted 250+ most frequent hanja vocabulary from the top 1000 frequent words in the corpus. In addition to that, I analysed 100+ most frequent hanja characters. I argue that they should be taught with more attention if a learner's goal is passing the TOPIK II test or understanding texts of a similar level and topic. Further work is planned to evaluate this research in educational practice. The vocabulary and hanja lists will be used in an experiment with students of Korean to test their usefulness in practice.

Bibliography

Anthony, L. 2022. AntConc (Version 4.1.0) [Computer Software]. Tokyo, Japan: Waseda University. Available from https://www.laurenceanthony.net/software.

Basic Hanja for Educational Use. 한문 교육용 기초 한자 1,800자. 2014. https://www.suneung.re.kr/boardCnts/view.do?boardID=1500231&boardSeq=3016442&lev=0 Last accessed 25th July 2022.

Cho, C., Sohn, Y., Yang, H. 2002. *A Korean Reader for Chinese Characters*. University of Hawaii Press.

Jung, M., & Cho, Y. M. Y. 2006. Chinese character education in teaching Korean as a foreign language: A new paradigm of cognitive expansion (외국어로서 한국어 교육에서 한자 교육의 문제점과 개선 방향). *The Korean Language in America*. 11. pp. 64–83.

Kim, J. 김지형. 2003. Study on Teaching method of Chinese Character. 한국어 교육에서의 한자 교수법: 비한자권 외국인 학습자를 중심으로. **국제어문학회**. 27. pp. 342–368.

Lee, D. 李東宰. 2004. A Plan to Unify the 'Meanings' of the 900 Basic Chinese Characters for Education in Middle School Chinese Textbooks of the 7th Education Curriculum. 제7차 교육 과정 중학교 한문 교과 교육용 기초 한자 900자의 '의미' 통일화 방안. 한국한자한문교육학회 [The Korea Association For Education Of Chinese Characters]

Moon, K. 문금현. 2003. Teaching Methods of Sino-Korean for Korean Vocabulary Education. 한국어 어휘 교육을 위한 한자어 학습 방안. **이중언어학**. 23. pp. 13–41

Muscanto, I. 2018. The Impact of Hanja-Based Syllables on Korean Vocabulary Learning. The Korean Language in America, 22(2), 99–121. https://doi.org/10.5325/korelangamer.22.2.0099

Talk to me in Korean. 2018. *Your First Hanja Guide: Learn Essential Chinese Characters Used in Korean*. Kong & Park Inc.

Shpika, D. 2016 Kanji usage frequency. https://scriptin.github.io/kanji-frequency/ Last accessed 25th July 2022.

Song, J. 2005. *The Korean language: Structure, use and context*. New York: Routledge

TOPIK statistics. 2020 https://www.statista.com/statistics/1125130/southkoreatopik-annual-applicants/#:~:text=Number%20of%20TOPIK%20applicants%202016%2D2020&text=In%202020%2C%20there%20were%20around,tests%20conducted%20worldwide%20in%202019. Last accessed 25th July 2022.

Whitlock, J. C. 2001. Chinese characters in Korean: A radical approach: Learn 2,300 Chinese characters through their 214 radicals. Seoul: Ilchodak.

제2장

Sino-Korean Characters and Sino-Korean Vocabulary Teaching System in the Department of Korean Studies at Sofia University "St. Kliment Ohridski"

이리나 소티로바
Irina Sotirova
불가리아 소피아대학교
Sofia University

1. Introduction

Chinese writing has played a huge role in the formation of the Korean language over the centuries. However, the question of its significance in Korea today is being questioned, and the trend - in both South and North Korea - is for Sino-Korean Characters as part of Korean tradition to be hidden from the eyes of the world. The pride of creating one's own writing system comes to the fore, the benefits of *hangeul* have been widely promoted, and Chinese characters have become a symbol of foreign oppression that has plagued the Korean Peninsula for centuries. This article aims to show the importance of teaching Sino-Korean Characters and Sino-Korean vocabulary to foreigners learning Korean and also to show that Sino-Korean Characters are not a phenomenon opposed to the Korean language, but on the contrary - they are part of the Korean language and help to understand it in depth and in all its beauty.

The Korean Peninsula is a relatively small piece of land strategically located in East Asia. Surrounded by geographically, economically and militarily much more powerful countries, it has always been the object of foreign interests and attacks. Although it has managed to stay relatively autonomous, the Korean Peninsula has been under Chinese influence for centuries, the Mongol invasions have degraded the local population and destroyed cultural heritage, and the Japanese occupation has dealt a fateful blow to Korean self-esteem and national identity. In recent history, Western influence and globalization have once again been seen as a threat to the preservation of Korean identity - this time not military, but rather invisible and fluid.

If we take a look at Korean history, we will see that in difficult times with foreign invasions, the national spirit of the Koreans is strengthened and the national self-consciousness is focused on the "native Korean things". Everything Korean is glorified, including the Korean writing system. As the first such period in the history of Korea, we can point the end of Goryeo and the Mongol invasions - then it seems that Korean patriotism was born, and perhaps the initial form of nationalism. We find vivid examples in Samguk Yusa, where the author runs the thread of the independent origin of the Korean people, with antiquity and greatness comparable to the Chinese, as well as with his own writing system. Iryeon proudly recorded *hyangga* songs, emphasizing that recorded in native language, they have magical powers:

> "The people of Shilla deeply appreciated the songs written in their native language.
>
> Weren't these songs something like a special kind of poetic? There are not one or two examples when native songs touched Heaven, Earth, spirits and deities." - *Samguk Yusa*(Bulgarian translation: 425)

After the end of Goryeo, the Joseon dynasty came to power, when the loyalty to China did not tolerate patriotism and nationalism, but the subsequent Japanese occupation unlocked the rediscovery of everything Korean and its honor. Linguistically, it is the basis of the tendency for the *hangeul* writing system to replace completely the Sino-Korean Characters and for the Sino-Korean vocabulary to be replaced by native Korean (where it is possible). After the end of World War II and the division of the Peninsula into two, in the context of globalization, this direction continues to be followed in both North and South Korea. Both countries follow a similar policy regarding *hangeul* and Sino-Korean Characters. In South Korea, 1,800 Sino-Korean Characters are studied as a separate subject in schools, and in the North - 3,000, and for foreigners Sino-Korean Characters are not taught. In this article, we will not comment on the need for native Koreans to study Sino-Korean Characters, as the topic is too broad and concerns complex government policies in which we cannot take a stand. We will focus on the need to teach Sino-Korean Characters to foreigners as part of the system of teaching Korean at universities.

2. Advantages of studying Sino-Korean Characters

Native speakers are born with a sensitivity to their mother tongue, the ability to orient in the situation, to be able to speak and understand without much effort. However, Korean as a foreign language is very difficult to learn, especially for non-Asians. Speaking from now on about the Bulgarian students studying Korean, to a large extent what is said could apply to the wider part of European students. Studying Sino-Korean Characters has the following advantages for university students.

2.1. Easier to deal with the problem of Korean language homophony

Homophony can be mentioned as a major problem, especially homophony in the Sino-Korean vocabulary. The Chinese distinguish a little over 400 syllables, which, however, can be pronounced in different tones and thus produce about 1300 syllables. Due to the lack of tones and due to other features of Korean phonetics, the Sino-Korean vocabulary is composed of three times less syllables - about 430, which leads to extreme homophony. One syllable corresponds to dozens or sometimes hundreds of presumed Sino-Korean Characters and syllables are therefore rarely used separately. The tendency is for two syllables to form one word, but even then, several different combinations of Sino-Korean Characters and, accordingly, several completely different meanings correspond to one reading. In North Korea where *hanja* are not used, the problem of homophones has been "solved" by taking out of the vocabulary, by a decree, one or more members of a set of homophones [Taylor & Taylor: 245]. Despite the natural efforts of Koreans, both in the North and in the South, to limit the same-sounding lexical items, they still exist. This homophony is many times greater for foreign students, for whom many of the Korean sounds are perceived as the same. Foreigners find it difficult to distinguish between plain, tense and aspirated consonants, ㅗ and ㅓ sound almost the same, due to the lack of nasal consonants in Bulgarian for Bulgarian students even ㄴ and ㅇ are almost the same. Accordingly, a syllable that sounds like *jon* it could be 전, 존, 천, 촌, 정, 청, 촌, 총, etc. Thus, homophony, a problem even for native speakers, becomes an even bigger problem for foreigners. Apart from the phonetics exercises, which not every student is physiologically capable of, the basic knowledge of *hanja* of one syllable is often the only way to deal with this problem.

2.2. Multiplication of vocabulary

When teaching Sino-Korean vocabulary to foreigners, it should always be taught on the basis of a syllable (respectively a morpheme/character) and not on the basis of a whole word. Memorizing two-syllable and three-syllable words without knowledge of their components is not only labor-intensive but also unproductive. Knowing that 동대문 consists of "East", "big" and "gate" on the one hand helps for the correct spelling of the word, but also for the easy understanding of 남대문, for example, even if it is not specially learned.

It should be noted here that learning to write the Sino-Korean Character itself is not as important here as knowing that the syllable corresponds to a Sino-Korean Character meaning. Even if the learner eventually forgets exactly how to write the character 南, he will still remember that it means "south".

2.3. Understanding specialized and technical language

Korea encountered Western science and technology in the 17th century, and this did not happen directly, but through Ming China. In the following centuries, Korea continued to perceive Western civilization through China, and in the period around the Japanese occupation - through Japan. That is why the words concerning European concepts and technical terms are intercepted with Chinese characters. Because to a large extent these terms form the basis of science and technology, they are still used in the same way in Korea and are rarely replaced by their Western phonetic counterpart. For example, "telephone" is still called "electric speech" despite the globalization of Korean electronic industry.

2.4. Understanding the depth of meaning and orientation in polysemy

Each language has a different degree of polysemy, which makes it difficult for foreigners to learn it. This is especially true for the Korean language, in which a word can have a number of meanings. The problem with working with a dictionary exists in everyone studying Korean. It is common practice for the students to dwell on the first meaning of the word that appears in the dictionary, and it takes time to get used to a deeper understanding of all the meanings of a lexical unit (this applies both to homophones and to the different meanings of a word). The habit of looking at the Sino-Korean Characters that compose a word when translating or searching in a dictionary is something that students learn over time, but not without the help of a teacher.

2.5. Understanding abbreviations

Korean language is characterized by the shortening of words and names. Understanding them without knowing a certain set of Sino-Korean Characters is impossible - instead of understanding the meaning of the name or expression, the student thinks about it as a new word, which he searches for in the dictionary, and in most cases it is not there. The names of most organizations and government structures in Korea are an abbreviation of a several Sino-Korean characters, of which only a small part of the syllables are preserved. For example, 원안위 is an abbreviation of 원자력안전위원회 (Nuclear Safety and Security Commission), 식약처 of 식품의약품안전처 (Ministry of Food and Drug Safety), and 문체부 of 문화 체육관광부) (Ministry of Culture, Sports and Tourism). School names are also rarely pronounced in their entirety and are usually abbreviated to two syllables: 숙대 instead of 숙명여자대학교, 홍대

instead of 홍익대학교, 외대 instead of 한국외국어대학교.

Apart from everyday topics, which are obligatory for every student, with the advancement of the language and entering the specialized vocabulary, the percentage of abbreviations increases sharply. Legal vocabulary, for example, is characterized by a number of terms derived from abbreviations, such as the names of various laws and regulations: 교특법, Traffic law, is an abbreviation of the more complex 교통사고처리 특례법, but can be easily understood by a student who knows the meaning of the syllables 교/交, 특/特 and 법/法 separately.

It is especially difficult for a foreigner to address their interlocutor. The poorly developed pronoun system of the Korean language has been replaced by a well-structured hierarchical system, which is unfamiliar to foreigners. Accustomed to addressing each other with the neutral "you" (or he/she), non-Koreans are forced to pay attention to the official and social position of the participant in the speech situation in order to be able to have even the most basic conversation. Korean positions, in fact, are not difficult to understand if the learner has a certain set of Sino-Korean Characters – mostly those that express the type of institution (building, working place). Since the official positions are usually formed on the principle of the last syllable of the workplace or the collective unit + 장, the knowledge of Sino-Korean Characters such as 社, 會, 部, 課/科, 園/院, 學, 校, 隊, etc. would easily orient the foreigner in the respective positions as well.

In addition to the main cases listed above, abbreviations are constantly found in the language, some of which have acquired relative linguistic stability, others born of temporarily relevant social and political situations. We can give as an example the geo-political vocabulary, such as 韓美, 北美, 韓日 and others.

2.6. Possibility for better translation from Korean into native language

Most lexical items have more than one possible translation into a foreign language. When we have to choose between several, *hangeul* does not help much. However, knowledge of the Sino-Korean Characters of which the word consists sheds light on the nuances and subtleties of the word chosen by the author/speaker. The word "부패(腐敗)", for example, at first reading means "corruption". However, looking at the compound Sino-Korean Characters, we will see that the idea of rotting meat is clearly shown there. Then, depending on the context, we can find a translated word that is associated with rot and at the same time means moral decay, which certainly exists in our native language. The ability to search for and to find the nuances of the word is very important for students who intend to engage in translation, especially in the translation of literature. Interest in Korean literature - both classical and modern - exists and many literary works have yet to be translated. Many Korean students want to become translators. When translating modern literature, in order for the translated text to be as beautiful and rich as the original, knowledge of Sino-Korean Characters is essential. For the translation of classical literature, on the other hand, the knowledge of *hanmun* is mandatory. The translation of classical Korean texts written in Classical Chinese through their *hangeul* version cripples the text and transmits only a small part of it.

2.7. Ability to understand classical literary and philosophical texts

Today, the Republic of Korea is a symbol of modernization and economic progress. Behind the modern image of the country, however, stands a rather conservative society, building its foundations on a centuries-old tradition. Religious and philosophical teachings, especially Confucianism and Buddhism, shape the thinking and worldview of each individual and determine his social behavior. Understanding modern Korean society is not possible without knowledge of classical texts, and knowledge of at least the main ones can be realized even in the original version with the knowledge of a certain set of Sino-Korean Characters. In the bachelor's program in Korean Studies at Sofia University, the subject "Religious and Philosophical Teachings of Korea" is studied, in which students are introduced to the basic concepts of Confucianism, Buddhism, Taoism, Shamanism and Christianity. In the fourth year, when they have accumulated enough Sino-Korean vocabulary, they can read basic treatises, such as Confucius' Analects, with the help of a dictionary. Getting to know Confucian philosophy sheds light on some features of modern Korean society.

3. Sino-Korean Characters teaching method at Sofia University

Aware of the need to teach Sino-Korean Characters and Sino-Korean Characters and vocabulary and having in mind the capacity of the Department of Korean Studies[1], since the opening of the Korean Studies major at Sofia University, Sino-Korean Characters have been intensively taught, using different systems over the years[2]. Through many years of teaching, we have developed our system of teaching Sino-Korean Characters, which includes an Introduction to Sino-Korean Characters and a five-semester Practical course - all included in the compulsory program. The total number of Sino-Korean Characters taught is about 1,200, and the vocabulary formed by them is coordinated with the material studied in practical Korean, complements it and enriches it. The stages into which the education is divided are as follows.

Introduction to Sino-Korean Characters is a semi-theoretical, semi-practical course, which is a compulsory, two-hours-per-week course in the third semester. For the first three weeks, students are introduced to the creation of Chinese Characters, their original shape, divination bones, and the ancient Chinese civilization that gave birth to this remarkable culture. The basic principles according to which characters are created are taught, as well as the principles of the stroke order. The next ten weeks are for the practical study of the most basic Sino-Korean Characters. These are mostly pictographs derived from the form of important objects and phenomena. Depending on what object or phenomenon they express, the Sino-Korean Characters are grouped into ten categories[3]: 1. Numbers; 2. Sino-Korean Characters derived from an image of the human body (人, 大, 立, 文, 長, 身, 己, 女,母); 3. Characters derived from the image of arms and legs (手, 寸, 父, 足, 止, 行); 4. Characters depicting parts of the human head (面, 目, 臣, 見, 自, 耳, 口, 曰, 言, 音); 5. Characters related to natural objects and phenomena (日, 月, 夕, 雨, 水, 川, 山, 石, 土); 6. Characters associated with plant growth and production (木, 艸, 竹, 生, 田, 米, 貝, 金); 7. Characters related to animals (牛, 羊, 犬, 豕, 馬, 魚, 鳥, 隹, 風); 8. Characters associated with everyday use objects (工, 力, 刀, 斤, 戈, 衣, 門, 車, 皿); 9. Indicative characters (上, 下, 本, 天); and 10. Associative characters (好, 男, 看, 間, 林, 森, 休).

It should be noted that the characters taught in the introductory course do

[1] Department of Korean Studies at Sofia University has seven full-time lecturers, one Korean guest lecturer and seven part-time lecturers. Korean Studies have a separate building - Center for Korean Studies, as the material and organizational base allows for a large number of classes in practical Korean.

[2] Fred Lukoff. *A First Reader in Korean Writing in Mixed Script*. Yonsei University Press; Choon-Hak Cho, Yeon-Ja Sohn, Heisoon Yang. Korean Reader for Chinese Characters. *KLEAR Textbooks in Korean Language*; 한자로 읽는 한국 문화. 보고사; Я. Е. Пакулова, Учеб ник по иероглифик е для изучающих ко рейский язык, Вост ок-Запад. It could be mentioned also and Polish textbook 폴란드인을 위한 한국 문화 30 강. 박이정. which although not specifically designed for the study of Sino-Korean Characters, includes *hanja* in brackets after the *hangeul* word.

[3] For details on the categories, see the classical Russian reader Основы китай ского языка - Вводн ый курс.

not exhaust the above-mentioned categories. These Chinese Characters are selected, which composite Sino-Korean Characters studied forward.

The last two weeks of the introductory course are reserved for creative work of the students. Every year we make paintings, which we exhibit at the Center of Korean Studies. The paintings show the original form of the character and the current one, painted with a brush and ink. The works are entirely the work of students and over the years it has been shown that some of them have enviable talents in creativity and painting. We can even note as a rule that students who do worse with the study material are more talented in art. The creative tasks we try to assign them give them the opportunity to express themselves and increase their self-confidence.

In the next five semesters, students study Sino-Korean Characters and Sino-Korean vocabulary for 3 hours a week as a compulsory subject. The teaching is based almost exclusively on a system developed by the lecturers at the Department of Korean Studies, which is consistent with both the curriculum and the studied vocabulary in practical Korean. At the moment, only the first of the five parts of the textbook has been published, and the others are to be published. All five parts of the textbook are structured in the same way and include a textbook and a notebook in one. In one book body, students keep notes, write exercises and do homework. The system set out in the textbook has been tested as the most effective over time and is as follows.

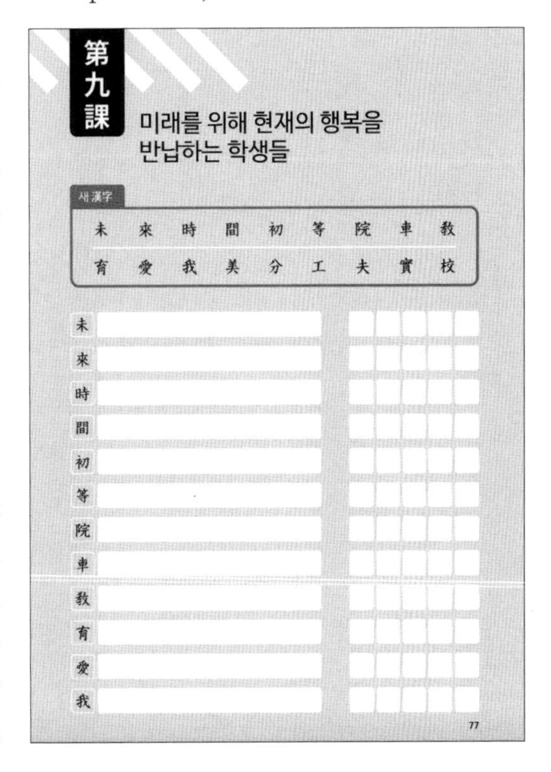
第九課
미래를 위해 현재의 행복을 반납하는 학생들
새漢字
未 來 時 間 初 等 院 車 教
育 愛 我 美 分 工 夫 實 校
未
來
時
間
初
等
院
車
教
育
愛
我
77

3.1. Presentation of the new Sino-Korean Characters

The new Sino-Korean Characters are given at the beginning. The lecture explains them and gives the stroke order. Against each Sino-Korean Character there is a blank space for the student to write down the important things. Once all the new characters have been taught, the student is given time to write them several times in the blank squares to get used to them and to learn them to some degree. Thus, he is much more effective in reading the lesson and doing the exercises. (See Figure on pp. 349.)

3.2. Lesson

The practice of Sino-Korean Characters is followed by a text in which the Sino-Korean Characters are included. The texts have been selected to be relevant as topics and cover areas from both modern society and traditional Korean culture. The texts are adapted to the level of the students, and the difficult vocabulary has been replaced by one that the students are already supposed to know. The accumulation of many unfamiliar words is avoided so that the Sino-Korean vocabulary taught is the only unknown material. The presented text (Picture below), for example, is concerning a topic relevant to South Korea - student overload - and is adapted to the level of students, which in this case is only the second semester of the second year. It should be noted that the disadvantages of the Korean educational system in secondary schools are also observed in Bulgaria and this topic is familiar to Bulgarian students.

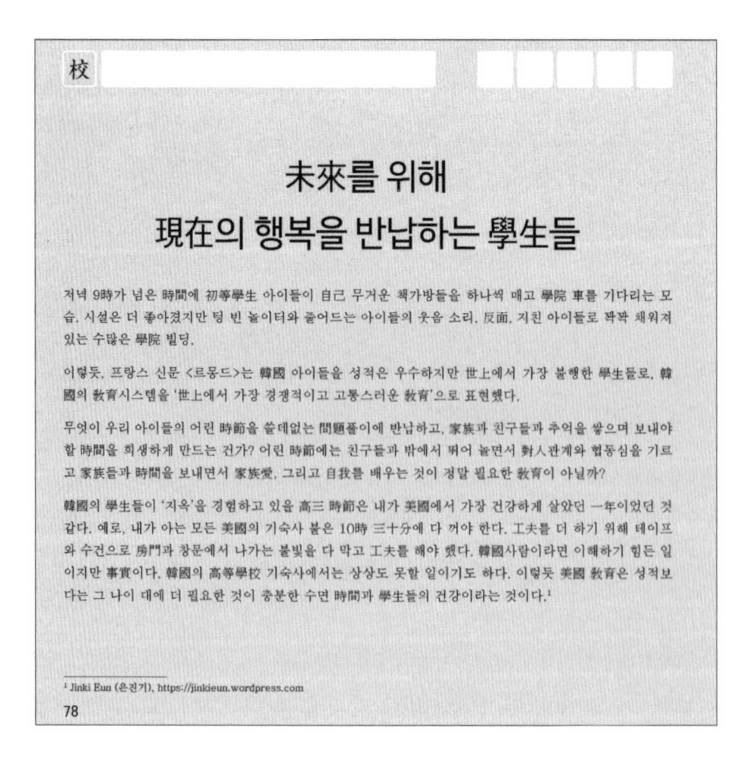
校

未來를 위해
現在의 행복을 반납하는 學生들

저녁 9時가 넘은 時間에 初等學生 아이들이 自己 무거운 책가방들을 하나씩 매고 學院 車를 기다리는 모습. 시설은 더 좋아졌지만 텅 빈 놀이터와 줄어드는 아이들의 웃음 소리. 反面, 지친 아이들로 꽉꽉 채워져 있는 수많은 學院 빌딩.

이렇듯, 프랑스 신문 <르몽드>는 韓國 아이들을 성적은 우수하지만 世上에서 가장 불행한 學生들로, 韓國의 敎育시스템을 '世上에서 가장 경쟁적이고 고통스러운 敎育'으로 표현했다.

무엇이 우리 아이들의 어린 時節을 쓸데없는 問題풀이에 반납하고, 家族과 친구들과 추억을 쌓으며 보내야 할 時間을 희생하게 만드는 건가? 어린 時節에는 친구들과 밖에서 뛰어 놀면서 對人관계와 협동심을 기르고 家族들과 時間을 보내면서 家族愛, 그리고 自我를 배우는 것이 정말 필요한 敎育이 아닐까?

韓國의 學生들이 '지옥'을 경험하고 있을 高三 時節은 내가 美國에서 가장 건강하게 살았던 一年이었던 것 같다. 예로, 내가 아는 모든 美國의 기숙사 불은 10時 三十分에 다 꺼야 한다. 工夫를 더 하기 위해 테이프와 수건으로 房門과 창문에서 나가는 불빛을 다 막고 工夫를 해야 했다. 韓國사람이라면 이해하기 힘든 일이지만 事實이다. 韓國의 高等學校 기숙사에서는 상상도 못할 일이기도 하다. 이렇듯 美國 敎育은 성적보다는 그 나이 대에 더 필요한 것이 충분한 수면 時間과 學生들의 건강이라는 것이다.[1]

[1] Jinki Eun (은진기), https://jinkieun.wordpress.com

78

3.3. Exercises

The exercises that follow the text aim to multiply the vocabulary formed by the taught Sino-Korean Characters. For example, if the Sino-Korean Characters taught in this lesson are 20, the words that are presented are about 200 or even more. Most of these words students already know, but do not know what their syllables mean. Exercise below, which we have in almost every lesson, aims to teach students to look at the composition of Korean words and search for their meaning, even when the words are unfamiliar to them.

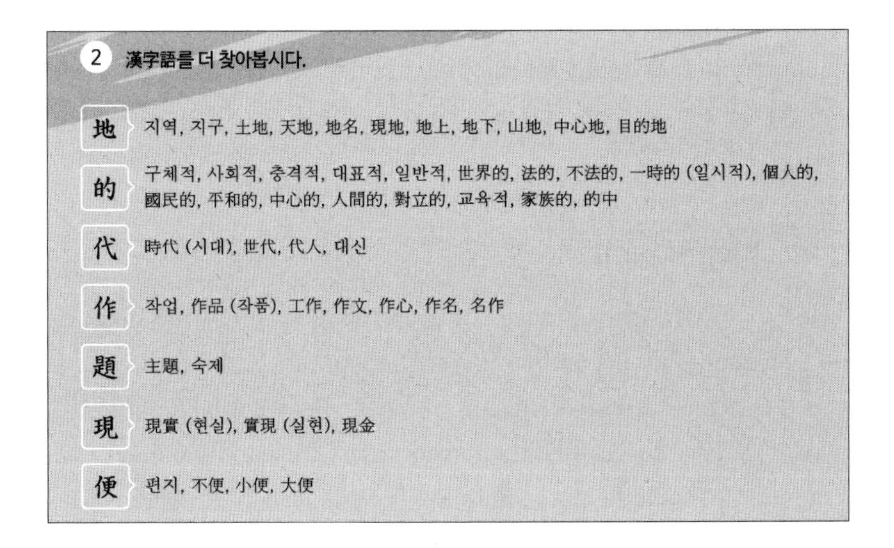
2 漢字語를 더 찾아봅시다.

地 지역, 지구, 土地, 天地, 地名, 現地, 地上, 地下, 山地, 中心地, 目的地

的 구체적, 사회적, 충격적, 대표적, 일반적, 世界的, 法的, 不法的, 一時的 (일시적), 個人的, 國民的, 平和的, 中心的, 人間的, 對立的, 교육적, 家族的, 的中

代 時代 (시대), 世代, 代人, 대신

作 작업, 作品 (작품), 工作, 作文, 作心, 作名, 名作

題 主題, 숙제

現 現實 (현실), 實現 (실현), 現金

便 편지, 不便, 小便, 大便

There are also exercises in which students either read or write and learn vocabulary in a variety of texts and situations.

3.4. Homework

Homework includes writing of the learned Sino-Korean Characters several times, as well as various exercises for translation or writing. The example homework exercises below require more students' involvement – writing, using vocabulary, and creativity.

3 모르는 漢字를 사전에서 찾아 다음 사자성어의 뜻을 설명하십시오.

虎死留皮 人死留名

We can note some of the advantages of the published textbook: A part of the textbook (covering one semester) includes about 200 Sino-Korean Characters, which are repeated in various texts and exercises; The texts are adapted to the students' level of Korean language; The textbook is entirely in Korean and although it is intended for Bulgarian students, it can be used in other countries; Everything is contained in one book body - from lessons to homework - and so students are facilitated, and teachers also in checking and assessing.

3.5. Teaching Hanmun

Knowledge of Classical Chinese is a treasure that opens the door to the culture of many East Asian countries. Unfortunately, only learning Sino-Korean Characters, even in sufficient numbers, does not help a lot. At Sofia University we have successful attempts to teach *hanmun* in the fourth year of BA program. It should be noted here that a basic level of *hanmun* is planned for all students majoring in Korean in the course of Sino-Korean Characters, but unfortunately not all students reach the required level in *hanja* and teaching *hanmun* sometimes could not be conducted. In recent years, the motivation of students to study Korean is *hallyu*, and this usually does not lead to the desire to accumulate deep knowledge. Although we do not manage to reach a level every year that allows reading texts in Classical Chinese, at 2-3 years we have a group of students that are interested enough and successfully cope with this difficult task.

After teaching the basic grammar of *hanmun* and getting acquainted with using dictionaries and supporting, we start working with easy original texts. As a first step, we have chosen some sentences from Confucius' Analects that are both comprehensible in meaning and their compound Sino-Korean

Characters are not difficult. For example, the sentence子曰。父在、觀其志。父沒、觀其行。三年無改於父之道、可謂孝矣矣。contains one or two Sino-Korean Characters unknown to students and being familiar with Confucius philosophy, they do not find it difficult to translate it.

When students gained some routine with Classical Chinese, they began to read and translate texts from Korean literature. From the prose we find suitable some of the texts included in Samguk Yusa. For example, a passage from a text from Book 1 includes the signs predicting the collapse of Paekche kingdom. The grammar of the text is simple and includes a list of similar actions, and most Sino-Korean Characters are familiar to students. Our experience shows that a large part of the students copes with the translation with small instructions from the teacher and a dictionary. Here is the excerpt from the text in question:

百濟烏會寺, [亦云烏合寺.] 有大赤馬. 晝夜六時. 遶寺行道. 二月, 衆狐入義慈宮中. 一白狐坐佐平書案上. 四月, 太子宮雌雞小雀婚交與. 五月, 泗沘[扶餘江名] 岸大魚出死. 長三丈. 人食之者皆死. 九月, 宮中槐樹鳴如人哭. 夜鬼哭宮南路上. 五庚申二月春年. 王都井水血色. 西海邊小魚出死. 百姓食之不盡. 泗沘水血色. 四月, 蝦蟆數萬集於樹上. 王人都市無故驚走, 如有捕捉. 驚仆死者百餘. 亡失財物者無數. 六月, 王興寺僧皆見如舡楫隨大水入寺門. 有大犬如野鹿. 自西至泗沘岸. 向王宮吠之. 俄 不知 所 之. 城中 群 犬 集 於 路上. 或 吠 或 哭, 移 時而 散. 有 一 鬼 入宮 中. 大呼 曰 百 濟 亡 百 濟卽. 卽 入 地. 王 怪 之. 使人 掘 地, 文 三 尺許. 一 一 龜. 其 背 有 文(曰), 百 濟 圓月 輪, 新 羅 如 新月. 問 之 巫 者. 云. 圓月 輪 者 滿 也. 滿 則 虧. 文新月 者 未也滿. 未滿 則漸盈. 王之怒殺. 或曰圓月輪盛也. 如新月微者也. 意者國家盛而新羅寢微乎. 王喜.

Apart from prose, fourth-year students get acquainted with the masterpieces of Korean poetry written in *hanmun*. Depending on the level of knowledge of *hanmun*, Korean poetry offers works of varying difficulty. Hwang Jin-yi, for example, who is usually loved by students because of the romantic images she creates, writes with complex expressions and symbols that only the best students can understand. Poets like Choe Chi-won, however, write in a simple style and his works do not hinder students. At the end of their studies, the students again show what they have learned in Sino-Korean Characters in artistic way - a translation of a classical Korean poem with picture is part of the final exam. Eastern-style painting is difficult for students, as well as calligraphy with a brush, but everyone enjoys the activity.

4. Conclusion

Teaching Sino-Korean Characters or not teaching them in Korea - both South and North - is a complex political issue taken at the highest government level. However, teaching Sino-Korean Characters to foreigners studying Korean is crucial to the level of proficiency in Korean. While in language courses such as those at Sejong Institute, teaching only *hangeul* is appropriate, at the university level, knowledge of basic Sino-Korean Characters is a mandatory step towards students' future development. This article presents the experience of the Department of Korean Studies at Sofia University in the teaching of Sino-Korean Characters and vocabulary, as well as at the elementary level of *hanmun*. This experience has been built over the 25-year history of the Korean Studies Department and has proven its effectiveness over time. The teaching system, as well as the published textbook, is suitable not only for Bulgarian students, but to a large extent for all universities that have a four-year bachelor's program in Korean studies with intensive study of the language.

Bibliography

Fred Lukoff. 2000. *A First Reader in Korean Writing in Mixed Script*. Yonsei University Press.

Choon-Hak Cho, Yeon-Ja Sohn, Heisoon Yang. 2002. Korean Reader for Chinese Characters. *KLEAR Textbooks in Korean Language*.

Iryeon. 2019. *Samguk Yusa* (Bulgarian Translation). CONTEXT.

Insup Taylor, Martin Taylor. 1995. *Writing and Literacy in Chinese, Korean and Japanese*. John Benjamins Publishing Company.

양승국, 박성창, 안경화, A. Paradowska, R. Huszcza. 2011. **폴란드인을 위한 한국 문화 30 강.** 박이정.

배규범. 2000. **한자로 읽는 한국 문화.** 보고사.

Т. Задоенко, Хуан Шуин. 1983. *Основы китайского языка – Вводный курс*. Москва.

Я. Е. Пакулова. 2005. *Учебник по иероглифике для изучающих корейский* яз ык. Восток-Запад.

제3장

외국어로서 한국어 학습에서의 한자 교육 I※

이상금
라트비아 라트비아대학교
University of Latvia

1. 들어가며

동북아시아의 언어와 문화를 이해하기 위해서는 '중국·한국·일본' 등에서 공통적으로 오랫동안 사용해 왔던, 그리고 현재도 통용되고 있는 한자(漢字)와 한자어(漢字語), 나아가 한문(漢文)[1]에 대한 기본적인 지식이 전제되어야 한다. 달리 말하자면, 문화와 문학의 일차적인 요소인 언어에 대한 이해를 일컫는다. 그렇다면 외국어로서의 한국어(韓國語)에 대한 이해와 학습에서 중요한 점은 무엇일까? 모국어로서 한국어의 전체 어휘 가운데 약 70%에 달하는 한자(어)의 올바른 이해와 교육에 있지 않을까. 이러한 관점에서 한국어를 외국어로 배우는 학생들에게 한자를 정확하게 이해시키고, 쉽게 체계적으로 배울 수 있도록 돕는 것이 중요하다.

따라서 본 글은 모국어를 습득하거나 학습하는 환경이 아닌, 외국어로서의 한국어 학습에 초점을 맞추고 있다. 즉 모국어 환경이 아닌, 다른 환경에서 처음으로 배우는 '외국어로서 한국어'의 어원(語源)이나 단어(單語)에 해당되는 한자(한문)를 기본적으로 학습할 수 있도록, 그리고 이렇게 학습자의 한자 능력을 쌓을 수 있는지에 대한 교수법적 접근이다. 부수적이지만, 이를 위한 효율적 수단으로 한국어·한자·영어 등 3가지 언어(tri-lingual)를 섞어 사용하고자 한다.

그러나 본 연구의 대상과 범위는 제한적일 수밖에 없다. 앞서 언급했듯이, 외국어로

※ 본 논문은 '유럽한국어교육자협회' 주관으로 2022년 8월 30일부터 31일까지 체코 팔라츠키(Palacký)대학에서 개최된 〈EAKLE 2022 in Olomouc; Workshop of the European Association of Korean Language Education〉에서 발표한 '외국어로서의 한국어에서 한자의 역할과 기능'을 수정하고, 보완한 것이다.

[1] 쉽게 풀어서 간추리면, '한자(漢字)'는 소리와 뜻을 가진 각각의 '낱글자'이다. 이러한 한자가 한 글자 또는 두 글자 이상 모여 만들어진 단어가 바로 '한자어(漢字語)'이다. 반면 '한문(漢文)'은 한자로 이루어진 문장(文章)이다. 따라서 한자어는 한문 문장을 구성하는 최소 단위가 되며, 문장에서 분리되어 자립적으로도 쓰일 수 있다. 그러나 일반적으로 '한자, 한자어, 한문' 모두를 아우르는 의미에서 여기서는 '한자'로 통칭되기도 한다.

서 한국어를 배우고 가르치는 데 있어 가장 기본적인 요소들이 중심 내용이다. 즉 Ⅰ부에서는 한자란 무엇인가, 한자를 쓰는 순서, 한자가 만들어지는 원리, 한자의 구성과 이를 바탕으로 간단한 실용적인 한문의 독해 등을 다룬다. 이어 Ⅱ부(다음 논문집에 수록 예정)에서는 한중(韓中) 역사를 통한 한자의 발생과 변천, 한국인의 일상에서 빈번하게 사용되는 대표적인 사자성어, 한문의 문형과 한문 강독을 다룸으로써 학습에서의 필수적인 한자 한문의 기본을 가름하려고 한다.

2. 한국과 일본의 한자 교육

먼저 단적인 예를 들어보자. 21세기 초, 2022년 세계에서 가장 인기 있는 대중가요는 방탄소년단의 노래라는 데 있어 별다른 이의가 없을 것이다. 여기서 '방탄소년단'이라는 한국어의 로마자 음역과 한자어는 각각 'BangTanSonyeonDan(BTS)'과 '防彈少年團'이다. 이러한 한국어의 한자어 표기와 뜻을 정확히 이해하는 젊은이는 얼마나 될까? 안타깝게도 일상생활에서 사용되는 한국어의 한자어를 정확하게 읽고 쓰고 말할 수 있는 사람은 많지 않다. 이는 분명 한자 교육과 학습의 문제가 일차적일 것이다.

먼저 한국과 일본의 한자 교육을 살펴보자. 외국 특히 유럽의 경우 동아시아에서의 일본과 중국에 대한 선입견과 편견이 오랫동안 이어져 온 것이 사실이기 때문에 한국어의 한자에 대한 접근과 이해에 혼란과 어려움을 호소하는 학습자들이 적지 않다. 예를 들면, '중국어 문자와 일본의 한자, 한국어의 한자는 왜 그리고 무엇이 다른가?'라는 물음은 끊이지 않는다. 따라서 같은 한자 문화권[2]에서 현재의 실상을 부분적이지만, 좀 더 정확하게 알 필요가 있다.

[2] 배규범. 2012. 외국인을 위한 한자와 한국문화. 한국문화사. pp. 26-31.

한국의 경우 교육용 기초 한자는 1,800자이다. 2000년 2월 현재 중학교와 고등학교에 각각 900자가 지정되어 있다. 반면 일본의 상용한자(常用漢字 조요칸지)는 2010년 11월 현재 2,136자이다. 일본의 상용한자는 '교육한자(教育漢字)'라고도 불리며, 초등학교 학습 대상의 한자(1,026자)와 그 외의 중고등학교 학습 대상 한자(1,110자)로 나뉜다.

한편, 한국의 교육 제도(초등학교 6년, 중학교 3년, 고등학교 3년, 대학교 4년)상 중학교부터 기초 한자 교육이 이루어지고 있으나 이는 필수가 아니라 선택 과목이다. 그런데 전문 학술 분야에서뿐만 아니라 언론과 문화 등 각 분야에서 필요할 경우 한글과 한자를 병기하거나, 한글 대신 한자어를 쓰기도 한다. 이는 현재 한글 전용의 정책적 시행에 따른 문제가 발생하기 때문이다. 최근에 이르러서는 관용어에서도 한자와 영어 등 다른 외국어 사용이 일부 허용되고 있다. 반면 일본의 경우는 한국과 많이 다르다. 히라카나(ひらかな, 平仮名)와 카타카나 (かたかな, 片仮名 カタカナ)라는 일본어 문자 표기가 있지만, 거의 모든 문자에서 일본어와 한자어(かんじ 칸지)가 함께 사용되고 있는 만큼 한자의 중요성이 부각된다.

3. 한자(한문)의 기본 이해

오늘날 한자를 모국어로 사용하는 중국은 이미 오래전부터 사용하던 정체자(正體字) 또는 번체자(繁體字)를 1956년부터 간체자(简体字) 또는 간화자(简化字)로 바꾸어 사용하고 있다. 일본의 경우 신자체(新字體, 新字体 신지타이)를 사용하고 있다. 즉 이전에는 중국·한국·일본이 같은 서체를 사용했으나, 현재는 한국과 대만 정도가 정체자를 사용하고 있다. 이를 염두에 두고, (1) 한자의 3요소, (2) 한자를 쓰는 순서, (3) 한자가 만들어지는 원리, (4) 한자(한문)의 구성, 즉 문법적인 이해를 알아보자.

3.1. 한자의 3요소

한자의 3요소는 '모양, 소리, 뜻'이다. 한자는 하나의 글자가 形(형; 모양), 音(음; 소리), 義(의; 뜻)의 세 요소를 동시에 갖추고 있기 때문이다. 따라서 한자를 올바르게 이해하고 사용하기 위해서는 '모양/소리/뜻'을 다 함께 익히고 학습해야 한다.

첫째, 바로 앞서 언급했듯이, 시대의 변천과 문자 사용의 효율성 등으로 한자의 '모양(형)'에서 세 나라 모두 다른 점이 많다.[3] 예를 들면 한국의 '정체자'와 중국의 '간체자', 일본의 '신자체'의 차이를 살펴보자.

齒 (이 치) → 齿 (중국의 간체자)
→ 歯 (일본의 신자체)

氣 (기운 기) → 气 (중국의 간체자)
→ 気 (일본의 신자체)

樂 (풍류 락) → 乐 (중국의 간체자)
→ 楽 (일본의 신자체)

藝術 (재주 예, 술) → 艺术 (중국의 간체자)
→ 芸術 (일본의 신자체)

學藝會(학예회) → 学艺会(중국의 간체자)
→ 学芸会(일본의 신자체)

[3] 반면 서로 같은 점도 있다. 한국·중국·일본의 한자를 비교하면, (1) 한중일 공통으로 사용하는 한자(木, 內), (2) 한일 공통은(書, 個), (3) 한중 공통은(假, 舍), (4) 중일 공통은(學 → 学, 國 → 国) 등이 있다. 덧붙여 같은 뜻이지만, 다르게 사용하는 대표적인 예로써 한국어에서의 한자는 '工夫'이지만, 중국어에서는 '读书', 일본어에서는 '勉强'로 쓰이고 있음을 들 수 있다. 참조, 위와 같은 책, p. 29.

둘째, 한글과 로마자 알파벳처럼 하나의 글자가 소리만을 나타내는 표음문자(表音文字 phonogram)와 달리, 한자는 하나의 글자가 소리뿐만 아니라, 다양한 뜻도 나타내는 표의문자(表意文字 ideogram)이다. 이제는 '소리(음)'가 어떻게 다른지를 알아보자.

한국어와 일본어의 한자(칸지)에서 예를 들면, 大의 경우 모양은 '大', 소리는 '대/다이', 뜻은 '크다'이다. 단어 '大學'에서 한국어 소리는 [대학]이며, 일본어 소리는 '大学

[だいがく 다이가쿠]'이다. 굳이 영어로 번역하면 'university'로, 한자의 뜻 '큰 배움'과는 다르다. 몇 개의 예를 더 들어보자.

言 언　　言語(한국 한자) / 言語(일본 한자) → 언어 / げんご [겐고]
中 중　　中國(한국 한자) / 中国(일본 한자) → 중국 / ちゅうごく [주우코쿠]
文 문　　文化(한국 한자) / 文化(일본 한자) → 문화 / ぶんか [분카]

그러나 중국어(中國語)는 사성(四聲 four tones of Chinese Characters)을 사용한다. 간단한 예를 들면 아래와 같다.

제1성(聲) - : 높게 시작하여 끝까지 유지,　　예(例): 妈(엄마) [mā]
제2성(聲) ˊ : 낮게 시작하여 단숨에 높이 끌어올리는,　　예(例): 麻(삼) [má]
제3성(聲) ˇ : 소리를 낮춘 후 자연스럽게 끌어올리는,　　예(例): 马(말) [mǎ]
제4성(聲) ˋ : 높게 시작하여 강하게 끌어내리는,　　예(例): 骂(욕) [mà][4]

[4] 위의 중국어 음성 표시 […]는 국제 음성 기호(IPA; International Phonetic Alphabet)에 따른 것이다.

여기서 덧붙여 언급하고 싶은 것은 한자를 한국어로 발음할 때 유의할 점이다. 이를 두음법칙(頭音法則 first initial sound law) 또는 '머리소리 법칙'이라 한다. 이는 한자나 한자어의 한글 표기와 소리에서 많이 나타난다. 즉 단어의 첫머리가 다른 음으로 발음되는 현상으로 첫소리의 'ㄹ'과 이중모음(二重母音 diphthong) 앞의 'ㄴ'이 각각 'ㄴ'과 'ㅇ'으로 발음되며, 쓰기 역시 정서법에 따른다. 예를 들면 아래와 같다.

래일(來日) → 내일　　녀자(女子) → 여자
년중(年中) → 연중　　림야(林野) → 임야

그러나 첫소리가 아니면, 본래대로 발음하고 쓴다. 예를 들면, '고진감래(苦盡甘來)', '아녀자(兒女子)', '송년(送年)', '산림(山林)' 등이 있다.

셋째, 한자에서 '뜻'은 중국, 한국, 일본에서 기본적으로 같다. 다만 세 나라의 문화, 예술, 경제, 산업, 정치, 기술 등 시대적 상황과 변천에 따라 다르므로 여기서는 생략한다. 또한 한국과 일본에서는 자국에서 만든 한자가 많음에도 불구하고, 이를 제대로 구분하기는 쉽지 않다. 예를 들면 아래와 같다.

일본식 한자: 倶楽部くらぶ, 放送ほうそう, 家出いえで, 価格かかく, ~曜日~ようび
한국식 한자: 田畓 전답, 乭金 돌쇠, 感氣 감기, 未安 미안, 外界人 외계인,
原語民 원어민

비단 자국화된 한자어는 물론, 오늘날 영어를 비롯한 '외국어+한국어'로 결합된 새로운 형태의 언어 역시 증가하는 추세이기도 하다. 이런 측면에서 '한자+한국어'로 결합된 단어를 든다면, '多情히/海邊가/妻家집/驛前앞/山골' 등과 같은 많은 어휘들이 있다. 이제는 한국인의 일상뿐만 아니라, 학술적 용어에까지 사용되는 현상에도 유의할 필요가 있다.

3.2. 한자를 쓰는 순서

한자를 쓰는 순서는 '필순(筆順 stroker order)'이라 한다. 이는 '점(點 dot)'과 '선(線 line)'에 해당되는 '획(劃 stroke)'의 순서를 뜻한다. 쉽게 표현하면, 한자를 구성하는 점이나 선을 '획'이라고 하며, 이 획을 쓰는 순서가 '필순'이다. 대표적인 예를 든다면, '永(영)'[5]일 것이다. 덧붙여 한자는 필순에 따라 쓰면 맵시 있고 편리하게 쓸 수 있을 뿐만 아니라, 분명하게 읽히고 모양도 좋다.

1) 三(삼): 위에서 아래로 쓴다. Top to bottom
2) 川(천): 왼쪽에서 오른쪽으로 쓴다. Left to right
3) 十(십): 가로획과 세로획이 교차하면, 가로획을 먼저 쓴다. Horizontal stroke precedes vertical stroke when crossing
4) 人(인): 삐침과 파임이 만날 때는 삐침을 먼저 쓴다. Right-to-left diagonal stroke precedes left-to-right
5) 小(소): 좌우가 모양이 같을 때는 가운데를 먼저 쓴다. Center precedes right and left
6) 風(풍): 안쪽과 바깥쪽이 있을 때는 바깥쪽을 먼저 쓴다. Outer frame first, but bottom line last
7) 中(중): 꿰뚫는 획은 나중에 쓴다. Central vertical line last
8) 尤(우): 오른쪽 위의 점은 나중에 찍는다. Dot on right shoulder last
9) 近(근): 받침은 나중에 쓴다.[6] Supporter last

3.3. 한자가 만들어지는 원리

한자가 만들어지는 원리를 한마디로 표현하면, '육서(六書 The 6 Categories of Chinese Characters)'이다.[7] 이는 한자의 발생과 역사적 변천 과정에서 보면 쉽게 이해할 수 있다. 나아가 한자와 한문을 이해하고 이를 알기 위한 방법으로 '부수(部首)' 역시 육서와 연계되어 있다.[8]

[5] 달리 '永字八法(영자팔법)'으로 불린다. 한자의 서법(書法 calligraphy)을 처음 배울 때, 특히 '붓글씨 쓰는 법'이라 할 수 있는 운필법(運筆法)을 많이 사용한다. 그 이유는 한자의 기본 8가지 획이 모두 다 들어 있기 때문이다. 즉 '永' 이를 구체적으로 설명하면, ① 가볍게 찍는 점(點) 또는 측(側)으로도 불린다, ② 가로로 긋는 선에 해당하는 횡(橫) 또는 늑(勒), ③ 세로로 긋는 선에 해당하는 수(竪) 또는 노(努), ④ 갈고리처럼 세로 획 끝에서 붓의 탄력으로 튕기듯 쓰는 구(鉤) 또는 적(趯), ⑤ 왼쪽에서 오른쪽으로 비스듬히 올리는 삐침의 제(堤) 또는 책(策), ⑥ 오른쪽에서 왼쪽 아래로 쓰는 긴 삐침의 별(撇) 또는 략(掠), ⑦ 오른쪽에서 왼쪽으로 쓰는 짧은 삐침의 단별(短撇) 또는 탁(啄), ⑧ 왼쪽에서 오른쪽 아래로 끌어내리는 파임의 날(捺) 또는 책(磔) 등으로 이루어져 있다. 김지영, 김지현. 2021. **해외 한국학자를 위한 한문**. 한국학중앙연구원. p. 28 참조.

[6] 김용재 외 5인. 2018. **중학교 한문**. ㈜와이비엠. p. 14.

[7] 이영희. 2011. **외국인을 위한 재미있는 한자**. 한국문화사. pp. 12–14.

[8] 부수란 개별 한자를 구성하는 한 부분으로, 한자는 같은 부수를 포함하는 것끼리 한데 묶을 수 있다. 한자 자전(字典)은 부수를 기준으로 글자를 찾는 길잡이 역할을 할 뿐만 아니라, 부수는 한자가 나타내는 핵심적인 의미와 한자의 속성을 알려 주는 기호이기도 하다. 그러나 1부에서 이를 다루기보다는 어느 정도 한자에 대한 이해가 선행된 다음에 비교적 복잡한 자전(사전)의 분류 원칙과 사용법을 알리는 것이 좋다는 판단이다. 따라서 이는 2부에서 다루고자 한다.

1) 상형문자(象形文字 The Pictograph): 구체적인 사물의 모양을 본떠서 한자를 만드는 원리. As the most basic principle, a character is a picture of a physical object, so usually very simple.
(E.g.) 일 日 = sun/day, 월 月 = moon/month, 산 山 = mountain, 화 火 = fire

2) 지사문자(指事文字 The Sign or Symbol): 구체적인 사물이 아닌 추상적인 개념을 점이나 선으로 기호처럼 표현하여 한자를 만드는 원리. To express an abstract concept, they used a line or a dot.
(E.g.) 상 上 = upper, 하 下 = under, 본 本 = root

3) 회의문자(會意文字 The Ideograph): 이미 만들어진 둘 이상의 글자를 결합하여 새로운 글자를 만들 때, 그 글자들이 지닌 뜻을 합쳐서 새로운 뜻을 나타내는 원리. A meaningful combination of two or more pictograph or symbols.
(E.g.) 日 sun + 月 moon = 明 bright, 人 person + 木 tree = 休 rest,
女 woman (here mother) + 子 child = 好 good

4) 형성문자(形聲文字 The Phonetic-Ideograph): 이미 만들어진 글자를 결합하여 새로운 뜻을 만들 때, 일부는 뜻을 나타내고 일부는 소리(음)를 나타내는 원리. This is the largest of the categories, containing over 80% of all the characters. It is a combination of semantic element (meaning part) with a phonetic element (sound part).
(E.g.) 言 words: meaning part + 己 body; sound part = 記 record
口 mouth: meaning part + 門 door; sound part = 問 ask
耳 ear: meaning part + 門 door; sound part = 聞 listen

5) 전주문자(轉注文字 Characters of borrowed Meaning and Pronunciation): 이미 있는 한자의 뜻을 확대·발전시켜 다른 뜻으로 쓰는 방법으로 만드는 문자로 음(音)이 바뀌기도 한다. Meaning or Pronunciation have been extended or changed.
(E.g.) 樂 락 to enjoy: 오락 娛樂, 樂 악 music; 음악 音樂,
惡 악 vicious: 악인 惡人, 惡 오 to hate; 증오 憎惡

6) 가차문자(假借文字 Characters which borrow a Sound or Shape): 어떤 소

리나 뜻을 나타내는 한자가 없을 때, 뜻은 다르나 음(音)이 같은 글자를 빌려 쓰는 방법으로 만드는 문자. 의성어나 의태어도 가차문자에 속한다.[9] In order to express foreign language such as English, characters borrowed phonetically or shapely, and imitative word or mimetic word.

(E.g.) phonetically: 인도 印度 India, 펩시콜라 百事可樂 Pepsi Cola, 마르크스 马克思 Marx
shapely: 불 弗 $ (Dollar)
imitative word: 정정 丁丁 ([zhēngzhēng] 쩡쩡; 나무를 찍는 소리)
mimetic word: 당당 堂堂 ([tángtáng] 탕탕; 사람의 의젓한 모습)

[9] 김지영. 김지현의 같은 책. p. 20.

3.4. 한자(한문)의 구성

한자(한문)가 어떻게 구성되어 있는지 알게 되면, 한자(문)의 어순과 문장에서의 문법적인 이해는 쉽게 이루어진다. 크게 6가지 구성 방식이 있다.[10] 그러나 주의할 점은 한자어는 단어이면서 한문이기도 하다. 그리고 한문의 문법 구조는 한국어와 다르다. 특히 아래 2)와 3)처럼 '술목, 술보'는 주어가 생략된 문장이다. 한문에는 주어가 생략될 때가 많은데, 이것 역시 한문의 특성 가운데 하나이다.

[10] 참조, 문법에서의 용어: 주어(主語 subject) / 서술어(敍述語 predicate) / 수식어(꾸며 주는 말 修飾語 modifier) / 피수식어(꾸밈 받는 말 被修飾語 modificand) / 목적어(目的語 object) / 보어(補語 complement), 병렬관계(竝列關係 parallel relation)

1) 춘래(春來): 주술관계 = 주어(主語) + 서술어(敍述語) "봄이 오다"
(E.g.) 일출(日出), 두통(頭痛), 산고(山高)

2) 독서(讀書): 술목관계 = 서술어(敍述語) + 목적어(目的語) "책을 읽음"
(E.g.) 수주(守株), 대토(待兎)

3) 등교(登校): 술보관계 = 서술어(敍述語) + 보어(補語) "학교에 가다"
(E.g.) 귀가(歸嫁), 무례(無禮)

4) 공감(共感): 수식관계 = 수식어(修飾語) + 피수식어(被修飾語) "함께 느낌"
(E.g.) 대기(大器), 필승(必勝)

5) 사제(師弟): 병렬관계 = 같은 성분이 나란히 놓여 있음. "스승과 제자"
(E.g.) 두 글자의 개념이 대립한 경우: 주야(晝夜), 장단(長短), 대소(大小)
두 글자의 개념이 비슷한 경우: 존재(存在), 비애(悲哀), 환희(歡喜)
같은 글자가 되풀이되는 경우: 일일(日日), 시시(時時), 각각(刻刻)

6) ~연(然)/~화(化)/~적(的): 접미사(接尾辭) 사용
(E.g.) 우연(偶然), 과연(果然)/악화(惡化), 교화(教化)
/낭만적(浪漫的), 구조적(構造的)

4. 한문의 이해와 학습

이상의 내용을 바탕으로 한문(漢文)의 이해와 학습을 위한 단계적 학습이 필요하다. 본 글에서는 우선 간단한 실용적 문구에서부터 시작하여 공자와 주희의 실용적 문장으로 발전시키는 방법을 제시하였다. 마지막으로 한국의 고려가요가 오늘날 현대적 해석을 통해 대중가요화된 대표적인 사례를 들었다. 이는 '외국어로서 한국어'에 있어서 한자 한문을 통한 문화적 수용을 알리면서, 동시에 한문 교육을 위한 교수법적 접근[11] 가운데 하나의 방안이기도 하다.

[11] 그러나 구체적인 교수법은 여러 가지 조건에 의해 결정되어야 할 것이다. 먼저 소위 "교수계획서(Syllabus)"에서는 보다 정확한 '교수 목표, 강의 개요, 주교재와 부교재, 평가 방법, 주별 강의 계획, 강의에 배당된 시간' 등이 필요하다. 이를 결정하는 요소는 학습자의 한국어 수준, 수강하는 학습자의 수, 커리큘럼에서 '한자' 과목이 한 번일 경우와 수준별 단계가 있느냐 등 학습자의 대상, 교육 내용의 범위에 달려 있다.

1) 去言美라야 來言美니라. = 去言 거언(주어, 가는 말이), 來言 래언(주어, 오는 말이) + 美 미(서술어, 곱다) ⇒ "가는 말이 고와야, 오는 말이 곱다."

2) 三歲之習이 至于八十이라. = 三歲之習 삼세지습(주어, 세 살 버릇이) + 至 지(서술어, 간다) + 于八十 우팔십(보어, 여든까지) ⇒ "세 살 버릇이 여든까지 간다." (참조, 至: '지' ~이르다, ~미치다, 닿다/于; '우' ~에, ~까지)

3) 百聞이 不如一見이라. 백문 불여일견 ⇒ 백 번 듣는 것보다 한 번 보는 것이 낫다.

4) 病從口入이요 禍從口出이라. 병종구입 화종구출 ⇒ 병은 입으로 들어가고, 화(잘못)는(은) 입으로부터 나온다.

5) 공자(孔子)의 〈논어(論語)〉에서

克己復禮爲仁	극기복례위인	
(중략 中略)		
非禮勿視	비례물시	(예가 아니면, 보지 말고)
非禮勿聽	비례물청	(예가 아니면, 듣지 말고)
非禮勿言	비례물언	(예가 아니면, 말하지 말고)
非禮勿動	비례물동	(예가 아니면, 행동하지 말라)

이의 원문(原文)은 다음과 같다. 즉 顏淵問仁, 子曰 "克己復禮爲仁", 안연(顏淵)이 인(仁)에 대하여 물었다. 공자(孔子)가 말하기를 '나를 이기고, 예(禮)로 돌아감이 인(仁)이 된다. 子曰 非禮勿視 非禮勿聽 非禮勿言 非禮勿動)

※克: 이길 극, 己: 몸 기, 復: 돌아올 복, 禮: 예도 예, 爲: 만들 위, 仁: 어질 인

※非: 아닐 비, 禮: 예도 예, 勿: 아니 물, 視: 볼 시, 聽: 들을 청, 言: 말씀 언, 動: 움직일 동

6) 樹欲靜 而 風不止, 子欲養 而 親不待[12]

樹欲靜而風不止 子欲養而親不待 (수욕정이풍부지 자욕양이친부대)

※나무 수(樹), 하고자 할 욕(欲), 고요할 정(靜), 접속사 이(而), 바람 풍(風), 아닐 부(不), 그칠 지(止)

※한자에서 불(不)은 다음 단어가 'ㄷ'이나 'ㅈ' 음으로 시작될 경우에는 '부(不)'로 읽힌다.

(E.g.) 부당(不當)/부동(不動), 부정(不定)/부정확(不正確)

[12] 여기서 주의할 '而': '이'는 '접속사'로서 단어와 단어, 어구와 어구, 문장과 문장을 서로 이어 주는 역할을 하지만, 뜻은 문맥을 통해 정해진다. 즉 '그리고', '그러나', '그러므로' 등의 뜻을 갖는다.

7) 주희(朱熹)의 〈권학문(勸學文)〉[13]에서

少年易老學難成 一寸光陰不可輕 未覺池塘春草夢 階前梧葉已秋聲[14]

少年易老學難成 소년이로학난성

※적을 소(少), 해 년(年), 쉬울 이(易), 늙을 로(老), 배울 학(學), 어려울 난(難), 이룰 성(成)

一寸光陰不可輕 일촌광음불가경

※한 일(一), 마디 촌(寸), 빛 광(光), 응달 음(陰), 아니 불(不), 가할 가(可), 가벼울 경(輕)

未覺池塘春草夢 미각지당춘초몽

※아닐 미(未), 깨달을 각(覺), 못 지(池), 못 당(塘), 봄 춘(春), 풀 초(草), 꿈 몽(夢)

階前梧葉已秋聲 계전오엽이추성

※섬돌 계(階), 앞 전(前), 오동나무 오(梧), 잎 엽(葉), 이미 이(已), 가을 추(秋), 소리 성(聲)

[13] 주희(朱熹), 1130~1200년, 南宋(남송)의 大儒學者(대유학자), 朱子學(주자학) 창시자.

[14] 해석(解釋)하면, 아래와 같다.

少年易老學難成
소년은 쉽게 늙고, 학문은 이루기 어렵다.

一寸光陰不可輕
아주 짧은 시간이라도 가볍게 여기지 마라.

未覺池塘春草夢
연못가 봄 풀이 채 꿈도 깨기 전에,

階前梧葉已秋聲
뜰 앞 오동나무 잎은 이미 가을을 알리는구나.

8) 한국의 고대 가요 〈공무도하가(公無渡河歌)〉와 현대 가요 〈공무도하가〉

① 고대 가요, 작자 미상의 〈공무도하가(公無渡河歌)〉

公無渡河 (공무도하)	임이여, 물을 건너지 마오.
公竟渡河 (공경도하)	임은 그예 물을 건너시네.
墮河而死 (타하이사)	물에 휩쓸려 돌아가시니
當奈公何 (당내공하)	가신 임을 어이할꼬.

② 현대 대중가요, 가수 이상은의 〈공무도하가〉 (© KOMCA)

님아, 님아, 내 님아! 물을 건너가지 마오.
님아, 님아, 내 님아! 그예 물을 건너시네.
아~ 물에 휩쓸려 돌아가시니
아~ 가신 님을 어이 할꼬.

公無渡河(공무도하)
公竟渡河(공경도하)
墮河而死(타하이사)
當奈公何(당내공하)

님아, 님아, 내 님아! 나를 두고 가지 마오.
님아, 님아, 내 님아! 그예 물을 건너시네.
아~ 물에 휩쓸려 돌아가시니
아~ 가신 님을 어이 할꼬.

公無渡河(공무도하) 公竟渡河(공경도하)
墮河而死(타하이사) 當奈公何(당내공하)
公無渡河(공무도하) 公竟渡河(공경도하)
墮河而死(타하이사) 當奈公何(당내공하)
公無渡河(공무도하) 公竟渡河(공경도하)
墮河而死(타하이사) 當奈公何(당내공하)
公無渡河(공무도하) 公竟渡河(공경도하)

님아, 님아, 내 님아! 물을 건너가지 마오.
님아, 님아, 내 님아! 그예 물을 건너시네.

5. 나가며

앞서 살펴보았듯이, 외국어로서 한국어 학습에서 한국어의 어원(語源)이나 단어(單語)에 해당되는 '한자, 한자어, 한문'을 어떻게 이해하고 사용할 수 있느냐는 매우 중요한 문제이다. 따라서 이를 가르치고 학습자의 실력을 쌓는 데 있어 필요한 교수법적 접근 방법에 대해 알아보았다. 요약하면, 한국인의 일상생활에서 쓰이고 있는 한자에 대한 정확한 이해가 구체적으로 무엇을 뜻하는지를 밝히면서, 무엇보다도 한국어를 모국어로 사용하는 언어 환경이 아닌, 외국어로서 한국어를 배우는 학습자에 초점을 맞추어 글의 내용을 전개했다. 특히 유럽의 아시아학과에 속한 학생들의 경우 중국, 한국, 일본에서 사용하는 한자의 모양과 발음은 물론 뜻까지 다르다는 면에서 혼란을 겪을 것이므로, 이를 피할 수 있는 구체적인 예는 물론 일반적인 지식도 함께 제시했다. 이와 더불어 한자의 3요소(모양, 소리, 뜻), 한자를 쓰는 순서, 한자가 만들어지는 원리(육서), 그리고 한자의 짜임을 살펴보았다. 나아가 이러한 지식을 바탕으로 한자의 이해에서 필수적인 문법적인 체계를 통한 한문의 해석까지 나아갈 수 있는 단계를 마련했다.

이 글에서 부족한 점은 계속 이어지는 연구를 통해 전개할 것이다. 이를 통해 한자의 발생과 변천 과정을 일목요연하게 정리하고 다양한 한자의 서체와 더불어 한문을 이해할 수 있도록 방안을 마련할 것이다. 또한 한국인이 자주 사용하는 사자성어를 비롯해서 지혜를 담은 격언과 속담, 나아가 한시를 소개함으로써 한자의 역할과 기능을 문화적 관점에서 올바르게 이해시키고자 한다.

외국어로서의 한국어 학습에 있어서 한자에 대한 기본적인 이해를 바탕으로 오늘날 일상생활에서 직접 접할 수 있는 어휘(語彙)뿐만 아니라, 사회적·학술적 소통에서도 많이 쓰이고 있는 한자에 대한 정확한 배움과 가르침이 필요함을 다시 한번 강조하며 이 글을 마치고자 한다.

Abstract in English 영문 요약(英文要約)

As the above mentioned, it is important to understand and use Chinese character (漢字 Hanja), Chinese characters(漢字語) and Chinese sentence(漢文) that correspond to the etymology or words of Korean in learning Korean as a foreign language. Therefore, in my opinion it was a necessary pedagogical approach for teaching these facts and building learners' skills. In summary, the content of this article focuses on learners in learning Korean as a foreign language. Nowadays, students in the department of Asian Studies in European countries want to know basic knowledge as well as specific examples to avoid confusion in terms of the differences in the shape, pronunciation, and meaning of Chinese characters used commonly in China, Korea, and Japan.

In addition, the three elements of Hanja (shape, sound, meaning), the stoke order principles, the 6 categories of Chinese characters (six books), and the structure of Chinese characters were examined. Furthermore, based on this knowledge, I have prepared a step from understanding Chinese characters to interpretation of Chinese characters through an essential grammatical system. However, what this article lacks will be supplemented in subsequent study.

In conclusion of Part 1 is based on a basic understanding of Chinese characters in learning Korean as a foreign language, as well as accurate learning and teaching of Chinese characters, which are widely using in social and academic communication, as well as vocabulary in daily life.

참고문헌 및 참고 사이트

김선정 외 3인. 2013. **살아있는 한국어, 한자성어**. 랭기지플러스.

김용재 외 5인. 2018. **중학교 한문**. ㈜와이비엠.

김종혁. 1997. **부수를 알면 한자가 보인다**. 학민사.

김지영, 김지현. 2021. **해외 한국학자를 위한 한문**. 한국학중앙연구원.

배규범. 2012. **외국인을 위한 한자와 한국 문화**. 한국문화사.

성백효. 2009. **대학·중용 집주**. 전통문화연구회.

이영희. 2011. **외국인을 위한 재미있는 한자**. 한국문화사.

임완혁 외 3인. 2020. **중학교 한문**. 교학사.

국가교육과정정보센터 http://ncic.go.kr

국립국어원 http://www.korean.go.kr

한국고전번역원 http://www.itkc.or.kr

한국민족문화대백과사전 https://encykorea.aks.ac.kr

한국학중앙연구원 http://www.aks.ac.kr

제4장

한국어 어휘 교육에서 한자어 교육의 중요성과 방법

- 한자어 접두사를 중심으로

김위선
이탈리아 나폴리 오리엔탈레 국립대학교
University of Naples "L'Orientale"

1. 들어가며

어떤 언어로든 자기 생각을 유창하고 명확하게 표현하려면 풍부한 어휘력을 갖추고 있어야 한다. 한국어도 예외는 아니며, 한국인이든 외국인이든 유창하게 한국어를 구사하려면 한자어로 된 어휘를 많이 알아야 한다. 특히 학문 목적의 한국어 학습자들은 한자어로 된 어휘를 체계적으로 교수/학습하는 것이 중요한데, 대부분의 전공 용어들이 한자어로 이루어져 있기 때문이다. 1945년 광복 이후 한국어 전용 정책 때문에 내국인을 대상으로 한 교육 과정에서 공교육으로서 한문(한자) 교육은 많이 축소되었다. 하지만 공교육을 벗어난 영역에서 한문(한자) 교육은 공교육의 공백을 메우며 오히려 더 활성화되었다.[1] 이는 한자어가 한국 어휘에서 매우 큰 비중을 차지한다는 부정할 수 없는 현실 때문에 한문(한자) 교육이 공교육에서 설 자리는 잃었을지언정 1969년 '한국어문교육연구회'가 설립 당시 표방했던 "국어를 제대로 이해하여 수준 높은 국어 생활을 영위하기 위해 국어 안의 한자 어휘 학습이 필수적"[2]이라는 본질은 간과되지 않았음을 증명한다.[3]

외국인 학습자의 경우 1997년 10월 26일 한국어능력시험(Test of Proficiency in Korean)이 처음 실시될 때만 하더라도 외국인을 위한 한자어 교육은 크게 고려의 대상이 아니었다. 이유는 한국어 교육이 회화 교육 위주로 진행되어 굳이 한자까지 공부하

[1] 김애영, 윤지영. 2011. 한국의 한자 교육 현황과 제언. **외국학연구**. 제17집. pp. 31-44를 보면 한글 창제 이후 한국의 문자 정책 및 1948년 '한글 전용법' 제정 이후 오늘날까지 한자 교육 정책이 어떻게 변화하였는지 요약하여 잘 설명하고 있다.

[2] 위의 논문, p. 43에서 재인용.

[3] 한국은 중국, 일본, 동남아시아 지역의 여러 국가와 함께 한자 문화권에 속한다. 문자 체계로서 한자는 중국 대륙에서 발명, 사용된 이래 주변 국가들에 전파되어 각 지역의 음운 환경에 맞게 읽히고 이용되었다. 그러므로 한자 문화권에 속한 나라의 경우라면 한자를 읽는 음운 방식은 다르더라도 한자는 그 지역의 언어 문화권과 밀접관 관계를 지닌다. 한국도 예외는 아니며 15세기 우리 고유의 문자체계가 발명된 이후에도 한자는 행정적인 차원에서도 그렇고, 문화생활의 차원에서도 끊임없이 사용되었다. 이렇듯 우리의 역사와 기나긴 세월을 함께 한 한자는 한국의 문자 생활 및 언어생활과 불가분의 관계에 있으며 한자어가 한국 어휘의 약 60% 이상을 차지하고 있다는 사실은 많은 연구서들을 통해 증명되었다(윤재민. 2012. 외국인을 위한 한국어 교육에 있어서의 한자 교육. **한문교육연구**. Vol. 38. pp. 7-12).

여 풍부한 어휘력을 발휘할 필요성이 크게 제기되지 않았기 때문이다. 하지만 그 후 한국어로 유창하게 말하고 한국어로 쓰여진 다양한 종류의 글을 이해하려면 한자어 교육을 간과할 수 없다는 점이 한국어 교육자들 사이에도 인식되어 학습자를 한자권과 비한자권으로 분류, 각 집단에 적합한 교육용 기본 한자를 선정하고 거기에 따라 달라지는 한자 교수법과 교재 개발이 꾸준하게 이루어졌다.[4] 또한 세기 전환기 이후 일기 시작한 한류 열풍과 함께 한국어를 배우고자 하는 외국인도 기하급수적으로 증가하였을 뿐 아니라 한국어를 배우고자 하는 목적과 동기도 다양해졌다. 동시에 일상생활이나 관광에서 사용하는 수준을 벗어나 좀 더 전문적인 분야에서 사용할 수 있는 한국어를 배우려는 학습자들도 늘고 있다. 그렇기 때문에 비한자권에 속하는 유럽 대륙 내에서도 초급 학습자와 중·고급 학습자를 구분하여 한자어 교수법과 교재 개발이 이루어져야 하는 필요성이 대두되었다. 더욱이 고급 단계로 올라갈수록 교육용 어휘나 전문 용어는 대부분 한자어로 이루어졌기 때문에 그 필요성은 더욱 절실하다고 볼 수 있다.[5]

이러한 모든 사실을 감안해 볼 때 이제 한국어 교육자들은 한국어 교육에서 한자어 교육은 필수 과정이며, 한자어로 된 한국어 어휘를 효과적으로 가르칠 수 있는 방법에 대해서도 깊이 고민해 보아야 할 시점에 와 있다. 이에 필자는 한자어로 된 접사를 어휘 교육에 활용할 수 있는 방안에 대해 논의해 보고자 한다. 한자어 접사를 활용하는 일은 하나의 한자를 배우고 나면 그 글자가 포함된 단어를 배울 때 의미를 연관 지어 이해할 수 있는 한자의 장점을 살릴 수 있는 방법과도 깊은 연관을 가지고 있다.[6] 보통 접사라고 하면 다시 접두사와 접미사로 구분되는데, 지면 관계상 이 두 가지를 모두 고찰하기는 힘들어 본고에서는 한자어 접두사에 집중하여 고찰하고자 한다.

외국인 학습자들이 배워야 하는 한자 어휘를 선정하는 기준은 학자마다 조금씩 차이를 보이기는 하지만, 크게 두 가지 기준이 공통적이다. 즉, 사용 빈도가 높은 한자와 조어력이 높은 한자가 주요 선정 기준이 된다. 그래서 일단 기본적인 한자를 배우고 나면 한자의 뜻, 즉 새김을 이해함으로써 뇌의 연상 작용에 의해 몰랐던 단어라 하더라도 의미를 추측할 수 있으며 그렇게 알게 된 한자어를 기계적으로 암기하는 것이 아니라 의미와 연관 지어 자연적으로 기억하게 된다. 이러한 맥락에서 한국어 어휘 체계에서 접두사로 사용되고, 활발하게 조어 생산성을 보이는 한자들을 살펴보는 것은 흥미로운 일이라 본다. 한자어 접두사를 한 번 공부해 두면 어원을 공부한 것과도 같기 때문에 처음 보는 단어라 하더라도 어기의 뜻만 알고 있으면 굳이 사전을 찾아보지 않고도 문맥상의 의미를 파악할 수 있을 것이며, 나아가서는 자신이 직접 새로운 단어를 만들어 볼 수도 있을 것이다. 그리고 한자어 접두사에도 유의 관계나 대립 관계를 이루는 한자들이 있는데, 이런 관계를 활용한다면 학습자들의 인지적 능력을 이용한 효율적인 어휘 학습 방법이 될 것이다. 이와 같은 필자의 생각은 표의어에 해당하는 한자의 특성을 고

[4] 정승혜. 1997. 外國人을 위한 國語 漢字 敎育 硏究, 이화여자대학교 대학원(석사); 김지형. 2003. 한국어 교육에서의 한자 교수법-비한자권 외국인 학습자를 중심으로. **국제어문학회**. 27. pp. 343-358; 윤재민. 2012. 외국인을 위한 한국어 교육에 있어서의 한자 교육. **한문교육연구**. Vol. 38. pp. 5-19. 한자 문화권 학습자들이라고 하더라도 한자의 발음과 독법이 나라마다 다르고, 한자의 자형도 달리 사용되는 예가 많으며, 동일한 한자라 하더라도 사용하는 의미와 기능이 나라마다 차이를 보이기 때문에 한국어 어휘 교육에서 한자어 학습은 빼놓을 수 없는 요소다(장익. 2007. 중국 학습자를 위한 한국 한자어 교육에 대한 연구. 신라대학교 대학원(석사). pp. 14-17).

[5] 윤재민 교수 역시 한국인뿐 아니라 외국인에게 한자 교육은 "한국의 수준 높은 문화 및 학문 전공 언어 교육을 위해서" 절실히 필요하다고 역설하고 있다(윤재민. 2012. 앞의 논문. pp. 12-15).

[6] 표의 문자인 한자는 글자 하나마다 뜻을 가지고 있어 표음 문자인 한글보다 훨씬 능률적으로 어휘를 확장시킬 수 있다는 사실에 많은 연구자들이 주목하였다(정승혜. 1997. 앞의 논문. p. 3; 장익. 2007. 앞의 논문. pp. 9-10; 정서영. 2008. 고급 단계 중국인 한국어 학습자의 한자어 어휘 교수-학습 전략 연구. 상명대학교 대학원(석사). p. 3.

려하여 연관 관계에 있는 한자어들을 함께 가르치는 것이 효과적이라고 주장한 다른 연구자들의 의견과 그 맥을 같이한다고 볼 수 있다.

이에 무엇보다 먼저, 국어 문법에서 얘기하는 접두 파생법과 관형사에 대해 간략히 살펴보고자 한다. 어기에 접두사가 붙을 때 한국어에서 전반적으로 어떤 현상과 원칙이 있는지를 살펴보는 일은 파생어를 이해하는 기본 지식이 될 것이며, 그럼으로써 한자어 접두사가 어기에 결합할 때는 고유어 접두사와 어떤 유사점 및 차이점을 보이는지를 이해할 수 있는 기반이 되기 때문이다. 그리고 한자어 접두사와 관형사는 쉽게 혼동되어 사용될 수 있기 때문에 학습자가 이 두 가지 용어를 구분하여 인식하는 것이 필요하다. 이를 통해 한 번 학습한 한자어 접두사를 올바른 방법으로 사용하고 이해할 것을 목표로 삼는다.

그런 다음 한자어 접두사의 의미를 고려하여 의미의 유사성에 따라 크게 아홉 가지로 나누어 한국어 어휘 생성에 자주 사용되는 한자어 접두사를 분류, 제시해 보고자 한다. 그리고 논문의 후반부에서는 어떻게 이 한자들을 활용하여 한국어 어휘 교육을 할 것인지에 대해 필자가 생각해 본 방안을 제시하고자 한다.

2. 한자어 접두 파생법

파생어는 실질형태소에 해당하는 어근에 형식형태소인 접두사나 접미사가 붙어 형성된 단어를 지칭한다. 국어의 접두사는 어기의 품사를 바꾸는 지배적 기능은 없고, 어기의 의미를 제한하는 한정적 기능만 띠고 있다. 그리고 접두 파생법에 의해 형성되는 품사에는 명사, 동사, 형용사가 있다.[7] 하지만 한자어 접두사에는 이런 원칙이 그대로 적용되지 않는다.

먼저, 한자어 접두사 중 지배적 기능을 가지는 접두사는 일부 부정 접두사군이다. 즉, '反, 無, 未, 不, 非' 등은 고유어 접두사나 다른 한자어 접두사와는 달리 동사적 특성을 바꾸는 경우가 있는데 예를 통해 잠시 살펴보기로 하겠다.

1	再	결과를 승인하다.
		결과를 재승인하다.
2	不	그의 판단은 *합리하다.
		그의 판단은 불합리하다.
3	無	살인자의 행동은 *자비하다.
		살인자의 행동은 무자비하다.

[7] 국어의 접두사처럼 품사를 바꾸는 지배적 기능이 없는 한정적 접사에 의한 파생법을 어휘적 파생법(lexical derivation)이라 한다. 한편, 국어의 접미사는 접두사와는 달리 한정적 기능뿐 아니라 지배적 기능도 띠고 있다. 즉 접사가 붙음으로써 품사를 바꾸거나 통사 구조에 영향을 미치는 지배적 접사에 의한 파생법을 통사적 파생법(syntactic derivation)이라 한다. (남기심, 고영근 외 공저. 2019. **새로 쓴 표준국어문법론**. 한국문화사. pp. 217-226).

4	未	토지를 개척하다.
		토지를 *미개척하다.
5	反	의무를 해소하는 데 작용하다.
		의무를 해소하는 데 *반작용하다.
6	非	굳건한 정신으로 무장하다.
		굳건한 정신으로 *비무장하다.

보통은 1번의 접두사 '재(再)'와 같이 접두사가 붙어도 통사적 기능이 달라지지 않고 서술의 기능을 비슷하게 수행한다. 하지만 2번과 3번의 경우처럼 한자어 접두사가 붙어서 이전에는 없던 서술의 기능을 지니게 되고, 4번에서 6번까지의 예를 통해 확인할 수 있듯이 한자어 접두사가 붙어서 이전에 가지고 있던 서술의 기능을 상실하기도 한다. 이를 통해 일부 한자어 접두사가 통사적 기능에 영향을 미칠 수도 있다는 사실을 확인할 수 있으므로 한국어에 대한 직관이 없는 외국인 학습자들에게는 주의를 요하는 부분이다.

그리고 한자어 명사는 보통 파생 접미사 '-하다'와 결합하여 서술어화하지만 일정한 환경이 되면 어근 분리 현상이 쉽게 일어난다. 예를 들어 '재발견하다'가 '재발견을 하다'로 쉽게 바뀔 수 있다. 그렇지만 부정 접두사가 붙어 이루어진 명사에 '-하다'가 결합하여 이루어진 '불완전하다'는 '*불완전을 하다'로 사용하기 힘들고, '미완성하다'가 '*미완성을 하다'로 바뀌면 어색한 표현이 된다는 사실에서도 부정 한자어 접두사는 지배적 기능을 지니고 있다는 점을 다시 확인할 수 있다.

국어 접두사 파생법과 비교했을 때 한자어 접두사가 가지는 다른 차이점은 한자어 접두사에 의해 형성되는 품사는 명사밖에 없다는 사실이다. 그래서 한자어 접두사와 결합한 파생어는 '~하다', '~스럽다' 혹은 '~적(적)'과 같은 접미사와 결합한 다음에야 문장에서 통사적 기능을 가진다.

마지막으로 한자어 접두사를 살펴보면서 기억해 두면 좋은 점은 한자어가 만들어질 때는 고유어에서 일어나는 똑같은 음운적 환경에 놓여도 'ㄹ' 탈락과 같은 변화가 일어나지 않는다는 사실이다. 보통 파생어나 합성어가 만들어질 때 자음 'ㄴ, ㄷ, ㅅ, ㅈ' 앞에서는 받침 'ㄹ'이 탈락하지만 한자어에서는 이러한 변화가 생기지 않는다. 예를 들면, 몰(沒) + 지각(知覺) = 몰지각(*모지각)이나 물질(物質) + 적(的) = 물질적(*물지적)에서 보는 것처럼 한자의 원래 음가를 그대로 보유하는 경향이 있다. 하지만 예외적으로 '不'은 'ㄷ'이나 'ㅈ'으로 시작되는 명사 어기 앞에서는 'ㄹ'이 탈락하여 '부'로 읽히며 의미상의 변화는 일어나지 않는다.

이상과 같은 사항을 염두에 두고 공부한다면 단순히 어휘만 늘리는 것이 아니라 정확하게 발음하고 올바르게 문장을 쓸 수 있을 것이다.

3. 한자어 접두사와 관형사

접두사란 '파생어를 만드는 접사로, 어근이나 단어의 앞에 붙어 새로운 단어가 되게 하는 말'이다. 하지만 실제로 접두사를 규정하는 문제는 그리 간단한 일이 아니며, 특히 한자어 자체가 어근으로 간주될 수 있는 가능성이 많기 때문에 한자어 접두사의 한계를 정하는 문제는 지금까지 학자들 사이에서 많은 논의의 대상이 되었다.[8] 무엇보다 접두사는 관형사와 형태적인 경계가 명확하지 않아 교수 학습에 어려움이 있다. 그러므로 여기서 잠시 관형사와 접두사를 구분하는 기준이 무엇인지 짚고 넘어가고자 한다.

[8] 홍경란. 1996. 한자어 접두파생법 연구. 이화여자대학교 대학원(석사). pp. 19-20.

《표준국어대사전 편찬 지침》에서도 접두사는 관형사와 관련된 문제가 있음을 지적하고 접두사와 관형사를 구분하는 기준을 두 가지로 제시하고 있다.[9] 첫 번째 기준은 '형태적 분리성'으로 "선행 성분과 어기 사이에 다른 성분의 개재가 불가능하면 접두사이다". 한자어 '非'가 접두사로 쓰인 '비무장(非武裝)'을 예로 들면, 접두사 '비'와 어기 '무장' 사이에는 다른 단어나 조사가 삽입될 수 없는 구조이므로 '비'는 접두사이다. 두 번째는 '분포상의 제약'으로 "후행하는 어기에 대한 제약이 크면 접두사이다."라고 되어 있다. 예를 들어, 당(當)은 친족 관계에서 '사촌' 또는 '오촌'의 뜻을 더하는 접두사로 쓰여 '당숙모/당고모'와 같은 단어를 생성하는데, 여기서 '당'이라는 접두사가 없는 단어 '숙모'는 아버지 동생의 아내를 일컫는 명사지만 '당숙모'는 아버지 사촌 형제의 아내를 가리키는 전혀 다른 의미의 단어를 생성하기 때문에 여기서 '당'은 접두사이다. 한편 '當'이 관형사로 쓰일 수도 있다. 예를 들어, '당 열차는 약 5분 후에 출발할 것이다.'라는 문장에서 '당'은 '바로 이'의 뜻으로 '열차'라는 체언을 수식하는 관형사이다. 이유는 '당'이라는 관형사가 없다 하더라도 문장은 성립되며 '이'나 '그'와 같은 지시 관형사로 대치하여 쓸 수도 있으므로 뒤따라오는 어기를 제약하는 정도가 약하다 볼 수 있기 때문이다.

[9] 국립국어연구원. 2000. **표준국어대사전 편찬 지침**. p. 53.

《표준국어대사전》에서 관형사로만 처리하는 한자가 있는데, 아래 여섯 개의 한자를 들고 있다.

a. 각(各): '낱낱의' → 각 가정, 각 개인, 각 학교, 각 지방
b. 당(當): '그', '바로 그', '이', '지금의' → 지난 달, 당 공장은 야음을 틈타 오물을 다량 배출하여~
c. 매(每): '하나하나의 모든', '각각의' → 매 회계 년도, 매 경기

d. 별(別): '보통과 다르게 두드러지거나 특별한' → 둘은 별 사이가 아니다.
별 뾰족한 방법이 없다.
e. 순(純): '다른 것이 섞이지 아니하여 순수하고 온전한' → 순 살코기, 순 한국식
f. 타(他): '다른' → 타 업소에서는 전혀 사용하지 않는~, 타 지역에서는 볼 수 없다.

그리고 같은 형식의 접두사라 하더라도 의미가 다르면 관형사와 분리하여 처리하기도 한다. 예를 들어, 한자어 '본(本)'은 접두사로도 쓰이고 관형사로도 쓰인다. 즉 '바탕이 되는'이라는 뜻의 접두사로 사용되어 '본계약/본회의/본뜻/본고장/본서방'과 같은 단어를 생성한다. 한편 '本'이 관형사로 사용될 때는 어떤 대상이 말하는 이와 직접 관련되어 있음을 나타내고자 할 때이며 '본 협회, 본 법정, 본 연구원, 본 사건' 등과 같이 표현할 수 있다.

형식적으로 보면 접두사는 어기와 분리되지 않으므로 띄어쓰기를 하지 않는 반면 관형사로 사용된 한자어는 어기와 분리해 표기되는 것을 볼 수 있다. 그리고 의미상 접두사는 뒤에 나오는 어기를 크게 제약하여 접두사와 어기의 의존도가 높은 편에 속하지만 관형사는 그렇지 않은 편이다. 그러므로 이 두 가지 사항을 염두에 두고 한자어 접미사를 살펴본다면 한자어 접미사가 단어 생성에 끼치는 영향을 한층 더 깊이 이해할 수 있으리라고 생각한다.

4. 한자어 접두사의 종류[10]

한자어 접두사는 크게 두 가지 차원에서 분류해 볼 수 있다. 먼저, 한자어 접두사를 한자 자체의 의미를 고려하여 그 의미의 유사성에 따라 분류할 수 있다. 학자마다 접두사의 의미를 분류하는 기준은 다를 수 있는데, 지금까지 20개가 넘는 의미로 분류하여 제시한 연구서들이 있지만 이는 모두 한국어를 모국어로 하는 사람들을 대상으로 한 것이다. 그러므로 본고에서는 생산성이 높고 사용 빈도가 높은 한자어 접두사를 중심으로 약 9가지의 의미로 나누어 분류하여 제시해 보고자 한다.[11]

한편, 한자어 접두사를 분류하는 다른 방법은 결합 방식에 의한 분류로, 한자어 접두사가 한자어에만 붙는 경우, 한자어와 고유어에 두루 붙는 경우, 한자어와 외래어에만 붙는 경우, 세 경우에 두루 붙는 경우가 있다.[12] 하지만 본고는 한국어 어휘 학습 신장을 위한 한자 접두사에 대해 중점적으로 얘기하고자 하므로 전자를 중심으로 한자어 접두사를 살펴보고자 한다.

[10] 본고는 어휘를 신장시키기 위한 교육 방법 연구에 목적을 두고 있기 때문에 접두사 목록에 《표준국어대사전》에 관형사로 등재된 것도 포함하였다. 대신 관형사로 등재된 한자 앞에는 ※표시를 별도로 해 두었다.

[11] 본고 집필시에는 반영하지 못했으나 외국어로서 한국어를 배우는 학습자들을 위한 한자어 접두사 선정시 국립국어원에서 선정한 한국어 교육 어휘나 토픽 어휘에서 자주 사용되는 어휘를 참고하여 선정하는 것도 좋은 방법이 될 것이다. 졸고를 읽고 이와 같은 조언을 해 준 김정아 선생에게 감사드린다.

[12] 한 연구 결과에 따르면 한자어에만 붙는 접두사가 약 53%로 가장 많고, 그다음 30%는 한자어와 고유어에 붙고, 나머지 17%는 한자어, 고유어, 외래어에 두루 붙는 한자어 접두사가 있다(홍경란. 1996. 앞의 논문. pp. 54-59).

4.1. 어기의 내용을 부정하거나 어기의 내용과 다른 경우의 것

a) 비(非): '아님' → 비공식, 비무장, 비민주적
b) 무(無): '그것이 없음' → 무감각, 무자비, 무질서, 무비판
c) 부(不) / 불(不): '아님', '아니함', '어긋남' → 불공평, 불합리, 불성실, 불완전 /
부도덕, 부정확, 부자유
d) 미(未): '그것이 아직 아닌' 또는 '그것이 아직 되지 않은' → 미개척, 미성년, 미완성
e) 반(反)[13]: '반대되는' → 반비례, 반작용, 반독재, 반체재
f) 몰(沒): '그것이 전혀 없음'의 뜻을 더하는 접두사
→ 몰상식, 몰염치, 몰이해, 몰인정, 몰지각
g) 탈(脫): '그것을 벗어남' → 탈공업 사회, 탈냉전, 탈대중화

[13] '反'과 함께 '親'도 가르치면 효율적일 것이라 본다. 이 접두사는 친인적 관계를 표시하는 접두사로도 사용되지만 '그것에 찬성하는' 또는 '그것을 돕는'의 의미로도 사용된다. 예) 친미, 친러, 친유럽, 친혁명 세력.

4.2. 인척 관계와 연관된 것

a) 생(生): '직접적인 혈연관계' → 생부모, 생어머니, 생아버지
b) 친(親): '부족 혈족 관계인' → 친삼촌, 친손녀, 친할머니 /
'혈연관계로 맺어진' → 친부모, 친아들, 친형제
c) 외(外): '모계 혈족 관계인' → 외삼촌, 외손녀, 외할머니
d) 양(養): '직접적인 혈연관계가 아닌' → 양부모, 양아들, 양딸
e) 왕(王): '할아버지뻘 되는' → 왕고모, 왕고모부, 왕부모
f) 시(媤): '남편의' → 시댁, 시부모, 시아버지, 시어머니, 시누이
g) 종(從): '오촌' 또는 '사촌' → 종고모, 종숙모, 종형제
h) 당(堂): '오촌' 또는 '사촌' → 당고모, 당숙모, 당질부
i) 서(庶): '본처가 아닌' → 서자, 서모, 서조모, 서삼촌, 서자녀

4.3. '크기' 혹은 '무게', '강도'와 관계된 것

a) 대(大): '큰, 위대한, 훌륭한, 범위가 넓은' → 대가족, 대보름, 대학교, 대성공
b) 소(小): '작은' → 소강당, 소규모, 소극장
c) 중(重): '무거운' → 중공업, 중금속, 중장비; '심한' → 중노동, 중환자
d) 반(半): '절반 정도' → 반팔, 반자동, 반가공; '거의 비슷한'
→ 반나체, 반노예, 반죽음
e) 왕(王): '보다 큰 종류' → 왕개미, 왕게; '매우 큰' 또는 '매우 굵은'
→ 왕소금, 왕모래; '매우 심한' → 왕가뭄, 왕고집
f) 고(高): '높은' 또는 '훌륭한' → 고혈압, 고층, 고학력, 고품질

g) 저(低): '낮은' → 저혈압, 저소득, 저학년

h) 장(長): '긴' 또는 '오랜' → 장거리, 장기간, 장모음

i) 강(强): '매우 센' 또는 '호된' → 강추위, 강타자, 강염기

j) 약(弱): '매우 힘이 없는' 또는 '세력이 약한' → 약염기, 약산성

k) 과(過): '지나친' → 과보호, 과소비, 과염소산

l) 급(急): '갑작스러운' → 급정거, 급상승; '매우 급한', '매운 심한'
→ 급경사, 급행군, 급선무

m) 경(輕): '가벼운' → 경공업, 경금속, 경노동; '간단한'
→ 경양식(輕洋食), 경무장(輕武裝)

n) 초(超): '어떤 범위를 선', '정도가 심한' → 초강대국, 초음속, 초만원

o) 맹(猛): '정도가 매우 심한' → 맹공격, 맹훈련, 맹독성

p) 진(津): (음식이나 색깔을 나타내는 명사 앞에 붙어) '매우 진한'
→ 진국, 진간장, 진보라

q) 연(軟): '엷은' 또는 '옅은' → 연갈색, 연노랑, 연보라/연노랗다, 연붉다, 연푸르다;
'부드러운' 또는 '무른' → 연감, 연목재, 연착륙

4.4. '서열, 차례'와 관계된 것

a) 정(正): '주된 품계임을 나타냄' → 정일품, 정이품

b) 부(副): '버금가는' → 부반장, 부사장, 부사수; '부차적인' → 부산물, 부수입

c) 평(平): '보통의' → 평사원, 평신도, 평교사; '평평한' → 평지대, 평삽

d) 차(次): '다음가는' → 차선책, 차기, 차세대, 차석, 차남, 차상위 계층

e) 준(準): '구실이나 자격이 그 명사에는 못 미치나 그에 비길 만한'
→ 준결승, 준우승, 준회원, 준교사

f) 제(第): (한자어 수사 앞에 붙어) '그 숫자에 해당되는 차례' → 제일, 제이, 제삼

g) 최(最): '가장, 제일' → 최고위, 최우수, 최전방, 최첨단

h) 대(對): '그것을 상대로 한', '그것에 대항하는' → 대국민 사과문, 대북한 전략

4.5. 수와 관계된 것

a) 다(多): '여러' 또는 '많은' → 다용도, 다목적, 다방면

b) ※양(兩): '두 쪽 모두' → 양 팔, 양 다리

c) 연(連): (횟수 또는 시간을 나타내는 명사 앞에 붙어) '이어져 계속된' → 연이틀,
연분수, 연비례, 연장군; (몇몇 동사 또는 부사 '거푸' 앞에 붙어) '반복하여

계속 → 연거푸, 연이어, 연닿다, 연잇다

d) 재(再): '두 번째' 또는 '다시 하는' → 재교육, 재편성, 재시험, 재작년

e) 단(單): '하나로 된' 또는 '혼자인' → 단벌, 단세포, 단신, 단모음

f) 복(複): '단일하지 않은' 또는 '겹친' → 복자음, 복수

g) 독(獨): '한 사람의' 또는 '혼자 사용하는' → 독방, 독사진, 독무대

h) ※각(各): '낱낱의' → 각 가정, 각 개인, 각 학교, 각 지방

i) ※매(每): '하나하나의 모든', '각각의' → 매 회계 년도, 매 경기

j) ※전(全): '모든', '전체' (관형사) → 전 국민, 전 세계, 전 대원

k) 연(延): '어떤 일에 관련된 인원이나 시간, 금액 따위를 모두 다 합친'
→ 연건평, 연인원

l) ※제(諸): '여러' → 제 문제, 제 단체, 제 비용

m) 총(總): '전체를 아우르는', '전체를 합한' → 총감독, 총결산, 총공격

n) 범(汎): '그것을 모두 아우르는' → 범태평양, 범세계적, 범국민적

4.6. 오래되거나 새로운 것, 시간과 관계된 것

a) 고(古): '오래된' 또는 '낡은' → 고가구, 고서적, 고철

b) 신(新): '새로운' → 신세대, 신기록, 신세계, 신상품

c) 구(舊): '묵은', '낡은' → 구시가, 구세대, 구제도, 구닥다리

d) 선(先): '먼저', '앞선' → 선보름, 선이자; '이미 죽은' → 선대왕, 선대인

e) 후(後): '뒤', '다음' → 후더침, 후살이, 후서방

f) 전(前): '이전', '앞' → 전반기, 전반전

g) 금(今): → 금일, 금년도, 금세기

h) 초(初): '처음', '초기' → 초봄, 초여름

j) ※현(現): '현재의' 또는 '지금의' → 현 시각, 현 대통령, 현 정권

k) 노(老): '늙은' 또는 '나이가 많은' → 노총각, 노처녀, 노부부

4.7. '재료, 물질'과 관계된 것

a) 생(生): (음식물을 나타내는 일부 명사 앞에 붙어) '익지 아니한' → 생김치, 생나물, 생쌀; '물기가 아직 마르지 아니한' → 생가지, 생나무, 생장작; '가공하지 아니한' → 생가죽, 생맥주, 생모시; (고기를 나타내는 일부 명사 앞에 붙어) '얼리지 아니한' → 생고기, 생갈치, 생새우

b) 토(土): '흙으로 된' → 토방, 토담, 토성

c) 옥(玉): '옥색', '옥제' → 옥재떨이, 옥매트, 옥침대

d) 건(乾): '마른', '말린' → 건가자미, 건과자, 건바닥, 건빵; '겉으로만' → 건울음, 건주정; '근거나 이유 없는' → 건강짜

4.8. '가치'와 관계된 것

a) 귀(貴): '존귀한, 희귀한', '값비싼' → 귀공자, 귀금속, 귀부인, 귀사, 귀학회

b) 진(眞): '참된', '진짜' → 진면목, 진범인, 진면모

c) 실(實): '실제의' → 실수령액, 실거래액, 실시간

d) 가(假): '가짜', '거짓', '임시적인' → 가건물, 가계약

e) 객(客): '행동이나 말, 생각이 쓸데없거나 싱거운' → 객소리, 객식구, 객쩍다

f) 공(空): '힘이나 돈이 들지 않은' → 공돈, 공밥; '빈', '효과가 없는' → 공수표, 공염불, 공테이프; '쓸모없이' → 공뜨다, 공치다, 공돌다

g) 잡(雜): '여러 가지가 뒤섞인', '자질구레한' → 잡수입, 잡귀신, 잡상인, 잡꽃; '막된' → 잡놈, 잡녀석

4.9. 방법이나 형식과 관계된 것

a) 남(男): '남자' → 남학생, 남동생

b) 여(女): '여자' → 여간첩, 여동생, 여배우

c) 정(正): '바른', '똑바른' → 정사각형, 정사변형

d) 내(內): '안' → 내분비, 내출혈, 내과, 내무부

e) 외(外): '밖', '바깥' → 외분비, 외출혈, 외과, 외무부

f) 양(洋): '서구식의', '외국에서 들어온' → 양배추, 양담배, 양변기, 양송이

g) 냉(冷): '차가운' → 냉국, 냉방, 냉찜질, 냉커피

h) 본(本)[14]: '바탕이 되는' → 본계약, 본회의, 본줄기; '애초부터 바탕이 되는' → '본뜻', '본고장', '본서방'

i) 원(元) / 원(原): '본래의' 또는 '바탕이 되는' → 원그림, 원바닥, 원자재, 원저자, 원줄기

j) 호(胡): '중국에서 들여온' → 호빵, 호주머니, 호콩, 호떡

k) 왜(倭): '일본의', '일본식의' → 왜간장, 왜모시, 왜무

[14] '本'은 관형사로도 쓰이는데, 어떤 대상이 말하는 이와 직접 관련되어 있음을 나타낼 때 사용된다. '한자어 접두사와 관형사' 부분 참고.

5. 지도 방안

먼저 학습자를 초급반과 고급반으로 나누는 것이 효율적이다. 초급반에 해당하는 학생들에게는 접두 파생법의 원리를 이해시키고 '大'나 '生', '王'과 같은 비교적 쓰기도 쉽고 생산성이 높은 한자를 중심으로 한자어 접두사에 접근하도록 도와준다. 그런 다음 좀 더 복잡한 한자로 구성된 한자어 접두사를 공부하면 복잡한 한자를 접했을 때의 심리적 부담을 덜고 한자어 접두사를 공부할 수 있을 것으로 전망된다. 또한 초급 단계에서는 한자어 접두사의 양상 및 특성을 이해하도록 도움을 주어 한자어 접두사를 통한 어휘 공부가 단순 암기식 공부가 되지 않도록 한다. 각 교사가 자의적으로 초급 단계에서 배울 수 있는 한자와 고급 단계에서 배울 수 있는 한자를 구분하고, 유의/반의 관계에 놓인 한자어 접두사를 중심으로 매 수업 시간에 가르칠 한자를 선별하는 것이 효율적인 방법이라 생각된다.

제1단계에서는 해당 한자어 접두사의 의미를 설명한다. 이때에는 사전적 의미뿐 아니라 비슷한 의미나 다른 의미를 가진 한자어 접두사가 있으면 같이 비교·설명하는 것이 각 한자어 접두사가 지닌 어감의 차이도 학습하게 되고, 기계적인 암기 방식을 예방할 수 있는 길이다. 예를 들어, 인척 관계를 나타내는 한자어 접두사 '生, 親, 外'를 함께 놓고 비교하여 설명해 준다면 각 한자어 접두사가 인척 관계를 표시할 때 어떤 차이점이 있는지 쉽게 이해할 수 있을 것이다.

제2단계에서는 연습 문제를 만들어 학생들이 한자어 접두사를 직접 활용하여 파생어를 만들어 볼 기회를 제공한다.

제3단계에서는 문장이나 문단을 학습자들에게 제시하여 문맥 속에서 단어를 이해할 수 있도록 도와준다.

5.1. 1단계: 다이어그램을 활용하여 유사 관계에 놓인 각 한자어 접두사의 뜻 설명[15]

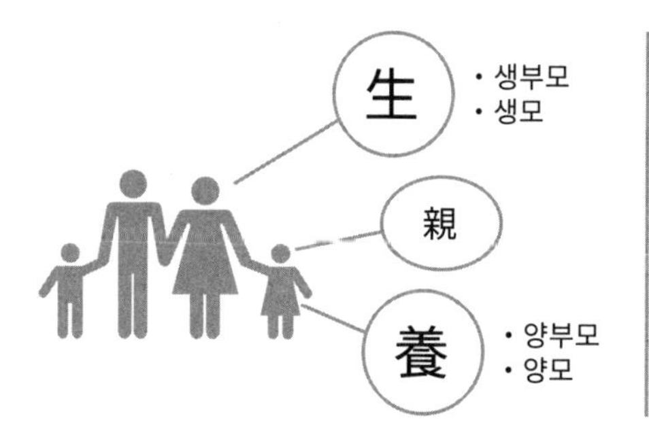

[15] 올로모우츠에서 현장 발표를 했을 때 필자의 발표를 경청한 후 벤다이어그램 혹은 다이어그램을 활용한 교수 방법을 사용해 보는 것이 어떻겠냐고 조언해 준 권기현 선생(2022년 현재 프랑스 EMBA Business School 재직)에게 감사드린다. 그래서 본고의 '5. 지도 방안' 부분의 내용은 발표할 때와는 많이 달라졌다.

인척 관계에서 '生'은 '직접적인 혈연 관계'를 의미하여 자기를 직접 낳은 부모를 일컬을 때 사용된다. 그래서 낳아 준 부모와 길러 준 부모가 다른 사람인 경우에 사용하게 된다. 이 경우 '생'과 비슷한 의미의 한자어 접두사는 '親'이며, '기르다'는 의미의 한자 '養'이 쓰여 '직접적인 혈연 관계가 아닌' 관계를 가리킨다.

한편 접두사 '親'은 접두어 '생'과 비슷한 의미로 쓰여 '직접적인 혈연 관계'를 나타내어 '친아버지, 친부모'와 같은 파생어를 만들 수도 있지만, 아버지와 어머니의 관계를 놓고 보았을 때는 '부계 혈족 관계'를 나타내어 아버지 쪽을 가리키는 파생어를 만들며, 반대 의미로 '모계 혈족 관계'를 의미하는 '外'를 사용하여 어머니 쪽 혈연 관계를 의미하는 파생어를 생성할 수 있다.

5.2. 2단계: 연습 문제

연습 문제는 크게 두 가지 유형으로 나누어 만들어 볼 수 있다. 먼저 학생들이 처음 접해 보는 단어가 있다 하더라도 학습한 한자어 접두사와 결합할 수 있는지에 대해 사고할 수 있도록 훈련하는 연습 문제를 만든다. 그래서 파생어뿐 아니라 새로운 단어를 배울 수 있는 기회를 제공하여 두 개의 어휘를 학습할 수 있도록 한다. 다음과 같은 예문을 만들어 볼 수 있다.

1. 자기를 직접 낳아 준 어머니를 가리켜 (생모)라고 한다.
2. 아버지의 어머니를 가리켜 (친할머니)라고 한다.
3. 어머니의 아버지를 가리켜 (외할아버지)라고 한다.

그런 다음 아래와 같은 연습 문제를 만들어 배운 단어를 복습하고 적합한 파생어를 익히도록 한다.

○ 문제 유형 1: 접두사 '外'와 결합할 수 없는 단어를 하나 고르시오.

a. 인간
b. 조부
c. 숙모
d. 삼촌
e. 사촌
f. 할머니

○ 문제 유형 2: 파생어를 만들어 낼 수 있는 것끼리 연결하시오.

1. 生	a. 어머니
2. 親	b. 할아버지
3. 外	c. 부모
4. 養	d. 딸

5.3. 3단계: 문장 연습

관련 파생어가 들어간 문장을 예시로 최소 서너 개 보여 주며 뜻을 이해하고 문장을 활용할 수 있도록 유도하는 것이 목적이다.

다음은 '외할아버지'라는 단어와 관련된 예문이다.

1. 어머니는 오랜만에 들르신 외할아버지를 위해 삼계탕을 대접하였다.
2. 외할아버지는 70이 넘었으나, 아직 건강하시다.
3. 그는 마을 어른들께 외할아버지의 함자를 대면서 외손자라고 인사를 드렸다.
4. 외할아버지의 병환이 위독하다는 연락을 받았다.

6. 나가며

한국어 어휘의 60% 이상이 한자어로 이루어져 있으며 수많은 학술 서적이 한자어에 기반하고 있기 때문에 한국어 교육에서 한자어 학습은 등한시할 수 없는 과정이다. 또한 세기 전환기 이후 일기 시작한 한류 열풍과 함께 한국어를 배우고자 하는 외국인도 많아졌을 뿐 아니라 한국어를 배우고자 하는 목적과 동기도 다양해졌다. 이와 함께 고급 단계의 한국어 학습자 수요도 그만큼 많아졌기 때문에 고급 한국어 어휘를 효과적으로 가르칠 수 있는 방법에 대해 고민해야 할 시점에 와 있다. 이에 필자는 한국어 어휘 체계에서 큰 생산성을 보이고 있는 한자어 접두사를 중심으로 효율적인 한국어 어휘 교육 방법을 모색해 보았다.

먼저, 국어 문법에서 얘기하는 접두 파생법에 대해 간략히 얘기한 다음 한자어 접두 파생법에 대해서 살펴보았다. 어기에 접두사가 붙을 때 한국어에서 전반적으로 어떤 현상과 원칙이 있는지 이해하는 일은 파생어를 이해하는 기본 지식이기도 하며, 이와 비교해 한자어 접두사가 어기에 결합할 때는 고유어 접두사와 어떤 유사점과 차이점이 있는지 그 원리를 이해하면 어휘를 효율적으로 만들고 정확하게 발음할 수 있기 때문이다. 그리고 한국어 문법에서 한자어 접두사와 관형사로 쓰이는 한자를 혼동하기 쉬운데 어떤 특성을 근거로 이 두 품사를 구별해야 하는지에 대해서도 살펴보았다.

그런 다음 한자어 접두사의 의미를 고려하여 의미의 유사성에 따라 크게 아홉 가지로 나누어 한국어 어휘 생성에 자주 사용되는 한자어 접두사를 분류해 보았다. 접두사 목록은 필자가 자의적으로 기준을 정하여 만든 것으로 각 교사마다 다른 기준을 적용해 다른 방식으로 분류해 볼 수 있을 것이다.

마지막으로 인척 관계를 나타내는 한자어 접두사 '生, 養, 親, 外'를 실례로 한자어 접두사 지도 방안을 3단계로 나누어 모색해 보았다. 먼저, 제1단계에서는 해당 한자어 접두사의 의미를 다른 한자어 접두사와 비교하여 설명한다. 그리고 제2단계에서는 연습 문제를 만들어 학생들이 직접 한자어 접두사를 활용하여 파생어를 만들어 보도록 한다. 마지막으로 제3단계에서는 학습한 접두사로 생성된 파생어가 들어 있는 문장이나 문단을 학습자들에게 제시하여 문맥 속에서 단어를 이해할 수 있도록 도와준다.

지금까지 필자가 한자어 접두사를 중심으로 고찰해 본 한국어 어휘 교육법, 즉 한자어 접두사의 유형을 파악하고, 이와 관계된 한자를 공부하여 한국어 어휘를 신장하려는 방법은 한자어 접미사 및 고유어 접두사와 접미사에도 적용하여 한국어 어휘 신장 교수법을 모색해 볼 수 있을 것이라고 기대한다. 그래서 한국어를 공부하는 학생들이 새로운 어휘를 접할 때마다 일일이 사전을 찾아보지 않더라도 의미를 유추하여 사전적 의미보다는 문맥상의 의미를 파악할 수 있는 능력을 키워 나갈 수 있을 것이라고 전망한다.

참고문헌

고영근, 남기심 외 공저. 2019. **새로 쓴 표준국어문법론**. 한국문화사.

김애영, 윤지영. 2011. 한국의 한자 교육 현황과 제언. **외국학연구**. 제17집. pp. 31-57.

김지형. 2003. 한국어 교육에서의 한자 교수법-비한자권 외국인 학습자를 중심으로. **국제어문학회**. 27. pp. 343-358.

리예카테리나. 2020. 한국어의 한자어 특징과 어휘 교육에 있어서 한자어 학습 원리와 방법. **2020년 EAKLE 워크숍 논문집**.

박영의. 1998. 한자 교육과 어휘력 신장의 상관성 분석 연구-초등 읽기 교과서 어휘를 대상으로. 건국대학교 석사 학위 논문.

박희영. 2008. 한국어로 습득하는 지식이나 정보에 있어서 한자 위상-쾰른대 동양학과 독일 학생을 대상으로. **2008년 EAKLE 워크숍 논문집**.

유홍주. 2010. 외국인을 위한 한국어 한자 교육 방안-터키 에르지예스대학교를 중심으로. **한국국어교육학회**. N. 84. pp. 183-200.

윤재민. 2012. 외국인을 위한 한국어 교육에 있어서의 한자 교육. **한문교육연구**. Vol. 38. pp. 5-19.

이영희. 2008. 외국인을 위한 한자어 교육 연구. 숙명여자대학교 석사 학위 논문.

장익. 2007. 중국 학습자를 위한 한국 한자어 교육에 대한 연구. 신라대학교 석사 학위 논문.

정서영. 2008. 고급 단계 중국인 한국어 학습자의 한자어 어휘 교수-학습 전략 연구. 상명대학교 석사 학위 논문.

정승혜. 1997. 外國人을 위한 國語 漢字 敎育 硏究. 이화여자대학교 석사 학위 논문.

정훈. 2009. 외국인을 위한 한국 한자 교육 연구. **국어문학회**. N. 47. pp. 241-359.

홍경란. 1996. 한자어 접두파생법 연구. 이화여자대학교 석사 학위 논문.

표준국어대사전 https://stdict.korean.go.kr.

제5장

한자 교재의 현재와 유럽에서의 한자 교육

이효진
이탈리아 카포스카리 베네치아대학교
Ca' Foscari University of Venice

1. 들어가며

이제 한류는 아시아를 넘어 유럽으로 진출하였다. 이탈리아의 유서 깊은 아시아학부 중 하나인 이탈리아 카포스카리 베네치아대학교(Ca' Foscari University of Venice)의 아시아·지중해 아프리카 학부 내 한국학과의 경우를 보면 2022년도 입시에 9대 1의 치열한 경쟁을 뚫은 우수한 학생들이 입학하였다. 한국학을 공부하는 학생들이 다양해짐에 따라 공부의 목적과 분야도 다양해지고 한국어 학습뿐만이 아니라 한국의 역사, 문화, 사상 등에 대한 깊은 이해와 연구를 목적으로 하는 학생들도 늘어나고 있다. 이에 코로나로 인한 팬데믹 상황임에도 불구하고 영국 케임브리지대학교에서 한국학 대학원 과정을 개설하고 전임 교수를 임명했고,[1] 카포스카리 베네치아대학교에서도 2022년 대학원 과정을 개설하기 위한 커리큘럼을 준비하고 있다. 대학원 과정이 개설되면 역사/사상/고전 문학 등 분야의 전문가를 양성해 낼 것이며, 그렇게 되면 한자, 나아가 한문 교육은 필수가 될 것이다. 실제로 한국학을 연구하는 외국인 학자들도 한자 학습의 중요성을 강력히 피력하고 있다.[2]

하지만 이러한 한국학 규모의 팽창에 비해 한국학 연구를 위한 기초는 아직도 충분하지 않다. 특히 수업 교재에 관해서는 한국어 교재 개발이 대부분이며, 한자 교재와 교원의 부족으로 수업이 쉽지 않다. 유럽에서 한국의 역사나 고전 문학 등을 연구하는 경

[1] "University of Cambridge Opens Graduate Programs in Korean Studies," http://koreabizwire.com/university-of-cambridge-opens-graduate-programs-in-korean-studies/180248

[2] "인터뷰, '외국인 한국어 학습자가 본 '한자'의 중요성', http://economy.chosun.com/client/news/view.php?boardName=C01&page=35&t_num=7859, accessed July 27, 2022.

우 한자가 필수이지만 커리큘럼에 한자가 포함된 경우는 극히 적고 중국 한자/한문 교재를 사용하는 경우가 많았다.[3] 하지만 주지하다시피 이는 한국 역사와 고전 문헌을 이해하고 번역하는 데 연구자의 부담을 가중시킬 뿐만 아니라 효율성 측면에서도 적절하지 못하다.

[3] Bryan W. Van Norden. 2019. *Classical Chinese for Everyone: A Guide for Absolute Beginners*. Hackett Publishing Company; William McNaughton. 1979. *Reading and Writing Chinese*. Tuttle Publishing 등을 들 수 있다.

고무적인 것은 근래 한국에서 한자어 교육의 중요성에 대한 인식이 높아지면서 박준석과 이용이 한국어 학습을 위한 한자 관련 논문(2014)을 발표하고 한자 교재를 집필 중에 있으며, 2021년 4월 24, 25일에는 유럽 내 한국 학자들이 모여 'Premodern Korean Studies in Europe: Hanmun Education and Book Presentations'이라는 주제로 학회가 열리기도 했다. 2022년 8월에 체코 올로모우츠에서 열린 유럽한국어교육자협회(European Association for Korean Language Education)에서도 두 분과에서 한자 교육에 대한 발표가 이어졌다. 이처럼 한자와 한문 교육은 이제 유럽 한국학 교육자들의 중요한 키워드 중 하나인 것을 알 수 있다.

외국인을 위한 한자 교육에 대한 논의가 시작된 것은 1970년대이고 80년대부터 그 논의가 구체화되었다. 그리고 90년대부터는 비한자권과 한자권을 분리하는 연구가 이루어졌다(이영희, 2008). 외국인 한국어 학습자들을 대상으로 한 한자 교육의 중요성의 근거로 가장 많이 제시되는 것은 한국어 어휘에서 한자어의 비중이다. 이는 이미 여러 연구에서 지적된 바가 있으며 고급 한국어 화자가 되기 위한 한자 학습의 중요성 역시 여러 연구에서 지속적으로 제기되고 있다(손연자, 1984; 박준석·이용, 2014; 박세진 2014 a, b; 이영희, 2008: 2020).

이 글에서는 비한문권 외국인을 대상으로 한 한자 교재를 개관하고 각 교재들이 공통적으로 가지고 있는 전략과 개별적 특성을 소개하고자 한다. 이 중에서 6종의 한자 교재를 선별하여 소개하고 그 특징을 살펴 본 후, 가장 근래에 이탈리아에서 출판된 한자 교재를 선택해 이 교재가 실제 수업에서 어떻게 사용되는지 지도안의 예를 제시할 것이다. 마지막으로 앞으로의 한자 교육의 방향과 교재 개발의 과제들을 검토해 볼 것이다.

2. 비한문권 외국인을 위한 한자 교재 현황

한국어 교육 중에서도 한자 교육의 역사는 더욱 짧다고 할 수 있다. 한자 교재 역시 2000년이 지나서 출판이 가속화되었다. 양현민(2022)은 그의 박사논문 '외국인 학습자를 위한 한자 교재 개발 연구: 토픽(TOPIK) 초·중급 어휘 목록의 한자어를 중심으로'에서 19종의 외국인을 위한 한자 교재를 정리, 소개하였는데 영어권에서 출판된 교재를 주로 소개하고 있다. 이에 유럽에서 출판된 한자 교재 등 8종을 추가하여 총 27권(이 중 2권은 연습책 시리즈)을 소개하면 다음과 같다.[4]

[4] 현재 출판된 비한문권 외국인을 위한 한자 교재를 모두 포함하려고 노력했으나 목록에서 빠진 교과서가 있을 수도 있음을 미리 밝혀 둔다.

(1) 《A Guide to Korean Characters》 (Bruce K. Grant, 1979)
(2) 《A First Reader in Korean Writing in Mixed Script》 (Fred Lukoff, 1983)
(3) 《基本漢字 Chinese Characters in a Hurry》 (이상억, 1985)
(4) 《흥미 漢字學習 Pictorial Sino-Characters》 (Jacob Chang-Ui Kim, 1987)
(5) 《Speaking Korean III》 (Francis Y. T. Park, 1989)
(6) 《漢字 Chinese Characters 1·2》 (명도언어연구원, 1989)
(7) 《Dictionnaire des caractères sino-coréens》 (Li·Jin-Mieung·Han-kyoung Jo·Chang-su Han, 1993)
(8) 《한자로 읽는 한국 문화》 (배규범, 2000)
(9) 《Korean reader for Chinese Characters》 (조준학·손연자·양혜순, 2002)
(10) 《외국인을 위한 재미있는 한자》 (이영희, 2004)
(11) 《한자로 배우는 한국어1》 (김지형·배규범, 2005)
(12) 《한자와 함께 배우는 한국어1·2》 (연세대학교 한국어학당, 2006)
(13) 《Useful Chinese Characters: for learners of Korean》 (서울대학교 언어 교육원, 2007)
(14) 《외국인을 위한 한자 학습 요모조모 한국 읽기》 (배규범, 2007)
(15) 《한자 숙어로 배우는 한국어》 (최권진, 2007)
(16) 《살아 있는 한국어 한자성어》 (김선정·강진숙·윤애숙·임현정, 2007)
(17) 《외국인을 위한 퍼즐과 실전으로 배우는 한자성어》 (박영미·김경수·김광미, 2012)
(18) 《외국인을 위한 한자와 한국 문화》 (배규범, 2012)
(19) 《I caratteri cinesi nella lingua coreana》 (Andrea De Benedittis, 2013)
(20) 《Learning Your First Hanja: Beginner's Guide to Reading and Writing Korean Chinese Characters》 (유지은, 2017)
(21) 《Hanja: Handbuch der chinesischen Schriftzeichen in der koreanischen Sprache: Lesen, Schreiben, Nachschlagen》 (Helmut Hetzer·Translated by Young-ja Beckers-Kim, 2017)
(22) 《Your First Hanja Guide: Learn Essential Chinese Characters Used in the Korean Language》 (Talk to me in Korean, 2018)
(23) 《Einführung Hanja》 (Tobias Scholl·Isabella Jukas·Mirella Malkusch, 2019)
(24) 《외국인을 위한 한자어 50 한자로 2000 어휘 늘리기(50 Sino-Korean 2000 Vocabulary Builder》 (이영희, 2019)
(25) 《Korean Hanja Writing Workbook: Learn Chinese Characters Used in

Korean Language: Writing Practice, Compound Words and Cut-out Flash Cards 7급》(Lilas Lingvo, 2021)
(26)《Korean Hanja Writing Workbook: Learn Chinese Characters Used in Korean Language: Writing Practice, Compound Words and Cut-out Flash Cards 8급》(Lilas Lingvo, 2021)
(27)《EASY HANJA 500: per la lingua coreana》(Hyojin Lee, 2022)

상기 목록에서 알 수 있듯이 2022년 7월까지 출판된 비한자권 외국인을 위한 한자 교재의 출판 언어는 영어가 압도적으로 많고 그 뒤를 이어 독일어 2권, 이탈리아어 2권, 프랑스어 1권이 있다. 이는 각 나라별 한국학과의 교원 수 및 학생 수, 즉 한국학과의 규모와도 유관해 보인다. 한자 쓰기 연습책이 따로 나온 것도 주목할 만한 변화라고 할 수 있다.

한자 교재는 출판 목적과 어떤 학습자를 대상으로 하는지에 따라 그 전체 구성이 달라질 수 있다. 또한 효율적인 한자의 교육 방법에 대해서도 여러 연구가 축적되어 있다. 우선 가장 중요한 한자의 선정에 대해서 살펴보면, 적절한 목표 한자어 수에 관해서는 연구자에 따라 의견이 분분하다. 김지형(2003)은 332자를, 한재영(2003)과 김정남(2005)은 1300자 이상을 제시하였다. Werner Sasse(2005)는 한자 800~1000자를 알아야 직업적 토론에 사용되는 수준 높은 용어를 이해할 수 있다고 했다. 박세진(2014b)은 6종의 한자 교재에 수록된 한자 수를 분석하면서 초등학교 한자, 한자어 교육을 위해 교과서에 병기될 한자 400~500자를 외국인을 위한 기초 한자로 삼아야 한다고 주장했다.

최근 한자어 교육에 대한 고민이 늘어나면서 그 방법으로 가장 많이 제기되는 것은 한자의 조어력을 바탕으로 한 파생어 교육이다(정순금, 2006; 이영희, 2008: 2020; 박준석·이용: 2014). 최근에 발표된 한자책에는 이 부분이 많이 적용된 것도 눈에 띈다. 또한 디지털 사회에 접어들면서 이영희(2020)는 "모바일 기반 한자어 교육에 대한 연구"에서 모바일 기반 한자어 학습 콘텐츠 개발 및 앱 구성에 대해 제의하고 있어 앞으로 출판물을 넘어서서 디지털 한자 학습 툴의 개발이 늘어날 것으로 전망된다.

3. 한자 교재의 구성과 특징

목표 한자 수나 그 제시 방법에 있어서는 다양한 논의가 있더라도 교재의 구성은 기본적으로 공통되는 부분이 많다. 1. 한자에 대한 기초 지식 설명, 2. 목표 한자 제시, 3. 훈과 음 제시, 4. 외국어 번역 제시, 5. 해당 한자가 포함된 단어들 제시. 이 다섯 가지 기본 구성을 바탕으로 각각 필순 제시, 부수 제시, 예문 제시, 쓰기 연습 제시, 테마별로 챕터 나누기, 이미지를 통해 시각적으로 전달하기, 연습 문제나 퀴즈 제시, 한자 성어 제시, 단어 목록을 부록으로 제시, 한자의 구성 원리 혹은 한자의 조합에 대한 설명 등의 전략을 섞어 사용하고 있다. 한자를 제시하는 방법에는 크게 두 가지가 있는데 한 자씩 제시하는 것과 단어로 제시하는 것으로 이 중 한 자씩 제시하는 경우가 압도적으로 많았으며 이는 다시 1. 테마별로 제시, 2. 획순으로 제시, 3. 고빈도 한자/조어력이 높은 한자를 한 자씩 제시. 이렇게 세 가지로 나눠 볼 수 있다. 이 절에서는 80년대부터 현재까지 영어 및 유럽어로 출판된 6종의 한자 교재를 선정해 그 구성과 특징을 분석해 보고자 한다.

3.1. 《흥미 *漢字學習 Pictorial Sino-Characters*》 (Jacob Chang-Ui Kim, 184p, 1987)

캘리포니아 몬터레이 Defense Language Institute의 Jacob Chang-Ui Kim이 자신이 가르치는 한국어 학습자를 위해서 편찬한 한자 교재이다. 한자는 한국 문교부가 1972년 제정한 기초 한자 1,800자에 기초해 선정되었으며, 테마별로 챕터를 나눈 후 한 자씩 제시되었다. 이 책의 구성과 사용된 전략은 다음과 같다. 1. 한자에 대한 기초 지식 설명, 2. 목표 한자 제시, 3. 한자 조자 원리 제시, 4. 훈과 음 제시, 5. 외국어 번역 제시, 6. 필순 제시, 7. 해당 한자가 포함된 단어들 제시, 8. 예문 제시, 9. 가나다순 인덱스, 10. 테마별 제시. 특히 상형 문자인 한자의 특성을 이용하여 시각적으로 한자를 보여 주는 것이 특징이다. 한자 붓글씨 쓰기에 대한 자세한 설명도 제공하고 있다.

3.2. 《*Dictionnaire des caractères sino-coréens*》 (Li Jin-Mieung·Han-kyoung Jo·Chang-su Han, 391p, 1993)

리옹 3 대학 교수 이진명과 한창수, 전북대학교 교수 조한경이 공저했으며 파리에서 출판되었다. 한국어에 있어서의 한자의 중요성과 현재 역시 문교부의 지침을 따라 1,800자가 수록되어 있고, 2,209자의 추가 한자가 들어가 있다. 방대한 한자의 양과 한자 제시를 획순으로 하고 있는 점이 특징적이다. 이 책의 구성과 사용된 전략은 다음과 같다. 1. 한자에 대한 기초 지식 설명, 2. 소리가 여러 개인 한자, 두음 법칙, 한자어 형태 등 설명, 3. 목표 한자 제시, 4. 훈과 음 제시, 5. 외국어 번역 제시, 6. 해당 한자가 포함된 단어들 제시, 7. 가나다순 인덱스 제공.

3.3. 《*Useful Chinese Characters: for learners of Korean*》 (서울대학교 언어교육원, 391p, 2007)

서울대학교 언어교육원 한국어교육센터의 한국어 선생님들이 집필에 참여해 다락원에서 출판되었다. 한자는 초급 133자와 중급 114자, 그리고 부수 15자가 제시되었으며 테마별로 챕터를 나눈 후 한 자씩 제시되었다. 이 책의 구성과 전략은 다음과 같다. 1. 한자에 대한 기초 지식 설명, 2. 목표 한자 제시, 3. 훈과 음 제시, 4. 이미지 제시, 5. 외국어 번역 제시, 6. 해당 한자가 포함된 단어들 제시, 7. 예문 제시, 8. 연습 문제 제시, 9. 가나다순 인덱스 제공 등. 시각적 이미지나 사진을 충분히 활용해 디자인이 컬러풀한 것이 특징이며, 한자 학습 후 연습 문제가 충실히 제공되어 있다.

3.4. 《*Your First Hanja Guide: Learn Essential Chinese Characters Used in the Korean Language*》 (Talk to me in Korean, 352p, 2018)

온라인에 기반을 둔 한국어 학습 커뮤니티인 Talk to me in Korean에서 고급 레벨의 한국어 학습자들을 위해 제작되었다. 테마별로 챕터를 나눈 후 한자를 한 자씩 제시하고 있다. 이 책의 구성과 사용된 전략은 다음과 같다. 1. 한자에 대한 기초 지식 설명, 2. 목표 한자 제시, 3. 훈 없이 음만 제시, 4. 외국어 번역 제시, 5. 조형 원리 제시, 6. 필순 제시, 7, 음성 파일 제공, 8. 해당 한자가 포함된 단어들 제시, 9. 예문 제시, 10. 연습 문제, 11. 가나다순 인덱스 제공 등 다른 한자 교재들보다 적은 수인 118자의 한자를 목표로 제공하고 있다. 심플하고 감각적인 디자인에 관련 한자어를 설명할 때 한자어의 특성인 한 글자당 한 의미를 가지는 것에 주목하여 '入學(입학, enter+learn/school)'처럼 단어를 풀어 설명하는 것이 특징적이다. 예문 역시 상대적으로 쉬운 회화체를 많이 사용했다.

3.5. 《외국인을 위한 한자어 50 한자로 2000 어휘 늘리기》 (*50 Sino-Korean 2000 Vocabulary Builder,* 이영희, 368p, 2019)

저자 이영희는 숙명여자대학교 한국어문학부 강사이며 2008년 '외국인을 위한 한자어 교육 연구'로 숙명여자대학교 국어국문학과에서 박사 학위를 취득한 전문가이다. 자신의 연구와 한자 교육에 관한 기존 연구를 기반으로 저술된 교재이며, 기존의 한자를 한 자씩 제시하고 파생되는 단어를 습득하게 하는 방식에서 나아가 고빈도 한자와 조어력이 높은 한자를 한 자씩 제시하는 방식을 택한 것이 가장 큰 특징이다. 이 교재에서 사용된 전략은 다음과 같다. 1. 목표 한자 제시, 2. 훈과 음 제시, 3. 이미지 제시, 4. 외국어 번역 제시, 5. 필순 제시, 6. 한자어 확장을 통한 단어를 첫 글자와 끝 글자로 나눠서 제시, 7. 연습 문제 제시, 8. 한자의 난이도를 토픽/한국어 기초 사전 중요도로 나눠서 제시, 9. 동음어, 반의어, 고빈도 접사 등 제시, 10. 가나다순 인덱스 등 이 책이 제시하는 고빈도 한자는 50자이지만 이를 확장시켜 2,000자의 한자를 습득할 수 있게 하였다. 단어에 난이도가 표시되는 등 체계적으로 제공되고 연습 문제도 충실하다.

3.6. 《*EASY HANJA 500: per la lingua coreana*》 (이효진, 2022)

카포스카리 베네치아대학교 한국학과 교수 이효진이 석사과정생 및 학술적으로 한국어 한자를 공부해야 하는 학습자들을 위해 집필하였으며, 학생들이 이탈리아어 번역을 도왔다. 이 책의 가장 큰 특징은 기존의 한 글자씩 단어를 제시하는 것에서 벗어나 두 개 이상의 한자를 하나의 덩어리로 제시하고 있는 것이다. 한자를 단어로 제시하는 경우는 《A First Reader in Korean Writing in Mixed Script(Fred Lukoff, 1983)》와 이 책이 유일하다. 이 책에서 사용된 전략은 다음과 같다. 1. 한자에 대한 기초 지식 설명, 2. 챕터별로 목표 한자를 단어로 제시, 3. 음과 훈 제시, 4. 외국어 번역 제시, 5. 필순 제시, 6. 해당 한자가 포함된 단어 제시, 7. 예문 제시, 8. 시각적 이미지 제시, 9. 미니 레슨 제시 등 제목에서 알 수 있듯이 한국의 한자능력시험 5~6급에 해당되는 한자를 기본으로 500자를 선정하였으며, 직관적인 디자인을 사용하고 유행어나 신조어 등 일상생활에서 많이 쓰이는 단어와 예문을 사용해 한자에 대한 부담감을 낮추고 접근성을 높였다.

4. 《*EASY HANJA 500*》을 이용한 한자 수업 지도안 예시

〈그림 1〉《EASY HANJA 500》의 표지와 본문 예시

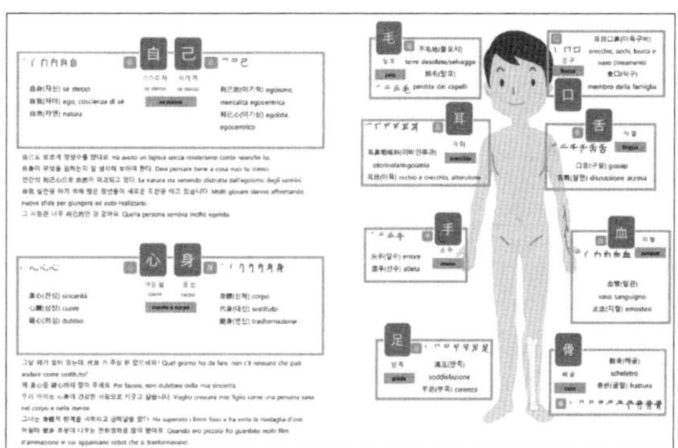

이 교재는 한국어 전공자 혹은 중급 수준 이상의 비한자 문화권 학습자를 대상으로 한다. Werner Sasse(2005)가 지적했듯이 한자에 대한 심리적 장애, 즉 거리감을 없애는 것이 비한자 문화권 학습자의 한자 습득에 가장 중요한 과제라고 할 수 있을 것이다. 따

라서 이 교재는 기본 한자어 500자를 읽고 그 의미를 이해하는 것을 1차적 목적으로 한다. 한자 입문자용 교재 혹은 초급 한자 교재로 적합할 것이다.

다음 지도안은 카포스카리 베네치아대학교 대학원 학생을 대상으로 작성되었다. 카포스카리 베네치아대학교는 1학기에 수업이 총 15회, 90분씩 구성되어 있다. *《EASY HANJA 500》*은 대학원 석사 과정 1학년 학생들의 2학기 한국어 수업에서 교재로 쓰일 예정이며, 한 학기 안에 책을 모두 소화하는 커리큘럼을 제시하자면 다음과 같다.

- 강의명: Korean Language 1-2 (MA program)
- 학습 목표: 한국어 한자에 대해 이해하고 한자어가 한국어에서 어떻게 쓰이는지 학습한다. 학습자는 500개의 한자를 읽을 수 있고 상당 부분 쓸 수 있다.
- 교재: *《EASY HANJA 500: per la lingua coreana》* (2022, Hyojin Lee)

〈표 1〉 주별 실라버스와 목표 한자

1주차	Orientation, What is hanja? pre-lessions.
2주차	Chapter 1, 2 목표 한자(39): 人間, 男女, 家族, 父母, 孝子, 祖孫, 夫婦, 兄弟, 姉妹, 兒童 / 東西南北, 上下左右, 方向·位, 內外, 出入, 中央, 角度
3주차	Chapter 3, 4 목표 한자(42): 一, 二, 三, 四, 五, 六, 七, 八, 九, 十, 百, 千, 萬, 億, 寸, 分, 第, 半, 歲, 兩, 各 / 月, 火, 水, 木, 金, 土, 日, 春, 夏, 秋, 冬, 季節, 陰陽, 天地, 江山, 海洋
4주차	Chapter 5, 6 목표 한자(40): 川, 石, 原, 島, 田, 林, 湖, 河, 氷, 風, 雨, 雪, 廣野, 淸明, 流星, 色香 / 朝夕, 晝夜, 午前, 每番, 昨年, 現在, 過去, 未來, 近代, 以後)
5주차	Chapter 7, 8 목표 한자(40): 大小, 老少, 長短, 高底, 强弱, 輕重, 溫冷, 古今, 善惡, 吉凶 / 結婚, 交友, 會社, 共通, 同席, 親和, 信愛, 敬禮, 主客, 性品
6주차	Chapter 9, 10 목표 한자(39): 自己, 心身, 肉體, 目鼻, 毛, 耳, 口, 舌, 手, 足, 血, 骨, 頭, 首, 面 / 病院, 生命, 氣力, 患者, 死亡, 醫師, 藥草, 良好, 運動, 回復
7주차	Mini lesson 1, Chapter 11 목표 한자(16+20): 黑, 白, 金, 銀, 銅, 靑, 綠, 黃, 赤, 丹, 調味料, 辛, 甘, 妙 / 犬, 牛, 馬, 卯, 羊, 龍, 蛇, 鳥, 魚, 貝, 植樹, 英, 米, 果, 根, 竹, 松, 花, 種
8주차	Chapter 12, 13 목표 한자(41): 學校·堂, 漢字, 敎育, 知識, 對話, 思考, 問題, 正答, 練習, 理科 / 多數, 全部, 反省, 視線, 相關, 特技, 次例, 常設, 公立, 其他

9주차	Chapter 14, 15 목표 한자(40): 文化, 言語, 音樂, 作曲, 美術, 油畵, 工藝, 才能, 展示, 放送 / 讀書, 新聞, 表紙, 詩歌, 章句, 歷史, 記錄, 筆寫, 苦難, 固有
10주차	Chapter 16, 17 목표 한자(41): 世界, 亞細亞, 韓國, 京都, 郡, 邑, 洞, 里, 本貫, 農村, 道路, 密集 / 住宅, 場所, 庭園, 窓門, 合宿, 橋, 井, 改造, 再建, 商店, 買賣
11주차	Chapter 18, 19 목표 한자(40): 王室, 市民, 軍士, 政治, 君臣, 戰爭, 守城, 兵卒, 忠誠, 使令 / 法典, 罪質, 規則, 意圖, 許可, 禁止, 傷害, 無效, 眞實, 緣由
12주차	Chapter 20, 21 목표 한자(39): 物, 形, 玉, 器, 巾, 刀, 鐵, 車, 個, 衣服, 價格, 舊式, 活用, 充電 / 研究, 發見, 經驗, 統計, 先進, 變異, 元素, 順序, 受賞, 保存
13주차	Mini lesson 2, Chapter 22 목표 한자(7+20): 金, 李, 朴, 崔, 鄭, 氏, 哥 / 旅行, 到着, 飮食, 觀光, 時差, 餘裕, 景致, 休息, 空港, 必參
14주차	Chapter 23, 24 목표 한자(40): 幸福, 感謝, 太平, 永遠, 便利, 當然, 至極, 神寄, 不安, 危險 / 財産, 事業, 富貴, 貧困, 開始, 登落, 支給, 期限, 均等, 比較
15주차	Chapter 25, Review 목표 한자(20): 初步, 報告, 試案, 要約, 傳達, 責任, 成功, 失敗, 決定, 完了

〈표 2〉 수업 지도안의 예

학습 주제	〈제1과〉 사람, 〈제2과〉 방향	대상	중급 한국어 학습자
학습 목표	1. 목표 한자 39자의 음과 의미를 이해할 수 있다. 2. 한자어의 쓰임을 문장 안에서 이해할 수 있다. 3. 동음이의 한자를 구별할 수 있다. 4. 한자의 필순을 이해한다.		
학습 단계	학습 내용	학습 자료	시간 (90분)
준비	학습자들이 각 주의 목표 한자를 미리 외워 오게 하고 수업에서는 다양한 연습으로 외운 한자를 활용하고 복습하여 암기를 돕는다.	교재	
도입	1. 예문에서 발췌한 문장이 들어간 인쇄물을 나눠 주거나 PPT로 보여 준 뒤 한자어의 음을 한글로 쓰게 한다. (Kahoot! 등의 웹 퀴즈 플랫폼으로 대체 가능.) 예) 그 사람은 한국 미술의 大家(　　　)이다. 2. 그룹을 나눠 서로 확인한다.	교재, PPT, 웹 퀴즈 플랫폼	15

전개	1. 한자를 같이 읽고 의미를 설명한다. 2. 교재의 추가 어휘를 통해 한자어를 확장한다. 3. 女, 北, 東 등의 한자를 통해 한자 필순에 대한 이해를 높인다. 4. 위치에 따라 달라지는 발음(예: 여자, 자녀) 원리를 설명한다. 5. 한자 조형의 원리를 설명한다.	교재, PPT	45
연습	1. 같은 발음의 한자어를 의미에 따라 분류한다. 예) 부인, 공부, 부녀, 부친, 공부, 신부 2. 토픽 읽기 지문을 응용하여 한자어 찾기 게임을 한다. 3. 지문 속 한자어를 다 같이 확인한다.	유인물/ PPT	20
정리	1. 그날 배운 한자어를 다시 읽어 본다. 2. 질의응답 3. 다음 주에 배울 한자어에 대해 소개하고 암기 숙제를 낸다.	PPT	10

5. 나가며: 한자 교재 개발을 위한 제언

이상으로 한자 교육의 현재를 비한문권 외국인을 위한 한자 교재 중심으로 살펴보고 교재 한 종을 선택하여 지도안을 소개해 보았다. 살펴본 바와 같이 한자 교재는 1980년대부터 본격적으로 논의되기 시작했으며 교재의 개발과 출판은 현재까지 꾸준히 이루어지고 있다. 한국학이나 한국어 학과가 개설된 대학이 늘면서 한자가 커리큘럼에 포함되는 경우가 늘었고, 특히 2017년 이후 출간된 한자 교재 8종 중 3종이 유럽권 화자를 위한 교재라는 점은 유럽의 한국어 교육 수준이 높아졌음을 의미하는 고무적인 지표라 할 수 있을 것이다. 한자 교육에 대한 논의가 더욱 활발해짐에 따라 앞으로 유럽 한국학과에서 한자 교육을 받을 수 있는 곳이 더욱 늘어날 것으로 예측된다.

구체적으로 그 내용을 살펴보면 초기 한자 교재는 당시 문교부가 지정한 1,800자를 목표 한자로 한 교재가 많았으나 2000년대로 넘어가면 한자 수를 줄이고 한자어의 형성 원리를 이용해 한 글자에서 더 나아가 학습할 수 있는 다양한 방향이 제시되고 있다. 또한 디지털 트렌드에 발맞춘 시각적이고 직관적인 교재 디자인도 눈에 띈다. 예문이나 제시 단어도 실생활에서 많이 쓰는 단어를 가져와 한자어를 친근하게 느끼도록 하고 있다. 본 논문에서는 최근에 출판된 한자 교재 《*EASY HANJA 500*》을 가지고 실제 수업에서 어떻게 활용할 수 있을지 그 예시를 제공해 보았다.

마지막으로 한자 교재의 개발과 교육에 관해 몇 가지 제언을 하고 마치고자 한다. 해외에서 한국어 교재를 개발하고 출판하는 경우 가장 어려운 부분이 기술적인 부분이다.

한자 필순의 경우 오픈 소스로 쉽게 구할 수 있는 것이 일본 한자나 중국 한자의 소스이지만, 주지하다시피 한국어의 한자와는 다른 모양이나 필순 때문에 한국 한자의 필순 오픈 소스 제공과 손쉬운 활용이 요구되는 바이다. 마지막으로 최근 모바일 기반의 외국어 학습에 대한 수요가 점점 커지고 있으므로 디지털 학습에 기반해 한자를 가르치는 교수자뿐만 아니라 기술적인 부분 및 디자인 부분의 전문가들이 다 함께 교류하고 협력할 수 있는 길이 더욱 많아지기를 기대해 본다.

참고문헌

김정남. 2005. 한국어 교육에서 한자 교육의 위상과 방향. **어문연구**. 33-3.

김지형. 2003a. 外國人 학습자를 위한 교육용 基本漢字의 選定. **어문연구**. 31-2.

김지형. 2003b. 한국어 교육에서의 한자 교수법-비한자권 외국인 학습자를 중심으로. **국제어문**. 27.

박세진. 2014a. 外國人을 위한 韓國語 教育에서 漢字·漢字語 教育의 現況과 問題點-하와이대학교 사례를 중심으로. **漢文古典研究**. 제28집.

박세진. 2014b. 외국인을 위한 한국어 교육에서 바람직한 한자 한자어 교육의 방안1. **漢文教育研究**. 43.

박준석, 이용. 2014. 외국어로서의 한국어 학습을 위한 한자 교재 개발 연구. **한국어문학연구**. 63.

서울대학교 언어 교육원. 2007. *Useful Chinese Characters: for learners of Korean*. 다락원.

손연자. 1984. 비한문 문화권 외국인에 대한 한자 교육 방법론 소고. **말**. 9.

이영희. 2008. **외국인을 위한 한자어 교육 연구**. 숙명여자대학교 박사 논문.

이영희. 2019. **외국인을 위한 한자어: 50 한자로 2000 어휘 늘리기**. 소통.

이영희. 2020. 모바일 기반 한자어 교육에 대한 연구. **외국어로서의 한국어 교육**. 57.

양현민. 2022. **외국인 학습자를 위한 한자 교재 개발 연구: 토픽(TOPIK) 초·중급 어휘 목록의 한자어를 중심으로**. 선문대학교 박사논문.

한재영. 2003. 外國語로서의 韓國語 漢字教育을 위한 기초적 연구. **어문연구**. 31-4.

Werner Sasse. 2005. 한국인 이외의 외국인에게 한자를 가르칠 때 가장 효과적인 한자 및 한자어 교육. **한자 교육과 한자 정책에 대한 연구**. 역락.

Choe Myong-Jong. 1986. Teaching 'Hanja' Script to European Students Learning the Korean Language, *AKSE newsletter*. 9.

Hyojin Lee. 2022. *EASY HANJA 500: per la lingua coreana*. Cafoscarina.

Talk to me in Korean. 2018. *Your First Hanja Guide : Learn Essential Chinese Characters Used in the Korean Language*. KONG&PARK.

Li, Jin-Mieung, Han-kyoung Jo, and Chang-su Han. 1993. *Dictionnaire des caractères sino-coréens*. P.A.F (Pour l'Analyse du Folklore).

Jacob Chang-Ui Kim. 1987. *흥미 漢字學習 Pictorial Sino-Characters*. Hollym.
Fred Lukoff. 1983. *A First Reader in Korean Writing in Mixed Script*. Yonsei University Press.

팬데믹 이후 한국어 교육의 새로운 도전과 모색

New Challenges and Perspectives in Korean Language Education After the Pandemic

초판 1쇄 인쇄 2023년 6월 9일
초판 1쇄 발행 2023년 6월 20일

엮은이 블랑카 페르클로바, 정연우, 이페트라, 이일성 엮음
발행인 공경용

발행처 공앤박 주식회사
주소 05116 서울시 광진구 광나루로56길 85, 프라임센터 3411호
전화 02-565-1531
팩스 02-6499-1801
전자우편 info@kongnpark.com
홈페이지 www.kongnpark.com

© 유럽한국어교육자협회(EAKLE), 2023

ISBN 978-89-97134-58-8 (93710)

*이 책은 저작권법에 따라 보호받는 저작물이므로 무단전제와 무단복제를 금합니다.
*이 책의 전부 또는 일부를 이용하려면 반드시 저작권자와 출판사의 허락을 받아야 합니다.
*이 학술 회의(논문집)는 2022년도 한국학중앙연구원 해외한국학지원사업의 지원에 의하여 수행되었습니다. (AKS-2022-C-011)

※ 366쪽 〈공무도하가〉(이상은 작사, 작곡)는 KOMCA 승인필 후 저작료를 지급하고 수록합니다.